Gouverner
par les instruments

Pour Michael Keating

Une voie de traverse
pour réfléchir sur la
gouvernance

Amitiés
Blinde

Gouverner par les instruments

sous la direction de
Pierre Lascoumes
et Patrick Le Galès

Catalogue Électre-Bibliographie (avec le concours des Services de documentation de la FNSP)
Gouverner par les instruments / sous la dir. de Pierre Lascoumes et Patrick Le Galès – Presses de Sciences Po, 2004. – (Collection académique.)
ISBN 2-7246-0949-2
RAMEAU :
– Politique publique
– Gouvernance
DEWEY :
– 320 : Science politique
Public concerné : Public motivé

Liste des contributeurs

BEZES (Philippe), chargé de recherche, CERSA (CNRS-Paris II).

BORRAZ (Olivier), chargé de recherche, CSO (CNRS-Sciences Po).

BUTZBACH (Olivier), Institut européen de Florence.

DEHOUSSE (Renaud), professeur Jean-Monnet (Centre d'études européennes, Sciences Po).

ESTÈBE (Philippe), consultant Acadie, enseignant, Université de Toulouse et Sciences Po.

GROSSMAN (Emiliano), chargé de recherche, CEVIPOF (CNRS-Sciences Po).

LASCOUMES (Pierre), directeur de recherche, CEVIPOF (CNRS-Sciences Po).

LE GALÈS (Patrick), directeur de recherche, CEVIPOF (CNRS-Sciences Po).

LORRAIN (Dominique), directeur de recherche, Centre d'études des mouvements sociaux (CNRS-EHESS).

PALIER (Bruno), chargé de recherche, CEVIPOF (CNRS-Sciences Po).

PINSON (Gilles), maître de conférence, Université Jean-Monnet (Saint-Étienne), Centre d'études et de recherches sur l'administration publique de Saint-Étienne.

Table des matières

II - LES INSTRUMENTS, RÉVÉLATEURS DU CHANGEMENT

Introduction

L'ACTION PUBLIQUE
SAISIE PAR SES INSTRUMENTS [1]

Pierre LASCOUMES
Patrick LE GALÈS

L a sociologie de l'État et du gouvernement s'intéresse depuis longtemps à la question des technologies de gouvernement, dont celle des instruments d'action publique. Mais, elle met rarement ce thème au centre de l'analyse. Les instruments de l'action publique représentent donc un domaine encore relativement peu exploré. Une tradition de recherche existe cependant aux États-Unis (instruments de la régulation économique) et en Grande-Bretagne [2]. La question du choix des instruments pour l'action publique et celle de leur mode opératoire est en général présentée de manière fonctionnaliste, comme relevant de simples choix techniques. Lorsque le thème des instruments est pris en compte dans la réflexion, c'est le plus souvent comme un domaine secondaire, marginal par rapport à d'autres variables comme les institutions, les intérêts des acteurs ou leurs croyances [Sabatier, 2000]. Une évolution nette se dessine cependant dans la littérature

1. *L'ouvrage est issu d'un groupe de travail du CEVIPOF qui s'est réuni pendant trois ans et d'un séminaire organisé en commun avec le Department of Politics and International Relations (Université d'Oxford), organisé à Nuffield College en mars 2003. Ce groupe a bénéficié du soutien de la Maison française d'Oxford, de Sciences Po–Paris et du projet NEWGOV (6ᵉ PCRD). Nous remercions Philippe Bezes, Olivier Borraz, Philippe Estèbe, Jacint Jordana, David Lévy-Faur, Patricia Loncle, Bruno Palier, Yves Surel, Didier Renard, ainsi qu'Alistair Cole, Renaud Dehousse, Roger Duclaud Williams, Emiliano Grossman, Christopher Hood, Peter John, Hussein Kassim, Desmond King, Pierre Muller, Gilles Pinson, pour leurs commentaires.*
2. *Voir l'ouvrage majeur de Christopher Hood [1983], puis ceux de Kickert aux Pays-Bas [1997].*

américaine qui prend en compte certaines dimensions politiques des instruments, envisagées à travers les justifications qui accompagnent le recours à tel ou tel dispositif [Salamon, 1989, 2002] ou comme indicateur de rupture dans l'orientation des politiques [Hall, 1986]. Cette approche par les instruments devient alors un mode de raisonnement qui permet de dépasser la coupure, parfois fétichisée, entre *politics* et *policies.*

Définition des instruments de l'action publique

Nous entendons par « instrumentation de l'action publique[3] » *l'ensemble des problèmes posés par le choix et l'usage des outils (des techniques, des moyens d'opérer, des dispositifs) qui permettent de matérialiser et d'opérationnaliser l'action gouvernementale.* Il s'agit non seulement de comprendre les raisons qui poussent à retenir tel instrument plutôt que tel autre, mais d'envisager également les effets produits par ces choix. À titre indicatif, on peut dresser un catalogue minimal de ces instruments : législatif et réglementaire, économique et fiscal, conventionnel et incitatif, informatif et communicationnel. Mais l'observation montre qu'il est exceptionnel qu'une politique et même qu'un programme d'action au sein d'une politique soit mono-instrumental. Le plus souvent, on constate une pluralité d'instruments mobilisés, ce qui pose alors la question de leur coordination [Bemelmans-Videc *et al.*, 1998]. Cette perspective recoupe certains travaux américains comme ceux de Linder et Peters [1989] qui soulignent la dimension cognitive des instruments[4].

L'action publique est un espace sociopolitique construit autant par des techniques et des instruments que par des finalités, des contenus et des projets d'acteur. La notion d'instrument d'action publique (IAP) permet de dépasser les approches fonctionnalistes qui s'intéressent avant tout aux objectifs des politiques publiques, pour envisager

---

3. *Alain Desrosières [1993, p. 401] utilise aussi l'expression « instrumentation statistique ».*
4. *Pour ces auteurs, la question du choix des instruments est intimement liée à la question du* policy design *qui signifie « the development of a systematic understanding of the selection of instruments and evaluative dimension » [Linder et Peters, 1984].*

l'action publique sous l'angle des instruments qui structurent ses programmes. C'est en quelque sorte un travail de déconstruction *via* les instruments. L'approche par l'instrumentation permet d'aborder des dimensions de l'action publique peu visibles autrement. C'est notamment ce que fait Norbert Elias dans son étude de la société de cour, lorsqu'il analyse l'étiquette comme « logique du prestige ». Il fait ainsi la démonstration de la pertinence d'une entrée par l'instrument, en montrant l'importance de ses effets sociaux de domination[5]. Tout autant que l'étiquette, les IAP ne sont pas des outils axiologiquement neutres, et indifféremment disponibles. Ils sont au contraire porteurs de valeurs, nourris d'une interprétation du social et de conceptions précises du mode de régulation envisagé.

Un instrument d'action publique constitue un dispositif à la fois technique et social qui organise des rapports sociaux spécifiques entre la puissance publique et ses destinataires en fonction des représentations et des significations dont il est porteur. Cette approche s'appuie sur les travaux d'histoire des techniques et de sociologie des sciences qui ont dénaturalisé les objets techniques, en montrant que leur carrière repose davantage sur les réseaux sociaux qui se forment à partir d'eux que sur leurs caractéristiques propres. Gilbert Simondon est l'un des premiers à avoir étudié une innovation, non pas comme la matérialisation d'une idée initiale, mais comme une dynamique souvent chaotique de mise en convergence d'informations, d'adaptation à des contraintes et d'arbitrage entre des voies de développement divergentes. Il parle alors de processus de concrétisation pour rendre compte de la combinaison de facteurs hétérogènes dont les interactions produisent ou non, une innovation [Simondon, 1958 ; Hacking, 1989]. La sociologie des sciences de Michel Callon et Bruno Latour a développé cette perspective en refusant le regard rétrospectif qui écrase les moments d'incertitude et n'envisage la création que comme une série d'étapes obligées allant de l'abstrait au concret, de l'idée à sa mise en œuvre. La traduction de et par les instruments techniques est une mise en relation constante d'informations et d'acteurs, régulièrement soumise à une réinterprétation [Akrich, Callon et Latour, 1988].

---

5. « *L'expression la plus visible de la domination par la personne du Roi, de la hauteur et de la distance qui le séparaient de tous les autres êtres humains, était l'étiquette... Pour bien comprendre un instrument de domination, il faut connaître l'espace dans lequel cette domination doit s'exercer et les paramètres qui le déterminent* » *[Elias, 1985, p. 118].*

Sur ces bases théoriques générales, c'est du côté des sciences de la gestion que nous trouvons des réflexions très convergentes avec les nôtres. Dès 1979, Karl E. Weick s'est penché, dans une perspective inspirée de la sociologie des sciences, sur l'histoire de certains instruments de gestion. Il a pu montrer qu'ils trouvaient leur origine dans ce qu'il appelle « des jeux sociaux ».

Un courant de recherche assez diversifié s'est alors développé, afin d'arracher les outils de gestion, « les comptes et les dénombrements » à leur invisibilité et pour caractériser leurs propriétés et leurs effets spécifiques [Berry, 1983 ; Moisdon, 1997]. Derrière la rationalité apparente des organisations, ces travaux s'attachent à comprendre les règles tacites imposées par les instruments de gestion, leurs significations en termes de pouvoir et de diffusion de modèles cognitifs [Maugeri, 2001]. Utilisant de façon équivalente les termes de « dispositif », « outil » et « instrument », les auteurs de ce courant s'accordent pour souligner le caractère hétérogène de ces instruments de gestion, tous formés cependant de trois composantes : un substrat technique, une représentation schématique de l'organisation et une philosophie gestionnaire [Tripier, 2003, p. 28].

Certains travaux de sociologie du travail ont de leur côté également envisagé la question du rôle des instruments, même s'ils privilégient une approche utilitaire en liant toujours le moyen (organisationnel, financier, technique) à une finalité d'action. Mais, ils ont mis en évidence une distinction majeure : si chaque instrument est conçu dans la perspective d'une utilisation précise (compter, calculer, définir, désigner, etc.), il dispose aussi d'une finalité intermédiaire en termes d'action publique [Pillon et Vatin, 2003]. Un instrument n'est jamais réductible à une rationalité technique pure. Il est indissociable des agents qui en déploient les usages, le font évoluer et composent à partir de lui des communautés de spécialistes. Nicolas Dodier [1995, p. 262], en particulier, a montré l'importance des « éthos de virtuosité » et le raffinement de certains usages des instruments. Enfin, selon ces travaux, l'instrument est aussi saisissable par ses traces matérielles, ses inscriptions, dirait Bruno Latour [1989].

Appliqué au champ politique et à l'action publique, nous retiendrons comme définition de travail de l'instrument : *un dispositif technique à vocation générique porteur d'une conception concrète du rapport politique/société et soutenu par une conception de la régulation.* Il est possible de différencier les niveaux d'observation en distinguant : instrument, technique et outil. L'instrument est un type d'institution sociale (le recensement, la cartographie, la réglementation, la taxation, etc.) ; la technique est un dispositif concret opérationalisant l'instrument (la nomenclature statistique, le type de figuration graphique, le type de loi ou de décret) ; enfin, l'outil est un micro dispositif au sein d'une technique (la catégorie statistique, l'échelle de définition de la carte, le type d'obligation prévu par un texte, une équation calculant un indice).

La définition que nous avons retenue s'efforce également de répondre aux interrogations sur les possibilités de distinction entre les instruments et les buts poursuivis. Selon Christopher Hood, il existe des *multi-purpose instruments* qui sont porteurs d'ambiguïté. Mais, en sens inverse, existe-t-il vraiment des instruments purs, univoques ? Tous les types d'impôt ont-ils le même sens et la même portée ? De même, de nombreux travaux de sociologie juridique montrent le caractère extrêmement hétérogène des dispositions juridiques qui organisent la surveillance des secteurs comme l'hygiène et la sécurité au travail, la protection des consommateurs, la concurrence ou l'environnement [Rottleuthner, 1985 ; Morand, 1991]. Chaque instrument a une histoire, et ses propriétés sont indissociables des finalités qui lui sont attribuées. De même, c'est parce qu'un instrument a une portée générique, c'est-à-dire qu'il a vocation à s'appliquer à des problèmes sectoriels divers, qu'il se trouve mobilisé dans des politiques très différentes par leur forme et leur fondement. Pour autant, le point de vue théorique que nous retenons n'est pas l'entrée dans un débat sans fin sur « la nature » des instruments, mais le fait de nous placer du point de vue des effets qu'ils génèrent, c'est-à-dire du point de vue de l'instrumentation. Et ceci sous deux angles complémentaires, en envisageant, d'un côté, les effets générés par les instruments dans leur autonomie relative, de l'autre, les effets politiques des instruments et les relations de pouvoirs qu'ils organisent.

Les instruments sont des institutions au sens sociologique du terme. Une institution constitue un ensemble plus ou moins coordonné de règles et de procédures qui gouverne les interactions et les comportements des acteurs et des organisations [North, 1990]. Les institutions fournissent ainsi un cadre stable d'anticipations qui réduit les incertitudes et structure l'action collective. Dans la version sociologique la plus dure, ou la plus proche du culturalisme, on considère que ces régularités de comportement (par exemple, les comportements appropriés) sont obtenues par des matrices cognitives et normatives, ensembles coordonnés de valeurs, de croyances et de principes d'action, voire des principes moraux inégalement assimilés par les acteurs et qui guident leurs pratiques [March et Olsen, 1989]. De nombreux travaux ont montré comment les institutions structurent les politiques publiques. Nous souhaitons montrer ici comment les instruments, en tant que type particulier d'institution produisent des effets du même type. Ces instruments sont bien des institutions, car ils déterminent en partie la manière dont les acteurs se comportent, créent des incertitudes sur les effets des rapports de force, conduisent à privilégier certains acteurs et intérêts et à en écarter d'autres, contraignent les acteurs et leurs offrent des ressources, et véhiculent une représentation des problèmes. Les acteurs sociaux et politiques ont donc des capacités d'action très différentes en fonction des instruments sélectionnés. Une fois en place, ces derniers ouvrent de nouvelles perspectives d'utilisation et d'interprétation, imprévues et difficiles à contrôler, aux entrepreneurs politiques, nourrissant ainsi une dynamique d'institutionnalisation [Fligstein, 2001]. Ils déterminent en partie quelles ressources peuvent être utilisées et par qui. Comme toute institution, ils permettent de stabiliser des formes d'action collective, de rendre plus prévisible, et sans doute plus visible le comportement des acteurs.

Le cadre de cet ouvrage étant ainsi posé, il n'est point nécessaire de prétendre défendre une conception nouvelle de l'action publique. Ce livre propose plutôt de modifier l'angle d'analyse de ces ativités, afin de mettre en évidence des logiques dissimulées. D'ailleurs, cette approche par les instruments renvoie à une tradition déjà bien ancrée d'étude de l'action publique et de l'État, développée notamment par Weber et Foucault.

Weber et la bureaucratie, Foucault et les sciences camérales

Dans son analyse des formes d'exercice du pouvoir, Max Weber a tenu un rôle pionnier, en faisant de la création des bureaucraties un indicateur majeur du degré de rationalisation des sociétés [Szakolczai, 1998]. En soulignant l'importance des dispositifs incarnant une rationalité légale formelle, dans le développement des sociétés capitalistes, il a autonomisé la place des technologies matérielles de gouvernement par rapport aux théories classiques centrées principalement sur la souveraineté et la légitimité des gouvernants [Weber, 1976 ; Chazel, 1995]. Il a également proposé une première problématisation du rôle des instruments d'action publique en les envisageant comme technique de domination.

Michel Foucault a repris à sa façon cet objet. Il a souligné l'importance de ce qu'il nomme « les procédures techniques » du pouvoir,
c'est-à-dire « l'instrumentation » en tant qu'activité centrale dans « l'art
de gouverner » [Senellart, 1995]. Dans un texte de 1984, il formule
ainsi son programme d'étude de la gouvernementalité : cette approche
« impliquait que l'on place au centre de l'analyse non le principe
général de la loi, ni le mythe du pouvoir, mais les pratiques complexes
et multiples de "gouvernementalité" qui supposent, d'un côté, des
formes rationnelles, des procédures techniques, des instrumentations à
travers lesquelles elle s'exerce et, d'autre part, des enjeux stratégiques
qui rendent instables et réversibles les relations de pouvoir qu'elles
doivent assurer » [Foucault, 1994a]. Foucault a contribué à renouveler
la réflexion sur l'État et les pratiques gouvernementales, en délaissant
les débats classiques de philosophie politique sur la nature et la légitimité des gouvernements pour s'attacher à leur matérialité, leurs actions
et leurs modes d'agir[6]. Dans sa réflexion sur le politique, il met en
avant la question de « l'étatisation de la société », c'est-à-dire le développement de dispositifs concrets, de pratiques qui fonctionnent plus
par la discipline que par la contrainte et cadrent les actions et représentations de tous les acteurs sociaux. Pour fonder son approche, il se
réfère alors à l'apport des sciences camérales.

C'est à la fin des années 1970 que Michel Foucault, dans le cadre de
ses travaux sur le libéralisme politique, porte son attention sur les écrits
des sciences camérales [Foucault, 1994a ; Audren, Laborier *et al.*, 2005].
Cette science de la police, c'est-à-dire de l'organisation concrète de la
société, prend forme en Prusse dans la seconde moitié du XVIIIe siècle.
Elle combine une vision politique basée sur la philosophie de
l'*Aufklärung* et des principes d'administration des affaires de la cité qui
se veulent rationnels [Senellart, 1995 ; Laborier, 1999]. Selon l'expression de Pascale Laborier, ce courant de pensée rationaliste s'est progressivement déplacé du « souci populationniste au bonheur des
populations », combinant des dimensions d'ordre public, de bien-être et
de culture. Dans la philosophie politique classique (par exemple chez
Jean Bodin au XVIe siècle), on trouve une séparation majeure entre les
attributs de la souveraineté et l'administration du quotidien. En

---

6. *Rappelons aussi que c'est dans cette période (1975-1982) que des sociologues
français commencent à étudier les travaux de public policies aux États-Unis et
préparent leur adaptation française. En particulier Jean-Gustave Padioleau qui
publie* L'État au concret, *en 1982, après une série d'articles préparatoires.*

revanche, dès la fin du XVIIe siècle, on recherche une unité dans l'exercice du pouvoir, et ces deux dimensions vont progressivement être intégrées. Les sciences camérales sont ainsi le creuset des politiques publiques contemporaines. Dans son raisonnement, Michel Foucault distingue trois étapes dans le développement de ce type de savoir :
– une étape initiale d'utopie critique où la conceptualisation d'un modèle alternatif de gouvernement permet la critique implicite du régime monarchique. Il se réfère alors à Louis Turquet de Mayerne qui, dès 1611, envisage le développement d'une spécialisation du pouvoir exécutif, « la police », pour veiller tant à la productivité de la société qu'à la sûreté de ses habitants. Il envisage ainsi une quatrième « grande fonction » aux côtés des attributs régaliens classiques, la Justice, l'Armée et les Finances ;
– une deuxième étape se précise au début du XVIIIe siècle, dans le mouvement général de rationalisation qui est appliqué à l'administration royale par certains de ses agents soucieux d'une meilleure efficacité. Différents traités se proposent de mettre en ordre la jungle des réglementations royales. Ils réalisent un travail d'inventaire, de classement et de catégorisation, afin de renforcer l'organisation de l'action publique. Necker se livre ainsi à un travail de synthèse d'une matière très éparse dans *De l'administration des finances,* paru en 1794. Un des plus célèbres en Europe reste celui de Nicolas Delamare qui publie en 1705 son *Traité de police.* Selon lui, « le bonheur (c'est-à-dire « la sécurité et la prospérité individuelle ») est une nécessité pour le développement de l'État » et il est de la responsabilité du politique d'atteindre cet objectif ;
– une troisième étape est marquée par la constitution, en Allemagne, de la *Polizeiwissenschaft,* approche plus théorique qui devient également un savoir académique. L'ouvrage de référence est celui de von Justi, *L'État de police,* paru en 1756. Il propose des principes d'action pour « veiller aux individus vivant en société » et vise à « consolider la vie civique en vue de renforcer la puissance de l'État». Des centres de formation sont développés qui accueillent les futurs fonctionnaires prussiens, autrichiens, mais aussi russes qui seront promoteurs de différentes réformes dans leurs administrations. La diffusion en Europe est plus large, et l'on considère qu'une partie des réformes napoléoniennes de l'exécutif s'inspire de ce courant de pensée ;
– enfin, dans le cadre de sa réflexion sur le bio-pouvoir et la gestion politique des populations, Foucault souligne l'importance de l'ouvrage d'un autre auteur allemand J. P. Franck qui publie entre 1780 et 1790 le premier traité de santé publique : « L'ouvrage de Franck est le premier

grand programme systématique de santé publique pour l'État moderne.

Il indique avec un luxe de détails ce que doit faire une administration pour garantir le ravitaillement général, un logement décent, la santé publique sans oublier les institutions médicales nécessaires à la bonne santé de la population, bref, pour protéger la vie des individus[7]. » [Foucault, 1994b.] Michel Foucault y voit la première formulation du « souci de la vie individuelle » en tant que devoir d'État.

C'est sur la base de ces travaux qu'il introduit la notion de gouvernementalité, afin de caractériser la formation d'un nouveau type de rationalité politique qui se constitue au cours du XVIIe siècle et prend une forme aboutie au XVIIIe siècle [Dean, 1999]. Elle succède à l'État de justice du Moyen Âge et à ce qu'il nomme l'État administratif des XVe et XVIe siècle. Mais, le point le plus important pour lui concerne la rupture dans la conception du pouvoir par rapport à celle qui prévalait depuis Machiavel et *Le Prince* (1552). L'art du gouvernant, son savoir-faire et ses techniques étaient concentrés sur son habilité à conquérir et, surtout à conserver le pouvoir [Gauthier, 1996]. Parler de gouvernementalité, c'est pour Foucault souligner un changement radical dans les formes d'exercice du pouvoir par une autorité centralisée, processus qui résulte d'une rationalisation et d'une technicisation. Cette nouvelle rationalité politique s'appuie sur deux éléments fondamentaux : une série d'appareils spécifiques de gouvernement et un ensemble de savoirs, plus précisément de systèmes de connaissance. L'ensemble qui articule l'un et l'autre constitue les fondements des dispositifs de sécurité de la police générale [Napoli, 2004]. Ces techniques et savoirs s'appliquent à un nouvel ensemble, « la population », pensée comme une totalité de ressources et de besoins. C'est l'économie politique qui fonde cette catégorie en définissant un acteur collectif et en l'envisageant comme une source de richesse potentielle. De là, découle une transformation centrale dans la conception de l'exercice du pouvoir. Il ne s'agit plus de conquérir et de posséder, mais de produire, de susciter, d'organiser la population afin de lui permettre de développer toutes ses propriétés. Ainsi, la référence à l'économie politique suscite un changement majeur dans la conception de la puissance. Celle-ci ne provient plus de la domination par la guerre et de la capacité de prélèvement fiscal sur les territoires dominés ; elle va désormais reposer sur la mise en valeur des richesses par des activités structurées par l'autorité politique.

7. *Michel Foucault, « La technologie politique des individus », Dits et Écrits, vol. IV, Paris, Gallimard, 1994, p. 814-815.*

Cette approche en termes de gouvernementalité fonde l'analyse du politique effectuée par Foucault. Tout d'abord, il souligne l'importance de la différenciation entre *Politik* et *Polizei*, qui se retrouve en langue anglaise, alors qu'elle n'a pas son équivalent en français. Cette distinction est importante car la *Polizei* est dotée d'une rationalité politique propre ayant une double composante. D'un côté, une rationalité de but qui énonce l'interdépendance entre productivité de la société civile et puissance de l'État. De l'autre, une rationalité de moyens qui considère que la foi religieuse, l'amour du souverain ou de la République sont des facteurs insuffisants pour la construction du collectif. Celle-ci passe obligatoirement par des pratiques concrètes en matière de sûreté, d'économie et de culture (éducation, santé, commerce, arts, etc.) qui sont autant de missions essentielles de l'État. Ensuite, cette approche lui permet de se démarquer des grands débats idéologiques des années 1960-1970. La question centrale n'est pas tant, pour lui, la nature démocratique ou autoritaire de l'État. Elle ne porte pas non plus sur l'essence de l'État ou sur son idéologie, facteurs qui lui donneraient, ou non, sa légitimité. Il inverse le regard et considère que la question centrale est celle de l'étatisation de la société, c'est-à-dire du développement d'un ensemble de dispositifs concrets, de pratiques par lesquels s'exerce matériellement le pouvoir. Dans un article fondateur « Qu'est-ce que les Lumières ? », il se propose déjà d'analyser des « ensembles pratiques ». En d'autres termes, il ne souhaite pas aborder les sociétés telles qu'elles se présentent ni s'interroger sur les conditions qui déterminent ces représentations. En revanche, il s'attache à ce qu'elles font et à la façon dont elles le font. Ceci le conduit à proposer une étude des formes de rationalité qui organisent les pouvoirs. Enfin, dans l'analyse des pratiques, il met l'accent sur l'exercice de la discipline, au moins aussi importante que la contrainte. Contrairement à la conception traditionnelle d'un pouvoir descendant, autoritaire et fonctionnant à l'injonction et à la sanction, il propose une conception disciplinaire qui repose sur des techniques concrètes de cadrage des individus qui permettent de conduire à distance leurs conduites. C'est pourquoi, l'instrumentation est au centre de la gouvernementalité.

Instrumentation de l'action publique et recomposition de l'État.
Gouvernement/gouvernance

L'instrumentation de l'action publique est donc un moyen d'orienter les relations entre la société politique (*via* l'exécutif administratif) et la société civile (*via* ses sujets administrés) par des intermédiaires, des dispositifs mêlant des composantes techniques (mesure, calcul, règle de droit, procédure) et sociales (représentation, symbole). Cette instrumentation s'exprime sous une forme plus ou moins standardisée qui constitue un passage obligé pour l'action publique et mêle des obligations, des rapports financiers (prélèvements fiscaux/aides économiques) et des moyens de connaissance des populations (observations statistiques). Alain Desrosières indique que dans l'Allemagne du XVIIIe siècle, la statistique constitue « un cadre formel pour comparer des États. Une classification complexe vise à rendre les faits plus faciles à retenir, à enseigner et à utiliser par les hommes de gouvernement ». C'est pourquoi, elle produit d'abord une taxinomie avant de quantifier [Desrosières, 1993]. Il prolonge ainsi l'analyse de Weber qui mentionne à différents moments la supériorité technique de la bureaucratie par rapport à d'autres formes d'administration : « Un mécanisme bureaucratique pleinement développé se compare à ces autres formes comme une machine aux modes non mécaniques de production des biens[8]. » Et l'adéquation de la bureaucratie au capitalisme s'appuie sur sa capacité à produire de la calculabilité et de la prévisibilité. C'est ce que montre également une recherche récente sur les origines de la statistique industrielle [Minard, 2000]. Ces techniques se sont enrichies et diversifiées dans la période contemporaine (XXe siècle) avec de nouveaux outils de cadrage basés sur la contractualisation ou les outils de communication (informations obligées), mais qui présentent toujours les mêmes caractères de dispositifs.

Cet héritage est à nouveau mobilisé pour rendre compte, dans la période contemporaine, des transformations des modes de gouvernement/gouvernance, des nouvelles articulations entre autorités publiques et acteurs économiques et sociaux dans un contexte internationalisé,

---

8. *Cité par François Chazel, « Éléments pour une reconsidération de la conception wébérienne de bureaucratie », dans P. Lascoumes, Actualité de Max Weber pour la sociologie du droit, Paris, LGDJ, 1995, p. 182.*

des modalités de régulation et de la recomposition de l'État [Cassesse et Wright, 1996]. Deux questions sont à l'origine de nos interrogations : celle de la recomposition de l'État et celle du changement dans les politiques publiques.

Les dynamiques de croissance de l'État au XXe siècle ont été accompagnées autant par le développement et la diversification d'instruments de l'action publique que par l'accumulation de programmes et de politiques dans les différents secteurs d'intervention de l'État. Plus surprenant peut-être, les processus de recomposition de l'État contemporain se sont accompagnés d'une nouvelle vague d'innovations concernant ces instruments, notamment, mais pas exclusivement, dans des domaines récents d'expansion de l'action publique, comme, par exemple, dans les politiques des risques (environnementaux, sanitaires) [Gunningham et Grabosky, 1998 ; Hood, Rothstein et Baldwin, 2001], la régulation/réglementation du marché, les réformes de l'État ou de l'État providence.

À la question « Qui gouverne ? » – mais aussi « Qui pilote ? Qui oriente la société ? Qui organise le débat sur les fins collectives ? » – s'est ajoutée la question « Comment peut-on gouverner ? » Jean Leca définit le gouvernement en différenciant les règles (la Constitution), les organes de gouvernement, les processus d'agrégation et de direction et les résultats de l'action. « Gouverner c'est prendre des décisions, résoudre des conflits, produire des biens publics, coordonner les comportements privés, réguler les marchés, organiser les élections, extraire des ressources, affecter des dépenses. » [Leca dans Favre et al., 2003.]

L'État est désormais contesté, mais il se réorganise. Les États sont parties prenantes de logiques d'institutionnalisation de l'Union européenne, de processus de mondialisation divers et contradictoires, d'évasion de groupes sociaux et de flux économiques, de formation d'acteurs transnationaux qui échappent en partie aux frontières et aux injonctions des gouvernements. L'État au sein de l'UE ne bat plus monnaie, ne fait plus la guerre à son voisin, a accepté la libre circulation des marchandises et des hommes, une Banque centrale. Des entreprises, des mobilisations sociales, des acteurs divers ont acquis des compétences diverses pour l'accès à des biens publics ou à des ressources politiques au-delà de l'État, des capacités d'organisation et de résistance qui ont fait émerger le thème de l'ingouvernabilité des sociétés complexes, dans les années 1970. Des travaux anglo-saxons et allemands plus récents de Kooiman [1993], Mayntz [dans Kooiman, 1993] ou Linder et Peters [1984, 1989, 1990], Kickert et ses collègues

[1997], ont remis cette question des instruments à l'honneur à partir des questions de management et de gouvernance des réseaux d'action publique. Les travaux francophones, à de rares exceptions près, n'envisagent pas la question de façon autonome [Nizard, 1974 ; Fourquet, 1980 ; Morand, 1991]. L'État lui-même est de plus en plus différencié. Il apparaît comme un enchevêtrement d'agences, d'organisations, de règles flexibles, de négociations avec des acteurs de plus en plus nombreux. L'action publique se caractérise par du bricolage, de l'enchevêtrement de réseaux, de l'aléatoire, une multiplication d'acteurs, des finalités multiples, de l'hétérogénéité, de la transversalité des problèmes, des changements d'échelles des territoires de référence. La capacité de direction est mise en cause par les processus d'intégration européenne. L'État semble perdre son monopole, il est moins le centre des processus politiques, de régulation des conflits.

Plus largement, la multiplication des acteurs et des instruments de coordination dans un nombre toujours plus élevé de secteurs a fait émerger un paradigme de « la nouvelle gouvernance négociée », au sein de laquelle les politiques publiques sont moins hiérarchisées, moins organisées dans des secteurs délimités ou structurés par des groupes d'intérêt puissants (par exemple, dans la politique de la ville, l'environnement, les nouvelles politiques sociales, la concertation de grandes infrastructures, etc.) au risque de nier le jeu des intérêts sociaux et de masquer les relations de pouvoir. Au-delà de la déconstruction de l'État, des limites du gouvernement et des échecs à réformer, les recherches sur le gouvernement et les politiques publiques ont mis en évidence le renouvellement des instruments de l'action publique soit pour le développement de recettes dépolitisées de la « nouvelle gouvernance » [Salamon, 2002], soit via le renforcement de puissants mécanismes de contrôle et d'orientation des comportements [Hood et al., 2001]. Cet argument rappelle les recherches qui se sont développées en parallèle sur le management des réseaux, la coordination entre différents acteurs, les instruments de pilotage et leurs effets dans des situations d'interdépendance [Kickert, Koopenjan et Klijn, 1997]. Une fois de plus, les questions de pouvoir et de légitimité sont laissées de côté au profit de questions de résolution de problèmes [Papadopoulos, 1998].

En s'appuyant sur le cas britannique, on peut voir au contraire tout l'intérêt d'une modification constante des instruments qui oblige les acteurs à s'adapter sans cesse, à « courir derrière les instruments », changés de manière constante au nom de l'efficacité, de la rationalité. Cette instrumentalisation de l'instrumentation (sic !) accroît considérablement les conditions du contrôle des élites centrales et marginalise d'autant plus la question des fins et des objectifs, les euphémise à tout le moins. Dans cette perspective, les instruments d'action publique peuvent être observés en tant que révélateurs des comportements des acteurs, ceux-ci devenant plus visibles et plus prévisibles (élément essentiel du point de vue des élites de l'État) par le jeu des instruments [Power, 1999].

Cette question se retrouve dans l'analyse du deuxième âge de la démocratie, où la définition du bien commun ne relève plus du seul monopole des gouvernants légitimes. Cette perspective a déjà été amplement travaillée par Bernard Manin dans ses recherches sur « la démocratie du public ». L'offre politique est pour lui de plus en plus liée aux demandes du public qui sont d'autant plus importantes qu'existe une « liberté de l'opinion publique » qui connaît une autonomisation croissante à l'égard des clivages partisans classiques [Manin, 1996][9]. L'information publique devient ainsi un enjeu considérable qui permet d'orienter les demandes et « les termes du choix », car le couple « droit à l'information/obligation d'informer » peut apparaître comme un nouvel « arcane du pouvoir » [Lascoumes, 1998]. L'exercice du pouvoir s'est effectué pendant longtemps par le prélèvement et la centralisation d'informations qui guident les décisions politiques, mais qui reste un bien retenu par les autorités publiques. Avec le développement des États providence et, surtout, avec l'intense interventionnisme qui l'a accompagné, le néo-corporatisme, l'interpénétration croissante des espaces publics et privés ont rendu nécessaire un assouplissement des rapports gouvernants/gouvernés. Sous couvert de « modernisation » et de « participation », de nouveaux instruments ont été mis en place pour assurer une meilleure fonctionnalité de la gestion publique en créant une subjectivation croissante des rapports politiques et la reconnaissance de « droits-créances » des citoyens vis-à-vis de l'État. Une nouvelle relation est alors établie entre droit à l'expression politique et droit à l'information. Après avoir organisé des droits d'accès nécessitant un rôle actif du citoyen, L'État a mis en place diverses obligations d'informer (*information required* ou *mandatory disclosure*) [Barbach et Kagan, 1992] qui pèsent sur le détenteur qu'il soit public (par exemple,

---

9. « *Cette métaphore de la scène et du public exprime en effet simplement l'idée d'une extériorité et d'une indépendance relative entre le niveau où sont proposés les termes du choix et le niveau où le choix est tranché* », Manin [1996, p. 290 et 294-297].

le risque de catastrophe naturelle) ou privé (par exemple, l'industrie pharmaceutique). L'objectif recherché est double : d'une part, assurer une information du public sur des situations de risque ; d'autre part, exercer une pression normative sur l'émetteur en l'incitant à mieux cadrer ses pratiques. Mais les ambiguïtés de tels instruments participatifs ont très tôt été relevées [Nelkin et Pollak, 1979].

De façon plus large, Giandomenico Majone, dans sa réflexion sur les nouvelles formes de régulation, estime que les agences européennes tendent de plus en plus à substituer à la régulation réglementaire « *command and control* » une régulation par l'information qui privilégie la persuasion. Ces actions de production et de diffusion continues d'information ont une double fonction constitutive et instrumentale dans leur champ de compétence. Elles agissent à trois niveaux : la programmation et la construction des agendas nationaux, l'orientation des méthodes et des objectifs, enfin, la sensibilisation à la prospective par la mise en valeur d'autres buts que ceux qui sont déjà routinisés [Majone, 1997].

—— Les instruments pour penser le changement dans les politiques publiques

La création d'instruments d'action publique peut servir de révélateur de transformations plus profondes de l'action publique, de son sens, de son cadre cognitif et normatif et des résultats. Les travaux des auteurs néo-institutionnalistes de diverses obédiences ont plutôt eu pour tropisme de mettre en évidence les raisons institutionnelles qui bloquaient le changement, allaient dans le sens de l'inertie. Peter A. Hall a renouvelé la question du changement des politiques publiques en identifiant différentes dimensions dans ces processus : les objectifs des réformes, les instruments mobilisés et leur paramétrage, ainsi que le paradigme au sein duquel ils s'inscrivent. Ceci l'amène à hiérarchiser trois ordres de changement de l'action publique [Hall, 1986, 1989]. Il place ainsi les instruments au cœur de l'analyse du changement dans les politiques publiques. Cette idée a été reprise par Bruno Jobert [1994], pour qui le changement de politique publique passe davantage par les recettes que par les grandes finalités. Bruno Palier [2002] développe ce cadre lorsqu'il contraste l'apparente résistance de l'État providence en France avec le changement continu des instruments (RMI, CSG, CMU, crédit d'impôt) qui, au total, donne une image fort différente des dynamiques de transformations. En d'autres termes, le changement peut passer par les instruments, les techniques, sans accord sur les buts ou les principes des réformes. Bruno Palier note ainsi que l'analyse par les instruments peut servir de balise pour analyser le changement, car il est possible d'envisager toutes les combinaisons possibles, par exemple, le changement d'instrument sans changement de but, la modification de l'utilisation ou du degré d'utilisation d'instruments existants, des changements d'objectif nécessitant le changement d'instrument, ou des changements d'instrument qui modifient les objectifs et les résultats, entraînant progressivement des changements d'objectif.

À notre sens, le renouvellement des questions sur l'instrumentation de l'action publique peut être mis en relation avec le fait que les accords sont plus faciles à réaliser entre acteurs sur les moyens que sur les objectifs. Débattre des instruments peut être une manière de structurer un espace d'échanges à court terme, de négociations et d'accords, tout en laissant en touche les enjeux qui sont les plus problématiques. La prolifération d'instruments n'est-elle pas aussi une manière d'évacuer les questions politiques ? Cette suspicion s'appuie évidemment sur la critique des livres de recette de l'action publique élaborée dans la version la plus néo-libérale du « nouveau management public » [Hood, 1998]. Notre deuxième hypothèse est que l'importation et l'utilisation de toute une série d'instruments de l'action publique sont surdéterminées par la restructuration de l'État, dans le sens de l'État régulateur et/ou sous l'influence des idées néolibérales. Le « nouveau management public », dans une version simplifiée, se traduit par l'application du principe du choix rationnel et de la micro-économie classique à la gestion publique, parfois de manière plus directe de transferts de recette de la gestion privée à la gestion publique. Ceci conduit notamment à une fragmentation des instruments d'action publique et à une spécialisation croissante, une concurrence forte entre différents types d'instrument (jugés à l'aune du rapport coût/efficacité) et à un fort mouvement en faveur des instruments plus incitatifs que classiquement normatifs. Cette dynamique est particulièrement utile pour analyser les processus de délégitimation d'instruments d'action publique, instruments qui tombent en désuétude ou qui sont supprimés au nom d'une rationalité différente, de la modernité ou de l'efficacité. Pour les élites gouvernementales, le débat sur les instruments peut être un utile masque de fumée pour dissimuler des objectifs moins avouables, pour dépolitiser des questions fondamentalement politiques, pour créer un consensus minimum de réforme en s'appuyant sur l'apparente neutralité d'instruments présentés comme moderne, dont les effets propres se font sentir dans la durée.

L'instrumentation comme théorisation politique implicite

L'instrumentation de l'action publique est révélatrice d'une théorisation (plus ou moins explicite) du rapport gouvernant/gouverné. Dans ce sens, on peut avancer que chaque instrument d'action publique constitue une forme condensée et finalisée de savoir sur le pouvoir social et les façons de l'exercer. On peut ici se référer à l'heureuse formule de Gaston Bachelard qui considérait les instruments techniques comme la « concrétisation d'une théorie ». Cette piste de réflexion devrait montrer que l'instrumentation soulève des questions centrales aussi bien pour la compréhension des styles (des modes) de gouvernement, que pour celle des transformations contemporaines de l'action publique (expérimentation croissante de nouveaux instruments, coordination entre instruments). Et Max Weber insistait dans ses analyses sur l'interdépendance de l'administration et de ses techniques avec la domination : « Toute domination se manifeste et fonctionne comme administration. Toute administration a besoin d'une forme quelconque de domination. » L'administration constitue, selon Weber, l'ensemble de pratiques le mieux adapté à la domination rationnelle légale[10].

Pour revenir un instant aux premiers auteurs de la science camérale, on considère aujourd'hui que si le caméraliste Nicolas Delamare ne formule pas de théorie de l'État, il raisonne à partir d'un modèle d'inspiration chrétienne qui suppose une unité de source entre le droit naturel et la souveraineté. Il considère la cellule familiale comme le modèle de la sociabilité, et effectue un parallèle entre pouvoir paternel et pouvoir politique. Il n'en va pas de même pour les caméralistes allemands de la fin du XVIIᵉ siècle qui développent une science administrative au service d'un État absolutiste cherchant à construire sa légitimité par une action rationnelle et efficace en faveur de la sécurité et du bien-être. C'est pourquoi les instruments de connaissance des populations sont devenus aussi importants que les instruments de discipline et de contrainte. Alain Desrosières [2003b] a synthétisé en cinq configurations les liens

10. *Cité par François Chazel, art. cité, p. 180-181.*

qui unissent l'État à la production statistique et montre comment la seconde évolue en fonction du modèle politique dominant les périodes : « Un fil conducteur de l'analyse des relations entre l'outil statistique et son contexte social et cognitif est fourni par l'histoire des façons de penser le rôle de l'État dans la direction de l'économie. » La statistique ne se contente pas de valider les modèles économiques et leur usage politique, elle contribue activement à instituer leurs différents rapports. Vincent Denis, étudiant un « projet de dénombrement » sous le Premier Empire (le plan de Ducrest), montre de façon significative le lien politique qui unit un projet de connaissance démographique et une action de police avec l'ambition d'assigner à chaque citoyen une identité écrite et objective, fondée sur les opérations de recensement [Denis, 2000].

L'instrumentation est une question politique car le choix de la voie d'action, qui peut d'ailleurs faire l'objet de conflits politiques, va structurer en partie le processus et ses résultats. S'intéresser aux instruments ne doit en aucun cas justifier l'effacement du politique. Au contraire, plus l'action publique se définit par ses instruments, plus les enjeux de l'instrumentation risquent de soulever des conflits entre différents acteurs, intérêts et organisations. Les acteurs les plus puissants seront amenés à soutenir l'adoption de certains instruments plutôt que d'autres. Comme le souligne Peters [2002] avec sagesse, commencer par l'analyse des intérêts impliqués dans le choix des instruments est toujours une bonne idée en sciences sociales, même si cette dimension s'avère le plus souvent insuffisante.

À partir de là, deux grandes questions, reliées entre elles, sont à approfondir. Tout d'abord, quelle relation existe-t-il entre tel IAP (ou groupe d'IAP) et la politique ? En d'autres termes, quelle est leur portée idéologique et dans quelle mesure sont-ils reliés au courant de politique publique ? Jusqu'à quel point sont-ils adaptables à des conjonctures politiques diverses, ou au contraire, quelle est leur connotation politique ? Ensuite, il faut aussi approfondir l'hypothèse selon laquelle les choix d'instruments sont significatifs des choix de politiques publiques et des caractéristiques de ces dernières. On peut alors les envisager comme des traceurs, des analyseurs des changements. Le type d'instrument retenu, les propriétés de celui-ci et les justifications de ces choix nous semblent souvent plus révélateurs que les exposés des motifs et les rationalisations discursives ultérieures.

Nous ne cherchons pas à nous positionner en tant que porte-parole d'une approche « nouvelle », d'un paradigme qui devrait conquérir on ne sait quelle situation dominante dans le champ de l'action publique. Il s'agit pour nous d'enrichir les outils conceptuels existants. Notre intention n'est pas davantage normative, nous ne souhaitons pas identifier et promouvoir de « meilleurs instruments ». L'approche par les IAP n'est pas un substitut fonctionnel à d'autres approches existantes et nous n'avons pas l'intention de succomber à l'émerveillement du « tout instrument » qui caractérise certains travaux sur la *new governance* [Salamon, 2002]. Notre objectif est d'examiner de façon critique ce que cette perspective peut amener à la sociologie politique de l'action publique.

Pour approfondir ces différents points, nous raisonnerons à partir de deux hypothèses :

– l'instrumentation de l'action publique est un enjeu majeur de l'action politique car elle est révélatrice d'une théorisation (plus ou moins explicite) du rapport gouvernant/gouverné, chaque instrument étant une forme condensée de savoir sur le pouvoir social et les façons de l'exercer. L'approche technique ou fonctionnaliste des instruments dissimule alors les enjeux politiques ;

– les instruments à l'œuvre ne sont pas des dispositifs neutres, ils produisent des effets spécifiques indépendants des objectifs poursuivis et qui structurent, selon leur logique propre, l'action publique.

L'instrumentation et ses effets propres

L'instrumentation de l'action publique, le choix de ses outils et de ses modes d'opérer sont en général traités, soit comme une notion d'évidence, une dimension purement redondante (gouverner c'est réglementer, taxer, contracter, communiquer, etc.), soit comme si les questions qu'elle soulève (les propriétés de ces instruments, les justifications de leur choix, leur applicabilité, etc.) relevaient d'enjeux secondaires, d'une seule rationalité de moyens sans portée autonome. Si l'instrumentation constitue une piste de réflexion intéressante, c'est tout d'abord parce qu'elle produit des effets propres. Alain Desrosières a bien montré cela : « L'information statistique ne tombe pas du ciel comme un pur effet d'une "réalité antérieure" à elle. Bien au contraire, elle peut être vue comme le couronnement provisoire et fragile d'une série de conventions d'équivalence entre des êtres qu'une multitude de forces désordonnées cherche continuellement à différencier et à disjoindre. »

[Desrosières, 1993, p. 397.] Le langage commun et les représentations que véhicule la statistique créent des effets de vérité et d'interprétation du monde. Comment élargir cette approche à l'ensemble des instruments d'action publique ?

L'essentiel des travaux de politique publique consacrés à la question de l'instrumentation est marqué d'une forte orientation fonctionnaliste qui se caractérise par quatre traits :

– l'action publique est fondamentalement conçue dans un sens pragmatique, c'est-à-dire comme une démarche politico-technique de résolution de problèmes *via* des instruments ;

– on raisonne en termes de naturalité de ces instruments qui sont considérés comme étant « à disposition » et qui ne poseraient que des questions en termes de meilleure adéquation possible aux objectifs retenus ;

– la question de l'efficacité des instruments est la problématique centrale. Les travaux sur la mise en œuvre des politiques consacrent une grande part de leurs investigations à l'analyse de la pertinence des instruments et à l'évaluation des effets créés ;

– face aux lacunes des outils classiques, et toujours dans un but pragmatique, la recherche de nouveaux instruments est très souvent envisagée, soit pour offrir une branche d'alternative aux instruments habituels (dont les limites ont été démontrées par les nombreux travaux sur la mise en œuvre), soit pour concevoir des méta-instruments permettant une coordination des instruments traditionnels (planification, schéma d'organisation, convention cadre). Un des exemples récents est fourni par le travail de Neil Gunningham et Peter Grabosky, *Smart Regulation* [1998]. Ils analysent la floraison d'instruments innovants en matière de politique environnementale par rapport aux changements intervenus dans les relations entre l'État, les entreprises et les citoyens face à la multiplication des enjeux scientifico-techniques que les modes de régulation classique ne parvenaient pas à prendre en compte. L'interventionnisme classique a été tenu, selon ces auteurs, de faire place à des techniques essentiellement incitatives et négociées au nom d'une recherche d'efficacité.

Les analyses ont souvent pour point de départ, soit l'importance de réseaux d'action publique spécifiques, soit l'autonomie de sous-secteurs de la société, mais ils convergent pour faire du choix et de la combinaison des instruments une question centrale pour une action publique conçue en termes de management et de régulation de réseaux qui s'éloigne des questions classiques de sociologie politique. Ces postulats fonctionnalistes peuvent être dépassés si l'on s'attache tout d'abord à la spécificité des instruments et si l'on rompt avec l'illusion de leur neutralité. Les instruments à l'œuvre ne sont pas de la pure technique, ils produisent des effets spécifiques indépendants des objectifs affichés (des buts qui leur sont assignés) et ils structurent l'action publique selon une logique qui leur appartient. Il convient alors de s'attacher à la dynamique spécifique de l'instrumentation. Les instruments d'action publique ne sont pas inertes, simplement disponibles pour des mobilisations sociopolitiques, ils détiennent une force d'action propre. Au fur et à mesure de leur usage, ils tendent à produire des effets originaux et parfois inattendus. Ce type de propriété a déjà été démontré par les travaux d'Alain Desrosières sur l'outil statistique montrant sa participation active à la rationalisation des États modernes, ou ceux de Claude Raffestin sur la cartographie dans la construction des identités et récits nationaux [1990]. Trois principaux effets des instruments peuvent être relevés.

Tout d'abord, l'instrument crée *des effets d'inertie* qui rendent possible une résistance à des pressions extérieures (tels les conflits d'intérêt entre acteurs-utilisateurs, ou les changements politiques globaux). La longue histoire des réformes administratives françaises gagnerait aussi à être envisagée sous l'angle des effets des instruments en cause. Introduire ou supprimer une procédure d'autorisation ou un privilège fiscal ne renvoie pas seulement à des questions d'utilité, mais met en cause « l'acteur-réseau » qui est constitué autour de cette mesure. En ce sens, les instruments constituent en quelque sorte un point de passage obligé et participent à ce que Michel Callon [1984] a nommé l'étape de « problématisation » qui permet à des acteurs hétérogènes de se retrouver sur des questions qu'ils acceptent de travailler en commun. Desrosières a montré comment la référence statistique s'est imposée au XIXᵉ siècle dans les débats sur la question sociale, même chez ceux qui étaient au départ les plus virulents critiques de cet outil : « Elles sont devenues des points de passage presque obligé pour les tenants des autres lignes. » Mais, elle exige aussi de chacun des acteurs engagés des déplacements, des détours par rapport à sa conceptualisation initiale. Le travail récent de Cyril Bayet et Jean-Pierre Le Bourhis [2002] sur les stratégies d'écriture du risque inondation et les mécanismes d'inscription au niveau local, liés à l'établissement des cartes et de leur tracé, nourrit encore cette perspective. Ils reprennent de la sociologie des sciences la notion d'« inscription ». Ils montrent en effet que le changement de politique intervenu dans les années 1994-1995, lorsque l'État reprend l'initiative de « dire le risque » sur des bases plus exigeantes, a suscité de multiples réactions des acteurs locaux qui se sont traduites par des négociations complexes ayant un effet direct sur le choix des tracés des zones inondables. La cartographie à réaliser comme préalable à l'information du public et aux limitations dans l'aménagement a cependant permis une meilleure objectivation que tous les plans de prévention adoptés jusque-là.

L'instrument est également *producteur d'une représentation spécifique de l'enjeu qu'il traite.* Citons, à nouveau, Alain Desrosières : « Une autre modalité d'usage de la statistique dans le langage de l'action est envisageable. Elle prend appui sur l'idée que les conventions définissant les objets engendrent bel et bien des réalités, pour autant que ces objets résistent aux épreuves visant à les abattre.» Cette construction de réalités conventionnelles se retrouve dans l'usage d'autres instruments. Ainsi, réglementer une activité en imposant une autorisation *a priori* ou une déclaration *a posteriori,* c'est d'abord reconnaître que son domaine relève bien des activités de « bonne police », de surveillance de l'État dont les prescriptions sont adaptées aux risques créés. Réglementer, c'est ainsi avaliser une dangerosité potentielle qui mérite attention et il en découle en général l'attribution de compétences à des services administratifs spécifiques. Cette représentation produite par les instruments repose sur deux composantes particulières. Tout d'abord, elle propose une grille de description du social, une catégorisation de la situation abordée. Desrosières a bien montré qu'au XVIIIe siècle la principale activité était plus taxinomique que quantificatrice, d'abord centrée sur des catégories de description avant d'avoir l'ambition de compter. Dans un de ses travaux récents, Desrosières [2003a] analyse les transformations dans les usages des enquêtes sur le budget des familles et l'évolution de cette catégorie. Du XIXe siècle aux années 1950, ce type de connaissance était orienté vers l'observation des situations de pauvreté et elle a contribué à orienter les politiques d'emploi. Au milieu du XXe siècle, ces enquêtes ont pour objet les transformations de la consommation de l'ensemble de la population.

Cette réorientation s'accompagne de changements dans les méthodes d'enquête, mais aussi dans les analyses et les modes d'interprétation : « C'est la raison pour laquelle il est très difficile de construire des séries longues à partir de ces diverses enquêtes : c'est plutôt la série constituée justement par cette évolution des usages et des méthodes qui est pertinente d'un point de vue de l'histoire longue. » On peut citer un autre exemple de redéfinition d'une catégorie qui révèle une transformation du contenu d'un enjeu par l'effet d'un instrument avec la réglementation de la dangerosité des établissements industriels. Ce contrôle public est en place depuis 1810, à travers une procédure d'autorisation qui a d'abord pour but de limiter les recours des victimes de nuisances et d'accidents contre les manufacturiers dont il faut préserver la liberté d'entreprendre. Avant de s'en prendre à l'industriel, le riverain doit attaquer la décision administrative prise par le préfet. Et ce n'est qu'en cas de décision reconnue illégale que des dédommagements sont possibles. Le dispositif a une grande force de dissuasion, dans la mesure où la représentation créée dissocie les effets de l'activité industrielle de l'objet conventionnel construit par la procédure. À tel point que les critiques écologistes considèrent, non sans raison, que cette procédure qui prend acte de l'existence inévitable d'externalités industrielles et se propose de les limiter, constitue en fait la reconnaissance d'un droit à polluer. La réalité conventionnelle construite à l'occasion de ce type d'autorisation reconfigure la réalité sociale d'une entreprise chimique, par exemple, en une série d'« installations classées pour l'environnement », également différenciées entre elles selon les risques anticipés.

L'exemple de la construction d'indices (des prix, du taux de chômage, de la réussite scolaire, etc.) permet de conforter notre hypothèse. Il s'agit d'une technique aujourd'hui banalisée de standardisation d'une information par la combinaison de différentes mesures sous une forme considérée, à temps donné, à la fois comme significative et comme communicable. Mais régulièrement, de fortes controverses se développent sur la conception de l'indice et sur les méthodes de calcul qui le sous-tendent. L'histoire des indices et de leur transformation témoigne, au-delà des débats techniques, de positionnements différents vis-à-vis de l'enjeu qu'il s'agit de cerner.[11]

Enfin, *l'instrument induit une problématisation particulière de l'enjeu*, dans la mesure où il hiérarchise des variables et peut aller jusqu'à induire un système explicatif. Alain Desrosières rappelle ainsi que depuis Quêtelet (1830), le calcul des moyennes et la recherche de

---

11. *Ainsi, un indice avait progressivement été mis au point et diffusé en matière de mesure de la pollution atmosphérique (ATMO) [Boutaric et al., 2002]. Celui-ci a fortement évolué dans ses composants et dans ses pondérations qui sont faites. C'est pourquoi il constitue un artefact qui donne une représentation de l'état de la pollution atmosphérique sous une forme tellement agrégée que son contenu précis se perd. D'autant plus que dans la communication dont il est l'objet, deux dimensions interfèrent, l'une qui renvoie à la description d'un risque à un moment donné, l'autre qui concerne les effets attendus pour les personnes exposées sur leurs conduites.*

régularité ont induit des systèmes d'interprétation causaux qui se présentent toujours comme justifiés par la science. Depuis une vingtaine d'années, les controverses autour de la mesure de l'insécurité par les statistiques de délinquance enregistrée débouchent régulièrement sur un modèle interprétatif associant les catégories d'âge jeune, la violence contre les personnes et les zones d'habitation périurbaine marquées par l'immigration. Sortir de ce modèle interprétatif amplement repris par les acteurs policiers et judiciaires, les décideurs politiques et amplifiés par les médias s'avère extrêmement difficile [Mucchielli, 2001]. Nos terrains sur les outils de gestion de la pollution atmosphérique par l'information permettent de repérer d'autres effets de problématisation. Tout d'abord, l'obligation d'information qui existe aujourd'hui induit une schématisation de l'enjeu, dans la mesure où les dimensions les plus controversées, les phénomènes minoritaires, trouvent difficilement leur place dans une information formatée pour le grand public. Il s'agit de sensibiliser et si possible d'alerter afin de modifier les représentations et les pratiques. Cette réduction des messages crée une forte tension entre le souci de rigueur scientifique qui exige une présentation complète des méthodes et des résultats épidémiologiques, et la volonté d'efficacité politique, c'est-à-dire la diffusion de messages intelligibles par les destinataires, qu'il s'agisse des décideurs politiques ou du public. Ensuite, l'orientation principale vers l'information grand public a progressivement orienté l'essentiel du contenu des messages diffusés vers la question des seuls effets de la circulation automobile sur la pollution atmosphérique. Et les « plans d'alerte » sont présentés quasi exclusivement comme devant déclencher des restrictions dans les déplacements. Par contrecoup, l'autre dimension plus ancienne, celle de la pollution d'origine industrielle qui continue à constituer le fond de la pollution atmosphérique tend à disparaître de l'information. Excepté dans les zones à forte industrialisation (étang de Berre et Fos, zone de Rouen ou de Lyon), où les SPPPI[12] assurent une fonction spécifique d'information sur les émissions, cette dimension de l'enjeu est très souvent évacuée, y compris en période d'alerte. Ce qui ne donne qu'une version partielle des causes des phénomènes observés.

---

12. *Secrétariat permanent pour la prévention des pollutions industrielles, mis en place depuis 1971.*

Les instruments, propriétés et dynamiques *versus* analyse du changement

L'intérêt d'une approche en termes d'instruments est de compléter les regards classiques en termes d'organisation, de jeux d'acteurs et de représentations qui dominent aujourd'hui largement l'analyse de l'action publique. Elle permet de poser d'autres questions et d'intégrer de façon renouvelée les interrogations traditionnelles. Elle conduit en particulier à approfondir la notion de politique procédurale centrée sur la mise en place d'instruments d'action à partir desquels les acteurs engagés reçoivent la charge de définir les objectifs des politiques. Enfin, dans un contexte politique où prévalent les grands flous idéologiques et où la différenciation des discours et des programmes s'avère de plus en plus difficile, on peut considérer que c'est aujourd'hui par les instruments d'action publique que se stabilisent les représentations communes sur les enjeux sociaux. Et on peut étendre à l'ensemble de l'instrumentation ce que Desrosières dit à propos des statistiques, lorsqu'il considère qu'elles structurent l'espace public en imposant des catégorisations et en créant des préformatages des débats qui sont souvent difficiles à mettre en discussion.

Les recherches présentées dans ce livre veulent mettre à l'épreuve nos hypothèses en les opérationnalisant pour mieux les discuter. La première partie de l'ouvrage est consacrée à des études de cas permettant d'approfondir les propriétés des instruments et les dynamiques dans lesquelles ils s'insèrent.

Comment se fabrique un instrument et quels en sont ses usages ? Philippe Estèbe analyse au plus près le processus d'instrumentation des quartiers de la politique de la ville. Sa démonstration sur le moyen terme montre la force de cette dynamique au-delà des changements politiques et des clivages idéologiques qui n'ont pas manqué durant ces vingt dernières années. Si la question de la politique de la ville est au départ un enjeu très politique qui mêle les dimensions de sécurité publique, d'aménagement urbain et d'insertion sociale, on assiste surtout à l'autonomisation d'un instrument l'ISE (indice synthétique d'exclusion). Son imposition progressive repose sur la combinaison de trois opérations spécifiques qui fondent la robustesse de l'instrument : l'objectivation de situations territoriales, la délocalisation par abstraction et la dépolitisation. Estèbe poursuit sa réflexion en montrant que ce type d'instrumentation est aussi révélateur d'une recomposition de l'État. La décentralisation et les dynamiques qu'elle induit en termes de gestion territorialisée et contractualisée sont, à tort, le plus souvent perçues comme une fragmentation de l'action publique et un retrait de l'État. Un mouvement inverse de recentralisation s'observe à moyen terme à travers les activités de désignation, de délimitation et de traitement des enjeux *via* des instruments doués de quasi-automaticité.

Philippe Bezes étudie la genèse et l'utilisation du « raisonnement en masse » (RMS). Il montre comment les tensions, les conflits et les ajustements progressifs auxquels le développement de l'instrument a donné lieu l'ont formaté par étapes et lui ont donné sa robustesse. Le RMS est devenu un outil stratégique pour la gestion des personnels de l'État. Bezes insiste sur le caractère incrémental et surtout automatique du fonctionnement de l'instrument. Son acceptation progressive et son intégration dans le pilotage politique reposent en grande partie sur sa discrétion et sur les effets de dépendance qu'il a su créer.

La généralisation des standards dans des activités sociales de plus en plus diversifiées révèle la tendance croissante des autorités publiques à déléguer leur pouvoir régulateur au secteur privé. Olivier Borraz analyse l'extension du domaine des standards d'origine privée en relation avec le développement des figures de l'État régulateur. Ils entrent dans la catégorie des instruments modestes (*low profile*), mais dont l'autorité et la légitimité reposent sur la coopération des différents représentants d'intérêts concernés. Borraz analyse le déploiement de tels instruments et leur impact dans deux contextes politiques contrastés : la France et l'Union européenne.

La complexification et l'enrichissement des instruments d'action publique sur une longue période constituent le point de départ du texte de Dominique Lorrain qui illustre cette question à partir du travail municipal. Il met l'accent sur le formatage de l'action collective par ces instruments qu'il appelle joliment les pilotes invisibles de l'action publique. Il analyse la dynamique dans le temps de trois types d'instruments de l'action publique municipale : les règles de droit, les normes techniques et les instruments comptables. Son argument met en évidence les dynamiques de long terme des instruments et le « désarroi du politique » mis de côté par la perte de sens qui était lié aux origines des instruments, aux contraintes des sentiers de dépendance, au décalage des lieux et de l'action. Sur le registre des liens entre *politics* et *policies*, son diagnostic est clair : les politiques mettent en scène et souhaitent le changement et la rupture, mais ils ont délégué aux instruments une grande partie de leur capacité de mise en œuvre et de formatage de l'action publique. Le manque d'attention aux détails, aux instruments, au temps long explique ce désarroi du politique.

Les projets urbains reposent sur la négociation de conventions et l'incitation à agir. Ils ont été développés à partir des échecs de la planification urbaine technique et centralisée. Gilles Pinson montre que la force de cet instrument provient de son ambivalence qui combine volontarisme et indétermination. Selon une dynamique incrémentale, il organise des interactions renouvelées entre acteurs locaux qui renouvellent l'instrument classique de planification urbaine et créent des effets régulateurs. La grande plasticité de la démarche fait sa force et permet d'intégrer pragmatiquement les ressources, au fur et à mesure de leur évolution, et d'amender les objectifs en fonction des degrés de faisabilité. Les effets collatéraux sont aussi importants que ceux qui sont attendus. Mais selon Pinson, l'instrument projet tire aussi sa force de son impact performatif, en participant à la construction de l'identité territoriale et en exprimant des valeurs politiques.

La deuxième partie de l'ouvrage regroupe des contributions qui font de l'instrument un révélateur privilégié du changement. L'analyse des instruments a aussi pour origine les questions de surveillance et de contrôle. Patrick Le Galès reprend cette thématique à partir de l'étude de la succession dans le temps de trois instruments de contrôle des autorités locales par le gouvernement britannique. Cette recherche montre la capacité des instruments à orienter et à rendre prévisible le comportement des acteurs. Elle souligne également les effets propres des instruments qui s'emballent au point de créer un cauchemar bureaucratique centralisateur. La figure de l'État régulateur britannique qui apparaît en conclusion n'est pas celle de l'État simple arbitre des intérêts, mais bien celle de l'État qui régule et qui règle grâce à de puissants instruments de contrainte.

Dans son travail sur les retraites, Bruno Palier fait de l'approche en termes d'instrument un indicateur des transformations structurelles de l'action publique. Il souligne le contraste entre les approches classiques du changement dans ce type de politique (accent sur les contraintes dues à des facteurs démographiques, financiers et économiques ; aux spécificités des institutions politiques ; analyse des coalitions d'intérêts et de leurs mobilisations) et celles qui suivent le contenu cognitif dont est porteur chaque instrument (ici, les fonds de pension). Cette vision de « l'instrument » permet de prendre une distance critique à l'égard de cette dimension des politiques publiques, en montrant à quel point un

changement à ce niveau peut être aussi facteur d'illusion. Palier synthé-
tise ce piège en se référant à la formule « tout changer pour que rien ne
change ». Les instruments sont également révélateurs des jeux d'acteur. Olivier
Butzbach et Emiliano Grossman étudient la réforme bancaire en France
et en Italie pour souligner l'absence de déterminisme des réformes ou
des instruments. Ils mettent en évidence deux processus apparemment
similaires d'adoption de nouveaux instruments de réglementation
financière et d'abandon d'instruments législatifs et réglementaires aux
profits d'instruments de type informatif et communicationnel. Dans les
deux cas, l'émergence des nouveaux instruments est graduelle, mais
selon deux scénarios différents : en Italie, les changements des instruments sont introduits afin de contourner « le compromis sans réforme ».
Ils constituent « l'avant-garde de changement de politique publique »
plus radical. En France, les nouveaux instruments adoptés au milieu des
années 1980 vont avoir une dynamique propre de structuration de
l'action publique.

L'instrument tient parfois lieu de politique, ce que développe Renaud
Dehousse à propos de la méthode ouverte de coordination (MOC). Il
montre que derrière ce méta-instrument des politiques européennes se
trouve surtout une technologie qui fait écran aux oppositions politiques
en créant une apparence de consensus, là où subsistent des contradictions majeures entre États. La MOC repose sur trois activités complémentaires et articulées : l'observation des pratiques nationales, le
repérage des meilleures pratiques et la diffusion de modèles d'action
publique. La force de l'instrument repose sur sa capacité harmonisatrice
de surface qui contourne les oppositions entre États, aussi bien sur la
définition d'enjeux prioritaires que sur les objectifs à atteindre.

Enfin, la conclusion s'efforce de retirer des éléments transversaux de
ces contributions en s'attachant à la question de l'innovation dans les
instruments, pour en proposer une catégorisation et en montrer les
apports possibles de l'approche par les instruments pour l'analyse des
changements de l'action publique et, plus largement, celle des phénomènes de recomposition de l'État.

BIBLIOGRAPHIE

AKRICH (M.), CALLON (M.) et LATOUR (B.), « À quoi tient le succès des innovations ? », *Annales des Mines*, 4 (29), 1988.

AUDREN (F.), LABORIER (P.), NAPOLI (P.) et VOGEL (J.) (dir.), *Les Sciences camérales : activités pratiques et histoire des dispositifs publics*, Paris, PUF-CURAPP, 2005.

BARBACH (E.) et KAGAN (R. A.), « Mandatory Disclosure ». *Going by the Book : The Problem of Regulatory Unreasonableness*, Philadelphie (Penn.), Temple University Press, 1992, p. 243-269.

BAYET (C.) et LE BOURHIS (J.-P.), *Écrire le risque. Études des mécanismes d'inscription du risque inondation au niveau local*, Paris, CEVIPOF-CNRS, MEDD, septembre 2002.

BENNETT (C. J.), « Understanding Ripple Effects : The Cross National Adoption of Instruments for Bureaucratic Accountability », *Governance*, 10, 1997, p. 213-233.

BEMELMANS-VIDEC (M.-L.), RIST (R. C.) et VEDUNG (E.) *et al.*, *Carrots, Sticks and Sermons. Policy Instruments and their Evaluation*, New Brunswick (N. J.), Transaction, 1998.

BERRY (M.), *Une Technologie invisible ? L'impact des instruments de gestion sur l'évolution des systèmes humains*, Paris, CRG-École polytechnique, 1983.

BOUSSARD (V.) et MAUGERI (S.) (dir.), *Du politique dans les organisations*, Paris, L'Harmattan, 2003.

BOUTARIC (F.), « Les réseaux de surveillance de la pollution atmosphérique », dans F. BOUTARIC, P. LASCOUMES, Y. RUMPALA et I. VAZEILLES, *L'Obligation d'informer, instrument d'action publique*, Paris, CEVIPOF-Ademe, octobre 2002, p. 65-67.

BRESSERS (H. T.) et HANF (K.), « Instruments, Institutions and the Strategy of Sustainable Development : the Experiences of Environmental Policy », dans W. KICKERT et F. A. VAN VUGHT, *Public Policy and Administrative Science in the Netherlands*, Hamptead, Harvester Wheatcheaf, 1995.

CALLON (M.), « Éléments pour une sociologie de la traduction », *Année sociologique*, 11, 1984, p. 183-184.

CASSESE (S.) et WRIGHT (V.), *La Recomposition de l'État en Europe*, Paris, La Découverte, 1996

CHAZEL (F.), « Éléments pour une reconsidération de la conception wébérienne de bureaucratie », dans P. LASCOUMES (dir.), *Actualité de Max*

Weber pour la sociologie du droit [The Topicality of Max Weber for the Sociology of Law], Paris, LGDJ, 1995, p. 179-198.

DAHL (R.) et LINDBLOM (C.), *Politics, Economics and Welfare*, New York (N. Y.), Harper, 1953.

DAHL (R.), *Who Governs ?*, New Haven (Conn.), Yale University Press, 1961.

DEAN (M.), *Governmentality. Power and Rule in Modern Society*, Londres, Sage, 1999.

DENIS (V.), « Entre police et démographie : un projet de dénombrement sous le Premier Empire », *Actes de la recherche en sciences sociales*, 133, 2000, p. 72-78.

DESROSIÈRES (A.), « Du travail à la consommation : l'évolution des usages des enquêtes sur le budget des familles », *Journal de la société française de statistique*, 144 (1-2), 2003a, p. 75-110.

DESROSIÈRES (A.), « Historiciser l'action publique, l'État, le marché et les statistiques », dans P. LABORIER et D. TROM, *Historicité de l'action publique*, Paris, CURAPP-PUF, 2003b, p. 207-221.

DESROSIÈRES (A.), *La Politique des grands nombres. Histoire de la raison statistique*, Paris, La Découverte, 1993.

DODIER (N.), *Les Hommes et les machines*, Paris, Métailié, 1995.

DOERN (R. G.) et PHIDD (R.), *Canadian Public Policy : Ideas, Structures, Process*, Toronto, Nelson, 1992.

ELIAS (N.), *La Société de cour*, Paris Flammarion, 1985 [1re éd., 1969].

FAVRE (P.), « Qui gouverne quand personne ne gouverne ? », dans P. FAVRE, J. HAYWARD et Y. SCHEMEIL (dir.), *Être gouverné*, Paris, Presses de Sciences Po, 2003, p. 259-271.

FLIGSTEIN (N.), STONE (A.) et SANDHOLZ (W.) (eds), *The Institutionalisation of Europe*, Oxford, Oxford University Press, 2001.

FOUCAULT (M.), « La "gouvernementalité" » [1978], *Dits et Écrits*, tome 3, Paris, Gallimard, 1994a, p. 635-657.

FOUCAULT (M.), « La technologie politique des individus » [1998], *Dits et Écrits*, tome 4, Paris, Gallimard, 1994c, p. 813-828.

FOUCAULT (M.), « *Omnes et Singulatim* : vers une critique de la raison politique » [1979], *Dits et Écrits*, tome 4, Paris, Gallimard, 1994b, p. 134-161.

FOURQUET (P.), *Les Comptes de la puissance*, Paris, Encres, 1980.

GAUDIN (J.-P.), *Gouverner par contrat. L'action publique en question*, Paris, Presses de Sciences Po, 1999.

GAUTHIER (C.), « À propos du gouvernement des conduites chez Foucault », dans CURAPP, *La Gouvernabilité*, Paris, PUF, 1996, p. 19-33.

GUNNINGHAM (N.) et GRABOSKY (P.), *Smart Regulation : Designing Environmental Policy*, Oxford, Oxford University Press, 1998.

HACKING (I.), « The Life of Instruments », *Studies in the History and Philosophy of Sciences*, 20, 1989.

HALL (P. A.), « Policy Paradigm, Social Learning and the State », *Comparative Politics*, 25 (3), 1993, p. 275-296.

HALL (P. A.), *Governing the Economy : The Politics of State Intervention in Britain and France*, Oxford, Oxford University Press, 1986.

HALL (P. A.), *The Political Power of Economic Ideas*, Princeton (N. J.), Princeton University Press, 1989.

HÉRITIER (A.), « The Accomodation of Diversity in European Policy-Making », *Journal of European Public Policy*, 3 (2), 1996.

HÉRITIER (A.), *Policy-Making and Diversity in Europe*, Cambridge, Cambridge University Press, 1999.

HOOD (C.), « Contemporary Public Management : A New Paradigm ? », *Public Policy and Administration*, 10 (2), 1995.

HOOD (C.), ROTHSTEIN (H.) et BALDWIN (R.), *The Government of Risk, Understanding Risk Regulation Regimes*, Oxford, Oxford University Press, 2001.

HOOD (C.), *The Art of the State*, Oxford, Oxford University Press, 1998

HOOD (C.), *The Tools of Government*, Chatham (N. J.), Chatham House, 1986.

HOWLETT (M.), « Policy Instruments, Policy Styles and Policy Implementations, National Approaches to Theories of Instrument Choice », *Policy Studies Journal*, 19 (2), 1991, p. 1-21.

HOWLETT (M.), *Inquiring Public Policy*, Oxford, Oxford University Press, 1995.

JOBERT (B.), *Le Tournant néo-libéral en Europe*, Paris, L'Harmattan, 1994.

JOERGES (C.) et NEYER (J.), « From Intergovernmental Bargaining to Deliberative Policy Processes. The Constitutionalisation of Comitology », *European Law Journal*, 3, 1997.

KETTL (D.), *Sharing Power, Public Governance and Private Markets*, Washington (D. C.), Brookings Institution, 1993.

KICKERT (W.), KLIJN (E. H.) et KOPPENJAN (J.), *Managing Complex Networks*, Londres, Sage, 1997.

KIRSCHEN (E.) *et al.*, *Economic Policy for Our Time*, Chicago (Ill.), Chicago University Press, 1964.

KOOIMAN (J.) (eds), *Modern Governance*, Londres, Sage, 1993.

LABORIER (P.), « La bonne police, sciences camérales et pouvoir absolutiste dans les États allemands », *Politix*, 48, 1999, p. 7-35.

LASCOUMES (P.) et VALLUY (J.), « Les activités publiques conventionnelles : un nouvel instrument de politique publique ? [Agreement-Based Public Activities : A New Public Policy Instrument ?] », *Sociologie du travail*, 4, 1996, p. 551-573.

LASCOUMES (P.), « La scène publique, passage obligé des décisions ? », *Annales des Mines. Responsabilité et environnement*, 10, 1998, p. 51-62.

LATOUR (B.), *« Les Machines ». La science en action ["Machines". Science in Action]*, Paris, Gallimard, 1989, p. 247 et suiv.

LE GALÈS (P.), *Le Retour des villes européennes*, Paris, Presses de Sciences Po, 2003.

LINDER (S.) et PETERS (B. G.), « From Social Theory to Policy Design », *Journal of Public Policy*, 4, 1984, p. 237-259.

LINDER (S.) et PETERS (B. G.), « Instruments of Government : Perceptions and Contexts », *Journal of Public Policy*, 9 (1), 1989, p. 35-58.

LINDER (S.) et PETERS (B. G.), « The Design of Instruments for Public Policy », dans S. NAGEL (ed.), *Policy Theory and Policy Evaluation*, Westport (Conn.), Greenwood Press, 1990, p. 103-119.

LORDON (F.), « La "création de valeur" comme rhérorique et comme pratique. Généalogie et sociologie de la "valeur actionnariale" », *Année de la Régulation*, 4, 2000, p. 117-171.

MAJONE (G.), « The New European Agencies : Regulation by Information », *Journal of European Public Policy*, 4 (2), 1997, p. 262-275.

MAJONE (G.), *La Communauté européenne, un État régulateur*, Paris, Montchrestien, 1996.

MANIN (B.), *Principes du gouvernement représentatif*, Paris, Flammarion, 1996.

MARCH (J.) et OLSEN (J.), *Rediscovering Institutions*, Londres, Macmillan, 1989.

MASSEY (A.) (ed.), *Globalisation and Marketisation of Government Services*, Londres, Macmillan, 1997.

MAUGERI (S.) (dir.), *Délit de gestion*, Paris, La Dispute, 2001.

MAYNTZ (R.), « Governing Failures and the Problem of Governability : Some Comments on a Theoretical Paradigm », dans J. KOOIMAN (ed.), *Modern Governance*, Londres, Sage, 1993.

MAYNTZ (R.), « La teoria della governance : sfide e prospettive », *Rivista Italiana di scienza politica*, 29 (1), 1999.

MINARD (P.), « Volonté de savoir et emprise d'État, aux origines de la statistique industrielle dans la France d'Ancien régime », *Actes de la recherche en sciences sociales*, 133, 2000, p. 63-71.

MOISDON (J.-C.), *Du mode d'existence des outils de gestion.'Les instruments de gestion à l'épreuve de l'organisation*, Paris, Seli Arslan, 1997.

MORAND (C.-A.), *L'État propulsif. Contribution à l'étude des instruments d'action de l'État*, Paris, Publisud, 1991.

MORAND (C.-A.), *Les Instruments d'action de l'État*, Genève, Helbing et Lichtenhahn, 1991.

MUCCHIELLI (L.), *Violences et Insécurité. Fantasmes et réalités dans le débat français*, Paris, La Découverte, 2001.

MUSSELIN (C.), *La Longue Marche des universités françaises*, Paris, PUF, 2001.

NAPOLI (P.), *Naisssance de la police moderne : pouvoir, normes, société*, Paris, La Découverte, 2004.

NELKIN (D.) et POLLAK (M.), « Public Participation in Technological Decisions : Reality or Grand Illusion ? », *Technology Review*, septembre 1979, p. 55-64.

NIZARD (L.), *Planification et Société*, Grenoble, Presses de l'Université de Grenoble, 1974.

NORTH (D. C.), *Insitutions, Institutional Change and Economic Performance*, Cambridge, Cambridge University Press, 1990.

PALIER (B.), *Gouverner la sécurité sociale*, Paris, PUF, 2002.

PAPADOPOULOS (I.), *Démocratie directe*, Paris, Economica, 1998.

PEARSON (P.), *Dismantling the Welfare State, Reagan, Thatcher and the Politics of Retranchment*, Cambridge, Cambridge University Press, 1994.

PETERS (B. G.), « The Politics of Tool Choice », dans L. SALOMON (ed.), *The Tools of Government. a Guide to the New Governance*, Oxford, Oxford University Press, 2002.

PETERS (B. G.), VAN NISPEN (F. K.) (eds), *Public Policy Instruments : Evaluating the Tools of Public Administration*, Cheltenham, Edward Elgar, 1998.

PIERRE (J.) (ed), *Debating Governance, Authority, Steering and Democracy*, Oxford, Oxford University Press, 2000.

PILLON (T .) et VATIN (J.-C.) (dir.), *Traité de sociologie du travail*, Toulouse, Octarès, 2003.

POWELL (W. W.) et DiMAGGIO (P. J.), *The New Institutionnalism in Organizational Analysis*, Chicago (Ill.), University of Chicago Press, 1991.

POWER (M.), *The Audit Society : Rituals of Self Verification*, Oxford, Oxford University Press, 1999.

RAFFESTIN (C.), *Pour une géographie du pouvoir*, Paris, Litec, 1990.

REAGAN (M.), *Regulation, the Politics of Policy*, Boston (Mass.), Little, Brown and Co, 1987.

RHODES (R. A. W.), *Understanding Governance*, Londres, Macmillan, 1996.

ROSE (R.), *Lesson Drawing in Public Policy*, Chatham (N. J.), Chatham House, 1993.

ROTTLEUTHNER (H.), « Aspekete des Rechentwicklung in Deutschland [Aspects of Rule Change in Germany] », *Zeitschrift für Rechtssoziologie*, 6, 1985, p. 206 et suiv.

SABATIER (P.) (ed.) *Theories of the Policy Process*, Boulder (Colo.), Westview Press, 2000.

SABATIER (P.) et JENKING-SMITH (H.), *Policy Change and Learning*, Boulder (Colo.), Westview Press, 1997.

SALAMON (L.) (ed.), *Beyond Privatisation. The Tools of Government Action*, Washington (D. C.), Urban Institute, 1989.

SALAMON (L.) (ed.), *The Tools of Government. A Guide to the New Governance*, Oxford, Oxford University Press, 2002.

SCHNEIDER (A.) et INGRAM (H.), *Policy Design for Democracy*, Lawrence (Kan.), University of Kansas Press, 1997.

SENELLART (M.), *Les Arts de gouverner*, Paris, Le Seuil, 1995.

SIMONDON (G.), *Du mode d'existence des objets techniques*, Paris, Aubier, 1958.

STUDLAR (D.), « Tobacco Control Instruments in a Shrinking World : How Much Policy Learning ? », *International Journal of Public Administration*, à paraître.

SZAKOLCZAI (A.), *Max Weber and Michel Foucault : Parallel Life-Works*, Londres, Routledge, 1998.

TRIPIER (P.), « La sociologie des dispositifs de gestion : une sociologie du travail », dans V. BOUSSARD et S. MAUGERI, *Du politique dans les organisations*, Paris, L'Harmattan, 2003, p. 28.

TURQUET DE MAYERNE (L.), *La Monarchie aristo-démocratique ou le gouvernement composé des trois formes de légitimes républiques*, 1611.

VEDUNG (E.), « Policy Instruments : Typologies and Theories », dans M.-L. BEMELMANS-VIDEC, R. C. RIST et E. VEDUNG *et al.*, *Carrots, Sticks and Sermons. Policy Instruments and their Evaluation*, New Brunswick (N. J.), Transaction, 1998.

WEAVER (R. K.), « Setting and Firing Policy Triggers », *Journal of Public Policy*, 9 (3), 1989, p. 307-336.

WEBER (M.), *Economy and Society : An Outline of Interpretative Sociology*, édité par G. ROTH et C. WITTICH , 3 vol., New York (N. Y.), Bedminster Press, 1968, p. 949-980 (version allemande, *Wirtschaft und Gesellschaft*, Tübingen, J. C. B. Mohr, tome 2, 1976 [5ᵉ éd.], p. 551-579).

I - LES INSTRUMENTS, PROPRIÉTÉS ET PROCESSUS

Chapitre 1

LES QUARTIERS, UNE AFFAIRE D'ÉTAT UN INSTRUMENT TERRITORIAL

Philippe Estèbe

L a « politique de la ville » désigne, malgré son nom, l'ensemble des interventions de l'État et des collectivités locales destinées à améliorer la situation de certains quartiers populaires, et/ou d'immigrés, fortement frappés par le chômage et la précarité de l'emploi. Cette politique a fait l'objet de nombreuses discussions portant sur son efficacité et sur sa réalité [par exemple, Le Galès, 1995]. Elle se caractérise fondamentalement par la désignation de « quartiers » (ou zones urbaines sensibles) dont l'ensemble compose une « géographie prioritaire ». Cette politique a d'abord fait l'objet d'une expérimentation par le gouvernement socialiste de Pierre Mauroy en 1982 et elle se poursuit depuis lors, en traversant l'ensemble des changements politiques successifs. Cependant, si la politique de la ville (ou du moins son intitulé) survit aux alternances électorales, elle n'est pas immuable. Chaque changement politique d'envergure (en général, il s'agit d'élections présidentielles) entraîne une redéfinition des objectifs et des moyens de la politique de la ville. Cependant, le plus frappant n'est pas tant cette évolution des objectifs et des moyens, que celle de l'objet de cette politique. En vingt ans, les « quartiers » de la politique de la ville ont fait l'objet d'un processus continu de redéfinition, de reconstruction et de recomposition, scandé par les alternances politiques. Leur histoire a une valeur démonstrative en ce sens qu'elle illustre ce que nous appellerons un processus d'instrumentation du territoire. En effet, même si les changements dans les modes de désignation des quartiers sont liés aux alternances électorales, ces modes de désignation suivent une « trajectoire », ou une logique continue, que l'on cherchera à identifier.

Il y aurait donc un double mouvement à l'œuvre : un mouvement proprement idéologique (le basculement de point de vue et d'objectif à chaque modification de majorité électorale) et un mouvement de fond, plus instrumental, qui se poursuivrait par-delà les changements idéologiques. Prendre ce parti consiste à faire l'hypothèse d'un processus d'instrumentation qui se poursuit, en quelque sorte, par-delà les inflexions idéologiques et théoriques. Ce sont ces deux mouvements que l'on va s'attacher à montrer, en s'interrogeant sur leurs interactions. L'instrument qui résulte de l'interaction de ces deux processus (le temps court et le temps long) est donc loin d'être unidimensionnel : s'il présente un certain nombre de caractéristiques instrumentales (son objectivité, son automaticité relative), il est aussi l'héritier des fluctuations idéologiques qu'il a subies. Il faudra donc s'interroger, à la fin, sur l'usage de cet instrument, sur ses fonctionnalités : un instrument, certes, mais pour qui, et pour quoi faire ?

La définition des quartiers : une activité très sensible à la conjoncture politique

Les prémices de la politique de la ville apparaissent en octobre 1981, dans le sillage des émeutes qui secouent la banlieue lyonnaise pendant l'été 1981, à la suite de l'élection de François Mitterrand à la présidence de la République et de la nomination de Pierre Mauroy comme Premier ministre. Sous la présidence de Hubert Dubedout, une « Commission nationale pour le développement social des quartiers » pour prévenir une « dérive à l'américaine » dans certaines banlieues des grandes villes propose des méthodes innovantes d'action publique : une approche territoriale, en vue de dépasser le traitement classique par public ; un traitement global des problèmes, pour transcender les découpages sectoriels de l'action publique ; une démarche de projet, de façon à substituer une approche remontante à la classique approche descendante [Dubedout, 1983]. Hubert Dubedout, maire de Grenoble, demande à ses collègues élus locaux de désigner des territoires en difficultés dans lesquels on pourra tester cette nouvelle doctrine d'action. Les quartiers sont désignés localement, à partir de deux critères implicites, apparemment contradictoires mais en fait complémentaires : il s'agit de quartiers dont la marginalité dans la ville est reconnue, du fait de leur histoire ou de leur population ; il s'agit aussi de quartiers « exemplaires », dont les promoteurs peuvent penser, pour diverses raisons, que la nouvelle méthode pourra y porter ses fruits [Micoud, Ion *et al.*, 1986]. Bref, on peut y voir les prémices de méthodes apparentées au « développement communautaire », ce que souligne d'ailleurs la forte présence, lors des premiers temps de la politique de la ville, d'animateurs originaires de pays d'Amérique latine et notamment du cône Sud (Chili, Argentine, Uruguay).

La combinaison des deux critères de réputation et d'exemplarité produit une géographie disparate. Aux côtés des grands quartiers d'habitat social emblématiques, mais surtout présents en Île-de-France et en Rhône-Alpes, on trouve des quartiers ouvriers des bassins industriels du Nord et de l'Est de la France, des quartiers d'habitat social de taille moindre dans l'Ouest, et des quartiers anciens dégradés du centre des villes du Sud-Est de la France [Champion et Marpsat, 1996]. Cette géographie est éminemment « locale » : autrement dit, elle est le fruit d'une sélection fondée sur des critères locaux, largement subjectifs, tenant compte d'une histoire et d'une connaissance vernaculaire du territoire. Tant que la politique de la ville demeure du domaine de l'expérimental, sa géographie demeure dans le registre de la localité.

À partir de 1988 et de la réélection de François Mitterrand comme président de la République, quatre cent cinquante quartiers, soit une population d'environ deux millions de personnes, se trouvent inscrits au titre de la géographie prioritaire. La politique de la ville est alors décrétée priorité nationale, se trouve dotée d'un ministre, d'une délégation interministérielle et d'un corps de sous-préfets spécialisés. L'institutionnalisation de la politique expérimentale demande une visibilité corrélative de son objet. Le ministre, cependant, se trouve dans l'incapacité de rendre compte de son objet : la diversité des quartiers est telle qu'elle ne compose pas un paysage stable, lisible et surtout défendable devant ses collègues. Il faut transformer la géographie locale en territoire pour une politique nationale : le ministre fait alors appel à l'INSEE.

Les statisticiens de l'INSEE se livrent, entre 1991 et 1992, à trois opérations. Une première consiste à tracer sur la carte les limites des quartiers, ce qui n'avait pas été fait auparavant. Une deuxième réside dans le fait de choisir, parmi l'ensemble des variables proposées par les recensements généraux de la population, trois principales variables qui devront permettre de cerner le profil spécifique de ces territoires : la proportion de moins de 25 ans dans la population du quartier, la proportion d'étrangers, et la proportion de chômeurs de longue durée. Enfin, la troisième opération rapporte ces variables à des valeurs moyennes, en l'occurrence la moyenne nationale, celle de l'agglomération et celle de la commune. Les quartiers se trouvent dès lors définis par l'écart à la moyenne de ces trois variables. Cette définition permet un premier classement national des quartiers, qui sera repris, pour la première fois, dans un texte législatif, la loi d'orientation pour la ville, en 1992.

En 1995, à la suite de l'élection de Jacques Chirac à la présidence de la République, l'heure est à la réduction de la « fracture sociale ». Où, mieux que dans cette géographie prioritaire, cette fracture est-elle lisible ? Mais cet objet doit être reconstruit, de façon à exprimer la nouvelle logique politique. Celle-ci se veut en effet d'inspiration libérale, en rupture avec les approches précédentes, tablant notamment sur l'appel au secteur privé comme partenaire du redéveloppement des quartiers populaires. On reprend donc la géographie prioritaire, qui n'a, d'un point de vue territorial, pas changé depuis le milieu des années 1980, et l'on procède à une nouvelle opération. Chaque quartier se trouve désormais affecté d'un *indice synthétique d'exclusion* (ISE), calculé de la manière suivante :

$$ISE = \frac{\% \text{ moins de 25 ans} \times \% \text{ chômeurs de longue durée} \times \% \text{ sans diplôme} \times \text{population total du quartier}}{\text{potentiel fiscal de la commune}}$$

Cette formule permet d'affecter chaque quartier d'un coefficient unique. Ceci autorise un classement sur une « échelle nationale » d'exclusion. La place occupée par chaque quartier dans l'échelle détermine le degré d'effort consenti par la puissance publique pour son redéveloppement. Ici, il s'agit d'un calibrage des différents régimes de dérogation sur les prélèvements obligatoires dont bénéficient les entreprises s'installant dans ces territoires. Même si cette ultime étape de rationalisation se trouve fortement contestée pour la logique de « zonage » qui la sous-tend, et que le gouvernement issu des élections de 1997 paraît l'interrompre, elle n'en participe pas moins à l'inscription durable dans le paysage politico-administratif d'une catégorie territoriale particulière ; elle contribue en outre à populariser la notion de « discrimination territoriale positive » à titre temporaire. Cette géographie est reprise dans la loi de 2003 consacrée à la « rénovation urbaine » ; la liste des « zones urbaines sensibles » établie en 1996, demeurant la référence des documents législatifs et réglementaires ultérieurs.

Le parcours qui conduit les quartiers du local au national par le truchement des techniques statistiques ne correspond pas seulement au développement d'une politique publique assistée par les statisticiens. Il correspond aussi à des transformations de la lecture de ces territoires et de leur signification, en termes d'action publique.

Les premiers quartiers choisis au début des années 1980 peuvent être qualifiés de « laboratoires ». Il s'agit avant tout d'y tester un ensemble de méthodes d'action (territorialisation, globalité, projet) qui sont censées contaminer ensuite l'ensemble des institutions publiques. Ces foyers de rénovation s'inspirent clairement des expériences municipales et associatives conduites à Grenoble, dès les années 1960, et dans de nombreuses villes moyennes à partir du milieu des années 1970 [Balme, 1988]. Gérer la ville comme une association, s'appuyer sur le mouvement associatif pour gérer la ville ; mais aussi transformer l'État et ses méthodes à partir du local. Nombre de professionnels des premières années de la politique de la ville sont en fait des militants politiques ou associatifs qui *reviennent* dans les quartiers où ils avaient fait leurs premières armes ; nombre d'élus appartiennent à cette génération nouvelle, issue des élections de 1977 [Micoud, Ion *et al.*, 1986]. Plus globalement, ces quartiers et leur mode de désignation correspondent à une conception de la question sociale dominée à l'époque par l'anthropologie urbaine, selon laquelle il s'agit avant tout de redonner droit de cité à des *quartiers populaires* qui se caractérisent par leur très grande diversité [Genestier et Laville, 1994]. Cette conception se caractérise par son optimisme : au moment où l'on découvre les « nouveaux pauvres », la population de ces quartiers paraît porteuse d'un certain renouveau, celui de la résurgence du peuple dans les villes contemporaines [Estèbe, 2004]. La marche des beurs (1984) viendra à la fois comme une confirmation et un point d'orgue à cet optimisme refondateur.

Le début des années 1990, marqué par de nouvelles émeutes dans les régions parisienne et lyonnaise, connaît une inflexion nette de l'approche gouvernementale. Les quartiers perdent leur statut de laboratoire pour devenir des symptômes de la « nouvelle question sociale » [Donzelot, 1991]. Ces années sont marquées par une production législative intense qui vise à prendre en considération les effets sociaux et spatiaux de la mutation économique : revenu minimum d'insertion, loi sur le droit au logement, loi d'orientation sur la ville. Comme « symptômes », ces quartiers doivent être « réintégrés à la ville », d'où un ensemble de mesures visant à accroître la présence des services publics, à désenclaver ces territoires, à introduire une plus grande mixité sociale. Les indicateurs produits par l'INSEE traduisent ce symptôme sous la forme de « l'écart à la moyenne ». La délimitation stricte des quartiers autorise l'émergence d'une forme de « discrimination positive territoriale », consistant dans des stimulants matériels (points d'indices, avantage d'ancienneté, droits à mutation) destinés à inciter des fonctionnaires aguerris (notamment des enseignants) à venir exercer dans les établissements de ces quartiers. L'écart à la moyenne et sa réduction *via* les services publics répondent au souci des années 1990 consistant à « insérer » (autrement dit, à faire une place) aux populations considérées comme exclues [Castel, 1995].

À partir du milieu des années 1990, les quartiers s'installent dans une certaine routine sociale et économique : leur population diminue, les indicateurs sociaux y marquent une aggravation continue, les violences urbaines perdent leur caractère massif (la dernière grande émeute a lieu à Toulouse en 1998) et prennent un aspect endémique, voire routinier. Le basculement de majorité politique accélère le changement de regard : il ne s'agit plus de quartiers « symptômes », mais de quartiers « handicapés ». En pratique, l'indice synthétique d'exclusion s'apparente au taux d'incapacité attribué aux individus par les commissions d'évaluation du handicap, de même que le calibrage des mesures de dérogation fiscale en raison de l'indice s'apparente à la logique compensatoire qui régit les pensions d'invalidité. Progressivement, l'idée germe que le traitement de ces quartiers passe, dans une certaine mesure, par leur disparition, c'est-à-dire leur remise à la moyenne ou à la norme : mixité sociale, redéveloppement économique et sécurité deviennent les trois piliers des nouvelles politiques urbaines. Un pas supplémentaire est franchi, au début des années 2000 avec la notion de « renouvellement urbain » qui lève le tabou de la démolition des logements sociaux. Très largement, l'hypothèse sur laquelle se fonde la lecture des quartiers comme « handicapés » est liée à l'idée que la concentration de la pauvreté redouble les difficultés dont les individus et les ménages sont victimes. Le terme de « ghetto » est souvent utilisé, qui renvoie à un objectif consistant à diminuer la concentration de populations étrangères, immigrées ou en situation précaire dans les quartiers d'habitat social, notamment par démolition des logements sociaux et reconstitution d'une offre diversifiée, plus attrayante pour les classes moyennes.

Les quartiers de la politique de la ville apparaissent donc comme une catégorie très sensible à la conjoncture politique : ils se trouvent redéfinis régulièrement, afin de mieux servir des objectifs déjà constitués. Notons au passage que l'objet ne précède pas l'objectif politique : c'est, inversement, l'objectif qui, très largement, détermine la construction de l'objet territorial. Micoud, Ion *et al.* [1986] montrent combien le choix

Tableau – *Une géographie sensible à la conjoncture politique*

Phase de la politique de la ville	Nombre de quartiers	Critères de choix	Théorie sociale	Objectif politique
1982-1987	De 20 à 140	Locaux : réputation et exemplarité	Nouveaux quartiers populaires	Droit de cité aux nouveaux quartiers populaires
1988-1995	De 400 à 750	Nationaux : écart à la moyenne	Quartiers symptômes de la nouvelle question sociale	Réduire l'écart en intensifiant les services publics (discrimination positive)
1996-2004	750	Nationaux : indice synthétique d'exclusion	Quartiers morphologiquement et socialement handicapés	Réduire le handicap : mixité urbaine (économique), mixité sociale (démolitions)

des premiers quartiers, dans les années 1980, est déterminé par l'objectif d'exemplarité : on choisit des quartiers que l'on connaît déjà, parce que l'on souhaite y conduire une expérimentation exemplaire. Le choix de la mesure d'écart comme critère déterminant des quartiers au début des années 1990 est lié à l'objectif de ramener ceux-ci dans le droit commun de la République et justifie notamment les mesures de « discrimination positive » destinées à inciter les agents de la fonction publique à venir exercer plus nombreux dans les quartiers. Le choix de l'indice synthétique d'exclusion justifie l'objectif d'éradication de poches de pauvreté, au nom de la réduction du handicap territorial.

——— L'instrumentation des quartiers : un processus continu

Pourtant, sous les inflexions politiques (qui pourraient constituer, à cette échelle de temps, une forme de rythme rapide) apparaît un rythme lent, celui de l'instrumentation des quartiers, de leur transformation en instrument de politique publique. De ce point de vue, on note plutôt une continuité entre les différentes périodes de la politique de la ville : si les critères de définition et la signification des quartiers évoluent, ceux-ci se trouvent pris dans un processus instrumental qui s'appuie sur trois techniques convergentes : l'objectivation, la délocalisation, la dépolitisation. Autrement dit, comment transformer une géographie sensible en géographie réglementée, comment transformer des localités en territoire comment passer d'une logique d'expérimentation à l'automatisation de l'action publique ?

D'une géographie sensible à une géographie réglementée : comment objectiver la spécificité sociale des quartiers de la politique de la ville ?

La première strate des quartiers de la politique de la ville, dans les années 1980, est issue d'une histoire politique des quartiers d'habitat social : à la fois celle du militantisme associatif et de l'accession de la gauche socialiste au pouvoir municipal d'abord, central ensuite. Le processus ultérieur d'objectivation que subit cette géographie sensible est fonction de la croissance du nombre de quartiers concernés par la politique de la ville. La construction de la politique de la ville comme politique publique passe par la clôture du caractère expérimental et militant des premières opérations. C'est le sens du discours de François Mitterrand à Bron (décembre 1990) lorsqu'il déclare, en substance, que l'expérimentation a assez duré et qu'il s'agit d'impliquer durablement les moyens de l'État dans la politique de la ville. C'est la question que se pose Jean-Marie Delarue, nommé, en 1991, à la tête de la Délégation interministérielle à la ville, désigné pour mettre en œuvre cette politique territorialisée et ciblée retenue en 1990. Il avait déjà jeté les bases d'une telle construction avec son rapport, remis au ministre de la Ville en 1991 [Delarue, 1991]. Il propose notamment l'élaboration d'une loi du même type que celle que Malraux avait fait voter s'agissant des secteurs sauvegardés : un principe de délimitation précise des sites en difficulté, assorti d'un décret de classement faisant bénéficier ces sites d'un régime spécial, de façon à cibler et signifier l'effort de l'État sur ces territoires. Si la proposition de classement des sites doit attendre le changement de majorité présidentielle de 1995 pour trouver une traduction législative, le travail de délimitation (on pourrait presque dire, de bornage) et de définition commence sous l'égide du nouveau délégué à la ville.

L'objectivation du local pour en faire un territoire qualifié pour une politique publique nationale passe nécessairement par un ensemble d'opérations statistiques. L'INSEE dispose à ce propos d'une certaine expérience.

Depuis plusieurs années, Nicole Tabard, à l'INSEE puis à l'INED, s'intéressait à la répartition spatiale des groupes sociaux [Tabard, 1993], ou, autrement dit, à la division sociale de l'espace[1]. Le croisement des unités territoriales[2] et des caractéristiques socio-économiques de leur population permet, une fois projeté sur un axe, de donner une image de la répartition spatiale des groupes sociaux. Appliquée à un territoire donné, cette approche permet de caractériser les spécialisations sociales des différents sous-ensembles et de les visualiser selon un système d'axes qui détaille, en abscisse, les types d'activité et, en ordonnée, les catégories socioprofessionnelles. Cette projection est en elle-même parlante, puisqu'elle donne à voir *les distances sociales* qui séparent les différents quartiers d'une ville, par exemple, ou les différentes communes d'une même région[3]. Cette mise en scène de la distance sociale (ou de la spécialisation différentielle des composantes d'un ensemble territorial) correspond exactement à ce que cherche la Délégation interministérielle à la ville : elle offre l'occasion de définir un objet à la politique publique.

Ces travaux donnent à voir « une division sociale de l'espace » et permettent de différencier des situations urbaines. Ainsi, à propos de Brest, les auteurs parlent d'exclusion « radicale » pour signifier la rupture apparente entre la quasi-totalité des quartiers et les trois sites classés en « politique de la ville ». Mulhouse se caractérise plutôt, selon les auteurs, par un « continuum qui relie les quartiers aisés aux quartiers sensibles »[4]. Cette approche, on le voit, a le mérite de donner une figure lisible et visible d'un point de vue national à une géographie qui

---

1. *Alain Chenu, « La division sociale de l'espace, sources et approches statistiques », communication au séminaire de recherche* La Ville éclatée, *ministère de l'Équipement, DRAST-DAEI, 28 septembre 1995.*
2. *Cantons ruraux, petites communes, quartiers des grandes communes.*
3. *Cette approche peut cependant donner lieu à des commentaires contradictoires. Par exemple, pour l'Île-de-France, Nicole Tabard conclut à un accroissement de la spécialisation socio spatiale ; partant des mêmes données, Edmond Préteceille montre que, si les extrêmes (les très huppés et les très défavorisés) accroissent leur spécialisation (et encore, plus vite du côté des plus huppés que de celui des plus défavorisés), la grande masse de l'espace francilien demeure caractérisé par un mélange de population gravitant autour des classes moyennes.*
4. *Ibid.*

demeurait très largement locale, et relevait, pour une grande part, du domaine de l'empirisme. Ce travail n'avait pas été, à l'origine, conçu pour porter secours à une politique publique en mal de géographie. Mais il constitue une aubaine puisqu'il crée une technique de représentation spatiale. Cependant, les calculs de Tabard et Chenu sont trop complexes pour être utilisables dans le cadre de l'action publique nationale. Il faut donc les simplifier. Un groupe de travail est constitué, à partir de 1991, de chargés de mission de la Délégation interministérielle à la ville et de statisticiens de l'INSEE. S'inspirant des travaux de Tabard et Chenu, il a pour mission de constituer une figure rationnelle de la géographie prioritaire et, surtout, d'en donner une image nationale. L'exercice d'objectivation se poursuit en trois temps : une délimitation de la population, la définition des variables qui l'affectent et qui sont pertinentes pour en caractériser le degré d'exclusion, la définition de moyennes de référence pour effectuer les comparaisons nécessaires.

La délimitation de la population se fait à géographie constante. Il n'a jamais été question de pousser l'exercice jusqu'au bout et d'opérer, parmi les quartiers de la politique de la ville, une sélection en fonction du degré d'exclusion (quelle qu'en soit la définition) dont ils souffraient. Il n'est en effet pas envisagé de revenir sur des choix qui ont été effectués localement, en accord avec les préfets et les maires. La base sur laquelle travaille le groupe mixte de la Délégation interministérielle à la ville et de l'INSEE est la même que celle qui a été décrite plus haut, c'est-à-dire cette mosaïque hétérogène de quartiers anciens, de grandes cités, de zones sensibles au sens pénal du terme et de réservoirs de bénévolat, laboratoires d'une transformation possible de l'action publique. Il s'agit de transformer en objet national une géographie locale préexistante, non de la bouleverser.

Ces quartiers des années 1980 offrent une géographie floue ; même les quartiers désignés à partir du périmètre des anciennes ZUP ne sont pas suffisamment précis – on y a souvent incorporé des zones périphériques d'habitat mixte aux limites incertaines. Or, si l'on veut compter et mesurer, il faut délimiter précisément un périmètre, car pour utiliser les données de l'INSEE, il faut pouvoir « îloter », c'est-à-dire délimiter le quartier à partir d'un nombre fini de blocs d'habitation (ou îlots), ceux-ci étant, on le sait, les unités de base du recensement général de la population. S'ensuit alors un travail qui consiste d'abord à délimiter les quartiers sur des cartes au 25/1000ᵉ de l'Institut géographique national ; puis à demander aux préfectures et aux municipalités de repérer, sur les plans cadastraux, les limites précises (nom de voie et numéro d'ordre dans la voie) des territoires concernés ; enfin, à comparer ces limites aux îlots du recensement, de façon à disposer d'une population définie. Ce travail emplit les armoires de la Délégation interministérielle à la ville de documents tels que :

Amiens (département de la Somme) : quartiers Nord
rue Watteau, de la rue Franklin-Roosevelt à l'avenue de l'Europe ;
avenue de l'Europe jusqu'à la rue Claude-Debussy ;
rue Claude-Debussy jusqu'à la rue Maurice-Ravel ;
rue Maurice-Ravel jusqu'à la rue Gustave-Charpentier ;
rue Gustave-Charpentier jusqu'à la route de Raineville ;
route de Raineville jusqu'à la rue Pierre-Brossolette ;
rue Pierre-Brossolette jusqu'à la limite Sud de la parcelle section ZK n° 98 ;
de la limite Sud des parcelles section SK n°s 98 99 et 100 au Chemin des Granges ;
du chemin des Granges jusqu'à la rue d'Allonville ;
rue d'Allonville jusqu'à la rue Fénelon ;
rue Fénelon jusqu'à la limite Ouest des parcelles section MP n°s 235 et 236
etc.[5]

L'exercice d'objectivation commence par une inscription très concrète dans une cartographie cadastrale : c'est la condition d'existence de l'objet territorial. Avant, il s'agit d'un objet expérimental. Après cette opération, il devient un objet administrativement identifié. Ajoutons que cette opération s'est reproduite sept cent cinquante fois.

Une fois délimités, ces territoires doivent être qualifiés. Il ne suffit pas de compter, encore faut-il disposer d'un système descriptif qui permette de caractériser les habitants des quartiers. Parmi les quelque cent cinquante variables que propose le recensement général de la population, un tri s'impose afin de choisir les plus efficaces, les mieux à même de décrire cet objet nouveau à bien des égards. Très rapidement, selon un participant au groupe de travail INSEE-DIV, trois variables s'imposent, car leur combinaison permet de situer, selon lui, assez bien le territoire par rapport à son environnement. Les quartiers seront donc

---

5. *Cette énumération est tirée du décret n° 96-1154 du 26 décembre 1996 portant sur la délimitation de zones franches urbaines dans certaines communes.*

décrits par la proportion, dans leur population, de jeunes de moins de 25 ans, de chômeurs de longue durée et d'étrangers. Il faut relever, à ce stade, combien l'association avec l'INSEE contribue à déterminer l'objet. En effet, on aurait pu imaginer d'autres indicateurs, comme ceux qui sont couramment utilisés dans les monographies locales et qui servent à décrire la misère sociale : loyers impayés mesurés par les bailleurs sociaux, taux de criminalité mesuré par la police, taux d'échec scolaire ou de retard à l'entrée en 6ᵉ mesurés par l'Éducation nationale ou encore proportion de bénéficiaires des divers minima sociaux dans la population du quartier. Ces indicateurs caractérisent surtout des modes d'action publique (indicateurs de production). Du fait de l'association avec l'INSEE, le choix s'impose d'indicateurs de situation qui caractérisent une population du point de vue de l'âge, de la situation professionnelle et de l'origine nationale. L'autre dimension, plus immédiate, était que seul l'INSEE se trouvait en mesure de fournir rapidement des indicateurs territorialisés, correspondant à l'enjeu de la géographie prioritaire. En 1993, en effet, les caisses d'allocations familiales ne disposaient pas encore de fichiers facilement accessibles ; la police non plus – d'autant que la criminalité mesurée ne constitue pas, aux yeux des autorités publiques, un indicateur pertinent de la situation « réelle » des quartiers de la géographie prioritaire ; l'Éducation nationale ne raisonne pas par territoire mais par établissement ; enfin, les HLM, du fait de la diversité de leur répartition spatiale, ne sont pas systématiquement en mesure de fournir des éléments précis concernant les taux d'impayés dans un quartier particulier. Cette territorialisation des indicateurs de production est en passe de s'accomplir, mais il s'agit d'un travail de longue haleine qui, à l'époque, n'avait pas fait l'objet d'une approche systématique nationale[6]. Avec les données fournies par l'INSEE, la Délégation interministérielle à la ville ne procède pas à une cartographie de l'exclusion ou de la misère sociale, elle constitue un atlas de territoires abritant des populations « à risques » ou considérées comme telles[7].

6. La Délégation interministérielle à la ville est d'ailleurs en passe de disparaître, pour donner naissance à un « observatoire national des zones urbaines sensibles », dont la vocation principale sera de collecter un ensemble de données destinées à qualifier l'écart entre ces quartiers et les moyennes locales et nationales dans des secteurs « sensibles » comme l'éducation, l'emploi et la sécurité.
7. À peu près à la même époque, le CERC éditait un rapport intitulé Précarité et risque d'exclusion en France, rapport cité, sous la direction de Serge Paugam. Pour déterminer les risques, ce rapport retenait deux types de critère : d'une part, le degré de précarité dans l'emploi (intérim, contrats à durée déterminée, temps partiels, etc.) ; d'autre part, la perception des différents minima sociaux

Mais de quelle nature est donc ce « risque » ou ces risques ? Et d'abord, qu'est-ce qui permet de définir le risque ? La troisième opération à laquelle se livrent les agents de la Délégation interministérielle à la ville et de l'INSEE consiste à mesurer pour chacune des trois variables, *l'écart à la moyenne nationale* et à celles de l'agglomération et de la commune à laquelle appartiennent les quartiers de la géographie prioritaire. Cet écart à la moyenne constitue en fait une mesure de *concentration* des populations à risques. L'appartenance à un quartier de la géographie prioritaire se déduit, dans l'esprit des autorités publiques en charge de la politique de la ville, du niveau de concentration de jeunes de moins de 25 ans, de chômeurs de longue durée et d'étrangers. Cette mesure de la concentration par écart à la moyenne de la commune, de l'agglomération et du pays autorise deux conclusions : d'une part, elle détermine le degré de risque auquel le quartier se trouve exposé (et le reste de la ville par la même opération), d'autre part, renouant avec les analyses de Nicole Tabard (mais avec un choix de variables considérablement plus restreint), elle donne la *distance sociale* qui sépare le quartier du reste de la commune. Cette mesure est donc à la fois absolue – elle donne le taux de concentration de risque – et relative – elle rapporte ce taux de concentration de risque à la moyenne de la commune et de l'agglomération[8].

De la localité au territoire : la délocalisation des quartiers

Le deuxième processus consiste en une délocalisation des quartiers, autrement dit, pour reprendre l'expression de Desrosières [1993], la transformation de la localité en territoire. Pour relever le défi de la diversité sociale et urbaine des territoires de la géographie prioritaire, les responsables nationaux et locaux de la politique de la ville se trouvent évidem-

(Allocation parent isolé, Allocation spéciale de solidarité, Revenu minimum d'insertion, Minimum vieillesse, Allocation adulte handicapé). Il aboutissait à un résultat bien différent de celui de la Délégation interministérielle à la ville et de l'INSEE, puisqu'il dessinait un continuum entre les « exclus » et les « inclus », montrant combien les premiers n'étaient pas hors de la société mais bien dedans, liés à l'ensemble par un certain nombre de mécanismes de précarisation. Cependant, cette statistique restait nationale et n'intégrait pas, pour les raisons déjà évoquées, de catégorie territoriale.

8. Ainsi définie, la liste des quartiers a fait l'objet d'une publication officielle dans le décret n° 93-203 du 5 février 1993, pris en application de l'article 26 de la loi d'orientation pour la ville.

ment conduits à réduire le plus possible cette diversité. On a vu comment, à partir de quartiers complexes, la soif de réglementation conduisait à la réduction du local à une mesure de concentration de publics à risques. Mais, il est un autre enjeu : pour construire un objet national, il faut, en quelque sorte, le « délocaliser », autrement dit, lui faire perdre ses attaches avec l'espace local dans lequel il est inscrit et avec lequel il entretient des relations multiples et complexes. Le processus de délocalisation est concomitant de la réglementation des quartiers. Il commence dès le début des années 1990 (d'une certaine façon, la lecture des quartiers sous l'angle de l'écart à la moyenne participe de cette délocalisation), mais il s'accélère à partir du milieu des années 1990.

À la suite de l'alternance politique de 1995, deux préfets, Jean-Pierre Duport et Francis Idrac – ce dernier étant délégué interministériel à la ville – sont chargés par le gouvernement Juppé d'élaborer un programme qui réponde à l'exigence d'un « plan Marshall pour les banlieues[9] ». Dans ce dessein, ils s'appuient sur une possibilité ouverte par la loi de 1995 d'orientation pour l'aménagement et le développement du territoire[10] de classement de certains quartiers en zones urbaines sensibles (ZUS), zones de redynamisation urbaine (ZRU) ou bien en zones franches urbaines (ZFU). Ces dispositions permettent en effet de classer les territoires selon le degré de difficultés qu'ils subissent, afin de calibrer les aides fiscales et les exonérations de charges sociales destinées aux entreprises s'installant dans ces zones[11]. L'INSEE et la délégation interministérielle à la Ville se remettent donc au travail à partir de 1995 pour se livrer à deux opérations.

Dans un premier temps, elles procèdent à une nouvelle délimitation des territoires concernés. D'abord, parce que les limites tracées en 1993 ne sont plus suffisamment précises, dès lors qu'il s'agit d'octroyer des avantages fiscaux dérogatoires au droit commun : les limites des quartiers deviennent des frontières rigides afin que l'avantage comparatif soit bien marqué dans le territoire urbain. Ensuite, et surtout, il faut

---

9. Selon l'expression de Adil Jazouli.
10. Loi n° 95-115 du 4 février 1995, article 3.
11. Une telle possibilité était ouverte par la loi d'orientation pour la ville (loi n° 91-662 du 13 juillet 1991, article 26). Mais elle se limitait à l'exonération de taxe professionnelle sans compensation de l'État. Ce principe de volontariat avait été peu mis en pratique par les communes. On estime qu'une cinquantaine de collectivités territoriales avait eu recours à cette disposition, pour une exonération totale d'environ 975 000 francs en 1996. C'était cette disposition, cependant qui avait conduit à la publication du décret de 1993, conduisant au premier inventaire réglementaire de la « géographie prioritaire ».

redessiner les périmètres. En effet, les limites de 1993 concernent essentiellement des quartiers d'habitat (social ou non) ; elles ne sont plus adaptées à une politique qui prétend inciter à des implantations d'activités économiques. Il faut trouver de l'espace disponible pour accueillir les entreprises. Mais cet espace doit être vide, car Bruxelles veille à ce que les distorsions de concurrence ne concernent pas une part trop importante de la population française[12]. S'ouvre alors une négociation sur trois fronts menée par les chargés de mission de la Délégation interministérielle à la ville. Premier front, les élus locaux qui, s'ils ne sont pas toujours favorables au principe de la dérogation fiscale et du périmétrage strict, se montrent néanmoins très combatifs pour l'extension maximale des périmètres ; deuxième front, Bercy, car le ministère des Finances fait preuve d'une attention symétrique à celle des élus : les modèles de simulation tournent et calculent en permanence le manque à gagner pour l'État ; troisième front, Bruxelles, pour les raisons citées plus haut. On parvient à un compromis de haute lutte au prix d'un échange intense de correspondance.

Cette opération effectuée, il reste à accomplir le principal, c'est-à-dire la qualification des territoires ainsi délimités au regard du degré d'exclusion qu'ils sont censés subir. Cette qualification est guidée par deux impératifs. Le premier relève du souci gouvernemental de n'afficher qu'une géographie restreinte, précise et rationnelle. Le deuxième réside dans la volonté d'afficher une politique nationale et donc d'aller jusqu'au bout de la logique de classement des sites qui avait commencé en 1993. Ces deux impératifs conduisent à deux opérations statistiques.

La première consiste dans l'invention de l'indice synthétique d'exclusion, mentionné plus haut et destiné à qualifier globalement la situation d'un quartier. Le chiffre devra permettre de situer immédiatement les quartiers sur une « échelle de Richter » de l'exclusion, selon l'expression d'un chargé de mission de la Délégation interministérielle à la ville. L'indice synthétique d'exclusion (ISE) est composé à partir des données déjà disponibles pour les quartiers délimités : taux de chômage de longue durée, taux de jeunes de moins de 25 ans et taux de sans-diplôme – ce dernier indice remplaçant la proportion d'étrangers, mais, selon les statisticiens, il revient à peu près au même – multiplié par la

12. D'autant que l'Union européenne lance, à peu près au même moment, le programme URBAN qui concerne huit sites en France, destiné aux zones urbaines en difficulté et qui se coule dans les périmètres déjà dessinés par la politique de la ville.

population du quartier, le tout pondéré par le potentiel fiscal de la commune.

Cet indice présente, aux dires d'un statisticien qui a participé à l'opération, un inconvénient majeur, celui d'être sensible à la variable dont le poids et les variations sont les plus grands, à savoir la population totale du quartier. Ce sont donc les grands quartiers que l'indice place en tête (ou en queue, comme on voudra) du classement national. Pourtant, cet indice synthétique d'exclusion présente cet avantage incomparable qu'il donne le sentiment de disposer désormais pour les quartiers de la géographie prioritaire d'une formule équivalente à celles qui permettent de délimiter les catégories sociales « en difficulté », comme les bénéficiaires du Revenu minimum d'insertion, par exemple.

La deuxième opération consiste dans le classement de ces quartiers ainsi disposés sur une seule échelle en trois classes selon la valeur de l'indice. Sur les 1 300 quartiers retenus par les contrats de ville, 750 se trouvent classés selon ce principe.

La moitié supérieure de l'effectif (soit 230 quartiers) est classée en zones de redynamisation urbaine (ZRU) ; les 38 quartiers les plus « exclus » sont classés en zones franches urbaines (ZFU) ; les quartiers restant, considérés comme moins « exclus », sont classés en zones urbaines sensibles (ZUS)[13]. Ce classement correspond à des niveaux différenciés d'intensité de l'intervention publique. Ce mode de classement n'est pas sans inconvénient. La division en deux de la population classe notamment en ZRU des quartiers dont l'indice est très proche de celui de quartiers classés en ZUS. Mais la lisibilité politique souffre une dose d'arbitraire. Plus ennuyeuse est la situation de certains quartiers d'Île-de-France : nombre des grands quartiers historiques de la politique de la ville dans cette région ne trouvent pas place dans le quota des ZRU, dans la mesure où leurs indicateurs – notamment de chômage et de potentiel fiscal de la commune – sont en moyenne moins bons que ceux des sites comparables de province. La Délégation interministérielle à la ville est conduite à opérer un rattrapage *in extremis* afin de ne pas mécontenter les élus.

Cette opération a-t-elle fondamentalement transformé la géographie de la politique de la ville ? Sur le terrain, les modifications paraissent marginales. La liste des ZUS, ZRU et ZFU est étonnamment semblable à celle du décret de 1993 qui nommait les quartiers de la politique de la

---

13. *La totalité de la série regroupe, selon l'INSEE et en fonction des données du RGP 1990, 4,7 millions d'habitants.*

ville. Quelques corrections ont eu lieu : une zone franche n'apparaissait pas dans la géographie précédente, quelques quartiers ont disparu, mais ces transformations restent peu sensibles[14]. La géographie est constante, comme elle est constante, pratiquement, depuis 1989. À la fin du XIᵉ Plan, en 1999, ce sont donc plus ou moins cinq cents quartiers qui, depuis dix ans, se trouvent inscrits durablement dans la géographie prioritaire de la politique de la ville. Si les localités demeurent, leur statut a, en revanche, considérablement changé.

Il ne s'agit plus d'une géographie floue (ses limites font désormais l'objet d'un décret) ; il ne s'agit plus d'une géographie complexe (elle est essentiellement saisie à travers trois ou quatre variables « sociales ») ; il ne s'agit plus d'une géographie locale : elle a subit un processus de nationalisation en deux temps – le premier consistant à déterminer les quartiers par leur écart à la moyenne, le deuxième consistant à leur affecter une valeur d'indice, dans un classement national.

Le passage du « local » au territoire se produit à travers l'usage de techniques statistiques et cartographiques classiques : périmètre (on trace les frontières du quartier sur la carte), comptage (on détermine la qualité du territoire à partir d'un nombre limité de variables), construction d'indices (visant à calibrer le degré de difficulté ou de handicap incorporé dans la catégorie). Il n'y a pas, en ce sens, de véritable rupture de logique entre les « quartiers » de 1993, tels qu'ils sont façonnés par l'INSEE et ceux de 1996, désignés par l'indice synthétique d'exclusion. On peut au contraire souligner la très forte continuité qui, par-delà les inflexions idéologiques, voit s'approfondir la logique de délocalisation et de construction territoriale.

La dépolitisation : la création de dispositifs automatiques

Les deux processus de réglementation et de délocalisation visent à rendre la géographie indiscutable, en l'inscrivant dans le droit. Une des dimensions du caractère indiscutable de cette géographie consiste dans l'affectation progressive de mesures automatiques à côté des dispositifs contractuels, voire en concurrence avec ceux-ci.

14. *L'impression d'une division par deux du nombre des quartiers est fausse, dans la mesure où certains des 1 300 sites répertoriés par les contrats de ville n'étaient que des îlots qui, dans la nouvelle géographie, se trouvent englobés dans des quartiers plus vastes alors que, précédemment, ils apparaissaient comme distincts.*

On ne fera pas ici l'histoire des politiques contractuelles dont la politique de la ville a constitué un banc d'essai, celle-ci est bien connue [Donzelot et Estèbe, 1994]. Ce qui l'est moins, en revanche, c'est le processus de création de dispositifs automatiques, visant à focaliser certaines mesures sur les quartiers, selon une logique que l'on a pu qualifier de discrimination positive territoriale. Le versant contractuel de la politique de la ville, très présent et très valorisé à ses débuts, tend à s'effacer pour laisser la place à ces dispositifs automatiques et ciblés.

La première tentative de constitution d'un ensemble de dispositions automatiques se fait jour en 1992, avec la création de la « nouvelle bonification indiciaire » destinée à faire évoluer le mode de rémunération de certains agents de la fonction publique. Dans cette nouvelle bonification indiciaire, à titre expérimental, se trouvent inscrits des incitations destinées à rendre plus attractif l'exercice du métier dans les quartiers de la géographie prioritaire. En particulier, cette disposition s'applique aux personnels de l'Éducation nationale, dans le cadre des « zones d'éducation prioritaire » qui coïncident à peu près avec les quartiers de la géographie prioritaire. Les agents du ministère de l'Éducation nationale se voient proposer, pour autant qu'ils acceptent d'exercer au moins trois ans : des points d'indices supplémentaires, un avantage spécial d'ancienneté et des droits à mutation permettant de disposer, à l'issue du temps passé en ZEP, d'un choix d'affectation élargi. L'affectation de ce type d'incitation aux quartiers est intimement liée à leur délimitation précise et à leur réglementation ; symétriquement, ce type d'affectation contribue à institutionnaliser davantage les quartiers de la politique de la ville.

Les zones franches constituent une deuxième marche dans la conception de mesures automatiques, plus clairement indexées encore sur le degré de gravité de la situation, mesuré à l'aide de l'indice synthétique d'exclusion. Les zones franches apportent aux entreprises qui s'y installent un ensemble d'avantages non négligeables : pendant cinq ans, elles bénéficient d'une exonération totale d'impôt sur les sociétés, de charges sociales et de taxes locales, sous condition qu'un nouveau salarié sur cinq habite le quartier concerné. Cette formule, très critiquée, n'a pourtant pas été remise en cause par le gouvernement socialiste issu des élections de 1997 ; elle a été, par la suite, reconduite et amplifiée par le gouvernement Raffarin, après 2002. Aujourd'hui, ce sont près de 80 quartiers qui bénéficient des dispositions des zones franches. L'établissement d'une zone franche demande, on l'a vu, de longues tractations ; cependant, une fois le dispositif en place, il offre aux élus et aux techniciens une certaine tranquillité d'esprit, et surtout, il apporte des résultats tangibles dont on peut se féliciter, si l'on ne s'embarrasse pas de constats plus critiques, comme ceux qui se fondent sur l'effet d'aubaine pour expliquer le succès de ces formules.

La création, enfin, d'une agence nationale pour la rénovation urbaine en janvier 2004 constitue le point le plus récent dans ce processus de dépolitisation de la politique de la ville. La loi de 2003 (dite « loi de rénovation urbaine ») stipule que, au cours des cinq années qui suivront sa promulgation, 200 000 logements locatifs sociaux nouveaux seront offerts, 200 000 réhabilités et 200 000 – là réside l'enjeu – détruits en raison de leur inadaptation à la demande ou des besoins de restructuration urbaine. Au-delà du tabou de la démolition des logements sociaux qui était, il est vrai, levé depuis un certain temps, ce texte va un peu plus loin dans la construction d'une catégorie de handicap. Cette fois-ci, le remède paraît encore plus radical : pour éradiquer le handicap, il convient de changer profondément la physionomie des quartiers. Autrement dit, le projet de loi progresse dans la logique d'une politique qui, de plus en plus, s'adresse non aux habitants mais bien à l'espace en tant qu'il constitue, par lui-même, un problème. Ainsi progresse l'idée que, pour traiter celles des cités les plus « enkystées », la seule solution consiste à les faire disparaître.

Simultanément, ce projet de loi approfondit la logique de dépolitisation, déjà à l'œuvre à la fin des années 1990. En effet, pour « sanctuariser » les crédits permettant de construire, rénover et démolir des logements sociaux, le ministre de la Ville a obtenu, en 2003, la création d'une agence nationale pour la rénovation urbaine disposant de fonds issus du budget de l'État, de l'Union économique et sociale de l'habitat (fédération des HLM) et de la Caisse des dépôts et consignations. Cette agence nationale signe des conventions avec les collectivités locales au vu de leurs projets de rénovation urbaine. Avec ce nouvel instrument, la politique nationale tend à s'affranchir de la logique contractuelle, processus qui était déjà perceptible dans la version « pacte de relance pour la ville » de la géographie prioritaire, notamment au travers du dispositif zone franche. En moins de dix ans, la politique de la ville est passée d'un régime contractuel à un régime d'agence dont les subventions sont accordées aux projets des collectivités locales en regard de critères qui revêtent, pour la circonstance, les aspects les plus objectifs (nombre de démolitions et de reconstructions, qualité du projet social et du projet de relogement) et dont les crédits sont « sanctuarisés », mis à l'abri de l'aléa budgétaire.

Un instrument territorial, mais pour quoi faire ?

L'histoire de la géographie prioritaire (qui n'est sans doute pas achevée) illustre un des problèmes permanents de l'action publique, celui qui consiste à dégager, selon l'expression de Thévenot, une certaine « normalité du collectif » [Thévenot, 1994]. Le ou les territoire(s) présente(nt), en ce sens, plus de difficultés que les populations. Il n'est pas inintéressant d'observer qu'au moment où la statistique prend son essor dans les différents pays, la pratique des descriptions localisées tombe en désuétude [Desrosières, 1993]. L'INSEE éprouve une grande difficulté à fournir des observations localisées, autrement que sur le mode du comptage sur la base de circonscription (dont l'îlot constitue la brique), comme en témoigne l'échec des tentatives d'observatoires localisés, qui, dans les années 1980, ont tenté de procéder à une objectivation de la localité. Comme le suggère Davezies [Davezies, 2000], la localité pose problème au statisticien, dès lors qu'on ne sait pas produire un échantillon représentatif de territoires. D'où ceci que la relation entre connaissance et action, notamment dans le champ des politiques sociales, se fait à partir de données nationales consolidées. Le local demeure, en général, un espace d'administration, qui n'est, par conséquent, pas un objet (de) politique. Or, il en va différemment de la politique de la ville et de sa petite sœur au sein de l'Éducation nationale, la politique des zones d'éducation prioritaire. Dans les deux cas, la localité n'est pas un espace neutre, de mise en œuvre et d'adaptation éventuelle, à l'échelle du guichet, de la mesure nationale et des réalités « locales » ; la localité est au cœur du dispositif politique : elle ne peut donc être considérée comme une simple circonscription. L'histoire de la géographie prioritaire illustre donc cet enjeu. Le résultat est, au final, la production d'un instrument spécifique et nouveau, autant sur le plan des politiques sociales qu'en matière de gouvernance territoriale.

D'une part, le durcissement de la catégorie territoriale et sa délocalisation correspondent au glissement de l'objet de la politique de la ville. L'approche territoriale, par la géographie prioritaire était, à son origine, affichée comme un vecteur de transformation de l'action publique territoriale. Autrement dit, il s'agissait de réformer les méthodes traditionnelles d'administration de la ville et du social. Une vingtaine d'années plus tard, le raffinement aidant, l'approche territoriale est devenue un enjeu en soi : de plus en plus, il s'agit de délimiter, puis d'éradiquer des territoires considérés comme des poches de pauvreté et de risque, du fait de la concentration d'une population dont les caractéristiques ont été entièrement construites dans la durée. La sanctuarisation des crédits pour la démolition des grands ensembles constitue une forme d'aboutissement de ce processus de constitution de la catégorie des « quartiers en difficultés ». Cependant, tout n'est pas aussi simple, car la catégorie territoriale ainsi obtenue présente, par rapport aux catégories sociales, des propriétés pratiques importantes et utiles. La catégorie « quartiers » est multidimensionnelle : elle permet de faire plusieurs choses à la fois, et d'aborder, sous un même intitulé, une grande diversité de questions ; ainsi, certains considèrent que la catégorie territoriale est un euphémisme permettant de traiter (avec plus ou moins de bonheur) la question de la jeunesse issue de l'immigration. Mais surtout, la catégorie « quartiers » est un instrument pratique de plus en plus utilisé : nombre d'administrations se sont progressivement alignées sur elle pour cibler leurs politiques, comme les conseils généraux en matière d'aide sociale ou les caisses d'allocations familiales (CAF). Récemment, lorsque l'Institut d'études politiques de Paris a souhaité mettre en place des filières d'accès réservées à des bons élèves issus de milieux défavorisés, le choix de ceux-ci s'est fait sur une base territoriale, celle des zones d'éducation prioritaire (qui sont calquées sur le découpage de la politique de la ville).

D'autre part, la dépolitisation, la mise en œuvre de dispositions automatiques et la marginalisation de la relation contractuelle entre l'État et les collectivités territoriales peuvent apparaître comme les conséquences d'un affaiblissement tendanciel des services locaux de l'État. La mise en place de dispositions automatiques maîtrisées essentiellement par le centre (comme les incitations à exercer dans les quartiers, les exonérations fiscales, où les subventions accordées, sur projet, par une agence nationale) revient à dénier tout rôle autre que purement administratif aux relais locaux de l'État. La politique de la ville constitue, à l'évidence, le banc d'essai d'une série de mutations dans l'ordre des politiques territoriales : après avoir, dans les années 1980, ouvert la voie à une série élargie de dispositifs contractuels liant l'État aux collectivités locales (et dont les contrats de ville, inaugurés en 1991, constituent une sorte de matrice), la politique de la ville anticipe le reflux de ces formules, par une forme de recentralisation.

C'est peut-être l'enseignement le plus surprenant de l'étude de la géographie prioritaire de la politique de la ville, à savoir que l'inscription territoriale de l'action publique peut correspondre, comme il est dans ce cas évident, à un processus de centralisation politique. Ce résultat n'est contre-intuitif qu'à échelle temporelle courte. Autrement dit, il est contre-intuitif par rapport à ce que l'on pu (ou cru) saisir de la décentralisation en France, et notamment ceci que l'inflation territoriale et contractuelle conduisait à un processus de fragmentation de l'action publique. Dans le cas de la politique de la ville, c'est exactement le contraire : l'affinement des techniques de désignation, de délimitation et de traitement des « quartiers » constitue la base d'un processus de concentration, de simplification et de recentralisation de l'action publique.

En revanche, vu sur une échelle temporelle plus longue, ce résultat n'est pas contre-intuitif, au contraire. Il se situe dans la ligne des travaux récents sur l'usage de la cartographie et des différentes techniques de délimitation et de représentation territoriale comme l'une des techniques de la centralisation, en France du moins [Vic Ozouf-Marignier, 1988 ; Latour, 1989]. C'est le gouvernement qui, en France, dispose des institutions à même de produire des découpages et des comptages nationaux (notamment l'INSEE et l'IGN). Les instituts de géographie universitaires ne produisent que très rarement et très partiellement leurs propres données territoriales et, pour la plupart, se cantonnent dans l'usage plus ou moins élaboré des données fournies par les institutions nationales. Lorsque les collectivités territoriales s'essaient à produire leurs propres représentations territoriales, c'est à ces institutions qu'elles recourent, dans la mesure où elles disposent d'une forme de monopole dans la production de données et des représentations territoriales.

Au final, l'histoire de la géographie prioritaire de la politique de la ville, enseigne ceci que, de même que la réalité sociale est susceptible d'une diversité d'interprétations (et même de représentations), de même il n'existe pas (ou ne devrait pas exister) un seul point de vue sur le territoire. La production du point de vue constitue un travail politique essentiel : l'institution qui produit le point de vue inclue, nécessairement, dans la représentation qu'elle construit, ses propres enjeux, sa propre théorie du territoire et ses propres finalités. Il n'est donc pas étonnant que le processus d'instrumentation des quartiers aboutisse à la recentralisation de la politique de la ville. La carte devrait tout autant faire l'objet de polémiques que les catégories qui sous-tendent les politiques sociales. L'absence de controverse à propos de la géographie prioritaire montre sans doute qu'il y a encore du chemin à faire avant que la carte ne devienne (en politique intérieure du moins), un objet de polémique politique.

BIBLIOGRAPHIE

BALME (R.) et MABILEAU (A.), *Gouverner les villes moyennes*, Paris, Pédone, 1988.

CASTEL (R.), *Les Métamorphoses de la question sociale, une chronique du salariat*, Fayard, Paris, 1995.

CHAMPION (J.-B.) et MARPSAT (M.), « La diversité des quartiers prioritaires : un défi pour la politique de la ville », *Économie et Statistiques*, 294-295, 1996, p. 47-67.

DAVEZIES (L.), « L'économie et la ville », dans T. PAQUOT, M. LUSSAULT et S. BODY-GENDROT (dir.), *La Ville et l'Urbain, l'état des savoirs*, Paris, La Découverte, coll. « Textes à l'appui », série « L'état des savoirs », 2000, p. 71-84.

DELARUE (J.-M.), *La Relégation*, Paris, Syros-Alternatives, 1991.

DESROSIÈRES (A.), « Le territoire et la localité. Deux langages statistiques », *Courrier des statistiques*, 65, mars 1993, p. 49-59.

DONZELOT (J.) (dir.), *Face à l'exclusion, le modèle français*, Paris, Esprit, 1991.

DONZELOT (J.) et ESTÈBE (P.), *L'État animateur. Essai sur la politique de la ville*, Paris, Esprit, 1994.

DUBEDOUT (H.), *Ensemble, refaire la ville. Rapport au Premier ministre*, Paris, La Documentation française, 1983.

ESTÈBE (P.), *L'Usage des quartiers. Géographie et action publique dans la politique de la ville*, Paris, L'Harmattan, 2004.

GENESTIER (P.) et LAVILLE (J.-L.), « Au-delà du mythe républicain. Intégration et socialisation », *Le Débat*, 82, novembre-décembre 1994.

LATOUR (B.), *La Science en action*, Paris, La Découverte, 1989.

LE GALÈS (P.), « Politique de la ville en France et en Grande-Bretagne : volontarisme et ambiguïtés de l'État », *Sociologie du travail*, (95) 2, 1995, p. 249-276.

MICOUD (A.), ION (J.), PÉRONI (M.) et NIZEY (J.), *Montchovet ou la question de l'exemplarité*, rapport de recherche pour le Plan urbain, CRESAL, Saint-Étienne, 1986.

PRETECEILLE (E.), « De la ville divisée à la ville éclatée : questions et catégories de recherche », dans N. MAY *et al.* (dir.), *La Ville éclatée*, La Tour d'Aigues, Éditions de l'Aube, 1998.

TABARD (N.), « Des quartiers pauvres aux banlieues aisées : une représentation sociale du territoire », *Économie et Statistiques*, 270, 1993.

THÉVENOT (L.), « Statistiques : la normalité du collectif », *Politix*, 25, 1994, p. 5-20.

VIC OZOUF-MARIGNIER (M.), *La Formation des départements. La représentation du territoire français à la fin du XVIIIe siècle*, Paris, Éditions de l'EHESS, 1988.

Chapitre 2

RATIONALISATION SALARIALE DANS L'ADMINISTRATION FRANÇAISE
UN INSTRUMENT DISCRET

Philippe BEZES

Classiquement, une première manière d'étudier les politiques de réforme de l'administration consiste à s'intéresser aux processus historiques de construction et d'institutionnalisation de cette « politique publique » originale. Pour heuristique que puisse être cette approche, elle n'épuise pourtant pas, loin s'en faut, la réflexion sur les politiques de réforme de l'administration. Ce chapitre illustre l'intérêt que présente une sociologie historique d'un « instrument », une technique de calcul de la masse salariale de la fonction publique, pour appréhender les enjeux de la « réforme de l'État » et comprendre les logiques de la politique française de rigueur dans les années 1980. De fait, avant d'être institutionnalisée en « politique publique », la réforme administrative reflète d'abord l'émergence et la formalisation d'un questionnement sur la rationalité de l'administration, un « souci de soi de l'État » [Bezes, 2003]. Cette interrogation est portée par des savoirs théorico-pratiques (économie, gestion publique, etc.) mais aussi par des techniques, éparses et hétérogènes, à travers lesquels se cristallisent les nouvelles manières de penser l'administration, de la constituer en « problème public » et de la réformer. Cette volonté de « gouverner l'administration » [Bezes, 2002] n'existe qu'à travers des instruments de mesure et de contrôle de la réalité bureaucratique. Dans cette perspective, l'attention accordée à la « population administrative », sous l'angle double de son nombre (les effectifs) et surtout de sa masse salariale, revêt une importance stratégique. Les enjeux de mesure, de prévision et de maîtrise des dépenses de personnel administratif sont d'autant plus prégnants que l'État est constitué d'une multitude de corps hétérogènes et de situations salariales particulières dont l'agrégation est difficile à réaliser. Le rôle des instruments qui permettent d'objectiver cette réalité et d'en penser la régulation n'en est que plus essentiel.

De fait, les enjeux budgétaires liés aux versements des salaires dans la fonction publique française sont considérables. Rapportés aux effectifs élevés de la fonction publique d'État en 1981 (2,5 millions d'agents), les dépenses de fonction publique versées (rémunérations et pensions) constituent une part très importante du budget de l'État, soit environ 38 % en 1978. Elles sont estimées à près de 40,7 % en 2002, correspondant à environ 2 270 000 agents de l'État[1]. Les enjeux de mesure et de contrôle de ces dépenses sont d'autant plus essentiels que deux mécanismes accentuent leur caractère stratégique. D'une part, la fonction publique a longtemps servi de référence dans la détermination des hausses salariales dans les entreprises publiques et le secteur privé. La maîtrise des hausses salariales dans l'administration est donc cruciale pour réaliser les objectifs déflationnistes des gouvernements après 1975. D'autre part, les règles structurant la fonction publique française (système organisé autour de corps et de catégories, séparation du grade et de l'emploi, grille indiciaire commune) ont historiquement favorisé des mécanismes de comparaisons, d'équivalences et d'ajustements salariaux entre les corps et les grades de personnel induisant des effets en chaîne de hausse salariale. Dès 1976, mais plus encore à partir de la crise de 1982, les salaires des agents de l'État constituent donc un enjeu financier sur lesquels tous les gouvernements cherchent à agir tout en s'efforçant, simultanément, de limiter les effets électoraux négatifs de mesures de coupes impopulaires. Dans les années 1990, les crises budgétaires (1993-1995 et 2002-2003) accroissent encore plus la constitution des dépenses de personnel de l'État en problème et en enjeu d'intervention.

L'objet de ce chapitre est l'étude, sociologique et historique, de l'invention et des usages d'un instrument de mesure et de rationalisation de ces dépenses, le « raisonnement en masse salariale » (RMS). Fabriqué dans le contexte keynésien de la politique des revenus et de planification des années 1960, le RMS est initialement conçu comme un

---

1. Les agents de France Télécom et de La Poste en ont été retranchés.

instrument de connaissance et de prévision du montant global des dépenses salariales de l'État. Enjeu de controverses et d'investissements multiples qui visent à en améliorer les performances, le RMS acquiert progressivement une importance stratégique incontournable dans la mise en place de politiques de maîtrise et de réduction des dépenses de l'État. De son invention à la maximisation de son utilisation, dans le cadre de la politique économique de rigueur de 1982 à 1988, jusqu'à son institutionnalisation controversée des années 1990, le RMS devient ainsi l'instrument central d'une politique d'intervention sur l'administration et ses dépenses induites. C'est précisément le rôle crucial que jouent les techniques et les « façons de faire » dans les politiques de retranchement (*retrenchment policies*) appliquées aux États administratifs que ce chapitre propose d'analyser. Quatre dimensions de l'instrumentation dans l'action publique sont particulièrement dégagées.

Premièrement, l'invention et le perfectionnement du « raisonnement en masse salariale » mettent en lumière l'importance des enjeux de construction artefactuelle, de catégorisation et de connaissance dans les politiques de l'administration. L'évaluation de la dépense salariale de l'État n'est pas une donnée immédiate. Comme toute activité de quantification et de mesure [Espeland et Stevens, 1998], elle est médiatisée par la construction d'un outil de mesure qui résulte d'entreprises successives de conception et de rationalisation d'un mode de calcul permettant de connaître le nombre d'agents publics et son poids budgétaire. Il s'agit de mesurer et d'agréger un ensemble très hétérogène de rémunérations (variant selon les individus et leurs groupes d'appartenance) et de ramener cette diversité à une catégorie globale et intégratrice. La « masse salariale » de la fonction publique est un construit statistique dont l'élaboration relève d'investigations techniques qui lui donnent sa solidité, son pouvoir rationnel de chiffre et sa légitimité [Porter, 1995]. Faire accepter une représentation objectivée et conventionnelle des évolutions de la masse salariale d'une année sur l'autre ne va donc pas de soi. Cette activité exige de mettre au point un dispositif complexe de mesure, sujet à de nombreuses controverses et conflits en légitimité. On verra comment, progressivement, le raisonnement en masse salariale objective des composantes de la masse salariale globale de l'État et confère une réalité à des mécanismes jusqu'alors peu perçus. Dans cette perspective, la première partie du chapitre restitue les conditions d'apparition de cet instrument et les enjeux de connaissance qui lui sont liés à un moment où l'usage de l'instrument n'est pas stabilisé et où les finalités qu'il sert restent diverses et contradictoires.

Deuxièmement, le développement du raisonnement en masse salariale est un révélateur des conflits de pouvoir qui sous-tendent la fabrication et l'usage d'un instrument cognitif de mesure destiné à objectiver et à décrire une réalité multiforme. L'appréciation du montant et des évolutions de salaires des fonctionnaires est d'abord un enjeu considérable de luttes en raison de ce que « fait voir » l'instrument et des conséquences de cette réalité objectivée. Le RMS n'est pas seulement un outil de connaissance, mais aussi un instrument de pouvoir. Il construit, d'une part, les possibilités d'une intervention publique sur les dépenses salariales de l'État, dès lors que leur montant est évalué, rendu comparable et susceptible d'une construction en « problème public ». En devenant objet d'investigation, la masse des salaires des fonctionnaires et ses variations deviennent aussi objet d'une intervention publique fine, puisque les gouvernements peuvent alors agir sur la réalité que l'instrument a catégorisé et mis en évidence. La décomposition de la masse salariale en variables distinctes grâce au RMS permettra de contraindre ou de minorer telle ou telle composante des dépenses de personnel de l'État. L'instrument rend possible, en outre, l'exercice d'un pouvoir, dès lors qu'un acteur, la direction du Budget notamment, peut se prévaloir de « l'objectivité » d'un savoir pour justifier son action. On verra que le RMS est directement l'instrument d'une politique salariale restrictive, dans les années 1980, en raison de son rôle stratégique dans la définition des termes des négociations salariales de la fonction publique. L'activité de mesure est donc un pouvoir « constituant » par sa capacité à produire des catégories et de l'objectivité, et en raison du pouvoir technique que confère la maîtrise de ce savoir-faire [Espeland et Stevens 1998, p. 331]. L'essor et l'usage de l'instrument réfractent donc de nombreux conflits entre acteurs politiques, administratifs et syndicaux. Dès la fin des années 1960, les catégorisations et les méthodes de calcul qui les fondent sont ainsi discutées et contestées au point d'institutionnaliser durablement l'opposition entre direction du Budget et organisations syndicales de la fonction publique. La deuxième partie de ce chapitre analyse les controverses des années 1970, autour du raisonnement en masse salariale, en privilégiant le conflit qui oppose les partenaires sociaux (qui ne reconnaissent ni la solidité scientifique ni la légitimité du RMS) à la direction du Budget du ministère des Finances.

Troisièmement, le développement du raisonnement en masse salariale illustre l'importance désormais acquise par les mécanismes de gouvernement par l'automaticité, la discrétion et l'incrémentalisme, dans les contextes de crise économique [Weaver, 1986, 1988, 1989]. À partir de la fin des années 1970 et jusqu'à la fin des années 1980, le RMS va progressivement devenir un instrument stratégique discret de la politique de réduction des dépenses dans la fonction publique. La complexité du mode de calcul, sa technicité, mais aussi sa monopolisation par la direction du Budget dans les négociations salariales avec les syndicats en font un instrument peu visible et particulièrement précieux pour développer des politiques budgétaires impopulaires en minimisant les coûts politiques. L'étude des avatars du raisonnement en masse salariale permet ainsi de mettre à jour des stratégies efficaces d'intervention sur l'administration, hors des politiques *publiques* de réforme administrative, mais dans le cadre de ce que j'appelle des « politiques *discrètes* ». Elles reposent sur une « gestionnarisation » du politique, sur des techniques de manipulation d'informations et d'obscurcissement des enjeux d'une mesure. La troisième partie montre donc comment et pourquoi la politique de rigueur et de retranchement menée par la direction du Budget sur les dépenses liées à l'administration s'est appuyée, dans les années 1980, sur ce mode d'action à haute technicité, permettant de restreindre la part négociable annuelle des hausses de salaires dans la fonction publique d'État et de stabiliser les dépenses de personnel, sans recourir à une politique « publique » basée sur la transformation des règles ou l'introduction de nouvelles pratiques de gestion.

La quatrième dimension renvoie au processus d'institutionnalisation de l'instrument dans l'action publique. Sa nature est double. D'une part, au fil des rationalisations, il acquiert une forme d'autonomie par rapport aux contextes institutionnels et sociaux qui tient à ses caractéristiques intrinsèques : sa finalité (il reste un moyen de calcul), les techniques et les savoir-faire qui le constituent, les traces matérielles qui lui donnent forme, les standardisations dont il est l'objet. D'autre part, parce qu'il n'est qu'un intermédiaire dans l'action publique, il fait l'objet d'adaptation à des contextes variés qui modifient sa signification, sa légitimité et ses usages sans pour autant remettre en cause sa finalité utilitaire intrinsèque. La dernière partie du chapitre analyse particulièrement ces deux propriétés paradoxales. Sont examinées les raisons du succès du RMS puis ses limites et les effets de « dépendance à l'instrument ». L'inertie de la structure asymétrique du pouvoir sur laquelle il repose, au service de la direction du Budget, les conflits récurrents qu'il engendre et les limites intrinsèques des résultats budgétaires qu'il permet d'obtenir invitent à considérer avec précaution les effets des instruments dans l'action publique ainsi que leur processus d'appropriation et d'usage.

—— L'invention d'un instrument de calcul
de la masse salariale
de la fonction publique

La cristallisation d'une interrogation
sur les salaires de l'État

La cristallisation d'une interrogation sur la masse salariale de la
fonction publique dans les années 1960 n'émerge pas comme un questionnement évident et immédiatement légitime. Elle résulte de trois
dynamiques simultanées à travers lesquelles l'administration et les
salaires des agents de l'État sont constitués, progressivement et de façon
fragmentée, en objet d'enquêtes et d'interrogations.

Le questionnement réflexif sur le « coût » de la fonction publique
s'inscrit d'abord dans le contexte général des années 1960 qui voit se
développer des interrogations multiples sur la rationalité de l'appareil
administratif d'État [Bezes, 2003]. La signature du traité de Rome en
1957 et l'ouverture de l'économie française à la compétition internationale, de même que l'accentuation du développement de l'État providence national *via* l'extension de la planification dès le IVe Plan,
favorisent le développement d'interrogations sur l'optimalité et la rationalité des interventions et des investissements de l'État. Dans ce
contexte, trois institutions intraministérielles et centralistes, particulièrement, le Commissariat général au plan (CGP), le Service d'études
économiques et financières (SEEF) qui devient direction de la prévision
en 1965 et la direction du Budget sont en quête de savoirs et d'instruments susceptibles de les aider à mieux évaluer et contrôler les transformations de l'État administratif. L'utilisation d'instruments de
modélisation macro-économique, mais aussi le souci de rationaliser
scientifiquement les choix publics et les fonctionnements de l'administration à travers le développement des techniques micro-économiques
(coûts-avantages) s'inscrivent dans ce contexte[2].

L'attention spécifique portée aux salaires publics en termes de « coût
global » résulte, ensuite, d'interrogations plus spécifiques qui conduisent à faire des salaires et de leurs progressions un objet d'enquêtes et
un enjeu de régulation. En 1961-1962, la direction du Budget (et par

---

2. *Ce sont ces initiatives qui donneront naissance à la rationalisation des*
choix budgétaires, dite « RCB ».

ricochet le ministère de la Fonction publique) observe des effets de cascade inflationnistes dans la grille indiciaire et statutaire de la fonction publique française. À la suite, notamment, de modifications d'indices obtenues par le personnel enseignant, un grand nombre d'autres catégories de personnels, alignées sur les premières, obtiennent, en 1961-1962, une revalorisation de leur situation indiciaire[3]. Cette augmentation générale débouche sur la perception d'anomalies dans les évolutions salariales au début des années 1960, observée par la sous-direction PCM (personnels civils et militaires) de la direction du Budget, entre l'indice d'augmentation et la somme réelle d'accroissement des dépenses de salaires [Long, 1967, p. 140]. Les augmentations générales annuelles accordées apparaissent donc inférieures aux variations de la masse salariale globale, c'est-à-dire de la somme des salaires réellement versés. Les revalorisations en chaîne liées au « mouvement indiciaire » de 1961 ont de puissants effets inflationnistes et entraînent un bouleversement de la grille de la fonction publique au point d'obliger la direction du Budget à créer des rémunérations occultes, hors échelle[4]. Dès cette période, la direction du Budget est donc en quête d'instruments lui permettant de mieux prévoir la totalité des effets budgétaires des augmentations salariales dans la fonction publique.

Enfin, l'intérêt accordé à la question salariale dans la fonction publique est également le résultat des débats de la première moitié des années 1960 sur la mise en place d'une politique des revenus dans la société française, d'inspiration keynésienne, et, de manière plus restreinte, dans le secteur public. Dans le cadre des débats sur le IVᵉ Plan (1962-1965), deux institutions plaident simultanément, et pour des raisons différentes, en faveur d'une politique nationale des revenus [Hayward, 1966 ; Boisonnat, 1966 ; Dumez et Jeunemaitre, 1989, p. 90-94]. Le Conseil économique et social, d'un côté, se fait l'écho des groupes d'intérêt représentés en son sein (agriculteurs, salariés) pour défendre l'idée d'une politique de redistribution des revenus destinée à lutter contre les inégalités au sein de la population française. Le

---

3. *En deux ans, les indices de 1 500 grades ou corps sont ainsi revus, couvrant à peu près l'ensemble de la fonction publique.*
4. *Les règles structurant la fonction publique française (système organisé autour de corps et de catégories, séparation du grade et de l'emploi, grille indiciaire commune) constituent un cadre commun pour tous les fonctionnaires, mais entraînent des effets salariaux non voulus en favorisant les comparaisons entre les différents corps et grades assimilables et en générant des revendications d'égalité de traitement.*

78

GOUVERNER PAR LES INSTRUMENTS

Commissariat général au Plan, de l'autre, argumente dans le même sens dans la perspective du Ve Plan en faveur du développement d'une politique sociale des revenus. Celle-ci revêt deux objectifs. Elle est destinée à modérer et à rendre plus prévisible l'inflation salariale à travers la mise en place de dispositifs de suivi des structures salariales et de leurs évolutions. Elle vise également à rééquilibrer les disparités de revenus, notamment envers les groupes défavorisés (personnes âgées, familles nombreuses, travailleurs bénéficiant d'un revenu minimum, ouvriers agricoles, rapatriés, etc.). Plusieurs initiatives témoignent de la présence du sujet sur l'agenda gouvernemental au début des années 1960[5]. Au milieu des années 1960, la mise en place de cette politique publique sur les revenus est très liée à l'idéal planificateur et au cadre économique keynésien. Elle échoue pour de multiples raisons[6].

Dans ce cadre, l'un des enjeux importants, pour crédibiliser les discussions salariales, est la mise au point d'instruments permettant de programmer et de suivre « l'évolution de la masse salariale, décomposée en ses principaux éléments : évolution du nombre de salariés, évolution des horaires de travail, mouvements de salaires à qualification constante, mouvements de la pyramide hiérarchique » [Gruson, 1964,

5. *La création, par Michel Debré, Premier ministre, en 1962, d'un Groupe de statistiques et des revenus, présidé par Pierre Massé ; la reprise publique du thème par Valéry Giscard d'Estaing, nouveau ministre des Finances, en avril 1962, lors d'un discours face au Centre des jeunes patrons ; l'organisation d'une Conférence sur la politique des revenus d'octobre 1963 à janvier 1964, également présidée par le commissaire au Plan et regroupant les représentants des organisations syndicales (CGT, CFDT, CGC, FO), patronales (CNPF, FNSEA et CNJA, CGPME) et familiales (UNAF)* dont sortira le Rapport sur la politique des revenus établi à la suite de la conférence des revenus *(La Documentation française, coll. « Recueil et Monographies », n° 47, 1964) et la commande d'un rapport en avril 1964 par le Premier ministre Pompidou à Claude Gruson, directeur général de l'INSEE, sur la mise au point de l'institution jugée centrale pour objectiver les discussions salariales, le Collège d'étude et d'appréciation des revenus (CEAR). Voir, à ce sujet, Claude Gruson,* Rapport au Premier ministre sur les problèmes que pose l'institution du Collège d'étude et d'appréciation des revenus, *septembre 1964. Le rapport ne sera finalement pas rendu public et le CEAR ne sera pas créé par décision du Premier ministre et de son cabinet.*
6. *On peut citer les résistances du Premier ministre Georges Pompidou, des effets de conjoncture avec le déclenchement d'un plan de stabilisation en 1963 et les oppositions des organisations patronales et des syndicats, ces derniers accusant le gouvernement de vouloir « imposer » une politique des salaires sous couvert de concertation sans véritable prise en compte de leurs exigences salariales [Hayward, 1966]. Le seul résultat tangible sera la création d'un organisme indépendant, le Centre d'étude des revenus et des coûts (CERC), en février 1966.*

p. 556], c'est-à-dire d'assurer le suivi le plus précis possible des évolutions salariales dans la société française. Les débats portent, notamment, sur les effets d'entraînement inflationnistes en matière de hausse des salaires susceptibles de survenir entre trois sphères distinctes : la fonction publique *stricto sensu*, les entreprises publiques et les entreprises privées. Cet enjeu constitué par la progression des rémunérations dans le secteur public revêt d'ailleurs une importance particulière à la suite d'une grève des mineurs des personnels des Houillères de Bassins et de Charbonnages de France en mars 1963. Ce conflit recentre une partie de la réflexion sur le cas du secteur public. En mars 1963, le Premier ministre Georges Pompidou demande à MM. Massé, commissaire au Plan, Bloch-Lainé, inspecteur général des Finances et Masselin, conseiller-maître à la Cour des comptes, de recueillir des informations sur la progression des rémunérations dans les entreprises publiques (Charbonnages, EDF-GDF, SNCF), comparée à celles du secteur privé et en tenant compte des qualifications, conditions de travail et des garanties propres aux catégories considérées [Salon, 1993, p. 417-418]. En octobre 1963, en réaction au conflit des Charbonnages et à la suite de la mission Massé, le conseiller d'État Jean Toutée, président de la section des Finances, est chargé par Georges Pompidou d'un rapport sur la restauration du dialogue entre syndicats du secteur public et gouvernement[7], et, plus spécifiquement, sur la procédure de négociation salariale dans le secteur public[8]. C'est dans ce cadre institutionnel que se pose, cette fois pour les entreprises publiques, la question des formes de la négociation entre syndicats et gouvernement, mais également celle des contenus et des enjeux des discussions. Pour négocier, il est nécessaire de disposer d'une appréciation précise des montants des salaires versés, c'est-à-dire de la masse salariale et des effets d'interdépendance et d'entraînement entre secteur public et fonction publique.

---

7. *Mission sur l'amélioration des procédures de discussion des salaires dans le secteur public, « Rapport de M. Toutée »*, Notes et études documentaires, 3069, 2 mars 1964 [citée Toutée, 1964]. *Le rapport est précisément remis au Premier ministre le 1ᵉʳ janvier 1964. Outre Jean Toutée, la mission est composée de deux autres membres du Conseil d'État, M. Ducoux, maître des requêtes, et Jean-Philippe Lecat, auditeur.*
8. *Le secteur public est limité dans le rapport à quatre entreprises : la SNCF, Électricité et Gaz de France, Charbonnages de France et la RATP.*

*L'invention du raisonnement en masse salariale :
la genèse d'un instrument de connaissances
et de prévision*

Les analyses de la mission Toutée proposent des recommandations dans trois domaines essentiels. Tout d'abord, la mission préconise une rationalisation de la procédure de négociation salariale dans les entreprises publiques : dans le strict cadre d'un montant total annuel de masse salariale globale affecté à une entreprise publique et déterminé dans le cadre du processus de planification économique, la négociation se déroulerait de manière autonome au sein de chaque entreprise publique pour la détermination des salaires. En outre, les entreprises sont invitées à développer des formes de contractualisation, des « contrats de progrès » avec les organisations syndicales, afin de garantir les engagements salariaux sur une période donnée en échange du non-recours à la grève. Enfin et surtout, la mission Toutée insiste sur la nécessité de stabiliser les négociations sur la base de données statistiques sur les salaires, précises, fiables et acceptées par tous. Une section du rapport est ainsi consacrée aux « études de salaires » et à l'enjeu crucial de crédibilité des calculs [Toutée, 1964, p. 7]. Le souci est de constituer des bases de négociation salariale moins discutables, grâce à la mise en place d'un nouvel instrument technique de mesure des dépenses salariales dans les entreprises publiques permettant de prendre en compte la totalité de la « masse salariale ». La mission revisite ainsi l'ancienne manière formelle de considérer le « salaire » : au lieu de ne considérer que le traitement de base et les seules mesures générales (l'augmentation de la valeur du point d'indice), elle propose d'ajouter plusieurs autres éléments. D'abord, les différentes mesures catégorielles, décidées en faveur d'un corps ou d'un groupe au sein de l'entreprise (par exemple, par création ou majoration d'indemnités ou par reclassement de certaines catégories) doivent être ajoutées au calcul de la masse salariale globale qu'elles contribuent à faire augmenter, même si elles ne concernent qu'une petite partie de l'effectif. À ces mesures s'ajoutent les effets de « glissements » salariaux (notés G) liés à l'incidence des promotions et des avancements résultant des augmentations individuelles discrétionnaires. Le coût des progressions automatiques des salaires à l'ancienneté est également à prendre en compte pour calculer la masse salariale. En progressant dans la carrière à l'ancienneté, un agent public voit sa rémunération augmenter mécaniquement, sans qu'aucune décision de hausse des salaires n'ait été prise. Cette composante est l'effet du vieillissement (notée V). Enfin, les augmentations salariales entraînées par l'acquisition d'une qualification nouvelle, c'est-à-dire par les transformations de la technicité des emplois, sont une autre composante de la masse salariale globale (notés T). Ces trois effets constituent le GVT (glissement – vieillesse – technicité) dont le coût, complexe à chiffrer, s'ajoute aux mesures catégorielles et aux mesures générales pour calculer la masse salariale[9]. Un dernier élément est envisagé. Évaluer proprement la masse salariale d'une année sur l'autre suppose de comparer deux choses comparables. Il est donc nécessaire d'apprécier la masse des salaires à ancienneté et à technicité constantes, mais aussi à effectifs constants, en tenant compte de l'impact sur les salaires des départs en retraite (des hauts salaires) et de l'embauche de nouveaux agents (des salaires plus faibles au bas de l'échelle). À ce stade, le GVT est construit de manière théorique, les éléments statistiques des entreprises publiques pouvant permettre d'en espérer le chiffrage.

Ainsi, la mission Toutée offre l'une des premières formalisations systématiques des différentes composantes de la « masse salariale totale[10] ». L'instrument cognitif « raisonnement en masse salariale » (RMS) vient d'être inventé et introduit une rupture significative.

Plusieurs éléments indiquent qu'il s'agit bien d'une nouvelle manière de raisonner et de penser l'administration qui contient une dimension critique à l'égard de la fonction publique. D'abord, la prise en compte de trois composantes pour mesurer la masse salariale annuelle globale dans le secteur public (les mesures générales, les mesures catégorielles et les effets GVT) remet totalement en cause le mode de calcul antérieur des dépenses de personnel, dit « raisonnement en *niveau* » de rémunération, et souligne, par comparaison, sa faiblesse heuristique. Le raisonnement en niveau n'évalue en effet les variations de la masse salariale qu'en comparant les rémunérations perçues à deux dates précises (par exemple, décembre 1967 et décembre 1968). Il privilégie donc les seules augmentations officielles des indices et des salaires, les mesures générales, à un moment t, et n'en considère donc que les effets immédiats[11].

9. Pour une présentation synthétique de ces composantes, voir Feller [1998].
10. Au milieu des années 1960, l'entreprise de rationalisation des modes de calcul des rémunérations n'est pas propre à la mission Toutée. Le rapport immédiatement précédent, confié à Pierre Massé en mars 1963, propose également de décomposer les éléments constitutifs des rémunérations dans les entreprises nationales. Massé (P.) (prés.), Rapport sur la situation des salariés du secteur nationalisé, Paris, La Documentation française, 1963.
11. Or, une augmentation générale des salaires au mois x de l'année t produit des effets différés l'année suivante t + 1 en augmentant l'ensemble des salaires sur douze mois. C'est ce qu'on appelle « l'effet report ou l'effet d'extension en année pleine ».

Ensuite, les travaux de la mission Toutée, comme ceux de la mission Massé de 1963 et de la Conférence des revenus, soulignent les dangers des effets d'entraînement entre augmentations salariales au sein de la fonction publique, du secteur public et du secteur privé, dans le contexte des débuts de la lutte contre l'inflation. Les enjeux de « parité » entre les secteurs [Toutée, 1964, p. 5] deviennent une préoccupation importante, dès lors qu'ils risquent d'entraîner des ajustements inflationnistes. Le mécanisme fondamental remis en question est la double clause d'indexation, obtenue par les organisations syndicales dans la loi du 3 avril 1955, qui « invitait » le gouvernement à assurer l'harmonisation et la péréquation des statuts et rémunérations entre la fonction publique d'État et les entreprises publiques du secteur nationalisé (dont les rémunérations étaient elles-mêmes indexées sur les prix). Ce lien entre entreprises nationalisées et fonction publique proprement dite instituait une dépendance qui liait les mains du gouvernement et favorisait l'argumentation et les revendications des organisations syndicales de la fonction publique. Dans le contexte de surchauffe de la première moitié des années 1960, cette articulation est considérée comme un problème par le gouvernement Pompidou sans qu'il puisse la remettre en cause en raison de l'impopularité de la mesure [Massé, 1963, p. 10 ; Hayward, 1966].

Les contradictions des trois usages de l'instrument RMS : un virus libéral dans un cadre keynésien ?

Au milieu des années 1960, ces nouvelles modalités de calcul de la masse salariale ne constituent encore que des propositions, mais leur intérêt est perçu par beaucoup d'acteurs. Dès mai et juin 1964, lors de réunions du cabinet du Premier ministre rassemblant des représentants des directions des entreprises publiques et des hauts fonctionnaires des ministères des Finances, des Travaux publics, de l'Industrie et de la Fonction publique, le problème de la transposition des mesures envisagées dans la fonction publique est posé [Salon, 1993, p. 419]. En mai 1964, le gouvernement Pompidou se saisit immédiatement des conclusions de la mission Toutée en créant des commissions de constatation des salaires dans les entreprises publiques. En septembre 1964, il suggère même d'étendre les procédures Toutée aux négociations dans la fonction publique mais rencontre l'hostilité syndicale. Ces décisions et les propositions de la mission (raisonnement en masse salariale et procédures de négociation qui l'entourent) sont contestées par les syndicats et deviennent les enjeux de conflits sociaux dans les entreprises publiques et la fonction publique. Une manifestation unitaire des syndicats des agents des services publics (CGT, CFDT, FO et CGC) a lieu le 2 décembre 1964, suivie d'une grève générale le 11 décembre 1964. Les commissions de constatation des salaires sont le lieu d'importantes dissensions internes et les organisations patronales dénoncent également les procédures Toutée parce qu'elles empiètent trop fortement, selon elles, sur les prérogatives des employeurs. De son côté, dès 1964, la sous-direction PCM (personnels civils et militaires) de la direction du Budget, et notamment le bureau FP1, perçoit bien l'intérêt du raisonnement en masse salariale et les bénéfices qu'elle pourrait en tirer. Le chiffrage du RMS lui permettrait d'affiner très significativement son mode de calcul traditionnel de la masse salariale étatique, limité aux seules mesures générales et catégorielles. En identifiant la progression d'autres variables, il expliquerait également l'écart observé entre les coûts des hausses générales des salaires et l'augmentation des dépenses de personnel, toujours supérieures. En permettant de mieux comprendre ce qui est alors perçu comme des anomalies, il favoriserait donc une meilleure prévision budgétaire. À cette période, cependant, la traduction concrète des notions de glissement, vieillesse, technicité dans les raisonnements du PCM n'est pas aisée en raison des difficultés du chiffrage. La dépense publique en matière de personnels dans le budget de l'État est structurée par des données en moyenne arithmétique et non par les engagements réels des crédits, la paye des ministères n'étant pas alors centralisée au niveau des trésoreries régionales. À partir de 1964, les membres du PCM s'efforcent donc, de manière souvent « bricolée » et approximative, de chiffrer les effets sur la masse salariale des effets de glissement, de vieillissement et de technicité[12]. À ce stade, le RMS ouvre de nouvelles perspectives de calcul et nourrit les investigations des fonctionnaires du PCM. Il est loin de constituer un instrument efficace.

Dans les années 1960, la genèse du RMS renvoie donc avant tout à des enjeux de connaissances. Il s'agit d'asseoir la légitimité « scientifique », l'utilité et la crédibilité d'un outil pensé initialement comme un instrument de savoir, supposé établir la *vérité* des salaires dans la fonction publique d'État et dans le secteur public. L'orientation

---

12. *Entretiens réalisés auprès d'anciens membres de la sous-direction PCM de la direction du Budget.*

dominante est keynésienne. Le travail de la mission Toutée (et celui de la mission Massé qui la précède) se développe en lien avec l'extension de la planification et dans le cadre d'approches macro-économiques keynésiennes structurées autour des notions d'agrégats. Avec l'idée d'une « politique des revenus » et avec le souci de prévoir et de rendre calculable le comportement salarial de l'agent « État », l'idéal keynésien d'approches économiques globales et interdépendantes demeure réaffirmé. Le RMS est conçu comme l'instrument d'une politique de concertation entre gouvernement et organisations syndicales, articulée à la planification, et destinée à « cadrer » et modérer les logiques inflationnistes en défendant l'idée d'autonomie des entreprises publiques. Pour autant, la décomposition à laquelle procède le RMS n'est pas dénuée d'ambiguïté. Certes, la première cristallisation du raisonnement en masse salariale, dans les années 1960, témoigne du souci d'instaurer une plus grande lisibilité des mécanismes de fonctionnement de l'État administratif, afin de mieux en contrôler les effets économiques, endogènes et exogènes. Cependant, il constitue également un nouvel outil d'interrogation économico-budgétaire sur le coût de l'État lié aux salaires. Dès les années 1960, les élites administratives et politiques commencent à percevoir et à prendre en compte, pour mieux adapter les forces étatiques aux besoins et aux contraintes, la nécessité d'une régulation de l'administration, notamment *via* la connaissance des effectifs administratifs et des évolutions des coûts budgétaires qu'ils représentent. La réflexion menée parallèlement sur la prévision des effectifs dans la fonction publique [Bezes, 2002, p. 101-107] renforce cette idée que l'exercice contemporain du gouvernement de l'État passe désormais par la mise en œuvre d'une *économie* à l'égard de sa fonction publique, c'est-à-dire de savoirs qui permettent d'en connaître le nombre, le coût et les évolutions. Le calcul en masse est contemporain de l'essor de la micro-économie utilisée dans les études coûts-avantages, perçue par les uns comme un amendement au keynésianisme mais, par les autres, comme l'émergence d'un paradigme économique alternatif, néo-classique ou néo-libéral, dans un cadre keynésien[13]. Cette ambiguïté est perceptible dans les effets de la mission Toutée. D'un côté, elle affiche l'objectif public d'amélioration et de développement des procédures de discussion salariale et de conciliation dans les entreprises publiques. De

---

13. *Cette coexistence, dans les années 1960, entre la macro-économie keynésienne et une micro-économie libérale, a été mise en avant par Olivier Favereau [Favereau, 1982].*

l'autre, elle vise à modifier, à la baisse, les termes de la comparaison entre secteur public et fonction publique d'État.

Tout au long des années 1960, le développement du raisonnement en masse salariale est donc structuré par trois objectifs distincts et contradictoires : il est un instrument de connaissances destiné à apprécier avec précision un agrégat jusque-là incertain (les rémunérations des agents publics) et à en prévoir l'évolution ; il est un instrument d'une embryonnaire politique libérale parce qu'il s'articule à des objectifs de lutte contre l'inflation par la modération des hausses des rémunérations dans le secteur public ; il constitue, enfin, un instrument du dialogue social puisqu'il est supposé crédibiliser et donner des bases statistiques aux structures de concertation et de négociation entre gouvernement et organisations syndicales.

D'un instrument de connaissance à un instrument de contrôle salarial discret

Les transformations de l'instrument et de ses usages, de la fin des années 1960 aux années 1970, reflètent la manière dont vont évoluer ces trois composantes (outil de savoir, de coupes budgétaires et de négociation). Précisément, en dépit de nombreuses tentatives, l'élément significatif de la période 1966-1976 est l'échec répété des efforts de mise en place d'une véritable politique des revenus. Si la fonction de connaissance de l'instrument n'est jamais remise en cause, les échecs de son utilisation partagée au service du dialogue social vont, en quelque sorte, « replier » le raisonnement en masse salariale sur un usage budgétaire discrétionnaire et asymétrique par la seule direction du Budget. Cette appropriation de l'instrument par la direction du Budget, dans le cadre de la crise économique des années 1970, exacerbe les conflits avec les syndicats de la fonction publique autour de la crédibilité de l'outil.

Les errements de la politique contractuelle et ses effets sur les usages du RMS

Dès le milieu des années 1960, la politique des revenus est contestée et refusée par les organisations syndicales du secteur public. La récession économique en 1965, le maintien du Plan de stabilisation contraignant sur les prix et les salaires, l'accroissement des disparités de rémunérations nourrissent l'hostilité des organisations syndicales qui voient dans la politique des revenus un instrument d'imposition d'une « police des salaires ». Les objectifs affichés du nouveau gouvernement Pompidou de janvier 1966 ne modifient pas le jeu entre un gouvernement qui mobilise la notion de « politique des revenus » et des syndicats d'entreprises publiques qui refusent d'entrer dans un dispositif jugé asymétrique. De 1966 à 1968, les syndicats Fonction publique ne sont pas plus associés à une politique du dialogue social [Long et Blanc, 1969, p. 169]. Les termes du débat évoluent sensiblement avec les négociations de mai-juin 1968, puis l'arrivée au poste de Premier ministre de Jacques Chaban-Delmas en 1969, mais le renouveau de la politique contractuelle ne dure pas. Dans un premier temps, la politique de la fonction publique acquiert une visibilité inhabituelle avec la naissance d'une politique contractuelle dans le cadre du « protocole Oudinot », le « Grenelle » de la fonction publique, conclu entre le gouvernement et les syndicats en juin 1968, à la suite du grand mouvement de grèves dans le secteur public. Le protocole[14], puis les réformes menées par Jacques Chaban-Delmas dans le cadre de son programme de la « Nouvelle Société », annoncent un ensemble de mesures pour le secteur public, et spécifiquement pour la fonction publique [Salon, 1993, p. 418-428]. Plusieurs accords salariaux interviennent successivement, affichant la volonté du gouvernement de « porter au plus haut niveau d'efficacité et de confiance mutuelle les rapports entre l'État et les représentants des fonctionnaires » : un relèvement important des indices des personnels d'exécution (catégories C et D) le 10 octobre 1969, la revalorisation des rémunérations des agents de la catégorie B par le protocole du 22 septembre 1972, mais surtout le premier accord salarial général dans la fonction publique, qui prend la forme d'un « constat » en 1970, c'est-à-dire un texte non formellement signé par les parties, mais qui institutionnalise la négociation sur les salaires des fonctionnaires entre l'État et les syndicats Fonction publique. La philosophie est alors de s'appuyer sur la participation et le « contrat » entre organisations syndicales et gouvernement pour obtenir une politique salariale modérée en échange de plans de modernisation. Le renouveau est cependant de faible durée. En juillet 1972, la chute de Jacques

---

14. *L'extension du rôle des organisations syndicales, une politique de reclassement catégoriel (C et D), l'instauration d'une négociation annuelle entre les organisations syndicales Fonction publique et le gouvernement et la loi du 16 juillet 1971 portant organisation de la formation professionnelle des fonctionnaires (qui marque le véritable point de départ du développement de masse des formations dans la fonction publique) en sont les principaux éléments.*

Chaban-Delmas condamne la politique du dialogue social sous sa forme institutionnelle. Surtout, ces dispositions horizontales qui bénéficient à l'ensemble des administrations et auxquelles s'ajoutent des plans sectoriels particuliers se traduisent par une importante distribution de pouvoir d'achat, concomitante avec une croissance des effectifs de la fonction publique [Marchetti, 1998]. Si les fonctionnaires enregistrent bien, de 1972 à 1978, d'importants gains de pouvoir d'achat en raison de l'indexation du point « fonction publique » sur l'inflation, les dépenses de personnel de l'État augmentent significativement.

Avec l'échec de la politique des revenus, le raisonnement en masse salariale perd définitivement sa justification « démocratique » initiale, c'est-à-dire constituer un instrument de connaissance crédible et admis dans les négociations. Il est réduit à ne constituer qu'un raisonnement permettant de construire des données économiques et budgétaires et le renvoie à sa seule utilisation par la direction du Budget. Au milieu des années 1970, l'usage affiché du RMS change de signification et d'interprétation. Le raisonnement en masse devient progressivement un très utile instrument de connaissance de la dépense salariale de l'État dans le cadre des négociations sur les revalorisations salariales de la fonction publique conduites annuellement par le gouvernement, la direction du Budget et le ministère de la Fonction publique. Progressivement, il se transforme en instrument stratégique de prévision et de gestion budgétaire de l'administration, à la discrétion des autorités publiques, mais également en instrument de manipulation des négociations salariales. Dans les années 1970, la négociation annuelle dans la fonction publique est focalisée sur l'arrêt d'un calendrier de réalisation des réajustements de la valeur du point de la fonction publique et la fixation des modalités de rattrapage à effectuer lorsque le chiffre de l'inflation est connu. L'introduction du raisonnement en masse dans les négociations constitue une stratégie utile pour modifier la représentation des enjeux et des priorités. Le contexte de crise économique favorise ce déplacement.

*La crise économique des années 1970
et le changement d'usage du raisonnement
en masse : agir sur les négociations salariales
de la fonction publique*

En 1975, l'apparition d'un déficit budgétaire pour les comptes consolidés des administrations publiques (État, sécurité sociale et collectivités locales) et aussi pour le seul État constitue une remise en cause fondamentale des modalités de l'action publique et des croyances qui lui sont attachées. La politique économique du Premier ministre Raymond Barre en septembre 1976 rompt avec les politiques keynésiennes et affiche des objectifs d'inspiration monétariste : politique de lutte contre l'inflation (devenue une priorité et la première étape d'une lutte contre le chômage), libération des prix, politique du franc fort dans le cadre du SME et objectifs restrictifs de croissance de la masse monétaire. Avec ce changement net d'objectifs de 1976, la limitation du déficit des finances publiques et la préservation de l'équilibre des comptes publics devient l'horizon nécessaire et suffisant de l'action de la direction du Budget. Les dépenses de l'État font l'objet de nombreux examens dans lesquels les dépenses de personnel (salaires et pensions) constituent une composante essentielle sur laquelle le gouvernement Barre veut agir. Leur part élevée et croissante dans le budget de l'État commence à être dénoncée, comme leur incompressibilité. De 1972 à 1976, elles ont augmenté constamment, passant de 34,4 % du budget de l'État à 38,9 % en 1976[15]. À partir de 1976, les dépenses salariales deviennent un objectif d'intervention budgétaire à la direction du Budget.

Dans ce contexte, le raisonnement en masse salariale devient un instrument d'action incontournable de la direction du Budget. Deux raisons majeures expliquent l'intensification de l'usage du RMS.

La première réside dans le fait que le raisonnement en masse salariale s'inscrit au cœur des objectifs du gouvernement Barre. À partir de 1976, la stratégie de ce gouvernement consiste à modérer les augmentations salariales au moyen d'une politique appelée « gradualisme », destinée à diminuer progressivement les tendances inflationnistes [Dumez et Jeunemaitre, 1989, p. 94]. Elle repose sur un usage décrémental des taux d'augmentation des prix et des salaires et s'applique particulièrement à la fonction publique. Le gouvernement Barre affiche l'objectif restrictif d'une garantie du maintien du pouvoir d'achat pour les agents publics, basée sur une évolution de la masse salariale de l'État au même rythme que le PIB. Les chiffres de référence affichés publiquement (prix, PIB, salaires) deviennent des enjeux sensibles et souvent l'objet de « manipulations » gouvernementales à la baisse, afin de minimiser les revendications à la hausse, quitte à affronter après coup une demande de réajustement. De même, la fixation du taux d'augmentation des

---

15. *Comptes de la Nation dans* Statistiques et études financières, *388. 1982-1983.*

salaires dans le secteur public, et, plus concrètement encore, la fixation de l'augmentation annuelle de la masse salariale, est un autre enjeu crucial du pilotage financier de l'économie française. Le directeur du Budget, de 1978 à 1981, considère d'ailleurs l'absence de dérapage et la modération salariale dans la fonction publique comme ses principaux objectifs, en raison des effets d'entraînement dans le secteur privé[16]. Depuis 1976, une « pause catégorielle » a d'ailleurs été décidée.

La seconde raison, qui renforce l'intensification d'usage du RMS, tient au contexte politique du gouvernement Barre. De 1976 à 1981, l'action du gouvernement Barre est politiquement contrainte, notamment dans ses interventions sur l'administration. Le contexte électoral est peu favorable à des politiques publiques radicales. Les faibles ressources partisanes des Républicains indépendants, les conditions tendues de la compétition politique depuis 1974 (nombreuses élections, cantonales en 1976, municipales en 1977 largement gagnées par la gauche, législatives en 1978, européennes en 1979) et les divisions internes à la majorité de droite (en particulier au Parlement, avivées par la création du RPR) conduisent à faire prévaloir des mesures consensuelles de 1977 à 1981, et à éviter les mesures qui opposeraient nettement les camps de la majorité. En 1977, dans une période d'inflation galopante, l'indexation des salaires aux prix est jugée problématique parce qu'elle constitue un mécanisme d'entretien des pressions inflationnistes, dans un contexte français où les négociations sur la fonction publique font figure de référence pour les hausses des entreprises publiques et du secteur privé. Une décision radicale de désindexation pourrait constituer une solution susceptible de casser les effets d'entraînement mais ce changement, étudié par la direction de la Prévision, n'est pas envisageable, économiquement et surtout politiquement, alors même que sa faisabilité technique est admise. La mesure est jugée trop impopulaire pour être endossée par le gouvernement Barre. En définitive, la politique économique (Plans Barre) reste modérée dans ses objectifs monétaristes (limitations des augmentations de la masse monétaire, réduction des taux d'intérêt, baisse significative de la dépense publique) pour plusieurs raisons : absence de transformation des méthodes de gestion financière publique, souci réaffirmé de maintenir une politique de franc fort et faible ampleur relative de la crise budgétaire en France dans la seconde moitié des années 1970 [Cohen et al., 1982, p. 55-58]. Dans cette configuration, les acteurs politiques ne cherchent pas à proposer des réformes structurelles sur l'administration ni à publiciser une politique restrictive à l'égard des

---

16. *Entretiens réalisés auprès d'anciens membres de la direction du Budget.*

fonctionnaires. Au contraire, ils veulent minimiser la visibilité des coupes salariales pratiquées sur les salaires des agents de l'État et mener des stratégies pour minimiser le blâme [Weaver, 1986].

Le travail interne sur l'instrument RMS, au sein de la direction du Budget, revêt alors une importance stratégique. De fait, le raisonnement en masse permet de modifier sensiblement les cadres cognitifs qui structurent les négociations salariales de la fonction publique française. Concrètement, il favorise un processus de désindexation par rapport à l'inflation et une meilleure prise en compte des facteurs d'augmentation de la masse salariale autres que les mesures générales qui sont le seul enjeu de la négociation annuelle. Les mesures catégorielles, la progression des rémunérations selon l'ancienneté (la masse salariale augmente quand les effectifs vieillissent) ou l'augmentation dans les embauches de la qualification (la masse salariale augmente si on revalorise des emplois plus qualifiés donc mieux payés) font augmenter mécaniquement la masse salariale globale. Ces composantes sont considérées comme des avantages budgétaires globalement accordés aux agents de l'État dans leur ensemble[17]. En soulignant l'importance de ces éléments pour calculer « objectivement » l'évolution du pouvoir d'achat moyen des fonctionnaires, la direction du Budget minimise donc mécaniquement la nécessité de hausse des mesures générales, c'est-à-dire de la valeur du point « fonction publique ». Dit autrement, en identifiant et en cherchant à mesurer les différentes composantes des évolutions de la masse salariale, la direction du Budget revalorise toujours un peu plus la part prise par les augmentations mécaniques liées à l'ancienneté, aux requalifications et aux mouvements de personnel et relativise toujours un peu plus le poids des mesures générales, seule composante officiellement négociée, lors des réunions annuelles entre l'État et les syndicats de la fonction publique. L'équation du RMS – « $\Delta P = \Delta S = MG + MC + GVT$[18] » – commence ainsi à fonctionner, à la direction du Budget, comme un

---

17. *Même si chaque groupe ou individu n'en bénéficie pas forcément en particulier, dès lors qu'il n'est pas concerné par les effets des mesures catégorielles ou du GVT.*

18. *L'équation « $\Delta P = \Delta S = MG + MC + GVT$ » où $P = Prix$, $S = Salaires$, $MG = mesures\ générales$, c'est-à-dire les mesures négociées annuellement entre les syndicats Fonction publique et le gouvernement sous forme de revalorisation du point « fonction publique » ou d'attribution uniforme de points d'indice ; $MC = mesures\ catégorielles$, c'est-à-dire les réformes statutaires proprement dites, revalorisations indemnitaires appliquées à certains groupes d'agents ; $GVT = glissement\ vieillesse\ technicité$, c'est-à-dire l'effet des avancements d'échelons et des promotions de grades ou de corps.*

instrument stratégique de négociations à la baisse. Elle acquiert, progressivement, la légitimité d'un outil de calcul qui permet à la fois de définir une progression plafond de la masse salariale de l'État, de développer des stratégies discrètes pour s'y tenir et de réduire le montant des enveloppes à négocier avec les syndicats de la fonction publique.

Idéalement, la direction du Budget souhaiterait que les organisations syndicales admettent le raisonnement en masse. Pour elle, la discussion salariale reposerait alors, d'entrée de jeu, sur des bases objectives nécessairement plus restreintes que les revendications syndicales traditionnelles d'ajustement à l'inflation par la revalorisation du point. Au milieu des années 1970, cependant, les syndicats contestent l'utilisation d'un instrument au mode de calcul compliqué et qui propose d'autres données statistiques, moins favorables pour eux, sur l'évolution du pouvoir d'achat des fonctionnaires et le montant nécessaire de revalorisation du point. L'usage discret du raisonnement en masse structure déjà une opposition forte entre direction du Budget et syndicats de la fonction publique.

L'illégitimité publique d'un instrument discret : l'opposition entre direction du Budget et syndicats de la fonction publique dans le conflit de 1977

L'année 1977 offre une bonne illustration du conflit qui oppose organisations syndicales et gouvernement sur les salaires dans la fonction publique [Branciard, 1995]. En 1977, le gouvernement – et surtout le ministère de l'Économie et des Finances et la direction du Budget – veulent transformer les termes publics de la négociation salariale en imposant le raisonnement en masse salariale comme base de calcul des discussions. Il s'agit de faire accepter publiquement, par les organisations syndicales, la formulation des revendications d'augmentation des mesures générales « en masse », et non plus « en niveau [19] ». En l'absence de politique de désindexation de la valeur du point sur les prix, le contrôle du montant négocié des revalorisations salariales est essentiel. Conseillé par la direction du Budget, le gouvernement cherche alors à modifier le calcul des augmentations en exigeant des partenaires

---

19. *En 1977, le maintien du pouvoir d'achat est toujours officiellement calculé en niveau du point « fonction publique » : la valeur du point de référence servant à calculer le salaire des fonctionnaires était en décembre de l'année n celui de décembre n – 1 multiplié par le taux d'évolution en glissement de l'indice des prix de l'INSEE.*

sociaux qu'ils utilisent des chiffres d'augmentation plus précis, restituant mieux la réalité des montants engagés. Il s'agit bien d'imposer le raisonnement en masse salariale comme élément de cadrage essentiel d'une politique rigoureuse des salaires dans la fonction publique.

Cette utilisation de l'instrument comme mesure officielle est immédiatement dénoncée par les organisations syndicales qui refusent de lui accorder une valeur scientifique et « objective ». La contestation débouche sur un conflit entre gouvernement et syndicats qui rompent définitivement les négociations en septembre 1977. Il n'y aura pas d'accord salarial en 1977, pour la première et unique fois sur la période de 1972 à 1983. Les organisations syndicales Fonction publique exercent leur pouvoir de contestation et jouent le rôle d'« acteurs-veto » [Tsebelis, 2002]. À un moment où les soutiens politiques au sein de la majorité ne vont pas de soi[20], la non-signature de l'accord salarial de 1977 est un mauvais signal politique. Lors des négociations de 1978, le gouvernement fait marche arrière et reprend officiellement la formulation en niveau. Le raisonnement en masse reste l'instrument de calcul privilégié de la direction du Budget, mais ne devient pas l'instrument consensuel d'une discussion sur les salaires. Au contraire, inventé pour crédibiliser la mise en place d'une politique keynésienne des revenus, il perd définitivement sa légitimité d'instrument de connaissance, supposé garantir et rendre crédible une politique contractuelle en matière salariale. Les multiples contestations des organisations syndicales (spécifiquement la CGT ou l'UFFA-CFDT), qui remettent en cause le mode de calcul de la masse salariale et également l'indice des prix de l'INSEE, le confirment [Branciard, 1995, p. 40]. Elles montrent que la direction du Budget, qui ne cesse plus désormais de raisonner en masse, ne parvient pas à faire du RMS un instrument public crédible de la négociation. Le caractère discret et discrétionnaire de l'usage du RMS, au service de la direction du Budget, est conforté.

La configuration des années 1970 assure donc un succès paradoxal au raisonnement en masse salariale. L'avantage informationnel qu'il offre à la direction du Budget accentue sa transformation en instrument à sens unique et favorise son utilisation lors des négociations salariales. À ce stade, le RMS sert toujours d'instruments de connaissance, mais ses finalités et son importance stratégique ont changé. Il ne s'agit plus d'asseoir les bases rationnelles et partagées d'une négociation entre l'État et les partenaires sociaux, mais plutôt de donner

---

20. *L'UDR plaide toujours, après 1976, pour une franche politique de relance.*

les arguments à la direction du Budget pour minimiser les hausses des mesures générales. Son introduction dans la négociation rappelle les tactiques d'obscurcissement (*obfuscation*) ou de dissimulation, décrites par Paul Pierson [Pierson, 1994, p. 20], pour rendre difficilement calculable le montant de ce qui est à négocier, masquer les effets des mesures et permettre d'imposer des pertes à un groupe social (ici les fonctionnaires), en minimisant les coûts politiques. De 1974 à 1981, les objectifs que sert l'instrument RMS sont ceux du gouvernement Barre : ralentir l'augmentation de la masse salariale publique en en limitant l'évolution au rythme du PIB et en maintenant strictement le pouvoir d'achat. Les données chiffrées sur l'évolution du pouvoir d'achat moyen des agents publics en place montrent que les objectifs sont atteints : le pouvoir d'achat moyen augmente beaucoup moins à partir de 1976 (3,8 % en 1977 au lieu de 6,4 % en 1976) pour n'être plus que de 1,3 % en 1981 [Marchetti, 1998, p. 36-38]. L'inflexion est nette à partir de 1979, où les gains de pouvoir d'achat moyen des agents publics sont ramenés à 2,2 %. Sur cette période, les résultats obtenus ne sont pas imputables à l'usage du RMS. Ce dernier n'a été utilisé que de manière implicite par la direction du Budget comme instrument discret et stratégique de cadrage des négociations budgétaires. Ce sont surtout la pause des mesures catégorielles et l'utilisation de calendriers annuels tardifs pour la revalorisation du point « fonction publique » qui servent de leviers au processus de décélération. Par contraste, les années 1980 vont illustrer le nouvel usage du RMS, intensif et direct, dans la politique de réduction des dépenses salariales de l'État.

—— L'intensification au service d'une politique de rigueur budgétaire discrète

L'intérêt renforcé pour le contrôle de la masse salariale dans la fonction publique : dynamiques et contraintes

Après la première phase de relance économique du gouvernement Mauroy, la dégradation des comptes publics de juin 1982 à 1984 (augmentation des dépenses budgétaires, faible croissance du PIB, montée des déficits publics et de la dette de l'État) entraîne un tournant brutal de la politique économique [Fontaneau et Muet, 1985 ; Cameron, 1996]. À la suite des trois dévaluations successives (4 octobre 1981, 12 juin 1982 et 21 mars 1983), le diagnostic d'échec de la relance keynésienne est formulé. Au prix d'un arbitrage entre élites politico-administratives, le gouvernement Mauroy opère le tournant économique de la rigueur. Il conduit un certain nombre d'acteurs (notamment des membres de la direction du Trésor) à recommander l'inversion du *policy-mix* : il se traduit par l'abandon d'une large partie des choix opérés en 1981 (la politique de relance d'inspiration keynésienne) et par l'appropriation d'objectifs proches de ceux poursuivis par le gouvernement Barre : refus de la dévaluation, maintien du franc fort et lutte contre l'inflation à travers des mesures de rigueur (réduction de la demande et des dépenses publiques). Ce changement de nature dans la politique économique confère une acuité renforcée à la politique de réduction des dépenses publiques[21] et à sa traduction sur les dépenses de personnel de l'État.

En 1983, les dépenses de personnel de l'État (rémunérations et pensions) représentent une part élevée de la structure du Budget, soit 35,9 % des dépenses de l'État. Leur croissance est également sous contrôle car les hausses salariales de la fonction publique servent toujours de référence à la politique salariale générale et ont des effets d'entraînement inflationnistes sur les entreprises publiques et le secteur privé. L'indexation du point « fonction publique » sur l'évolution des prix accentue cet effet. Les dépenses de personnel de l'État constituent donc une cible d'autant plus surveillée que leur maîtrise se trouve au centre d'une double logique : réduire les dépenses de l'État pour contrôler les déficits et lutter contre l'inflation. À la direction du Budget, la désindexation des salaires et la rupture de la spirale inflationniste salaires-prix constituent une priorité. La détermination de la hausse salariale à négocier avec les syndicats de la fonction publique acquiert désormais une importance considérable que les hauts fonctionnaires du Budget décrivent en termes de « croisade ».

---

21. *La fixation de normes visant à limiter la croissance des dépenses et le niveau des déficits constitue la première manifestation symbolique de ce changement avec l'initiative du président de la République fixant publiquement, en Conseil des ministres en mars 1982, un seuil de limitation du déficit budgétaire de 3 % du PIB. La date du 2 février 1982 est donnée pour cette décision dans Favier, Martin-Rolland [1990, p. 496].*

Pour autant, ce regain d'attention aux dépenses de personnel de l'État se heurte aux contraintes politiques de la période. Élu en mai 1981 sur un programme keynésien, le gouvernement de coalition socialiste et communiste a initialement engagé des politiques favorables aux agents publics. La politique de relance économique, le renforcement de l'emploi public et la politique d'extension-rationalisation du statut de la fonction publique défendue par le ministre communiste Anicet Le Pors sont des programmes qui bénéficient de solides coalitions de soutien de la part des fonctionnaires et de leurs syndicats. De 1982 à 1984, un retournement des politiques favorables au secteur public constitue donc un enjeu politique sensible. Le Parti socialiste, particulièrement, est confronté à un dilemme : sacrifier son identité politique issue de l'élection présidentielle de 1981 pour constituer de nouveaux soutiens ou s'opposer aux groupes qui plaident, en son sein, pour une politique plus libérale afin de lutter contre les déséquilibres financiers en privilégiant électoralement les classes moyennes. En 1982-1983, mais également en 1984, les gouvernements Mauroy puis Fabius ne peuvent pas revendiquer radicalement le crédit d'un tournant monétariste et abandonner, publiquement, leurs engagements antérieurs. La fréquence des élections (présidentielles en mai 1981 et 1988 ; législatives en mars 1986 mais aussi cantonales en mars 1982 et municipales en mars 1983) donne le rythme d'affichage des mesures de rigueur. Dans ce contexte, l'utilisation de stratégies budgétaires discrètes permettant d'agir sur les dépenses de personnel de l'État et de limiter leurs augmentations en minimisant les coûts politiques sont valorisées. Logiquement, l'instrument RMS, maîtrisé par la direction du Budget et déjà utilisé comme outil stratégique de calcul et de cadrage, acquiert une utilité et une légitimité supplémentaires.

La maîtrise de l'instrument RMS par la direction du Budget : l'actualisation et l'institutionnalisation d'un savoir-faire

Faute de soutien politique large et dans un contexte de crise redoublé de 1982-1983, la direction du Budget privilégie les instruments qu'elle sait manipuler à des investissements et des stratégies de plus long terme. Pour utiliser le vocabulaire de la *path dependence*, on peut considérer que les coûts d'investissement dans les méthodes discrètes (et notamment les recherches menées sur le calcul de la masse salarial) et les coûts d'apprentissage de l'instrument de calcul salarial [Pierson,

2000] incitent la direction du Budget à poursuivre dans la stratégie entamée, dès la seconde moitié des années 1970. On sait que les savoirs et les savoir-faire s'acquièrent dans des processus de production complexes par lesquels une institution investit dans des « solutions » parce qu'elles lui permettent de remplir les objectifs dont elle a la charge, mais aussi parce qu'elles répondent aux « problèmes » et aux contraintes qu'elle rencontre. La direction du Budget, après l'échec de la rationalisation des choix budgétaires (RCB), a stratégiquement investi dans des technologies discrètes sur l'administration, jugées efficaces et adaptées aux années 1970. À partir de 1982, elle intensifie l'usage de ces méthodes qui permettent d'obtenir des économies budgétaires et une modération salariale sans recourir à des annonces publiques provocantes ou à des réorganisations aux effets hasardeux. D'autres instruments budgétaro-managériaux (affichages de cibles et de plafonds de dépenses, procédures pour empêcher de nouvelles dépenses sans nouvelles recettes, programmes de « prioritarisation » et mise en place d'instruments de programmation et d'évaluation), pourtant utilisés à la même période dans d'autres États, ne sont pas mobilisés [Schick, 1986, 1988].

Dans cette configuration, les hauts fonctionnaires des bureaux des directions transversales de la direction du Budget – la synthèse budgétaire (bureau 1-A) mais surtout la deuxième sous-direction en charge des salaires et du statut (bureau 2-A et 2-B)[22] – jouent un rôle essentiel. Spécialistes des politiques salariales et de leurs arcanes, ils profitent de la fenêtre d'opportunité politique et des nouveaux objectifs de rigueur affichés pour donner une traduction, en termes politiquement compréhensibles, à des solutions techniques et discrètes qu'ils maîtrisent. De 1982 à 1988, la direction du Budget constitue un vivier influent et un lieu de socialisation aux exigences de rigueur, favorisant l'accentuation du contrôle financier des dépenses. Spécialistes du chiffrage des politiques des salaires, des effectifs et du statut dans la fonction publique, les bureaux 2-A et 2-B se trouvent au cœur de la conception d'une politique budgétaire discrète sur les salaires de l'État. Son équipe de hauts fonctionnaires affine, rationalise et perfectionne les modes de calcul de la masse salariale et plaide pour qu'elle soit imposée aux organisations syndicales dans la négociation salariale. Le chef du bureau 2-A de 1983 à 1986, Jean-Paul Marquetti, joue un rôle déterminant pour analyser les

22. *Il s'agit de l'ancienne sous-direction PCM dont les bureaux ont également été rebaptisés.*

arcanes de la politique des salaires et des effectifs dans la fonction publique[23]. Tous ces spécialistes développent une habileté et une virtuosité dans la maîtrise d'instruments salariaux particulièrement complexes. De 1983 à 1988, le bureau 2-A en charge des rémunérations bénéficie du soutien constant d'autres membres de la direction du Budget, plus généralistes et plus « politiques[24] », qui défendent, « relaient » et traduisent politiquement les solutions techniques proposées par les bureaux auprès des ministres. De 1984 à 1986 puis de 1986 à 1988, l'articulation du groupe des hauts fonctionnaires techniciens avec ceux qui occupent des positions politiques en cabinet constitue un réseau d'acteurs en mesure de formuler des objectifs budgétaires restrictifs sur les dépenses publiques et sur les dépenses d'administration et d'en imposer la traduction concrète dans des instruments techniques. La deuxième sous-direction n'est alors plus seulement un lieu d'expertise : elle « forme » de nombreux jeunes hauts fonctionnaires issus de l'ENA aux arcanes des problématiques de la fonction publique (salaires et effectifs) et favorise leur ascension en cabinet ministériel, dès lors que les enjeux de la rigueur exigent la présence de membres techniciens issus de la direction du Budget dans l'entourage des Premiers ministres.

À partir de 1982, la direction du Budget est donc l'agent administratif des mesures de rigueur défendues par les gouvernements Mauroy puis Fabius. Le raisonnement en masse salariale est devenu l'un des instruments privilégiés de la politique de rigueur et de la lutte contre l'inflation. Les propriétés de l'instrument expliquent son appropriation au service d'une politique restrictive. Il offre des informations privilégiées pour calculer les évolutions du montant annuel des dépenses salariales de l'État grâce à la décomposition du pouvoir d'achat en plusieurs variables. Dans les négociations salariales, il permet à la direction du Budget de s'appuyer sur la technicité et la complexité de l'instrument pour revendiquer l'objectivité des chiffres dont elle dispose

---

23. *Administrateur INSEE, énarque, chef de bureau opérationnel à la direction du Budget, ce haut fonctionnaire devient chef du bureau 2-A au sein de la deuxième sous-direction (en charge de la politique salariale) de 1983 à 1986, date à laquelle il devient sous-directeur de la deuxième sous-direction. De 1983 à 1988, il est le principal concepteur des solutions, recettes et instruments techniques utilisés en matière de politique salariale et de politique des effectifs à la direction du Budget. En 1988, il prendra la tête de la sixième sous-direction et contribuera largement à l'écriture du livre blanc sur les retraites du Premier ministre Michel Rocard.*
24. *Ils occupent des postes de direction des sous-directions et des postes en cabinet ministériel.*

et les imposer aux autres acteurs. Il permet d'influencer le contenu des négociations et de limiter les hausses salariales en diminuant automatiquement la part négociable, c'est-à-dire les mesures générales en vertu d'un calcul plus scientifique de la masse salariale. Le raisonnement en masse salariale est l'instrument discret idéal dans l'activité de maîtrise budgétaire des dépenses de personnel et élargit les registres d'action de la direction du Budget. La valeur d'usage du RMS est donc modifiée : instrument de cadrage des négociations dans les années 1970, il devient une technique effective de régulation des hausses salariales dans les années 1980. Les objectifs sont programmés : casser l'indexation des salaires sur les prix, imposer la prise en compte du raisonnement en masse dans les négociations salariales et, simultanément, accroître le montant des paramètres à hausse automatique (les effets du GVT) pour réduire la part de hausse salariale négociable. La méthode utilisée pour imposer le RMS est caractéristique des politiques de « retranchement ».

Les usages incrémentaux et stratégiques de l'instrument RMS

Dans son analyse des politiques de réforme des États providence, Paul Pierson insiste sur l'importance des stratégies de minimisation des coûts politiques et, notamment, sur le rôle des tactiques d'obscurcissement ou de dissimulation [Pierson, 1994, p. 19-22]. Plusieurs d'entre elles (la complexification, le décrémentalisme et même l'automatisation des coupes) caractérisent l'usage de l'instrument RMS dans les années 1980. Les gouvernements Mauroy puis Fabius veulent agir sur les dépenses de la fonction publique mais cherchent simultanément à éviter d'endosser le blâme d'une politique de rigueur impopulaire. La direction du Budget dispose d'un instrument de calcul qui permet de diminuer la visibilité d'une réduction des hausses salariales dans la fonction publique de l'État et de le faire sur des critères apparemment objectifs. De plus, elle met au point une stratégie incrémentale d'intensification de l'usage de l'instrument RMS.

Le signal de l'instrumentation du raisonnement salarial dans la fonction publique est donné par le blocage des prix et des salaires, de juillet à octobre 1982, instauré par Jacques Delors et son équipe, qui accompagne la deuxième dévaluation de juin 1982. Ce blocage vise à rompre le cercle vicieux de la hausse des prix et des salaires et à briser les « anticipations d'inflation » [Fonteneau et Muet, 1985, p. 308]. Au terme de la phase de blocage, il faut trouver le moyen de prolonger les effets de la mesure à travers la mise en place d'une véritable politique de désindexation. Les processus de détermination des salaires dans le secteur public sont au cœur de l'action de la direction du Budget. Son action se développe, de manière incrémentale, en quatre étapes de 1982 à 1986[25] et impose l'usage intensif du RMS dans les négociations salariales. La démarche s'apparente à une « stratégie du virus » [Palier, 2002] : initialement introduit de manière très limitée, qui n'est pas perçue comme une modification profonde, l'instrument est ensuite intensifié, pas à pas, entraînant des effets de plus en plus importants.

La première étape est structurée par la mise en place d'une programmation des progressions de salaires dans le secteur public (fonction publique et entreprises nationalisées), établie sur des objectifs d'inflation fixés *a priori* par le gouvernement. Par l'accord du 10 mars 1982 portant sur la majoration du second semestre 1982, le gouvernement rompt le système d'alignement traditionnellement utilisé du taux de hausse cumulée des traitements publics sur le taux de hausse cumulée des prix à la fin de chaque trimestre civil (système dit de « l'échelle mobile »). Pour le second semestre, le relevé de conclusions prévoit que la revalorisation se fera selon des taux « préfixés » en fonction des objectifs d'évolution des prix déterminés par le gouvernement. Le texte prévoit au 1er septembre une clause d'ajustement de l'évolution respective des prix et des traitements du 1er semestre et une clause de sauvegarde au 1er janvier 1983. Il n'y a plus d'alignement annuel systématique mais un alignement à date fixe. La deuxième sous-direction a en charge la réalisation d'accords et se donne ainsi la possibilité d'espacer les dates de réévaluation des salaires dans le secteur public en prévoyant des rendez-vous ultérieurs (clauses de sauvegarde ou de revoyure) pour examiner la situation concrète du pouvoir d'achat des salariés. Telle est la nouvelle base *officielle* du processus de désindexation, critiquée par les organisations syndicales mais imposée par la direction du Budget dans un contexte politique et économique favorable. « L'année 1983 marque, ainsi, pour

---

25. *L'identification de ces phases a reposé sur la confrontation de trois types de données : les informations accumulées lors de nos entretiens auprès des membres de la direction du Budget de l'époque et auprès de certains syndicalistes présents lors des négociations ; les récits syndicaux, extrêmement précis, qui en ont été faits ultérieurement [en particulier, Bidouze, 1995 ; Branciard, 1995] et les articles généraux sur la politique salariale dans la fonction publique [Daniel, 1992 ; Marchetti, 1998].*

la fonction publique, la fin de l'indexation en niveau des mesures générales. » [Marchetti, 1998, p. 39.]

   La seconde étape d'utilisation de l'instrument salarial impose la prise en compte de l'ensemble des éléments concourant à la progression des rémunérations dans l'appréciation du pouvoir d'achat et lors des négociations avec les syndicats. Par l'accord du 22 novembre 1982, le système d'augmentations préfixées est institutionnalisé et « négocié » en échange des garanties que constituent les clauses de sauvegarde pour examiner la situation concrète du pouvoir d'achat des agents. La rédaction de ces clauses est l'occasion d'imposer le RMS comme mode de calcul officiel. Jouant de l'asymétrie d'informations et de maîtrise des techniques, la direction du Budget impose le raisonnement en masse : « lorsque sera connu l'indice des prix de décembre 1983, les parties se réuniront pour examiner selon quelles modalités et quel calendrier, en fonction de la situation et des perspectives économiques, sera réalisé l'ajustement des rémunérations en vue du maintien du pouvoir d'achat moyen en masse » [Bidouze, 1995, p. 164]. À un autre endroit, les dispositions du relevé de conclusions prévoient pourtant que « la valeur unique du point 100 sera rétablie au 1er janvier 1984 sur la base du niveau résultant des hausses préfixées et différenciées intervenues ». La superposition des deux modes de raisonnement (en masse et en niveau) illustre la controverse, mais le raisonnement en masse est bel et bien imposé comme outil de référence pour le calcul des évolutions de la masse salariale. En plus des mesures générales, il faut désormais retenir les mesures catégorielles et les mesures individuelles au titre du GVT. Le contrôle de la situation par la direction du Budget est illustré par le premier usage fait de la « clause de sauvegarde ». Début janvier 1984, les syndicats Fonction publique demandent de faire jouer la clause de sauvegarde, soutenus par le secrétaire d'État à la Fonction publique, Anicet le Pors, contre Jacques Delors. La direction du Budget, qui tire les rênes de la négociation, impose, pour la première fois depuis 1968, que l'apurement ne se fasse pas par un réajustement du point « fonction publique », en se basant sur l'écart réel entre salaire et prix, mais par une prime globale non reconductible de 500 francs. Ce versement uniforme et unique renvoie précisément à un calcul du pouvoir d'achat en masse. En une année, l'indexation du niveau des salaires sur celui des prix a vécu, remplacée par deux nouveaux instruments discrets, un système d'augmentations préfixées et l'appréciation du pouvoir d'achat en masse.

   La troisième phase d'imposition du RMS se déroule au début 1984. Après avoir imposé l'instrument RMS dans la négociation salariale concernant les entreprises publiques et la fonction publique, la direction du Budget en manipule les termes en déterminant le montant de la variable de hausse liée au glissement – vieillesse – technicité (GVT) qui entre dans le calcul de l'évolution du pouvoir d'achat des agents publics. La circulaire salariale du Premier ministre de janvier 1984, écrite par le bureau 2-A de la direction du Budget, prévoit, outre la programmation des évolutions salariales en fonction d'un objectif arrêté par le gouvernement en matière d'inflation, l'appréciation de la situation en termes de masse salariale. Il est précisé que le maintien du pouvoir d'achat sera mesuré par rapport à l'augmentation moyenne des prix, mais également compte tenu de trois variables : l'« effet report » (qui correspond à la partie d'augmentation de la masse salariale qui résulte des revalorisations générales accordées l'année précédente, estimé en 1984 à 5,61 %), l'effet des mesures catégorielles (évalué à 0,36 %) et l'effet du GVT (fixé forfaitairement à 0,5 %). Les cadres intellectuels d'appréciation du pouvoir d'achat moyen sont désormais bien explicités : l'effet des mesures générales (MG) ; l'effet des mesures catégorielles (MC) et l'effet des mesures individuelles (MI) correspondant au glissement-vieillesse-technicité. L'introduction officielle du GVT dans le calcul de la masse salariale est imposée de manière douce et incrémentale. En janvier 1984, la direction du Budget ne s'appuie pas, en effet, sur la valeur réelle du GVT telle que ses services la calculent. La prise en compte du GVT réel empêcherait la possibilité même d'une négociation, puisque le montant de la hausse mécanique de la masse salariale par effet GVT couvrirait la totalité de la hausse des prix. Dans un premier temps, la direction du Budget propose donc une solution de compromis, fixant un taux « forfaitaire » de GVT (0,5 %) qui ne correspond pas au taux réel. Le résultat essentiel est cependant acquis. Le point « fonction publique » évolue moins vite que les prix et un mécanisme inflationniste important est rompu : le réajustement automatique du point « fonction publique » en niveau pour tenir compte des dérapages des prix[26]. Avec la comptabilisation systématique des mesures catégorielles, du GVT et de l'effet report, la direction du Budget impose

---

26. *C'est sur la base de ce cadrage que le gouvernement a arrêté en 1984, pour la fonction publique, un calendrier de revalorisation comportant une hausse de 1 % au 1ᵉʳ avril et de 2 % au 1ᵉʳ novembre : la progression en masse des rémunérations (7,61 % après prise en compte d'un GVT de 0,5 %) était en effet supérieure à la hausse moyenne des prix (7,4 %). « Cette approche renforce la désindexation en niveau : les mesures générales en niveau de 1984 (3 %) sont en effet loin de couvrir le glissement des prix de 1984 (6,7 %) ».*

ainsi un mécanisme d'augmentation automatique de la masse salariale qui vient diminuer d'autant la part négociable de revalorisation de la valeur du point « fonction publique » (les mesures générales). Les syndicats refusent ces nouvelles bases de calcul et aucun accord ne sera négocié en 1984. Pourtant, la transformation du mode de calcul de l'évolution du pouvoir d'achat des fonctionnaires est désormais le levier de la désindexation et s'applique aux trois fonctions publiques ainsi qu'aux entreprises publiques.

La quatrième étape, à la fin 1985, mais surtout en 1986, sous le gouvernement du Premier ministre Jacques Chirac, est l'intensification de l'utilisation de l'instrument. En obtenant de changer le mode de calcul de l'évolution du pouvoir d'achat des fonctionnaires, la direction du Budget est devenue maître d'une procédure et peut donc reformuler les règles de calcul des traitements en intensifiant l'usage déflationniste de l'instrument RMS. De 1983 à 1987, plusieurs modifications interviennent successivement pour renforcer l'usage du RMS et durcir ses effets en réduisant le montant des hausses générales négociables. Deux motifs expliquent les nouvelles manipulations de l'instrument : ils tiennent au souci de rationaliser le mode de calcul de la masse salariale et à la stratégie politique d'utilisation du GVT.

Les manipulations du GVT reflètent d'abord le souci de la direction du Budget de perfectionner l'instrument afin d'établir des chiffres incontestables et donc plus légitimes encore dans les négociations. De fait, la mise au point du RMS et le calcul de la valeur du GVT sont controversés : le calcul des effets des avancements sur la masse salariale est complexe et il s'inscrit dans un contexte concurrentiel où d'autres organismes, l'INSEE et le Centre d'études sur les revenus et les coûts (CERC), mesurent également les évolutions des salaires dans la société française. Les controverses sur l'évaluation de la masse salariale dans les entreprises publiques et dans la fonction publique sont nombreuses entre organismes étatiques, notamment parce que le mode de calcul reste encore très largement incertain et dépend de sources d'information (les fichiers de paye, les données agrégées sur les salaires) dont la maîtrise varie d'une institution à l'autre [Daniel, 1992]. La question de la comparabilité des masses salariales pour les entreprises publiques, la fonction publique et le secteur privé est un des enjeux dans un contexte où les effets d'entraînement, généralement du public vers le privé, constituent un mécanisme décisif dans la lutte contre l'inflation. Dans ce contexte, l'année 1985 est marquée par un vif conflit d'approches et de chiffres entre la direction du Budget, l'INSEE et le CERC. Ces deux derniers organismes affirment notamment, face à la direction du Budget, que la rigueur dans la fonction publique (calculée à travers l'évaluation du montant de la masse salariale) est plus forte que dans le secteur privé. Pour s'imposer dans ce conflit d'expertise, le bureau 2-A de la direction du Budget mène une investigation approfondie pour établir que les bases du calcul ne sont pas identiques entre les trois organismes. Elle objecte que sont pris en compte, pour le calcul de la masse salariale dans les entreprises privées, les effets des départs en retraite et des nouveaux recrutements[27]. Les « anomalies » relevées lors de cet épisode et les controverses qu'elles entraînent avec le CERC et l'INSEE conduisent la direction du Budget à changer le mode de calcul du GVT, à partir de 1986, pour en donner une base moins contestable. Fin 1985 mais surtout en 1986, le bureau 2-A plaide pour une approche de calcul de la « masse à effectifs présents », qui supprime dans l'évolution de la masse les effets des départs et des recrutements. Jusqu'en 1984-1985, en effet, le GVT retenu était le « GVT-solde » forfaitairement fixé à 0,5 %. Le GVT-solde permet de calculer une masse salariale évaluée à partir de l'évolution du salaire moyen par tête, à effectifs constants (dans le jargon de la direction du Budget, le SMPT). Ce calcul intègre les variations de structure de la population étudiée en prenant en compte trois mécanismes constitutifs du GVT : l'*effet carrière* (dit GVT positif) qui retrace l'incidence positive sur la masse salariale des avancements aux choix ou promotions (G), des avancements à l'ancienneté (V) et de l'acquisition de technicités nouvelles (T) ; l'*effet de noria* qui, à structure constante, traduit l'incidence généralement négative sur la masse salariale du remplacement des agents âgés par des agents appartenant aux mêmes grades mais plus jeunes et donc moins payés ; l'*effet de structure* qui prend en compte le fait que les agents âgés, dans la réalité, ne sont pas remplacés par des agents de qualification équivalente mais par des agents plus diplômés et recrutés à un niveau supérieur[28]. En 1984, évaluer le GVT par le GVT-solde correspondait donc à une estimation modérée de l'augmentation de la masse salariale : les

---

27. *En 1985, à l'occasion d'une commission interministérielle des salaires pour les négociations des entreprises publiques, en regardant les dossiers d'analyse des solutions salariales de Rhône-Poulenc et de Péchiney, le bureau 2-A de la direction du Budget réalise que la masse salariale des entreprises privées a été fortement minorée par une grosse vague de licenciements de non-qualifiés. Les agents en place dans les entreprises privées ont donc touché une augmentation de 5 %, là où la fonction publique a eu une hausse de 6 % ; la différence de calcul résulte de l'effet des entrées-sorties.*

28. *Pour une présentation claire de ces variables, voir Feller [1998].*

effets de noria et de structure (dit GVT négatif), qui se compensent l'un l'autre, minorent sensiblement l'augmentation due au GVT positif, en tenant compte des départs en retraite et du recrutement de jeunes agents, moins payés que ceux qui partent, faisant ainsi diminuer la masse salariale[29]. Fin 1985, la direction du Budget suggère de ne plus prendre en compte le GVT-solde et d'abandonner son évaluation forfaitaire (0,5 %) ainsi que la présentation portant sur l'évolution du salaire moyen par tête (SMPT). Au contraire, elle propose désormais d'utiliser sa vraie valeur et de faire porter la négociation sur l'estimation de l'évolution de la rémunération moyenne des personnels en place (RMPP), au cours de la période considérée. Cette nouvelle base de calcul, qui combine les mesures générales, les mesures catégorielles et le seul GVT positif[30], est jugée plus concrète, plus fiable et plus « scientifique » par les hauts fonctionnaires du bureau 2-A, puisque ne sont considérés que les agents présents d'une année sur l'autre. Alors que la détermination d'un forfait conventionnel pouvait sembler artificielle, le calcul des évolutions de la RMPP est susceptible de faire l'objet de mesures statistiques indiscutables[31]. Elle est aussi, intentionnellement, encore plus restrictive, puisqu'elle retient uniquement le GVT positif et ne le relativise plus par les effets négatifs des entrées-sorties. En augmentant la part du GVT dans l'appréciation de l'évolution de la masse salariale, les pouvoirs publics réduisent encore le seul montant à négocier que constituent les mesures générales.

Les manipulations du GVT relèvent, ensuite, d'enjeux stratégiques et politiques. L'arrivée d'un gouvernement de droite en 1986, faisant de la lutte contre le déficit public une priorité et portant un discours critique de l'État et de l'administration, offre de nouvelles opportunités à la direction du Budget pour imposer un GVT positif plus contraignant encore sur les négociations salariales. Selon les conseillers économiques, le Premier ministre donne une « délégation totale » aux ministres de l'Économie, des Finances et du Budget pour tout ce qui relève de l'accentuation de la politique de rigueur et pour les arbitrages qu'elle nécessite [Elgie, 1993, p. 81-89], afin de ne pas être directement jugé

---

29. *En recrutant des jeunes, les entreprises publiques et la fonction publique favorisent l'augmentation de l'enveloppe négociable puisqu'elles abaissent, ce faisant, le montant du GVT.*
30. *L'INSEE a opposé d'autres modes de calcul, mais la légitimité de la direction du Budget à définir la politique de rigueur prévaut en 1986.*
31. *Il faut donc neutraliser les effets du GVT négatif (entrée-sortie) et ne tenir compte que du GVT positif.*

responsable d'une politique impopulaire de coupes. Outre les privatisations et la réduction significative des subventions sectorielles et des
dépenses d'intervention, l'administration est également concernée par
un effort accru sur la politique salariale et un effort de limitation des
effectifs dans la fonction publique. À l'occasion du collectif budgétaire
de 1986 ainsi que dans la discussion du projet de budget pour 1987, le
cabinet du ministre du Budget et la direction du Budget ont carte
blanche [Elgie, 1993, p. 113-121]. La deuxième sous-direction de la
direction du Budget propose alors d'accentuer encore l'utilisation des
instruments mis en place en 1983. Est d'abord décrété, pour 1986, le gel
des salaires dans la fonction publique. Pour 1987, le nouveau directeur
de la deuxième sous-direction, ancien chef du bureau 2-A, réussit à
imposer le passage de la prise en compte forfaitaire du GVT-solde à la
seule prise en compte du GVT positif, qui accroît plus encore la hausse
automatique du pouvoir d'achat moyen des fonctionnaires et diminue
d'autant la part négociable dans les mesures générales. En mai 1986, la
circulaire du ministre du Budget pour les entreprises publiques impose
définitivement le GVT positif et sert de cheval de Troie pour faire de
même dans la fonction publique. Le GVT positif (masse à effectif
présent) correspond donc à une masse salariale supérieure au GVT-solde
(masse à effectif constant). Il est estimé entre 1,6 et 1,8 % alors que le
GVT-solde était forfaitairement fixé à 0,5 %. L'arrivée du nouveau
gouvernement et l'affichage des objectifs néo-libéraux permettent donc
de modifier encore le raisonnement en masse salariale. Ils rendent
possible l'utilisation d'une variable qui justifie le gel des salaires en
démontrant que le pouvoir d'achat des agents publics a augmenté
mécaniquement, bien au-delà de l'inflation (4 %) sous l'effet du glissement-vieillesse-technicité[32].

Durant toute la période 1982-1988, les effets de la politique restrictive sur les salaires et le pouvoir d'achat des fonctionnaires sont bien
visibles. Les gains de pouvoir d'achat des agents de la fonction publique
(hausse salariale rapportée à l'inflation) ont été considérablement
réduits. Il faut y voir le résultat du travail décrémental imposé par la
direction du Budget qui prend toujours plus en compte les augmentations mécaniques liées au GVT et, à un moindre titre, les mesures catégorielles obtenues par tel ou tel groupe dans la fonction publique. Les
gains de pouvoir d'achat passent ainsi de 3,9 % en 1979 à 1,7 % en

---

32. *Pour une analyse des écarts dans l'évolution du pouvoir d'achat selon les
modes de calcul, voir Daniel [1992].*

1983 puis 1,2 % en 1985 pour atteindre 0,6 % en 1987[33]. Au total, [Marchetti, 1998], le pouvoir d'achat distribué au cours des années 1982-1988 (+ 1,3 % par an en moyenne) demeure positif, mais reste en très nette décélération par rapport aux années 1970 (+ 5 % par an en moyenne sur la période 1972-1978).

L'utilisation intensive de l'instrument débouche sur un paradoxe. L'instrument discret finit par être publicisé. Le nouveau mode de calcul en masse et non plus en niveau, intégrant le GVT, est désormais revendiqué publiquement par le ministre pour expliquer que le pouvoir d'achat des fonctionnaires n'a pas diminué en 1986 et ne diminuera pas en 1987[34]. Les gains de pouvoir d'achat liés aux mesures générales (augmentation de la valeur du point « fonction publique ») ne permettent pourtant plus de compenser l'inflation. L'intensification d'usage du RMS est emblématique des tactiques décrites par Pierson. Avec l'utilisation rendue visible du raisonnement en masse salariale comme cadre structurant les négociations salariales, on assiste à l'aboutissement du processus dont nous avons décrit la genèse et un premier essai d'application, dans les années 1970. L'institutionnalisation du GVT illustre la nouvelle appropriation et le succès d'un instrument budgétaire, à la fois instrument de connaissances et outil stratégique.

---

33. « Préparation des négociations salariales dans la fonction publique. Éléments de diagnostic et de perspective », réunion du 7 janvier 1998, document interne non publié de la direction du Budget.

34. Voir « M. Hervé de Charette cherche à relancer la concertation avec les syndicats », Le Monde, 10 juillet 1986 ou « Le malaise », Tribune de l'économie, 18 septembre 1986. L'article du Monde explique qu'en tenant compte de la totalité du GVT (soit 1,8 % d'augmentation de la masse salariale), on obtient, pour l'année 1986, compte tenu des effets report de ce qui a été négocié par le gouvernement précédent, une augmentation de la masse salariale de 4,17 %, très au-delà de la hausse moyenne des prix prévue... : « Pour M. de Charette, il n'y a donc pas de réel problème salarial pour 1986. Alors qu'il avait indiqué aux syndicats qu'une négociation pourrait s'ouvrir en fin d'année pour examiner une éventuelle clause de sauvegarde en cas de dérapage des prix, le ministre considère aujourd'hui avec le Premier ministre que, les experts étant d'accord sur les taux d'inflation à attendre en 1986 (2,3 % en glissement et 2,4 % en moyenne), la question de la clause de sauvegarde ne se posera pas... Surtout que sur la base de 4,17 %, cela laisse une grande marge pour les dérapages... » (Le Monde, 10 juillet 1986.)

—— Les effets de "dépendance
à l'instrument" : bénéfices, limites
et nouvelles perspectives d'usage

*La réussite du RMS sur la période 1982-1988 :
les propriétés vertueuses de l'instrument*

Le premier constat de synthèse portant sur la période 1982-1988 est le succès de l'instrument RMS, dans le cadre d'une politique de rigueur discrète qui s'efforce de réduire les dépenses de personnel de l'État. Les effets budgétaires de l'utilisation du RMS sont importants, même si leur montant demeure difficile à évaluer. Estimées à 60 milliards de francs de 1982 à 1988 par l'équipe du bureau 2-A, les économies budgétaires dues au RMS sont estimées à 72 milliards de francs de 1983 à 1992 par Jean-Marc Daniel, dans son article sur la politique salariale de l'État [Daniel, 1992]. Sur la période 1981-1988, la progression annuelle des dépenses de rémunérations et charges sociales pour l'État a été considérablement ralentie. Alors qu'elle est de 15,4 % en 1982, elle n'est plus que de 9,6 % en 1983, puis de 4,5 % en 1985 pour atteindre - 0,1 % en 1987 et 3,7 % en 1988[35]. De manière tout aussi significative, la part des dépenses de personnel dans le budget de l'État régresse de 1980 à 1988 : elle est de 38,7 % en 1980 puis de 35,9 % en 1983 pour se stabiliser à 36,3 % en 1988. De même, la part de la masse salariale de l'État dans le PIB passe de 6,14 % en 1977 (elle était de 5,2 % en 1967) puis 6,26 % en 1983 pour descendre à 5,24 % en 1990 [Daniel, 1992, p. 78-79 ; Marchetti, 1998, p. 40], le niveau d'avant la crise. Les dépenses de la fonction publique ont d'abord été ralenties par le blocage des salaires de juin 1982, dans le cadre de la lutte contre l'inflation puis par la maîtrise des évolutions salariales. Les créations d'emplois budgétaires ont également été fortement réduites (41 000 emplois budgétaires nouveaux en 1982, puis 12 400 en 1983 et 7 000 en 1984). Il y a donc bien eu contraction de la masse salariale de l'État, tout au long des années 1980.

Plusieurs raisons expliquent ce succès qui renvoie aux caractéristiques constitutives de l'instrument RMS. D'abord, le raisonnement en masse salariale ne s'impose comme instrument d'action privilégié de la direction du Budget qu'en raison d'un double processus qui repose sur

---

35. *Sources :* Les Notes bleues, « *Projet de loi de finances pour 1991* », NB 508, 1-7 octobre 1990.

la délégitimation des méthodes antérieures (l'indexation du point à l'inflation et le raisonnement en niveau) et sur la reconnaissance de la validité intrinsèque du nouvel instrument. Pour les hauts fonctionnaires de la direction du Budget, l'élaboration et l'utilisation de l'équation « $\Delta P = \Delta S = MG + MC + GVT$ » est un outil explicatif et prévisionnel de grande valeur dans l'appréciation concrète des variables qui contribuent à faire augmenter la masse salariale des administrations publiques. Ensuite, le RMS est un instrument discret et efficace. Il répond aux attentes de ceux qui le mettent en œuvre parce qu'il permet d'agir discrètement, de réduire les dépenses publiques et de limiter les hausses salariales pour casser l'inflation. Sur la fonction publique, les gouvernements Mauroy et Fabius sont des *blame minimizers*, en quête de mécanismes leur permettant d'obtenir le résultat souhaité en évitant d'en endosser le blâme [Weaver, 1986], c'est-à-dire en réduisant les coûts concentrés et les risques d'imputation. La direction du Budget offre une solution technique, complexe et asymétrique qui rend possible cette discrétion. Elle est aussi en mesure, *via* ses réseaux, de faire accepter l'instrument politiquement et d'en imposer l'utilisation dans le cadre des négociations salariales. La mise en œuvre discrète du raisonnement en masse s'appuie simultanément sur une complexification des formules de calcul des hausses de rémunérations, sur des diminutions décrémentales de la somme qui peut être négociée avec les partenaires sociaux et sur l'introduction d'un mécanisme automatique de réduction de la part négociable. Particulièrement, la nouvelle équation qui définit le raisonnement en masse et y intègre le GVT introduit un mécanisme de réduction automatique de la part annuelle négociable du pouvoir d'achat des agents publics (les mesures générales), en en limitant l'importance grâce à un mécanisme parallèle d'augmentation de la part structurelle de ce même pouvoir d'achat (*via* le GVT). La « discrétion » de l'instrument se construit à la fois sur un changement incrémental et sur un changement à la marge (une partie d'une « équation ») ce qui rend l'opposition difficile à organiser car les petits pas successifs opérés sont peu visibles et constituent, en eux-mêmes, de faibles variations. Cette démarche est une stratégie intentionnelle, assimilable aux tactiques d'« opacification » de l'action [Pierson, 1994], utilisées par des gouvernements inquiets des sanctions électorales que pourraient entraîner des politiques visibles de réduction d'avantages acquis ou de bénéfices sociaux. Enfin, le succès du RMS est lié à la difficulté de s'opposer à la stratégie de la direction du Budget et du gouvernement. En 1982-1984, le contexte économique de crise ne place pas les syndicats de la fonction publique en position de pouvoir véritablement s'opposer à une politique de rigueur qui les définit comme devant contribuer à l'effort national. De plus, la complexité du raisonnement, le difficile accès à l'information qui le fonde et le mode d'action discret retenu renforcent la faible mobilisation contre l'utilisation officielle du raisonnement en masse salariale. Enfin, les autorités publiques profitent de la division des opposants. Certains syndicats, particulièrement la CFDT[36], acceptent de parler en termes de masse et admettent ces cadrages comme base de négociation. Le ralliement d'un acteur syndical aux cadres cognitifs imposés par la direction du Budget fragilise la protestation et donne crédit à la « vérité » du raisonnement en masse. La difficulté des organisations syndicales à se doter d'un outil alternatif renforce d'autant le succès de l'instrument dans les années 1980.

Limites de l'instrument discret et nouveaux avatars de la question salariale

En dépit d'un succès certain, l'utilisation extensive de l'instrument RMS comme levier de la politique de rigueur n'est pas sans inconvénients. Schématiquement, trois mécanismes peuvent être mis en lumière qui montrent à la fois le poids structurant des caractéristiques du RMS et les limites intrinsèques de son utilisation, bien visibles dans les années 1990.

Tout d'abord, la focalisation sur l'instrument salarial et son utilisation discrète ont des effets négatifs sur le moyen terme. Le choix d'une politique décrémentale sur les salaires est réversible et ne crée aucun changement structurel de long terme. Cette action publique discrète reste donc soumise aux changements de conjoncture budgétaire, mais surtout aux cycles politiques, c'est-à-dire aux alternances et aux changements d'orientation politique des gouvernements. L'instrument RMS est efficace dans les années 1980, mais il repose exclusivement sur l'action de la direction du Budget et dépend donc de la légitimité de ses interventions. À partir de 1986, la publicité faite autour des méthodes de rigueur commence à limiter leur efficacité en cristallisant les oppositions. À la même période, l'apparition d'un contexte économique plus

---

36. *À la suite des négociations de janvier-février 1984 et de la décision du gouvernement d'accorder une prime uniforme de 500 francs par fonctionnaire, la FEN, FO, la CGT et le FGAF lancent une grève pour le 8 mars 1984, qualifiée par l'UFFA-CFDT de « grève-défouloir » et à laquelle elle ne participe pas.*

favorable relâche la contrainte budgétaire et fait décroître la légitimité de l'instrument[37]. La rigueur devient moins légitime, ce qui réactive les insatisfactions liées aux effets négatifs de la politique économique. Après les élections présidentielles, les grèves se multiplient dans la fonction publique et les entreprises publiques. Successivement, de mai à décembre 1988, les infirmières, les mécaniciens de la RATP, les PTT s'engagent dans des mouvements sociaux, dont le dénominateur commun est l'exigence de revalorisation salariale de la fonction publique, autrement appelée « rattrapage » après les années de rigueur, initiées par la gauche socialiste elle-même[38]. Face à ces conflits, le gouvernement de Michel Rocard revendique une autre approche de la question administrative, qui repose sur un compromis entre deux composantes [Bezes, 2001] : le souci de re-légitimation de l'administration et ses agents (revalorisation des conditions de travail, participation) et l'introduction de nouveaux instruments managériaux (les centres de responsabilités). La politique salariale est fortement infléchie, contre les choix défendus par la direction du Budget. Le souci d'une large négociation avec les organisations syndicales sur les augmentations salariales est immédiat, après l'absence d'accords en 1986 et 1987[39]. Fin 1989, le gouvernement Rocard et le ministre d'État chargé de la Fonction publique, Michel Durafour, s'engagent, contre l'avis de la direction du Budget, dans une réforme plus large de la « grille » de la fonction publique. Les « accords Durafour[40] », signés par cinq organisations

37. *En 1988, la reprise mondiale et le contre-choc pétrolier stimulent à nouveau la croissance interne (croissance supérieure à 4 % en 1988 et 1989 et légère diminution du chômage). Le déficit public diminue pour atteindre moins de 2 % du PIB.*
38. *Les mouvements sociaux dans le secteur public se poursuivent avec régularité et une forte intensité sur toute la période en 1988 et 1989, avec l'entrée en grève des gendarmes et surtout des fonctionnaires des Finances.*
39. *Un accord salarial est signé dès le 16 novembre 1988 avec cinq des sept syndicats de la fonction publique (CFDT, FGAF, CFTC, CGC, FEN qui signent ensemble pour la première fois depuis 1985). Il porte sur les années 1988 et 1989. Avantageux (il correspond à une période de croissance), il prévoit l'attribution uniforme de 3 points d'indice majoré pour 1988 et, pour 1989, des augmentations générales de 1 % au premier mars et 1,2 % au 1er septembre. Il comprend également une clause de « revoyure » afin de mesurer l'évolution et d'envisager les ajustements nécessaires.*
40. *Les accords Durafour comportent d'abord une revalorisation des carrières, notamment des bas salaires, par réaménagement des échelles de rémunération des catégories B, C et D. À terme, cette refonte du bas de la grille indiciaire entraîne même la suppression de la catégorie D. Les accords créent un échelon supplémentaire de niveau « BAC + 2 » pour la catégorie B afin de porter des*

syndicales le 9 février 1990, engagent quarante-deux milliards de revalorisation sur sept ans pour les trois fonctions publiques, auxquels doit s'ajouter une part variable en fonction de la croissance. Les deux piliers de la politique de rigueur (salaires et effectifs) sont totalement reformulés, dans un contexte de retour de la croissance et d'augmentation sensible des recettes fiscales. Pour relâcher les effets de la rigueur, le gouvernement Rocard a recours à des mesures catégorielles sous forme de primes, destinées à certains groupes d'agents publics (enseignants, infirmiers, greffiers, inspecteurs des affaires sociales, etc.). Les accords salariaux ultérieurs dans la fonction publique (accords du 9 novembre 1993 du gouvernement Balladur et du 10 février 1998 du gouvernement Jospin) renvoient aux mêmes systèmes de contraintes. Les contextes électoraux incitent les gouvernements à « réussir » la négociation et à renoncer à l'affichage du raisonnement en masse, systématiquement dénoncé par les organisations syndicales. L'accord salarial du 10 février 1998[41], plutôt favorable aux fonctionnaires, est ainsi officiellement négocié « en niveau » par le ministre de la Fonction publique, Émile Zuccarelli, signe de la bonne volonté gouvernementale. L'accord est considéré, notamment à la direction du Budget, comme coûteux et aucun nouvel accord de revalorisation du point n'a été signé depuis 1998.

La seconde limite liée à l'utilisation intensive du RMS reflète les limites de ses effets. Le premier inconvénient tient aux mesures de compensation qu'il entraîne, sous forme de primes, pour corriger l'absence d'augmentations générales du point. Ce recours aux primes, qui « arrange » l'État puisque ces dernières ne sont pas intégrées dans le paiement des retraites, déstructure la hiérarchie des salaires et accentue, à terme, la diminution du taux de remplacement des salaires versés par le montant des pensions. De plus, comme le constate Jean-Marc Daniel, « l'État a de fait maintenu le niveau de vie individuel de ses agents, mais il a induit un décalage croissant entre les salaires publics et ceux que

agents justifiant une qualification technico-professionnelle spécifique, supérieure à celle reconnue par la catégorie. Ils comprennent par ailleurs un plan de titularisation de la catégorie B.

41. L'accord du 10 février 1998 est signé par cinq syndicats (CFDT, FO, UNSA, CFTC, CGC). Une priorité est donnée aux bas salaires et le pouvoir d'achat du traitement des fonctionnaires est préservé avec une augmentation de la valeur du point de 1,3 % en 1998 et en 1999. Pour tenir compte du blocage des traitements en 1996 et procéder au « rattrapage », deux points seront attribués à tous les fonctionnaires en 1999.

génère le marché du travail », particulièrement sensible pour les cadres supérieurs de la fonction publique [Daniel, 1992]. Sur la durée, la limitation des salaires par le gonflement du GVT se révèle contre-productive. La baisse du nombre de candidats aux concours de la fonction publique en général et particulièrement aux concours de l'École nationale d'administration [Garrigou, 2001] peut être interprétée comme un effet pervers d'une politique salariale restrictive. À ces effets s'ajoutent, enfin, l'épuisement de l'effet déflationniste du RMS et sa capacité limitée à faire diminuer, seul, les dépenses de personnel. D'une part, en l'absence d'inflation dans les années 1990, les effets mécaniques du GVT suffisent à eux seuls à assurer, théoriquement, le pouvoir d'achat des fonctionnaires. Outil de la désinflation compétitive, le RMS perd son utilité stratégique quand l'objectif de faible inflation est atteint. D'autre part, dans le contexte des crises budgétaires récentes (1993-1994 ou 2002-2003), l'instrument salarial discret apparaît trop limité dans ses effets concrets sur la réduction des dépenses de personnel de l'État. À cet égard, l'argumentation du groupe de travail du Commissariat général du Plan, en mars 2000, illustre le changement de formulation désormais à l'œuvre depuis la fin des années 1990 : il ne s'agit plus d'agir par la réduction des salaires (qui accroît la désaffection à l'égard de la fonction publique), mais par la réduction des effectifs, seule à même d'entraîner une diminution réelle des dépenses de l'État et, simultanément, une revalorisation incitative des salaires [Commissariat général du Plan, 2000].

La troisième limite à la politique salariale discrète renvoie à sa structure intrinsèquement conflictuelle. Depuis la fin des années 1980, les controverses autour du raisonnement en masse et du GVT, dans le calcul des évolutions du pouvoir d'achat des fonctionnaires, s'accentuent. La structuration induite par l'utilisation du RMS et du GVT (asymétrie d'informations, complexité des calculs et controverses, monopole établi par la direction du Budget, hostilité des syndicats) demeure constante tout au long des années 1990. Plus même, les écarts entre autorités publiques et organisations syndicales Fonction publique se creusent. D'un côté, le raisonnement en masse ne cesse d'être utilisé dans les argumentations des autorités publiques, administratives et parlementaires. Son succès comme instrument de connaissances légitime est grand, comme en témoignent les documents budgétaires sur les dépenses de personnel, les rapports des commissions parlementaires sur la fonction publique ou les rapports administratifs du ministère de la Fonction publique, de la direction du Budget ou du Commissariat général du Plan. Concepts et mécanismes caractéristiques du raisonnement en masse, notamment sur les effets du glissement-vieillesse-technicité, ont été assimilés par les hauts fonctionnaires et les élus et constituent le socle de réflexion des experts politico-administratifs. À l'inverse, d'un autre côté, la majorité des organisations syndicales Fonction publique rejettent le raisonnement global en masse et en dénoncent les effets néfastes sur le pouvoir d'achat des fonctionnaires. RMS et GVT sont alors présentés comme une « arnaque ». L'instrument RMS est donc structurellement associé à une opposition institutionnelle forte qui rend difficile toute politique fondée sur le dialogue social. À plusieurs reprises, depuis la fin des années 1980, des initiatives ont été prises, pour faire accepter le raisonnement en masse aux organisations syndicales, par le biais d'une nouvelle rationa-lisation du mode de calcul. L'objectif est de rendre possible une véritable politique négociée sur la fonction publique. En 1988[42] est ainsi créée une mission chargée de proposer un renouveau des négociations salariales dans la fonction publique. Confiée à Jean Guilhamon, ancien directeur général d'EDF, composée de fonctionnaires de la DGAFP du ministère de la Fonction publique et de deux fonctionnaires de la direction du Budget[43], elle pointe les effets négatifs de la politique discrète centrée sur le RMS et le GVT, l'hostilité des organisations syndicales de la fonction publique, leur divergence avec les autorités publiques sur les modes de calcul et le blocage de toute négociation collective. Dans son rapport, elle critique la stratégie du Budget en termes feutrés : « [...] une certaine confusion est apparue lors des changements successifs de règles du jeu. [...] Par ailleurs, les données statistiques sont à la fois nombreuses et insuffisantes, en tout cas peu diffusées et peu expliquées. [...] Les condi-

---

42. *Le rapport sur le renouveau de la politique contractuelle avait été commandé très tardivement par Hervé de Charrette, ministre de la Fonction publique du gouvernement Chirac, en avril 1988, à la veille des élections. Il s'agissait de s'interroger sur les blocages de cette politique, rendue inopérante par la politique de rigueur et les choix de la direction du Budget et sur les innovations à apporter. Les termes du projet restaient marqués par les catégories du Budget : « en matière salariale, vous vous placerez dans le cadre d'un raisonnement global en masse, en intégrant les contraintes économiques et financières qui pèsent sur l'État », lettre de mission du ministre délégué auprès du Premier ministre chargé de la fonction publique et du Plan, 13 avril 1988, dans Jean Guilhamon, Les Négociations salariales dans la fonction publique.* Rapport au ministre de la Fonction publique et des Réformes administratives, *Paris, La Documentation française, 1989.*
43. *Significatif de l'importance que le Budget accorde à cette question, ce sont le directeur de la deuxième sous-direction et le chef du bureau 2-A qui sont présents et veillent à ce que la mission conserve les « acquis » de la stratégie menée de 1982 à 1988.*

tions mêmes dans lesquelles s'ouvre la négociation sont peu favorables à la recherche d'un accord » [Guilhamon, 1989, p. 26]. Les préconisations plaident pour une plus grande publicisation et transparence des termes de la négociation, d'un meilleur travail de définition des indicateurs de mesure (centré sur l'évolution des rémunérations moyennes d'un ensemble de personnes physiques présentes sur la période) et d'une véritable comparaison avec le secteur privé (« des comparaisons objectives et systématiques » [Guilhamon, 1989, p. 46]) afin de veiller à ce que la fonction publique ne soit pas désavantagée. Le souci affiché de « restaurer le dialogue social », dans le contexte du renouveau du service public, fait écho aux critiques adressées à l'utilisation discrète du RMS et de sa délégitimation, à la fin des années 1980. Fin 2003, les enjeux liés au GVT sont repris dans les mêmes termes, dans le cadre d'un débat sur la refondation des règles de la négociation salariale[44]. La question du « cadre méthodologique de la négociation salariale » est à nouveau posée et le ministre de la Fonction publique, Jean-Paul Delevoye, propose la création d'un « observatoire des rémunérations, chargé de constituer une base statistique objective et partagée ». Les sept syndicats Fonction publique en refusent le principe et dénoncent la remise en cause du point d'indice dans l'évolution de la rémunération des agents[45]. L'observatoire n'est pas créé. Les termes du débat reproduisent la structure des échanges opposant gouvernement et syndicats, dès le milieu des années 1960. La tension entre les trois propriétés intrinsèques du raisonnement en masse salariale – être un outil de connaissance, un instrument de la rigueur budgétaire et un élément susceptible de stabiliser les termes du dialogue social – demeure vive et alimente les contradictions et les conflits. Ceci confirme l'idée d'une « dépendance à l'instrument », comparable aux phénomènes de « dépendance au sentier » [Pierson, 1993]. Au fil du temps, le RMS a acquis une solidité intrinsèque qui tient aux techniques et aux savoir-faire qui le structurent et font de lui un instrument efficace, mais borné dans ses résultats. Simultanément, son institutionnalisation dans l'État s'est faite autour d'un système de pouvoir stabilisé mais asymétrique que ses usages ne cessent de reproduire.

---

44. *Deuxième table ronde avec les organisations syndicales de fonctionnaires sur le thème de la rénovation du dialogue social, mardi 27 janvier 2004.*
45. *Lettre ouverte des organisations syndicales de la fonction publique au Premier ministre, 3 décembre 2003.*

Conclusion : significations et perspectives d'usage d'un instrument discret d'action publique

Ce chapitre offre une illustration empirique des enjeux et des perspectives qu'ouvre une approche par l'instrument d'action publique. Le premier constat est celui de la double nature d'un instrument. J'ai montré, d'un côté, l'émergence d'un type de raisonnement autonome conduisant à transformer une réalité salariale hétérogène en une catégorie agrégée objectivée, la « masse salariale ». Cette construction, pour artefactuelle qu'elle soit, n'en repose pas moins sur le travail successif d'invention et de rationalisation d'une technique de calcul qui s'est progressivement structurée, de manière cohérente, autour de plusieurs dimensions :

- une finalité utilitaire, c'est-à-dire une subordination à des finalités publiques plus générales : calculer le coût salarial de la fonction publique d'État pour permettre une politique des revenus, qu'elle soit d'inspiration keynésienne ou néo-libérale ;
- une technique de calcul inscrite et matérialisée dans une équation simple « $\Delta P = \Delta S = MG + MC + GVT$ » : celle-ci « fixe » des relations entre des éléments hétérogènes et confère une autonomie au raisonnement salarial qui réduit sa dépendance aux contextes sociaux ;
- des dispositifs et des « façons de faire » complexes et bricolées destinés à chiffrer chacune des variables et maîtrisés par une communauté de spécialistes qui développent son art salarial avec une sorte d'« ethos de la virtuosité » [Dodier, 1995] ;
- une reproductibilité des usages et des résultats produits par la relative standardisation de l'instrument ;
- une manière de faire exister une certaine réalité administrative : la décomposition des dépenses de personnel en composantes quantitatives autonomes crée, dans une large mesure, une réalité salariale qu'il devient possible de penser. En rendant « mesurable » la masse salariale de la fonction publique d'État, le RMS matérialise les exigences du « souci de soi de l'État » : idéal de transparence, de mesurabilité et d'autocontrôle de l'administration.
- une capacité d'intervention publique : en décomposant la masse salariale, le RMS ne produit pas seulement une connaissance ; il transforme les salaires publics en objet d'action gouvernemental et les rend « négociables ». Le conflit entre la direction du Budget et les organisations syndicales porte précisément sur cet enjeu de « négociabilité » d'une réalité salariale que les syndicats considè-

rent comme intangible là où elle sert, pour le Budget, de variable d'ajustement.

Ainsi, le raisonnement en masse salariale s'est développé et autonomisé autour de catégorisations, d'argumentations et de dispositifs qui lui sont propres. Dans le même temps, j'ai montré, combien l'instrument RMS restait socialement construit et foncièrement appropriable dans des contextes différents. Il réfracte et révèle des relations de pouvoir au sein desquelles il acquiert des significations variées. Initialement conçu comme un outil de mesure et de prévision destiné à opérationnaliser une politique des revenus dans un contexte keynésien, le RMS a ensuite fait l'objet d'investissements multiples qui ont amélioré ses potentialités et favorisé ses utilisations. Dans les années 1980, son usage se replie sur une dimension étroitement budgétaire qui en fait une arme technique et discrète au service de la politique de rigueur budgétaire. La communauté de spécialistes qui le développe et durcit son utilisation au sein de la direction du Budget raffine son emploi et acquiert, progressivement, une habileté technique et stratégique à le manipuler. Dans les années 1990, ses effets budgétaires s'épuisent et l'instrument, désormais naturalisé et largement accepté, n'est plus au cœur des controverses des politiques de l'administration.

L'identification de cette double nature est stimulante car elle nourrit un second constat : les liens entre l'émergence d'un raisonnement en masse, l'évolution des usages d'un instrument et les transformations de l'État et de l'action publique. En l'espèce, l'essor du RMS est un bon révélateur des mécanismes structurant les politiques françaises de rigueur économique et de réforme administrative, depuis les années 1960.

D'abord, l'extension d'usage de l'instrument RMS est une trace concrète des formes du « tournant néo-libéral » en France. L'introduction d'un outil discret de calcul traduit le changement d'objectifs généraux sur les dépenses de l'État. Il s'agit désormais de chercher à réduire le poids et la part de la masse salariale des administrations publiques, et particulièrement de l'État, dans le PIB. Le changement de mode d'appréciation de l'évolution des salaires transforme la manière de garantir le pouvoir d'achat des fonctionnaires : il ne s'agit plus, comme jusque dans les années 1970, de garantir un maintien du pouvoir d'achat au niveau du point fonction publique mais seulement de maintenir, en euros constants, le montant global de la masse salariale à effectif inchangé. En 1985, l'adoption du raisonnement en masse n'assure plus une hausse générale de l'ensemble des salaires ni une progression annuelle par la valeur du point, auparavant considérée comme un droit acquis. C'est la notion de pouvoir d'achat moyen qui s'impose et brise la mécanique d'augmentation des salaires. De 1982 à 1988, les termes de la politique des salaires dans la fonction publique ont donc été profondément remis en cause avec la fin de l'indexation, l'affichage public d'un nouveau mode de calcul des évolutions de la masse salariale et la réduction croissante de la part générale négociable annuellement avec les fonctionnaires. Sur ce point, l'instrument RMS, autrefois utilisé dans le cadre keynésien de la politique des revenus, est désormais au service d'une politique néo-libérale de retranchement. Ce sont bien les arrangements institutionnels fondateurs de l'administration qui sont remis en cause.

Ensuite, la mise en place d'une politique budgétaire *discrète* sur l'administration, appuyée sur l'instrument RMS, est aussi un révélateur de la manière dont la politique de rigueur se développe dans le contexte français des années 1980 et des effets qu'elle produit sur le développement d'une politique de réforme de l'administration. De 1982 à 1988, la direction du Budget se replie sur sa stratégie de politique de coupes budgétaires discrètes. Cette orientation se fait au détriment de réflexions plus structurelles sur la rationalisation du fonctionnement des administrations, sur le recours sur les transformations de la procédure budgétaire ou sur des savoirs managériaux plus élaborés [Bezes, 2002]. Comparées à d'autres politiques budgétaires étrangères [Pollitt et Bouckaert, 2000], les stratégies de réformes plus structurelles ont été introduites en France plus tardivement et sont de plus faible ampleur. La « régulation budgétaire » et la « débudgétisation » (à travers des transferts de charges) ont été longtemps préférées à des méthodes et des réformes plus globales, plus rationnelles et surtout plus publiques, engageant la responsabilité des élus politiques. La focalisation sur une politique discrète centrée sur les dépenses de personnel et les résultats budgétaires ainsi obtenus ont constitué, dans les années 1980, une alternative crédible au développement de politique « publique » de réforme de l'administration centrée sur la transformation des règles et des structures.

Du même coup, enfin, la réification et la routinisation d'usage de l'instrument RMS dans les années 1990 révèle, par contraste, les changements qui affectent les politiques récentes de réforme administrative, devenues « réforme de l'État ». L'adoption d'une réforme budgétaire et financière d'envergure (la loi organique du 1er août 2001 relative aux lois de finances dite « LOLF ») transforme radicalement les instruments des politiques de régulation de l'administration. Elle réinscrit le raisonnement en masse salariale dans un cadre général et intégré mais, significativement, n'en détruit pas l'utilité et l'usage. Au contraire, elle en reprend la logique à une échelle beaucoup plus vaste et en légitime et en systématise l'utilisation dans la perspective de la nouvelle constitution financière. La LOLF bouleverse l'architecture du budget de l'État, d'un budget structuré par nature de moyens (1 300 chapitres en 1990) à un modèle structuré par les finalités des politiques publiques et désormais présentées en 34 missions déclinées en 132 programmes et près de 580 actions[46]. À partir de 2006, date d'entrée en vigueur, les crédits gérés par les ministères seront regroupés par programme. Une plus grande liberté sera donnée au gestionnaire de chaque ministère qui bénéficiera d'une enveloppe globale par programme et pourra redéployer les crédits entre les titres (dépenses de fonctionnement, charges de la dette, dépenses d'investissement, dépenses d'intervention, dépenses de personnel, etc.) à la seule exception que les crédits de personnel donnés par programme ne pourront être majorés par des crédits relevant d'autre titre alors qu'ils pourront, en revanche, abonder les crédits des autres titres (c'est le principe de fongibilité asymétrique). Un plafond d'emplois limitatif sera fixé par ministère.

Dans ce nouveau cadre, la globalisation des crédits de personnel et leur limitation stricte (sans possibilité d'apport d'autres titres de dépenses) accentuent les exigences de prévision et de contrôle de l'évolution de la masse salariale et renforcent les exigences de fiabilité des données. Il s'agira d'optimiser les évolutions des dépenses de personnel et donc de mesurer, toujours plus finement, la masse salariale. Plusieurs principes de la LOLF conduisent à étendre les usages du raisonnement en masse. La logique de gestion des emplois en masse globale s'impose, par exemple, parce que les emplois sont fongibles entre eux au sein d'un programme : les gestionnaires devront ainsi arbitrer entre des catégories d'emploi et des niveaux de rémunération au sein de l'enveloppe globale de crédits de personnel dont ils disposent. Plus que jamais, la régulation des dépenses salariales sera pensée en masse, à travers l'ensemble de leurs dynamiques. De même, les projets et rapports annuels de performance, qui accompagneront les annexes

---

46. *La mission devient la nouvelle unité de vote du Parlement et le programme, défini au niveau ministériel, la nouvelle unité de spécialisation des crédits au sein du Budget. Le programme regroupe un ensemble cohérent d'actions et définit une « politique publique ».*

explicatives jointes au projet de loi de finances et qui seront remis aux parlementaires, imposent que la répartition prévisionnelle des emplois rémunérés par l'État soit présentée sous forme de catégories d'emplois plus englobantes que les corps. Là encore, la logique totalisante de l'instrument RMS se trouve réaffirmée.

La nouvelle organisation accroît donc considérablement les contraintes de calcul et de prévision des dépenses de personnel et l'usage du raisonnement en masse. Plus encore, elle les impose systématiquement à tous les gestionnaires des services déconcentrés à travers les budgets de programmes opérationnels qui déclineront à l'échelon territorial le budget général de programme. La LOLF confère ainsi au RMS une nouvelle légitimité et l'intègre dans un dispositif intégré de grande envergure. Nul doute que le mode de calcul de la masse salariale de l'État se trouvera à nouveau transformé avec les nouveaux systèmes d'information et les nouvelles exigences d'audit et de mesure de la performance qui accompagnent la mise en œuvre de la nouvelle procédure budgétaire. On peut s'attendre à ce que le raisonnement en masse salariale soit l'objet, dans ce cadre élargi, de nouveaux investissements et de nouvelles appropriations qui en démultiplient les usages tout en en perpétuant la philosophie intrinsèque : le souci de quantification, de mesure et de contrôle des activités administratives.

BIBLIOGRAPHIE

BEZES (P.), « Aux origines des politiques de réforme administrative sous la Cinquième République : la construction du "souci de soi de l'État" », *Revue française d'administration publique*, 102, 2003, p. 307-325.

BEZES (P.), « Gouverner l'administration : une sociologie des politiques de la réforme administrative en France (1962-1997) », thèse de doctorat de science politique de l'Institut d'études politiques de Paris, sous la direction de J. Lagroye, 3 vol., 2002.

BEZES (P.), « Defensive *vs* Offensive Approaches to Administrative Reform in France (1988-1997) : The Leadership Dilemmas of French Prime Ministers », *Governance. An International Journal of Policy, Administration and Institutions*, 14 (1), 2001, p. 99-132.

BIDOUZE (R.), *Fonction publique. Les points sur les i*, Paris, VO Éditions, 1995.

BOISSONNAT (J.), *La Politique des revenus*, Paris, Le Seuil, 1966.

BRANCIARD (M.), *Fonctions publiques, CFDT et négociation*, Paris, CFDT, 1995.

CAMERON (D. R.), « Exchange Rate Politics in France, 1981-1983 : The Regime-Defining Choices of the Mitterrand Presidency », dans A. DALEY, *The Mitterrand Era. Policy Alternatives and Political Mobilization in France*, Londres, Macmillan, 1996, p. 56-82.

COHEN (S. S.), GALBRAITH (J.) et ZYSMAN (J.), « Rehabbing the Labirinth : The Financial System and Industrial Policy in France », dans S. S. COHEN et P. A. GOUREVITCH, *France in the Troubled World Economy*, Londres, Butterworths, 1982, p. 49-75.

Commissariat général du Plan, *Fonctions publiques : enjeux et stratégie pour le renouvellement. Rapport du groupe présidé par Bernard Cieutat*, Paris, La Documentation française, 2000.

DANIEL (J.-M.), « La politique salariale de l'État », *Revue de l'OFCE*, 42, octobre 1992, p. 77-93.

DODIER (N.), *Des hommes et des machines*, Paris, Métailié, 1995.

DUMEZ (H.) et JEUNEMAITRE (A.), *Diriger l'économie. L'État et les prix (1936-1986)*, Paris, L'Harmattan, coll. « Logiques économiques », 1989.

ELGIE (R.), *The Role of the Prime Minister in France 1981-1991*, Londres, Macmillan Press, 1993.

ESPELAND (W.) et STEVENS (M. L.), « Commensuration as a Social Process », *Annual Review of Sociology*, 24, 1998, p. 313-343.

FAVEREAU (O.), « La RCB entre deux paradigmes », *Bulletin RCB*, 51, 1982, p. 5-35.

FAVIER (P.) et MARTIN-ROLLAND (M.), *La Décennie Mitterrand*, tome 1 : *Les Ruptures (1981-1984)*, Paris, Le Seuil, 1990.

FONTENEAU (A.) et MUET (P-A.), *La Gauche face à la crise*, Paris, Presses de Sciences Po, 1985.

FELLER (V.), « Les outils d'analyse des évolutions salariales », *L'Actualité juridique-Fonctions publiques*, juillet-août 1998, p. 27-35.

GARRIGOU (A.), *Les Élites contre la République : Sciences Po et l'ENA*, Paris, La Découverte, 2001.

GRUSON (C.), *Rapport au Premier ministre sur les problèmes que pose l'institution du Collège d'étude et d'appréciation des revenus*, septembre 1964, rapport non rendu public, dans Comité pour l'histoire économique et financière de la France, *Études et documents*, II, 1990.

GUILHAMON (J.), *Les Négociations salariales dans la fonction publique. Rapport au ministre de la Fonction publique et des Réformes administratives*, Paris, La Documentation française, 1989.

HAYWARD (J. E. S.), « Interest Groups and Incomes policy in France », *British Journal of Industrial Relations*, 4 (2), juillet 1966, p. 165-201.

LONG (M.) et BLANC (L.), *L'Économie de la fonction publique*, Paris, PUF, coll. « L'Économiste », 1969.

LONG (M.), *Les Problèmes actuels de la fonction publique*, cours donné à l'ENA par M. MARCEAU LONG, directeur général de l'Administration et de la Fonction publique, mars-avril 1967.

MARCHETTI (J.-C.), « Les grandes étapes de la politique de rémunération de la fonction publique », *L'Actualité juridique-Fonctions publiques*, juillet-août 1998, p. 35-41.

MASSÉ (P.) (prés.), *Rapport sur la situation des salariés du secteur nationalisé*, Paris, La Documentation française, 1963.

MISSION SUR L'AMÉLIORATION DES PROCÉDURES DE DISCUSSION DES SALAIRES DANS LE SECTEUR PUBLIC, « rapport de M. Toutée », *Notes et études documentaires*, 3069, 2 mars 1964 (citée Toutée, 1964).

PALIER (B.), *Gouverner la sécurité sociale*, Paris, PUF, 2002.

PIERSON (P.) « When Effect Becomes Cause : Policy Feedback and Political Change », *World Politics*, 45, 1993, p. 595-628.

PIERSON (P.), *Dismantling The Welfare State ? Reagan, Thatcher, and the Politics of Retrenchment*, Cambridge, Cambridge University Press, 1994.

PIERSON (P.), « Path dependence, Increasing Returns, and the Study of Politics », *American Political Science Review*, 94 (2), 2000, p. 251-267.

POLLITT (C.) et BOUCKAERT (G.), *Public Management Reform. A Comparative Analysis*, Oxford, Oxford University Press, 2000.

PORTER (T. M.), *Trust in Numbers*, Princeton (N. J.), Princeton University Press, 1995.

SALON (S.), « De 1945 à nos jours », dans M. PINET (dir.), *Histoire de la fonction publique en France*, Paris, Nouvelle Librairie de France, 1993.

SCHICK (A.), « Macro-Budgetary Adaptations to Fiscal Stress in Industrialized Democracies », *Public Administration Review*, 46 (2), mars-avril 1986, p. 124-134.

SCHICK (A.), « Micro-Budgetary Adaptations to Fiscal Stress in Industrialized Democracies », *Public Administration Review*, 48 (1), janvier-février 1988, p. 523-533.

TSEBELIS (G.), *Veto Players : How Political Institutions Work*, Princeton (N. J.), Princeton University Press, 2002.

WEAVER (R. K.), « The Politics of Blame Avoidance », *Journal of Public Policy*, 6 (4), octobre-décembre 1986, p. 371-398.

WEAVER (R. K.), « Setting and Firing Policy Triggers », *Journal of Public Policy*, 9 (3), 1989, p. 307-336.

WEAVER (R. K.), *Automatic Government. The Politics of Indexation*, Washington (D. C.), The Brookings Institution, 1988.

Chapitre 3

LES NORMES
INSTRUMENTS DÉPOLITISÉS
DE L'ACTION PUBLIQUE

Olivier BORRAZ

I l n'est aujourd'hui pratiquement aucune activité économique qui ne soit encadrée, en partie ou dans sa totalité, par des normes ou des standards[1]. L'extension de la normalisation est indissociable, bien qu'elle les précède souvent, des phénomènes de globalisation économique et de transformation des processus de régulation politique à l'échelle internationale, régionale, voire nationale. La proximité de ces différents processus justifie que l'on se penche sur la normalisation, non seulement en raison de l'influence qu'elle exerce sur toute une série d'activités économiques, mais aussi au regard des principes qui la fondent – dans la mesure où ces principes entrent pour partie en résonance avec certains mécanismes à l'œuvre dans les processus de gouvernance politique et économique à l'échelle internationale.

Selon la définition de l'ISO (International Organization for Standardization), une norme est un « document établi par consensus, qui fournit, pour des usages communs et répétés, des règles, des lignes directrices ou des caractéristiques, pour des activités ou leurs résultats, garantissant un niveau d'ordre optimal dans un contexte donné ». Qu'il s'agisse d'un bien, d'un service ou d'une procédure, il existe presque toujours à l'échelon national, européen ou mondial un document qui définit la forme qu'il doit respecter. Les normes sont avant tout des

1. Je tiens à remercier Christine Noiville pour ses remarques et suggestions sur la première version de ce chapitre.

outils permettant à des biens, services ou procédures de circuler, d'être compatibles avec d'autres biens, services ou procédures, ou encore d'engendrer une prévisibilité. Par conséquent, le renforcement du libre-échange conforte leur développement.

Lorsque l'on aborde les normes, une première difficulté d'ordre sémantique surgit. En sociologie, le terme recouvre les règles au sens large, règles qui n'ont pas forcément fait l'objet d'une formalisation écrite, mais qui sont le plus souvent intériorisées. C'est en ce sens que l'emploient Brunsson et Jacobsson : « Les normes sont des règles intériorisées que l'on peut suivre sans avoir à y réfléchir. » [Brunsson et Jacobsson, 2000, p. 12.] Le propos de ces auteurs est de travailler sur les standards, qu'ils définissent comme des règles explicites, émises par une source identifiée mais qui n'est pas d'application obligatoire. Mais la difficulté tient au fait que le terme anglais de *standard* regroupe trois notions distinctes en français : la norme, le standard et l'étalon [Lelong et Mallard, 2000]. Pour la clarté de l'exposé, je proposerai donc la distinction suivante :

– une *norme* est « un document déterminant des spécifications techniques de biens, de services ou de processus qui ont vocation à être accessibles au public, résultent d'un choix collectif entre les parties intéressées à sa création, et servent de base pour la solution de problèmes répétitifs. Ces problèmes répétitifs peuvent être ramenés à deux grandes fonctions de coordination dans un système de production et d'échange [...] : la coordination de la production, au sens où les normes livrent à l'ensemble des producteurs des informations utiles à la conception des nouveaux produits ; la coordination au niveau de l'échange, au sens où les normes opèrent comme des marqueurs qui permettent de distinguer, dans l'ensemble des produits à échanger, ceux qui répondent à un certain nombre de propriétés explicitement spécifiées » [Lelong et Mallard, 2000, p. 11]. Retenons qu'il s'agit d'un document écrit, qui résulte d'un consensus et ajoutons qu'il est d'application volontaire ;

– un *standard* résulte d'un acte unilatéral et émerge « au travers de la médiation des processus de marché : c'est la dynamique d'adoption des acheteurs sur un marché qui aboutit finalement à sélectionner, parmi la diversité des alternatives technologiques possibles, un ou plusieurs standards qui subsisteront » [Lelong et Mallard, 2000, p. 20].

Les auteurs prennent l'exemple de l'architecture logicielle et matérielle des PC pour illustrer ce qu'est un standard, le protocole de télécommunication GSM étant en revanche une norme puisqu'il « est le fruit d'une élaboration collective, dans le cadre d'un organisme de normalisation, à laquelle ont participé les principaux acteurs des secteurs de télécommunications. Son apparition a bien engagé des mécanismes de coordination alternatifs, ou complémentaires, à la seule dynamique du marché » [Lelong et Mallard, 2000, p. 21].

Dans la suite de ce chapitre, nous nous intéresserons essentiellement aux normes. Celles-ci constituent des instruments de l'action publique, dans la mesure où elles sont porteuses d'une forme condensée de savoir sur le pouvoir social, d'une part, et produisent des effets spécifiques indépendants des objectifs poursuivis, d'autre part. Les normes constituent même une catégorie en soi d'instrument, en raison de deux caractéristiques principales : elles relèvent de rapports de force au sein de la société civile entre acteurs économiques ou entre acteurs économiques et ONG ; elles présentent une légitimité qui repose à la fois sur une rationalité scientifique et technique (qui contribue à en neutraliser la signification politique) et une rationalité démocratique (par leur dimension négociée).

Cinq raisons justifient que l'on s'intéresse à cette catégorie particulière d'instrument.

Premièrement, le développement de la normalisation participe d'une « re-régulation » [Majone, 1996]. Si elle s'inscrit bien (du moins à l'échelle européenne) dans un mouvement de dé-réglementation, elle contribue simultanément à une multiplication des règles encadrant l'activité économique. Ces règles, bien que pour une bonne part d'origine privée, n'en constituent pas moins des instruments de l'action publique et constituent une catégorie particulière de *soft law*. Ainsi, à l'échelle européenne, « la stratégie de la Commission reposait sur un partage des fonctions de régulation entre les secteurs public et privé. Des organismes privés de normalisation agiraient comme des "mandataires" du gouvernement dans le processus réglementaire » [Egan, 2001, p. 122]. C'est ce que confirme le Parlement européen, lorsqu'il considère que « la normalisation peut constituer un complément efficace, globalement acceptable et facilement applicable de la législation et, dans certains cas et lorsqu'un cadre politique clair est donné, une alternative à une législation contraignante » [Résolution du 12 février 1999]. En France, selon l'AFNOR (Association française de normalisation), une norme « est un outil de politique publique qui constitue un complément de la réglementation et une référence pour l'ouverture et la transparence des marchés publics ».

Deuxièmement, la normalisation illustre le mythe de la dépolitisation de l'action publique décrit par Bruno Jobert [2003]. Elle s'inscrit dans une tendance qui voit les autorités publiques déléguer à des organismes privés le soin d'édicter des règles qui, si elles n'ont pas d'emblée force de loi, n'en possèdent pas moins un caractère contraignant. Ce mouvement est d'autant plus légitime, en apparence, qu'il s'entoure de références à la nature démocratique du processus d'élaboration des normes et aux données scientifiques et techniques sur lesquelles reposent ces dernières. Il s'agirait en quelque sorte d'un processus de décision purifié puisque ne laissant en présence que les parties intéressées, sans intervention politique. Les termes de « démocratie technologique » [Hawkins, 2000] ou de « diplomatie des techniques » [Cochoy, 2000] ont pu être employés, de manière critique, pour caractériser ce processus.

Troisièmement, les normes sont souvent au cœur de conflits commerciaux à l'échelle mondiale et c'est autour de leur définition que s'engagent de nombreuses négociations (on pense en particulier aux discussions dans le cadre du *Codex Alimentarius* autour des normes de sécurité sanitaire des aliments, mais aussi aux normes de téléphonie mobile). Au-delà des enjeux protectionnistes auxquels peuvent renvoyer les normes, celles-ci « traduisent les différences légitimes entre pays en termes de culture administrative, d'évaluation des risques et de relations entre État, société et économie » [Egan, 2001, p. 3]. D'une certaine manière, elles sont au cœur d'une tension fondamentale aujourd'hui entre ce « puissant processus de rationalisation sociétale » [Olshan, 1993] qu'est la standardisation et la résistance offerte par les différentes configurations nationales.

Quatrièmement, l'étude des normes permet de revenir sur la thèse de la *policy capture* des processus décisionnels par les intérêts économiques (à travers les pressions exercées par des groupes d'intérêt), en s'intéressant à des processus qui prévoient explicitement la participation des représentants industriels à l'élaboration de règles qui les concernent. On passerait d'une situation dans laquelle des lobbies négocient avec les autorités publiques des mesures qui leur sont favorables, à une situation où il leur faut négocier un compromis avec d'autres groupes d'intérêt, sans capacité d'arbitrage public. Une telle évolution est susceptible de renforcer la situation des autorités publiques, puisqu'elle les protège de l'essentiel des pressions tout en leur offrant la capacité de se prononcer sur le résultat des négociations.

Cinquièmement, les normes occupent une place particulière, tant dans le processus de construction européenne que dans les recompositions qui touchent l'État français dans ses modalités d'intervention. Qu'il s'agisse de la crise de légitimité qui touche l'intervention publique, de la complexité des questions traitées et du thème de la responsabilité dans l'action publique, le passage par la normalisation constitue un contournement qui mérite qu'on l'interroge. Et ce d'autant plus que ce contournement soulève à son tour des questions de légitimité, d'efficacité et de responsabilité propres au processus de normalisation.

Les gouvernements, en tant qu'acteurs politiques, peuvent avoir recours aux ressources des secteurs public et privé pour soutenir leurs buts et atteindre leurs objectifs. Le choix de déléguer des pouvoirs importants dans l'élaboration des politiques résulte de la reconnaissance que la régulation ne dépend pas seulement de l'adoption d'une loi mais nécessite au contraire la participation active des entreprises régulées. Dans la mesure où les pouvoirs publics ne disposent pas d'informations que seules les entreprises détiennent, celles-ci se conduisent elles-mêmes comme des gouvernements, définissant des règles et des codes de conduite dans le domaine économique, environnemental et social. L'augmentation de cette auto-réglementation est difficilement assimilable aux définitions habituelles de la réglementation comme activité gouvernementale, car elle ne respecte pas les frontières entre la fourniture de biens publics, privés ou collectifs. [Egan, 2001, p. 6.]

Tout cela justifie donc que l'on s'intéresse à la normalisation, à son extension et à la tendance des autorités publiques à déléguer à des organismes privés le soin d'élaborer et de contrôler l'application de documents ayant parfois force de loi. Mais ce chapitre entend souligner qu'au-delà d'un certain nombre de traits communs, les processus de normalisation présentent aussi des différences notables entre les échelons national et européen. Plus précisément, les normes et les processus de normalisation remplissent des rôles différents suivant la nature des régimes de régulation [Hood *et al.*, 2001] dans lesquels ils s'insèrent, mais aussi des tensions que subissent les régimes français et européen.
    Dans une première partie, il sera procédé à une construction de l'objet « normes », de manière à mettre en évidence leurs traits communs. Puis, dans une deuxième partie, la normalisation dans la construction européenne et les questions qu'elle soulève seront étudiées. Dans une troisième partie, un regard similaire sera porté sur la France et l'évolution récente dans la normalisation des activités de service. La conclusion reviendra sur les statuts et les effets différenciés de la normalisation selon les cadres réglementaires.

Des normes

Une norme possède les quatre traits suivants : elle résulte d'un travail réalisé entre les parties intéressées, repose sur des données scientifiques et techniques, s'appuie sur un consensus et demeure d'application volontaire. La notion de parties intéressées est extrêmement variable, puisqu'elle peut se résumer aux seuls industriels d'un secteur ou comprendre des représentants des consommateurs ou usagers, des autorités publiques et des experts. Dans l'histoire de la normalisation en France, Franck Cochoy [2000] distingue une période où seuls les industriels s'investissent dans la normalisation et une période où, sous l'impulsion de l'AFNOR, les consommateurs font leur entrée dans les comités et engagent un changement profond dans ce que recouvrent désormais les normes. Les organismes de normalisation européens prévoient, quant à eux, la participation de différents représentants, désignés par les organismes de normalisation nationaux : syndicats, associations de consommateurs, gouvernements locaux, gouvernements centraux, ainsi que des firmes individuelles et des associations professionnelles [Egan, 2001, p. 143]. Quant aux comités de l'ISO, ils comprennent « des représentants qualifiés des milieux industriels, des instituts de recherche, des autorités gouvernementales, des organismes de consommateurs et des organisations internationales du monde entier [qui] se retrouvent en partenaires à droits égaux dans la recherche de solutions à des problèmes de normalisation d'envergure mondiale ».

La normalisation se présente ainsi comme une procédure dans laquelle les participants disposent formellement des mêmes droits et du même poids. En réalité, comme nous le verrons plus loin, il existe généralement de profondes inégalités en termes d'accès à l'information. Les auteurs qui ont étudié les processus de normalisation insistent sur le fait que la présidence et le secrétariat des comités de normalisation, en particulier, constituent des postes stratégiques car ils permettent de déterminer à la fois l'agenda et le rythme de travail, deux ressources déterminantes pour influer sur le résultat final.

Si le processus de normalisation réunit les parties intéressées, leurs échanges reposent sur des données scientifiques, techniques ou d'expérience [Joerges et al., 1997]. Bengt Jacobsson insiste sur le fait que la normalisation repose sur des savoirs experts : « La standardisation est étroitement liée à l'expertise et repose habituellement sur l'idée que certaines personnes savent ce qui est bien. [...] La référence aux savoirs experts permet souvent de légitimer la standardisation. » [Jacobsson, 2000, p. 40.] Cela se traduit par le fait que les participants aux comités d'expert sont nommés en raison de leurs connaissances dans le domaine concerné. « Les comités offrent l'occasion à ceux qui détiennent un savoir considérable dans un secteur donné de travailler ensemble. » [Egan, 2001, p. 143.] Toutefois, le niveau d'expertise demeure extrêmement variable entre les participants et plus encore les ressources disponibles pour mobiliser des données scientifiques et techniques : ce sont bien souvent les plus grosses firmes, ayant un intérêt dans la normalisation, qui fournissent les données à partir desquelles les discussions vont s'engager ; les PME ont plus rarement la capacité de participer activement aux travaux de normalisation ; quant aux ONG, elles sont souvent en situation de dépendance par rapport aux principaux fournisseurs de données.

L'importance des données scientifiques et techniques, outre qu'elle induit une distinction forte entre les participants, constitue aussi une contrainte d'écriture [Mallard, 2000]. Bien qu'une norme résulte d'un compromis sur la base de critères politiques, économiques et sociaux, seuls les éléments techniques sont visibles. Le fait que la discussion s'engage prioritairement sur ces éléments permet d'écarter des débats les autres critères évoqués ou oblige à traduire ces critères, une fois qu'ils ont fait l'objet d'un compromis, en données techniques. Ces données constituent une contrainte essentiellement au stade de l'élaboration, notamment pour ceux des participants qui n'en maîtrisent pas toutes les facettes ou ne sont pas en mesure de faire des contre-propositions. En revanche, elles permettent ensuite aux acteurs industriels de réintroduire une forme de souplesse lors de la mise en œuvre [Majone dans Egan, 2001].

Le consensus constitue le principe charnière dans la démarche de normalisation. Tous les documents et tous les observateurs y font référence, ces derniers pour en souligner le caractère ambigu. Le consensus est le plus souvent entendu par la négative : il s'oppose au vote ; il n'implique pas nécessairement l'unanimité. Autrement dit, pour reprendre une définition de l'ISO, c'est un « accord général caractérisé par l'absence d'opposition ferme à l'encontre de l'essentiel du sujet émanant d'une partie importante des intérêts en jeu et par un processus de recherche de prise en considération des vues de toutes les parties concernées et de rapprochement des positions divergentes éventuelles ». Le CEN insiste sur le fait qu'il s'agit d'un accord volontaire entre toutes les parties intéressées. Dès lors, il y a consensus lorsqu'au terme d'un processus qui a permis aux différentes parties d'exprimer leurs attentes et de les intégrer dans un projet de norme, aucun participant ne prend ouvertement position contre ce projet. Tant qu'une partie s'oppose, la démarche ne peut pas aller à son terme. Il en résulte des processus qui s'étalent sur plusieurs années et nécessitent de longues négociations. Cela s'explique par le fait qu'il ne s'agit pas d'un jeu répétitif et itératif mais d'un jeu unique : une fois la norme adoptée, elle devient extrêmement difficile (et coûteuse) à changer. Les participants ne peuvent pas adopter une stratégie de perte ou sacrifice à court terme pour un gain différé ou un « donnant donnant » décalé dans le temps [Egan, 2001, p. 144]. Le résultat devient un document qui, reliant les intérêts des différentes parties, les engagent toutes suivant un processus d'intéressement qui fonde la légitimité de la norme : « L'écriture d'une norme est bien plus qu'une activité de production d'informations et de spécifications techniques ; elle contribue activement à la mise en convergence des réseaux socio-techniques qui constituent le cadre de coordination de la norme. » [Mallard, 2000, p. 26.]

Dernière caractéristique des normes, leur application demeure volontaire. On serait ainsi dans ce que Charles-Albert Morand appelle « les actes incitateurs », c'est-à-dire des « actes qui orientent les comportements sans les rendre obligatoires » [Morand, 1999, p. 162]. Tout d'abord, les acteurs économiques ne sont pas obligés de respecter une norme, ils ne subiront donc aucune sanction ; mais ils doivent faire la preuve que leur produit, service ou activité respecte les exigences réglementaires ou répond aux critères de qualité et de sécurité. Dans la mesure où de nombreuses normes sont accompagnées de marquages (NF, CE) qui certifient leur respect d'un cahier des charges, dans la mesure, en outre, où elles peuvent être exigées par les pouvoirs publics ou demandées par des clients potentiels, dans la mesure, enfin, où elles participent de la circulation des biens sur des marchés de plus en plus étendus, les incitations à s'inscrire dans une démarche de normalisation sont fortes. D'autant que les conséquences pour la firme d'un retrait de sa certification sont potentiellement plus coûteuses qu'une amende ou autre sanction administrative. Ensuite, en cas de contentieux, un juge peut se référer à une norme pour apprécier la responsabilité d'un opérateur. Enfin, certaines normes acquièrent force de loi au niveau international : c'est le cas, par exemple, des normes émises par le *Codex Alimentarius* et reconnues par l'accord SPS (sanitaire et phytosanitaire) de l'Organisation mondiale du commerce : les pays ne sont pas contraints de s'y soumettre mais ils prennent alors le risque d'un contentieux [Noiville, 2000].

Malgré les apparences, la normalisation ne constitue pas un processus pacifié dans lequel les acteurs disposeraient des mêmes ressources. Les divergences d'intérêt existent, tout autant que les tensions et les conflits, mais ils se règlent sous la forme de négociations et sur un registre interpersonnel. « En général, les participants, lorsqu'ils évoquent ces comités, soulignent l'importance des compromis, du travail d'équipe et du partage d'information, plutôt que la manière dont ces organes gèrent les conflits. » [Egan, 2001, p. 143.] Il est évident que des inégalités profondes de ressources caractérisent ces comités, il est tout aussi évident que les acteurs dominants n'ont aucun intérêt à profiter de leur position pour imposer aux autres participants leurs vues. Il leur faut pour cela entrer dans un partage d'information, de prise en compte des demandes, de recherche de compromis, qui leur permet de valoriser leurs ressources tout en intéressant progressivement les autres parties. Il s'agit d'un effort de longue haleine, dans lequel toute tentative de brusquer la décision peut aboutir à un blocage. Et les blocages sont effectivement nombreux. On peut cependant émettre l'hypothèse qu'ils sont un puissant facteur d'apprentissage pour les participants, qui apprennent à travailler ensemble.

Ainsi, la normalisation arrive, tant bien que mal, à faire faire aux acteurs du marché ce qu'elle est sensée leur faire faire : des normes de sécurité socialement acceptables. [...] C'est que la normalisation pose comme principe de légitimation des normes la libre participation aux travaux des personnes concernées (entreprises, laboratoires, consommateurs...), la discussion et l'argumentation comme principe de décision, l'enquête publique et le vote représentatif comme dispositif de sanction. [Kessous, 2000, p. 114.]

Par conséquent, à la critique partiellement fondée qui ne verrait dans ces comités que des parodies de « démocratie technologique » dans lesquelles des intérêts économiques (industriels ou nationaux) puissants et parfaitement organisés parviendraient à imposer leur point de vue sous couvert de consensus, il convient de mettre en avant le caractère contraignant (dès lors que les personnes concernées ont librement accepté d'y participer) d'un processus qui oblige les différents participants à prendre en compte leurs intérêts respectifs.

Dans le champ de la normalisation, tous les acteurs ne cherchent pas seulement la confirmation de leurs points de vue antérieurs, mais s'engagent fréquemment dans les discussions au sein des comités sans préférences claires, voire sont prêts à changer de position. Cela ne signifie pas que les positions et les intérêts ne jouent aucun rôle dans les négociations. Néanmoins, dans un nombre significatif de cas, l'objet principal de la discussion a consisté à trouver une solution à un problème sans que les participants ne puissent s'appuyer sur des solutions pré-existantes. En outre, [...] la comitologie opère comme un processus de travail et d'apprentissage de longue haleine, capable, sur la durée, de mettre à mal et de dépasser les tentatives individuelles de participants tentés de faire fi des connaissances valides. [Joerges, 1999, p. 320.]

Pour conclure sur cette présentation de l'objet normes, il convient de souligner le rôle de l'information. Celle-ci est importante, tant lors de l'élaboration des documents que dans leur mise en œuvre. Les normes sont élaborées à partir d'un échange et d'une mise en commun d'information entre les participants ; ce partage est un des facteurs du compromis auquel ils aboutissent. Une fois en application, ensuite, les normes contribuent à la production d'informations et de données, permettant notamment de vérifier leur bonne mise en œuvre mais aussi d'améliorer le processus, de détecter des erreurs, de signaler des dysfonctionnements. Étonnamment, il s'agit d'une fonction peu mise en avant par les auteurs qui ont travaillé sur la normalisation – alors qu'elle est au cœur de nombreux travaux sur la régulation [Hood *et al.*, 2001].

—— La nouvelle approche européenne

Le 7 mai 1985, le Conseil adopte une *nouvelle approche en matière d'harmonisation technique et de normalisation* (85/C 136/01). Jusque-là, l'harmonisation technique relevait de directives ou de la procédure de reconnaissance mutuelle. Mais la complexité technique des sujets, la difficulté à mettre l'ensemble des pays d'accord et la perspective du marché unique incitent les autorités européennes à avoir recours à la normalisation.

La résolution du Conseil de 1985 reprend les conclusions concernant la normalisation approuvées par le Conseil le 16 juillet 1984, dans lesquelles on pouvait lire : « Le Conseil estime que la normalisation constitue une contribution importante pour la libre circulation des produits industriels et, de surcroît, pour la création d'un environnement technique commun à toutes les entreprises, et qu'elle contribue à la compétitivité industrielle aussi bien sur le marché communautaire que sur les marchés extérieurs, notamment dans les nouvelles technologies.» L'objectif est donc de contourner les entraves à la libre circulation. Dans la mesure où l'un des principaux obstacles concerne souvent la sécurité des personnes, c'est à ce titre que le Conseil entend promouvoir sa nouvelle approche : « Les objectifs poursuivis par les États membres pour la protection de la sécurité et de la santé de leurs citoyens, et également pour la protection des consommateurs, sont en principe équivalents même si les moyens techniques pour leur mise en œuvre diffèrent.» C'est donc au nom de la sécurité « ou d'autres exigences d'intérêt collectif» que seront adoptées les directives « nouvelle approche».

La résolution de 1985 a été complétée par une autre résolution concernant *une approche globale en matière d'évaluation de la conformité* datée du 24 juillet 1989. Dans le cadre de la nouvelle approche, il appartient à la législation européenne d'établir les exigences essentielles auxquelles les produits doivent se conformer, à charge ensuite aux différents organismes de normalisation européens (CEN, CENELEC et ETSI[2]) d'élaborer des spécifications techniques en vue d'assurer la conformité aux seuils ou niveaux de protection définis. Le recours à la normalisation s'inscrit dans un moment particulier de l'histoire européenne.

Tout d'abord, plusieurs auteurs associent le développement de la normalisation aux limites de la construction européenne à partir de la décennie 1980. Ainsi, selon Brunsson et Jacobsson [2000], le choix de recourir à des standards plutôt qu'à des directives s'inscrirait dans une forme de « néo-volontarisme», pour reprendre le terme de Wolfang Streeck. Ce choix résulterait des difficultés rencontrées par les institutions européennes pour imposer des mesures obligatoires. Le développement de la normalisation constituerait donc une réponse à l'absence de moyens contraignants à la disposition de l'UE pour accompagner son activité réglementaire. Les incitations liées à l'application des normes pallieraient cette absence. D'autres auteurs suggèrent que le recours à la normalisation serait une conséquence des difficultés de la Commission européenne pour parvenir à un accord entre les pays

2. *Comité européen de normalisation, Commission européenne de normalisation électro-technique et European Telecommunications Standards Institute.*

membres dans de nombreux domaines [Egan, 2001]. À l'appui de cette thèse : le retard pris à partir du début de la décennie 1980 pour élaborer des directives en vue du marché unique de 1992.

> La réalisation d'un marché unique avant le 31 décembre 1992 nécessitait une nouvelle technique en matière de réglementation qui ne fixait que les exigences essentielles générales, limitait le contrôle des pouvoirs publics avant la mise sur le marché d'un produit et incorporait l'assurance de la qualité et d'autres techniques modernes d'évaluation de la conformité. En outre, la procédure décisionnelle devait être adaptée afin de faciliter l'adoption des directives d'harmonisation technique à la majorité qualifiée au sein du Conseil[3].

Le recours à la normalisation s'inscrit, ensuite, dans l'avènement d'un « État régulateur » européen [Majone, 1994a, 1999]. Les mêmes raisons qui ont prévalu dans cet avènement – contraintes budgétaires, intérêts bureaucratiques et économiques, faible crédibilité des arrangements intergouvernementaux, nature hautement technique de la réglementation [Majone, 1994a, p. 92] – rendent compte du succès rencontré par la normalisation. Les mêmes motifs qui ont guidé les institutions européennes dans la délégation de compétences à des agences indépendantes s'appliquent à la normalisation : facteurs cognitifs (le manque d'expertise et de compétence), réduction des coûts de décision et souci de transférer les mises en cause (*blame avoidance* ou *blame shifting*) [Majone, 1999, p. 3-4]. En d'autres termes, la normalisation permet aux autorités publiques d'énoncer des engagements politiques crédibles, qui tiennent compte des phénomènes d'interdépendance politique et économique entre nations et qui permettent de s'assurer du comportement de multiples acteurs autrement que par des techniques de *command and control* [*ibid.*, p. 5].

Enfin, la normalisation entre en résonance avec certains des principes politiques qui guident la construction européenne, notamment la recherche du consensus et le souci de faire reposer les décisions sur des bases scientifiques solides. Plus récemment, la normalisation s'est

---

3. *Commission européenne*, Guide relatif à la mise en application des directives élaborées sur la base des dispositions de la nouvelle approche et de l'approche globale, *Luxembourg, Office des publications officielles des Communautés européennes*, 2000, p. 7.

inscrite dans un ensemble de réflexions sur la gouvernance européenne et une meilleure régulation, ce qui témoigne de la proximité idéologique qu'entretiennent ces différents éléments.

L'invention de la nouvelle approche

La nouvelle approche repose sur la distinction entre exigences essentielles et spécifications techniques. Une directive « nouvelle approche » doit s'appliquer, soit à un large éventail de produits suffisamment homogène, soit à un risque horizontal. Elle couvre le plus souvent les risques liés à un produit ou à un phénomène. Les exigences essentielles définissent les résultats à atteindre ou les dangers à traiter, sans entrer dans le contenu des solutions techniques pour y parvenir : ce sont des normes de fonctionnement ou *performance standards*, par opposition aux normes prescriptives ou *specification standards* [Majone, 1996, p. 112]. Cela évite d'avoir à modifier régulièrement les directives pour tenir compte du progrès technique, puisque l'évaluation de la conformité d'un produit ne se fonde pas sur l'état du savoir-faire technique à un moment donné.

Avec cette dissociation entre exigences essentielles et spécifications techniques, on comprend mieux la place qu'occupent les exigences de sécurité. En effet, il n'est pas aisé (ni habituel) de fixer des objectifs sans prévoir simultanément les moyens pour y parvenir. Il convient donc de justifier une telle démarche. La mise en avant de motifs économiques pourrait aisément être contestée par les autorités et les entreprises nationales soucieuses de préserver leurs spécificités. En revanche, des motifs de santé et de sécurité apparaissent d'emblée plus légitimes[4]. La notion de risque a donc constitué un vecteur de normalisation. Elle permet de fixer des objectifs larges (la réduction ou l'élimination de tout risque lié à l'usage d'un produit), en renvoyant aux organismes de normalisation le soin d'élaborer des documents qui, tout en intégrant les impératifs de santé et de sécurité, contribuent à une harmonisation technique à l'échelle européenne et au développement de la compétitivité des firmes européennes au niveau international. Cette approche présente ainsi l'avantage, selon ses concepteurs, d'aboutir plus facilement à un accord entre les pays membres et de reporter sur le processus de normalisation les contraintes de la négociation. En dissociant les

4. *En France, dans l'immédiat après-guerre, les premiers efforts en matière de normalisation ont aussi porté sur l'industrie du gaz, en raison notamment de sa dangerosité [Cochoy, 2000].*

objectifs généraux des moyens d'y aboutir, le Conseil souhaite éviter que des considérations techniques (renvoyant à des enjeux économiques, politiques ou sociaux) viennent perturber l'énoncé d'exigences sur lesquelles tous les pays doivent pouvoir s'entendre. La contrepartie étant un relatif flou dans les objectifs : bien que le Conseil insiste pour que les exigences soient « rédigées de façon suffisamment précise, de manière à pouvoir constituer, dans leur transposition en droit national, des obligations sanctionnables », dans les faits, les directives se contentent d'énoncer des objectifs très généraux.

La nouvelle approche repose sur plusieurs piliers, dont trois méritent d'être évoqués.

Le premier concerne les organismes de normalisation : initialement au nombre de deux, CEN et CENELEC, ils ont ensuite été rejoints par l'ETSI. Ces organismes doivent disposer d'un « personnel et d'une infrastructure appropriée » pour mener à bien le travail de normalisation. La Commission a négocié avec eux des mandats qui officialisent leur rôle, définissent leurs missions et rappellent les principes auxquels sont attachées les autorités européennes.

Un deuxième pilier concerne « l'association des autorités publiques et des milieux concernés (en particulier, producteurs, utilisateurs, consommateurs, syndicats) ». Cet élément renvoie au souci du Conseil d'élargir au plus grand nombre de parties intéressées le soin d'élaborer les normes afin d'assurer leur efficacité dans la mise en œuvre ; cet élément renvoie aussi à un enjeu de légitimité. Cela permet de distinguer le type de régulation promu par l'UE des formes traditionnelles de corporatisme observées dans les différents États membres.

Après l'émergence et l'établissement d'un modèle corporatiste dans lequel des groupes d'intérêt étaient intégrés à l'administration, caractéristique de l'État providence (syndicats, partis politiques, associations professionnelles), nous sommes maintenant confrontés à un nouveau paradigme en matière de coordination. Le modèle de l'État providence reposait sur le principe d'un équilibre entre les différents intérêts, formulés par l'intermédiaire de représentants agissant entre la sphère privée et un intérêt général relevant de l'État. Les nouvelles formes de coordination ne suivent pas le même schéma : le rôle des organisations représentatives se réduit, tandis que les firmes, les groupes de firmes et surtout les groupes de citoyens accèdent au premier plan et tentent de coopérer avec l'administration. [Ladeur, 1999, p. 157.]

Le troisième pilier porte sur les modalités de contrôle des normes : c'est l'objet de la résolution du Conseil de 1989 concernant une *approche globale en matière d'évaluation de la conformité*, complétée par deux décisions du Conseil établissant des spécifications détaillées pour les procédures d'essai et de certification et fournissant des orientations pour l'utilisation du marquage « CE ». L'évaluation de la conformité repose sur : les activités de contrôle interne de la conception et de la production assurées par le fabricant ; l'examen par un organisme tiers du type, de la conception ou des produits ; l'approbation par un organisme tiers de l'ensemble des systèmes d'assurance qualité.

La nouvelle approche rencontre toutefois des limites : dans certains marchés, les acteurs ne sont pas intéressés par la normalisation. Dans ce cas, une directive a peu de chance de déboucher sur des spécifications techniques. C'est le cas dans les secteurs des produits de construction et des prises électriques. Comme le souligne la Commission, « l'acceptation de la normalisation est liée à la pertinence des normes pour le marché, et non pas seulement à la participation des parties intéressées » (rapport de la Commission du 26 septembre 2001). Dès lors, toute directive qui délègue la définition des moyens et modalités de mise en œuvre au processus de normalisation doit prendre en compte l'état du marché et des avancées technologiques, si elle ne veut pas rester lettre morte.

Les débats autour de la normalisation européenne

À plusieurs reprises, le processus de normalisation a été l'objet de critiques, notamment de la part de la Commission. Ces critiques ont suscité des débats qui ont permis de clarifier les principes sous-jacents à la normalisation. Elles ont aussi contraint les trois organismes (CEN, CENELEC et ETSI) à adapter leurs documents et, ce faisant, à étendre le champ de la normalisation.

Dès le début de la décennie 1990, alors que se dessine l'achèvement du marché unique, la Commission émet des réserves sur l'efficacité de la normalisation et suggère des modifications. Dans les années qui suivent, ces réserves donnent lieu à des débats, en particulier entre la Commission et le Parlement, d'une part, les organismes de normalisation, d'autre part. Les réserves sont de trois ordres : les délais, la représentation directe des intérêts, le contrôle du respect des normes.

La critique principale portée par la Commission concerne les délais, qui sont jugés trop longs dans la perspective d'une harmonisation

rapide. Ces délais sont mis sur le compte de la procédure de normalisation et le souci d'inclure le plus grand nombre de parties intéressées tout
en privilégiant le recours au consensus, au lieu de procéder à des votes à
la majorité qualifiée à certaines étapes. Plusieurs acteurs du processus
de normalisation reprochent alors à la Commission, à travers ses critiques, de méconnaître les conditions dans lesquelles sont élaborées des
normes. La Commission n'en maintient pas moins ses critiques, qu'il
s'agisse du fonctionnement collégial préféré par le CEN et le CENELEC
aux équipes projets pour élaborer des propositions, de la longueur de la
procédure de consultation et d'adoption des normes, de l'obligation de
transposition nationale des normes européennes ou de l'absence d'accès
direct des représentants d'associations de consommateurs, de syndicats
et autres groupes d'intérêt aux comités de normalisation.

Les organismes de normalisation entreprennent, à la suite de ces
critiques, de réduire les délais : de 45 à 28 mois pour l'ETSI, de 135 à
75 mois pour le CEN. Il en résulte une augmentation sensible du nombre
de normes produites annuellement, dès 1992[5]. Mais la Commission
persiste à trouver ces délais trop longs et suggère que le vote à la majorité qualifiée soit introduit dans une étape antérieure à l'adoption finale
d'une norme. Le Conseil et le Parlement se prononcent alors contre cette
proposition. Cela leur donne l'occasion de réaffirmer les principes qui
fondent la légitimité de la normalisation. Le Parlement

« s'oppose à des mises aux voies formelles à un stade précoce de la
normalisation dans le but d'accélérer le processus, alors que le
processus européen de normalisation repose sur la concertation,
qui garantit à son tour la participation, l'implication et la
confiance de toutes les parties. » [Résolution du 12 février 1999.]

La dimension temporelle fait intrinsèquement partie du processus de
normalisation. Outre le temps nécessaire à l'échange et à la production

5. *Les différences entre les trois organismes de normalisation, elles aussi souli-
gnées par la Commission qui appelle de ses vœux un rapprochement dans leurs
méthodes de travail, voire une fusion des trois organismes, tiennent pour beaucoup à la nature des domaines qu'ils traitent : ETSI travaille surtout sur les
droits de propriété intellectuelle et les technologies correspondantes, le
CENELEC s'appuie beaucoup sur les normes internationales existantes ou en
cours, tandis que le CEN suit de nouveaux champs comme l'ergonomie, l'irradia-
tion des aliments ou le management environnemental, qui sont plus consommateurs en temps étant donné la nécessité de devoir faire preuve d'innovation dans
ces domaines.*

d'informations et de données, puis à la négociation et à la formulation de mesures et de procédures, délais et blocages peuvent renvoyer à des stratégies délibérées d'acteurs. C'est ainsi que les pays qui détiennent la présidence et le secrétariat d'un comité technique peuvent chercher à ralentir le processus pour « faire correspondre le calendrier international avec les avancées et les objectifs de la délégation nationale définis dans les "commissions miroirs" » [Kessous, 2000, p. 104]. Mais l'élargissement au plus grand nombre de parties intéressées a aussi pour conséquence de multiplier les blocages. En effet, tant qu'un participant refuse tout ou partie d'un projet de norme, celle-ci ne peut être validée. Or, bien souvent, il arrive que les participants n'arrivent pas à se mettre d'accord, voire pour certains ont un intérêt à retarder ou empêcher la sortie d'une norme le temps d'être prêts [Kessous, 2000]. Plus leur nombre augmente, plus le risque de blocage est important.

> Les organismes de normalisation avaient acquis un rôle important dans la poursuite des objectifs du marché unique. Le postulat étant que ces organismes seraient capables de parvenir à un accord sur des normes communes. Ce changement de direction dans l'activité réglementaire eut pour effet d'introduire de nouveaux participants dans le processus, mais aussi d'accroître le nombre d'intérêts concernés, augmentant le risque de blocage et d'impasse. [Egan, 2001 p. 165.]

Plus généralement, le processus de normalisation repose sur le jeu entre réputation, crédibilité et capacité à générer des coalitions d'intérêts [Foray dans Egan, 2001]. Les capacités d'argumentation, la croyance dans la compétence et l'intégrité des participants constituent des modalités déterminantes de ce processus, tout comme les réseaux dans lesquels s'inscrivent les participants. La recherche du consensus oblige à procéder différemment des procédures délibératives en assemblée dans lesquelles il s'agit de réunir une majorité suffisante. La démarche normative vise en effet à agréger progressivement le soutien des différents participants. Ce processus est rendu plus facile lorsqu'on est dans une situation de « copinage technocratique » [Majone, 1994a, p. 91], c'est-à-dire lorsque les participants partagent des intérêts et des catégories cognitives. Il est plus ardu lorsqu'il est nécessaire de parvenir à créer un climat de confiance et d'échange avant d'engager les négociations.

Chaque norme n'est en aucune manière la meilleure solution parmi un ensemble d'alternatives, mais traduit plutôt la complexité de l'environnement et le comportement des acteurs pour comprendre et ordonner cet environnement en vue de parvenir à une forme de coordination. Le résultat du processus de standardisation dépend partiellement de la structure des gains mais aussi des dynamiques, normes et synergies organisationnelles au sein des organismes de normalisation. [...] Lorsque des intérêts multiples sont réunis, les coûts de coordination augmentent et le risque d'un *free-rider* devient significatif. Au moment où le comité se réunit, les participants peuvent déjà avoir des intérêts directs qui sont, soit incompatibles, soit fermement établis. Les comités, comme les marchés, peuvent donc être des mécanismes de coordination imparfaits. Malgré les efforts pour promouvoir la libéralisation des échanges par un processus de délégation à des organismes de normalisation privés, le changement dans la stratégie de régulation n'a pas pleinement atteint les objectifs politiques affichés. [Egan, 2001, p. 209.]

Des délais relativement longs sont donc inhérents au processus de normalisation. Outre la réduction des délais, la Commission avait aussi proposé que soit remise en cause la représentation nationale comme seule source de légitimité dans le processus de normalisation. Elle proposait d'ouvrir la participation à des parties intéressées représentatives à l'échelle européenne, siégeant directement et non plus désignées dans le cadre national par les organismes de normalisation nationaux – ce qui aurait notamment pour résultat d'améliorer la participation de certains groupes d'intérêt.

L'acceptabilité des normes dépend dans une large mesure de l'engagement total de toutes les parties intéressées concernées. La participation des acteurs sociétaux [les acteurs sociétaux représentent les intérêts du consommateur, de la santé, de la sécurité et de l'environnement dans la normalisation] au processus de normalisation accroît sa légitimité. Elle renforce la qualité du consensus et accroît le caractère représentatif des normes. (Rapport de la Commission du 26 septembre 2001.)

La Commission n'a pas été suivie non plus sur ce point par le Conseil et le Parlement. Ce dernier souligne que « l'efficacité et la transparence du processus de normalisation ne reposent pas seulement entre les mains des organismes de normalisation européens, mais également des autorités nationales, de la Commission et des organismes de normalisation nationaux, et qu'elles sont donc le résultat de leurs efforts communs ». Il n'en indique pas moins la nécessité d'améliorer la représentation des organisations de consommateurs et de protection de l'environnement aux niveaux national et européen. En 2002, le Conseil demande aux organismes nationaux « de veiller à ce que ces parties soient associées au processus au niveau national ».

La troisième et dernière réserve exprimée par la Commission concerne le contrôle de la mise en œuvre des normes. Suivant les manières d'opérer des organismes notifiés d'un pays à l'autre, le contrôle du respect des normes n'aboutit pas au même degré de sévérité ou permet de réintroduire des formes de protectionnisme caché. Fin 2002, mille organismes avaient fait l'objet d'une notification auprès de la Commission. Ce sont les États membres qui sont responsables de la désignation et de la notification ainsi que de l'application des critères définis dans les directives « nouvelle approche » pour évaluer la capacité d'un organisme à réaliser les procédures d'évaluation de la conformité. Or,

> depuis la création des directives « nouvelle approche », il n'y a pas eu, à quelques exceptions près, d'échange systématique d'informations entre les États membres au sujet des critères et des procédures appliqués au niveau national pour évaluer et surveiller les organismes notifiés. Ce manque de transparence a semé le doute sur l'application uniforme de la législation, ce qui a miné la confiance indispensable au bon fonctionnement du système de reconnaissance mutuelle et d'acceptation des certificats délivrés par les organismes notifiés. (Communication de la Commission du 7 mai 2003.)

La Commission insiste par conséquent sur la nécessité de parvenir à un système de désignation homogène des organismes, à la fois « pour garantir la sécurité des produits et éviter que la libre circulation des marchandises soit restreinte du fait d'un manque de compétences d'impartialité ou autre des organismes notifiés » et « pour permettre aux organismes notifiés de rivaliser à armes égales ». Il conviendra aussi de renforcer la surveillance des organismes notifiés.

Au-delà du contrôle des organismes en charge de s'assurer du respect des normes dans les différents pays, c'est la question de la mise en œuvre des directives « nouvelle approche » qui demeure posée. Selon la Commission en 2003, « rien ne garantit que les niveaux de mise en œuvre ne varient pas au sein de l'Union. Cela nuit à la crédibilité de la nouvelle approche et pourrait conduire à une refragmentation de fait du marché intérieur ». Cela tient notamment au fait que, dans les pays, la séparation entre les autorités de désignation, les organismes d'accréditation, les organismes d'évaluation de conformité et les autorités de surveillance du marché n'est pas toujours assurée. Or, la confusion entre eux est une source potentielle de conflits d'intérêt. Il appartient donc aux États de garantir un niveau homogène de surveillance du marché en distinguant clairement l'évaluation de la conformité (qui a lieu avant la mise sur le marché du produit) de la surveillance du marché (qui a lieu après).

Dans ce dispositif, les laboratoires chargés de certifier la conformité des produits aux normes pour l'ensemble de l'Union occupent une position particulière.

Pour laisser une large initiative aux entrepreneurs et baisser les coûts, les laboratoires, auparavant seuls juges sur leur marché national, sont dorénavant en concurrence avec l'ensemble des laboratoires de la communauté, chaque État membre pouvant, de surcroît, en notifier plusieurs, et une reconnaissance étant instituée entre les résultats des essais des différents laboratoires notifiés. L'enjeu de cette reconnaissance mutuelle est d'éviter qu'à un protectionnisme par les normes vienne se substituer un protectionnisme par les laboratoires. Ces derniers sont donc dans une position ambivalente : garants de la bonne application de la loi européenne, ils sont également soumis aux pressions du marché. Cet espace de concurrence entre laboratoires est en conflit avec la recherche d'une application homogène des tests techniques, condition d'une concurrence équitable, chaque entreprise pouvant s'adresser au laboratoire qui pratique l'interprétation de la norme la plus favorable pour ses produits. [Kessous, 2001, p. 94.]

Le contrôle de la mise en œuvre des normes constitue par conséquent l'un des principaux facteurs limitant actuellement le succès de la normalisation.

Extension et assouplissement de la normalisation

Bien que critique à l'égard du processus de normalisation, la Commission n'en défend pas moins un élargissement du champ de la normalisation aux services. Elle est en effet acquise à une démarche qui peut utilement compléter son action réglementaire.

Les organismes de normalisation, de leur côté, ont été incités à concevoir de nouveaux documents. Outre les normes harmonisées, ces organismes offrent maintenant des documents au statut plus souple mais qui, de fait, s'apparentent soit à des normes, soit à des standards. Les *workshop agreements*, notamment, sont le résultat d'un travail consensuel entre un grand nombre de parties, mais ils ne sont pas soumis à la procédure de publication et de vote par les représentants nationaux : ils sont par conséquent ouverts à un plus grand nombre de parties directement intéressées (sans passer par le prisme des organismes de normalisation nationaux) et peuvent être présentés plus rapidement. Le CEN et le CENELEC justifient ces *workshops* comme étant un moyen de réduire l'écart entre, d'un côté, des industriels qui imposent leurs standards avec une participation réduite des parties intéressées et, de l'autre, le processus de normalisation européen. Les *workshops* seraient des structures plus flexibles que les comités techniques de normalisation, bénéficiant d'une plus grande ouverture et du consensus qui sont les valeurs cardinales du CEN. Les guides, spécifications techniques et rapports techniques constituent d'autres types de documents plus souples, qui viennent établir des standards, là aussi plus rapidement qu'une norme. Tous ces documents sont destinés, à terme, à se transformer en normes. Mais on aura pu mesurer leur efficacité, voire vérifier que les acteurs économiques s'en emparent. Un *workshop agreement* peut ainsi proposer plusieurs solutions en compétition, de manière à laisser le marché établir une sélection. Il peut aussi tout simplement fournir de l'information[6].

Le Conseil a approuvé cette évolution, en mars 2002. À cette occasion, il a insisté sur la nécessité de mettre ces nouveaux produits en rapport avec les besoins du marché et de convertir en normes les produits qui n'en sont pas encore. Commission, Conseil et Parlement se retrouvent autour de l'idée qu'il importe d'élargir le champ de la normalisation, aussi bien pour améliorer le fonctionnement du marché intérieur que dans sa contribution à différentes politiques et actions.

---

6. *Les nouveaux produits ont ainsi été utilisés dans la directive sur les signatures électroniques (1999/93/EC) qui autorise la Commission à adopter des spécifications techniques élaborées par le CEN et ETSI.*

La normalisation
dans la construction politique européenne

La nouvelle approche n'épuise pas, loin de là, la normalisation européenne. En réalité, plus des trois quarts des normes européennes ne relèvent pas d'une directive, mais résultent d'une « initiative du marché ». Néanmoins, l'ensemble formé par les normes et autres documents mentionnés dessine progressivement un type d'instrument qui repose sur la recherche du consensus entre les parties intéressées, en privilégiant les données techniques, scientifiques ou d'expérience. Ces principes rejoignent d'autres principes fondateurs de la construction européenne : le consensus et la place de la science dans le processus décisionnel. Le Conseil insiste en effet sur le fait que « les normes doivent avoir un niveau élevé d'acceptabilité en raison de la pleine implication des parties intéressées concernées par le processus de normalisation et qu'elles doivent être cohérentes entre elles. En outre, il a souligné que les normes doivent se fonder sur des recherches scientifiques sérieuses » (Rapport de la Commission du 26 septembre 2001).

De par l'importance que recouvrent aujourd'hui les normes et leur extension à de nouveaux champs, la normalisation européenne constitue un puissant facteur d'harmonisation[7]. En outre, elle participe d'un processus de régulation tout à fait particulier, puisque reposant très largement sur une délégation par les pouvoirs publics du soin d'élaborer des documents contraignants à des acteurs privés. La force de ces documents tient à la fois au fait qu'ils sont fortement incitatifs tout en laissant la possibilité à certains opérateurs d'innover. Autrement dit, le respect d'une norme équivaut au respect de la réglementation, mais un acteur économique peut toujours inventer une autre modalité de conformité réglementaire.

Il convient par conséquent de s'interroger sur la nature d'un système politique dans lequel les règles seraient, pour partie, d'origine privée, fondées sur le consensus et d'application volontaire. Le Parlement européen souligne lui-même que la normalisation peut constituer dans certaines circonstances une alternative à la législation. Quant à la Commission, elle situe la normalisation dans le cadre des réflexions sur la gouvernance en Europe.

---

7. En 2003, la Commission estime que les échanges de produits relevant uniquement des principaux secteurs réglementés par les directives « nouvelle approche » dépassent 1 500 milliards d'euros par an.

Les réflexions actuelles sur la gouvernance de l'Europe portent sur d'autres modes de réglementation ainsi que sur l'expertise et la légitimité démocratique. De nos jours, la nouvelle approche communautaire, appliquée dans de nombreux domaines de la législation du marché unique et utilisant des normes européennes communes à l'appui de la législation, est considérée comme un modèle de coréglementation ayant fait ses preuves. L'utilisation de normes en rapport avec la législation et les politiques communautaires implique le respect de certains principes relatifs au processus de normalisation et aux organismes qui en sont responsables, en particulier concernant la participation entière de toutes les parties intéressées concernées. (Rapport de la Commission du 26 septembre 2001.)

La nouvelle approche serait ainsi un modèle de corégulation.

La corégulation associe des mesures législatives ou réglementaires contraignantes à des mesures prises par les acteurs les plus concernés en mettant à profit leur expérience pratique. Il en résulte une plus large appropriation des politiques en question, en faisant participer à leur élaboration et au contrôle de leur exécution ceux qui sont concernés au premier chef par les mesures d'application. Ceci conduit à un meilleur respect de la législation, même lorsque les règles détaillées ne sont pas contraignantes. (Livre blanc sur la gouvernance européenne du 25 juillet 2001.)

Par conséquent, le travail législatif devrait fixer des objectifs qui puissent être atteints et qui demeurent stables. Les exigences essentielles seraient celles à propos desquelles « aucun compromis n'est possible » (*The New Approach : Quo Vadis ?*). En renvoyant à la normalisation la définition des spécifications techniques, le législateur ne serait plus ainsi prisonnier des experts, voire des groupes d'intérêt qui œuvrent derrière. Il s'agirait donc de réduire le risque du *policy capture* par les intérêts organisés. Mais l'objectif serait aussi de réduire le décalage entre l'UE et l'opinion publique souligné par le Livre blanc sur la gouvernance, en ouvrant le processus de décision au plus grand nombre.

En théorie, cela doit permettre de promouvoir une meilleure ouverture et une meilleure responsabilité parmi toutes les parties

> concernées, et, ce faisant, améliorer la relation entre l'UE et ses citoyens. Mais, d'un autre côté, tout le monde n'a pas forcément envie de participer. Le Livre blanc sur la gouvernance a confirmé ce que l'on savait déjà, à savoir que les Européens trouvent le système réglementaire compliqué. Ils ne le comprennent pas. Ils ne lui font pas confiance. Il ne les intéresse pas. Il ne leur fournit pas les politiques qu'ils souhaitent. [...] Ce qui est attendu, c'est une méthode fiable permettant de formaliser le consensus, d'introduire de la transparence dans les procédures et de l'anticipation dans les résultats, dans un cadre de responsabilité démocratique. [...] La nouvelle approche offre l'exemple d'une activité législative efficace : elle constitue une forme de « meilleure régulation » par excellence. (*The New Approach : Quo Vadis ?*)

Dans ces conditions, la Commission propose d'élargir le champ de la normalisation à la sécurité générale des produits « reflétant ainsi le rôle que les normes peuvent jouer dans le bon fonctionnement du marché interne et la protection de la sécurité et de la santé des consommateurs ». La directive 2001/95/CE du Parlement européen et du Conseil du 3 décembre 2001 prévoit ainsi qu'« un produit est présumé sûr, pour les risques et les catégories de risque couverts par les normes nationales concernées, quand il est conforme aux normes nationales non obligatoires transposant des normes européennes dont la Commission a publié les références au *Journal officiel des Communautés européennes* » (art. 3-2).

La Commission suggère aussi l'utilisation des nouveaux documents que sont les *workshop agreements*, spécifications techniques, guides et rapports techniques dans les politiques communautaires, lorsqu'il est nécessaire d'aboutir à un consensus dans un délai relativement court. À condition toutefois de respecter certains principes.

> Le Conseil européen de Lisbonne a souligné que les entreprises et les citoyens ont besoin d'un environnement réglementaire clair, efficace et pratique, sur un marché mondial en évolution rapide, et qu'une réglementation officielle ne constitue pas toujours une réponse adaptée. D'autres approches complémentaires peuvent parfois offrir des solutions plus efficaces. Le défi consiste à assurer des niveaux élevés de protection, tout en évitant des excès de réglementation. La nouvelle approche d'harmonisation technique et de normalisation est un modèle qui associe ces deux exigences et le Conseil a invité la Commission à examiner si la

nouvelle approche peut être appliquée aux secteurs non encore couverts en vue d'améliorer et de simplifier la législation, si possible. (Rapport de la Commission du 26 septembre 2001.)

La Commission travaille, dans ce cadre, notamment sur les performances environnementales des produits. Mais, autant en 1985, il était possible d'identifier des secteurs dans lesquels on pouvait dissocier les exigences essentielles des spécifications techniques, et, ce faisant, considérer qu'il existait *a contrario* des secteurs dans lesquels la protection de l'intérêt général nécessitait que le législateur impose des spécifications techniques, autant avec le développement rapide des technologies, il est de plus en plus difficile d'imposer des méthodes ou techniques en vue de défendre l'intérêt général. Ce faisant, la nouvelle approche a vocation à s'appliquer à tout un ensemble d'objets qui dépassent le cadre initial.

Certains auteurs y voient un puissant processus d'harmonisation, voire de standardisation, plus efficace d'une certaine manière qu'un processus réglementaire classique car reposant sur l'intéressement, voulu ou forcé, des différentes parties. Mais ils s'interrogent sur la capacité réelle des différentes parties à négocier en position d'égaux et se demandent si une telle situation ne favoriserait pas au contraire les intérêts les plus puissants et les mieux organisés.

D'autres auteurs insistent, au contraire, sur la souplesse d'un tel processus et sa capacité à fonder les décisions sur une base distincte de la démocratie représentative et du monopole du savoir des bureaucraties et de leurs experts. Ils mettent en avant le caractère négocié des règles pour souligner l'avènement de formes de gouvernance nouvelles. Sans sous-estimer le poids et les capacités des autorités publiques, ils insistent sur la capacité de négociation des différents sous-segments de la société et sur la place centrale de la science et des techniques, non comme sources de savoir incontestables, mais comme objets de controverses socio-techniques.

La réalité est vraisemblablement entre les deux, en fonction des domaines étudiés. Elle souligne en tout cas la nécessité de poursuivre les recherches sur un objet technique hautement politique. La normalisation européenne est, sans conteste, un instrument de l'action publique associé à un cadre institutionnel qui entend promouvoir les principes de consensus, de délibération entre toutes les parties intéressées et de décisions fondées sur la science dans son fonctionnement. « The New Approach can go anywhere » conclue ainsi un document interne de la Commission (*The New Approach : Quo Vadis ?*).

La normalisation française

Le décret n° 84-74 du 26 janvier 1984 précise les conditions dans lesquelles doit s'exercer l'activité de normalisation confiée à l'AFNOR. Il prévoit même que dans certaines circonstances, l'application d'une norme peut être rendue obligatoire par les pouvoirs publics – la norme acquiert alors un statut réglementaire.

À l'image de la situation européenne, le recours aux normes apparaît en France comme une réponse aux difficultés rencontrées par l'État pour assurer ses missions, qu'il s'agisse d'élaborer une réglementation, de l'imposer à l'ensemble des acteurs de la société, d'assurer et d'en contrôler la mise en œuvre, ou d'en mesurer les effets. Autrement dit, la normalisation cherche à répondre à l'incapacité de l'État d'assurer ses tâches de *command and control*, de produire de la calculabilité et de la prévisibilité, de disposer des instruments adéquats pour répondre aux problèmes qu'il rencontre. En outre, ses modalités d'élaboration l'inscrivent dans le prolongement de l'analyse de Bruno Jobert, à savoir « un nouveau mode de production de l'action publique fondée non plus tant sur l'imposition de normes forgées par les acteurs étatiques, mais par une transaction systématisée entre les différentes parties concernées par l'action [...]. La légitimité n'est plus recherchée dans la conformité de l'action à des valeurs centrales, mais dans le bon fonctionnement des procédures réglant l'interaction ». Les normes constitueraient en quelque sorte l'achèvement de ce processus, suivant une forme de dépolitisation de l'action publique.

À la différence de l'Europe, la normalisation en France ne repose pas sur une théorie politique explicite. Cela ne signifie évidemment pas qu'une telle théorie soit absente ni, pour reprendre la définition des instruments de l'action publique, qu'une telle théorie doive forcément être explicite pour que nous ayons affaire à un instrument. En revanche, le fait que la normalisation européenne affiche d'emblée les principes qui la fondent à des fins de légitimation mérite d'être souligné. *A contrario*, la normalisation française semble relever davantage d'une évolution silencieuse que d'une reconnaissance officielle et revendiquée du recours à un nouveau type d'instrument. L'importance que revêt la normalisation dans un certain nombre de secteurs demeure méconnue et tend à disparaître derrière la volonté affichée des pouvoirs publics de conserver une capacité d'intervention. Alors même que les services centraux des ministères encouragent le recours croissant à la normalisation dans les secteurs dont ils ont la responsabilité, le discours officiel continue de mettre l'accent sur l'action réglementaire. Parallèlement, les pouvoirs publics voient dans la normalisation un instrument efficace de politique économique qui, en outre, peut permettre de contourner certaines contraintes européennes.

Néanmoins, cette double instrumentalisation cache une interrogation sur la signification que revêt la normalisation comme procédure : autant les principes de consensus, de participation, de recours à l'expertise jouent un rôle important dans la légitimation des normes européennes, autant ils ne semblent pas occuper une place aussi importante en France dans les discours sur la normalisation. En revanche, c'est dans la mise en commun d'informations entre intervenants qui ont ou qui auront à travailler ensemble par la suite, que se situent les enjeux de la normalisation. En cela, la procédure d'élaboration des normes en France s'apparente beaucoup plus à un processus de délégation aux acteurs de la société du soin de réguler une activité, sous couvert du contrôle des pouvoirs publics. Elle prend acte des interdépendances qui unissent différents acteurs pour concevoir des règles qui organisent leurs relations.

Normalisation et régulation par le secteur privé : l'exemple de la production alimentaire

Le secteur de la production alimentaire se caractérise par un rôle croissant des acteurs privés dans la production et la mise en œuvre de règles, notamment dans la gestion de la sécurité sanitaire des aliments. Dans ce mouvement, la normalisation occupe une place déterminante.

En 1983, la loi sur la protection des consommateurs a réaffirmé la nécessité d'assurer la sécurité des produits pour la santé humaine, a renforcé les pouvoirs de contrôle des services de l'État et a exigé que les firmes mettent en œuvre des procédures d'autocontrôle. Étant donné le manque de ressources pour s'assurer du respect des règles édictées, étant donné aussi une préférence pour les systèmes de contrôle par les industriels, l'intervention publique définit des objectifs ou des seuils, puis s'en remet aux acteurs privés pour adopter les moyens nécessaires et les mesures pour respecter ces objectifs et niveaux et s'assurer de leur respect. Cela facilite le travail de l'État, lorsqu'il s'agit de vérifier que les procédures ont bien été suivies, tout en déléguant au secteur privé la responsabilité d'exercer les contrôles. Ce partenariat public-privé visait à garantir la sécurité des aliments à travers un système souple, adapté au développement d'innovations et au libre mouvement des marchandises.

La même stratégie a ensuite été adoptée au niveau européen, lors de la réalisation du marché unique. La France a, à cette occasion, joué un rôle important dans l'adoption de la directive du Conseil 93/43/CEE du 14 juin 1993 qui définit des règles générales d'hygiène pour les produits alimentaires et exige que les entreprises adoptent des procédures d'auto-contrôle fondées sur la méthode HACCP (Hazard Analysis Critical Control Point).

La normalisation s'est ainsi progressivement étendue dans l'industrie alimentaire. Avec les crises des années 1990 (ESB et OGM[8]), les autorités publiques ont été confortées dans leur volonté de déléguer encore plus au secteur privé le soin d'assurer le respect de la réglementation à travers l'usage de normes. La méthode HACCP est la plus connue : les industriels assument la sécurité de leurs procédures, tandis que les services extérieurs de l'État en contrôlent l'application à un deuxième niveau. D'autres normes ou démarches d'assurance qualité ont aussi vu le jour. Il s'agit le plus souvent de normes de moyen, plutôt que de normes de résultat. Elles définissent des étapes à respecter et nécessitent souvent la production de données écrites qui reposent sur des mesures. En tant qu'instruments de l'action publique, elles relèvent de trois registres distincts.

Tout d'abord, elles s'inscrivent dans le contexte général déjà évoqué, à savoir une délégation de la mise en œuvre des mesures réglementaires par les pouvoirs publics aux acteurs privés, mise en œuvre qui suppose l'élaboration de « normes secondaires d'application » [Lascoumes, 1990] reposant sur la production de nouvelles règles écrites. Face à des chaînes d'interdépendance de plus en plus étendues et complexes dans le champ alimentaire, devant des sujets qui nécessitent une maîtrise scientifique et technique sans cesse renouvelée, confrontés aussi à un manque de ressources pour assurer leurs missions, les ministères de contrôle, Agriculture et Finances, s'appuient sur les producteurs, les industriels et les distributeurs pour prendre en charge la régulation de leur activité.

Les normes, toutefois, peuvent aussi venir en complément de l'action réglementaire, sans que cela ait été initialement prévu. C'est le cas, lorsqu'une réglementation n'atteint pas les objectifs qui lui avaient été fixés en termes de réduction des risques. Le décret du 8 décembre 1997 qui organise l'utilisation dans l'agriculture des boues d'épuration urbaines en est l'illustration [Borraz et d'Arcimoles, 2003]. Le respect

---

| 8. *Encéphalopathie spongiforme bovine et Organismes génétiquement modifiés.*

par les producteurs de boues de cette réglementation n'a pas suffi à rassurer les utilisateurs, encore moins les acheteurs de produits agricoles, qui ont pris position contre cette utilisation. Les professionnels de l'épandage ont alors entrepris une démarche de requalification des boues et de leur épandage : un « Référentiel de certification des services d'épandage agricole de matières fertilisantes recyclées » a été mis au point, en concertation avec des représentants des pouvoirs publics, des industriels de l'eau et de nombreux industriels de l'agroalimentaire et distributeurs. Dans un contexte où les capacités de contrôle par les administrations et les capacités de régulation par l'État de l'activité d'épandage de boues urbaines ont été largement mises en défaut, cette démarche vise à contrecarrer la perte de confiance dans les pouvoirs publics. Cette prise en charge par un acteur privé revient à s'imposer des règles de fonctionnement plus strictes que celles prescrites par la réglementation. En effet, condition nécessaire mais non suffisante, une filière d'épandage certifiée doit respecter l'ensemble des dispositions réglementaires en vigueur.

Aussi, en se portant garante du respect de la réglementation, la démarche de certification entend redonner du crédit à cette dernière tout en élargissant le champ de son contrôle aux organismes certificateurs. En outre, une filière certifiée doit répondre à un certain nombre d'exigences additionnelles qui complètent le cadre réglementaire. La certification des services d'épandage peut donc être assimilée à une procédure de normalisation. Les éléments de définition proposés par Nicolas et Valceschini [1995, p. 23] sont éclairants pour décrire les traits caractéristiques de ce référentiel : à la manière d'une norme, il surpasse le dispositif réglementaire en vigueur ; sa mise en forme relève d'un processus de codification et de sélection des informations à retenir ; il a une fonction de partage d'information dans la mesure où il rend public un ensemble de caractéristiques précises à respecter ; il a un rôle d'assurance dans la mesure où il garantit que le service, dès lors qu'il se conforme au référentiel, est apte à remplir la fonction pour lequel il a été conçu ; il ne procède pas par obligation légale, relève d'une démarche collective et constitue, enfin, une forme d'auto-organisation. En ce sens, il peut aussi être interprété comme un « dispositif de jugement fondé sur la confiance impersonnelle » [Karpik, 1996].

Le troisième registre sur lequel opère la normalisation concerne la définition de règles et la production d'information entre les différents acteurs concernés par une activité. Les crises et controverses dans le secteur alimentaire ont notamment contribué à mettre en évidence des chaînes d'interdépendance complexes entre une diversité d'acteurs ne se connaissant souvent pas, mais qui prenaient conscience des liens qui les unissaient. Industriels et distributeurs, en particulier, ont perçu la situation de dépendance dans laquelle ils se trouvaient vis-à-vis de leurs fournisseurs, mais ont refusé de jouer le rôle de l'État en vérifiant que leurs fournisseurs respectaient la réglementation. D'autant qu'ils n'avaient qu'une confiance limitée dans le respect de la réglementation par leurs fournisseurs, tout autant que dans la capacité de la réglementation à réduire effectivement les risques : tout au moins ne pouvaient-ils prendre ce risque d'un point de vue économique.

En revanche, lorsque leurs fournisseurs leur présentent des normes ou des démarches d'assurance qualité, ils retrouvent des instruments qui leur sont familiers. Non seulement ils utilisent eux-mêmes ces instruments, mais en outre ils sont convaincus que de par leurs modalités d'élaboration (une large consultation des différentes parties intéressées), leur caractère volontaire et la menace que représente un retrait de la certification en cas de non-respect (notifié qui plus est par une tierce partie, généralement un organisme de contrôle), ces instruments sont plus efficaces. C'est ainsi que la démarche de certification mise au point pour l'épandage des boues d'épuration est directement inspirée des stratégies de maîtrise de la qualité instaurées par les différents intervenants de la chaîne alimentaire pour contrôler les processus de production. Elle consiste à faire entrer dans une « infrastructure de la qualité » [Foray, 1995, p. 142] les filières d'épandage de boues urbaines. En effet, conçu comme un standard de référence qui décompose la qualité du service en caractéristiques objectivées, le référentiel de certification tend à rendre compatibles les procédures relatives aux services d'épandage agricole avec les exigences de qualité des industries agroalimentaires. Ses dispositions sont autant d'éléments qui tiennent lieu de garanties pour assurer le passage à la parcelle agricole d'un produit désormais considéré comme partie intégrante de la filière alimentaire. Parce qu'elle est accompagnée d'une somme d'indicateurs et d'instruments de contrôle et d'analyse, et parce qu'elle imite les dispositifs à l'œuvre dans la chaîne de production alimentaire, la certification des épandages forme ainsi un ensemble solide de critères intelligibles et accessibles pour les acteurs de cette chaîne. La réduction de l'indétermination des boues urbaines s'en trouve diminuée d'autant. La certification s'apparente donc à un dispositif de jugement, qui tire son efficacité de deux composantes intimement associées : « la cognition et la confiance » [Karpik, 1996, p. 538]. Fonctionnant comme « opérateurs de connaissance » et comme

« délégués », les normes participent en l'espèce de « la crédibilité des engagements réciproques » et de la crédibilité des données scientifiques et réglementaires mobilisées.

Cette familiarité résulte elle-même de l'importance acquise par les démarches de normalisation et de certification dans l'industrie agroalimentaire, d'abord autour des enjeux de qualité, plus récemment autour des questions de sécurité. Qu'il s'agisse des appellations d'origine contrôlée, des labels rouges, des produits diététiques, de l'alimentation biologique ou du label montagne, il existe une longue tradition de labels et certifications contrôlées par l'État et s'inscrivant pleinement dans la politique agricole française. « Par la standardisation et la certification, la politique de la qualité vise à adapter les structures de la production agroalimentaire à des marchés fragmentés. Elle est aussi tournée vers une globalisation des produits de qualité au sein du marché européen à travers l'harmonisation. » [Nicolas et Valceschini, 1995, p. 31.] Ces procédures furent particulièrement utiles dans la perspective du marché unique : la France obtint la reconnaissance de ces labels et certifications pour contrecarrer les effets de la libre circulation des biens et des marchandises et, ce faisant, protéger les petits producteurs dans certaines zones. Mais, on touche là, à la seconde dimension de la normalisation en France, son utilisation comme instrument de politique économique.

La normalisation de service

Pour appréhender le recours à la normalisation comme instrument de politique économique, il convient de s'intéresser à l'évolution du rôle de l'AFNOR. Celle-ci est en effet concurrencée, depuis deux décennies maintenant, par l'ensemble des normes, marques, labels et autres certificats qui n'ont cessé de se multiplier dans tout un ensemble de secteurs. L'AFNOR a aussi perdu de l'influence avec le développement de la normalisation européenne.

Les faibles exigences du marquage CE (dont les spécifications à visée réglementaire recherchent une sécurité minimale plutôt qu'une meilleure qualité, et dont l'attribution repose sur l'autodéclaration du fabricant plutôt que sur une procédure de certification en bonne et due forme) poussent la marque NF à se différencier « par le haut », en misant sur le mieux-disant normatif, c'est-à-dire sur la normalisation « volontaire » plutôt

> que « réglementaire », sur la « performance » plutôt que sur la
> seule « sécurité », sur la certification « tierce partie » plutôt que
> sur une « autodéclaration » bien difficile à contrôler. Le marquage
> CE – qui vise essentiellement les produits manufacturés – pousse
> NF à se différencier latéralement aussi, *via* le développement de
> nouveaux champs d'application pour la certification française,
> notamment dans les domaines de l'environnement (1992), de
> l'agroalimentaire (1994) et des services (1994). [Cochoy, 2000,
> p. 85.]

Dans cette évolution vers les normes de service, et dans un contexte
où l'État se retire de son financement, l'AFNOR est en mesure de mobiliser de nouvelles ressources en devenant une société de service, pour le
compte des entreprises qui souhaitent développer leurs activités à
l'exportation. Elle n'en conserve pas moins « un socle de procédures de
caractérisation et d'estimation sociotechniques des objets » et continue
d'offrir « un espace de débat » [Cochoy, 2000, p. 86]. L'exemple de la
norme de service à l'usager NF P 15-900-1 qui définit les lignes directrices pour les activités de service dans l'alimentation en eau potable et
dans l'assainissement permet d'illustrer cette évolution et le rôle de la
normalisation [Diallo, 2002].

Cette norme fait suite aux scandales financiers autour de la délégation de services d'eau et d'assainissement durant la décennie 1980. Les
sociétés de distribution d'eau et les collectivités concédantes ont
souhaité normaliser cette activité afin de répondre aux critiques dont
elles étaient l'objet.

La norme a été élaborée par une commission comprenant des représentants d'associations de consommateurs, des représentants de l'État et
de collectivités locales, des experts, les entreprises gestionnaires des
services d'eau et d'assainissement ainsi que l'AFNOR. Le travail de cette
commission a été préparé par une commission restreinte comprenant
deux représentants des sociétés de distribution d'eau potable (Vivendi
Environnement et Ondeo), une représentante de l'AFNOR, une représentante de la Société anonyme de gestion des eaux de Paris (SAGEP) et
deux représentants des associations de consommateurs (UFC, Que
Choisir et Familles rurales). Cette commission restreinte a participé à la
définition du cadre de la norme et a ensuite, pour chaque réunion,
présenté ses travaux devant une commission élargie.

En confiant la présidence de la commission à une association de
consommateurs, les sociétés de distribution d'eau entendaient donner

toutes les garanties de bonne volonté. Le processus d'élaboration lui-même s'est déroulé de manière consensuelle et les entreprises ont accédé à la plupart des demandes émises par les associations de consommateurs, s'agissant d'améliorer le niveau de prestation aux usagers.

Toutefois, on ne saurait saisir cette norme uniquement sous l'angle des participants à son élaboration et de leur capacité à trouver un compromis.

Tout d'abord, cette norme s'inscrit dans une évolution du rôle de l'AFNOR. C'est ainsi que dans la charte de l'adhérent, il est précisé que « les entreprises ont compris aujourd'hui que la norme représente un moyen d'être compétitif sur les marchés internationaux. C'est donc au niveau mondial que s'engage désormais la bataille de la normalisation [...] Faut-il s'engager pour promouvoir les choix technologiques français ? Ou faut-il attendre que les autres nous imposent leurs choix ? Si vous ne défendez pas nos normes, d'autres vous imposeront les leurs ». La charte précise aussi le nouveau rôle des normes : « Leur but : établir un référentiel pour leur domaine afin de pouvoir proposer – ou opposer – des dossiers solides lors des négociations européennes ou internationales. »

Du point de vue de l'AFNOR, les activités de service, qui représentent 70 % du PNB des pays industrialisés, doivent pouvoir faire l'objet d'une normalisation au même titre que les produits manufacturés. Et cette normalisation constitue un enjeu économique majeur pour les entreprises qui veulent ouvrir des marchés, se protéger et être compétitives.

Les sociétés de distribution d'eau ont, de leur côté, intérêt à s'inscrire dans cette démarche. Non pas tant pour répondre aux pressions qui s'exercent sur elles, à partir de la décennie 1980, à propos des conditions dans lesquelles ont eu lieu des délégations de service public, des problèmes de tarification ou des problèmes de qualité d'eau, que pour étendre leurs activités à l'international. Le marché français de l'eau étant alors quasiment saturé et offrant de faibles taux de rentabilité, au moment où les coûts augmentent avec les problèmes de qualité de l'eau potable et de traitement des eaux usées, les grandes entreprises françaises du secteur se tournent vers les marchés étrangers, en cours de libéralisation pour dégager de nouvelles marges de profit. Or, l'existence d'une norme AFNOR destinée à devenir rapidement une norme ISO constitue un atout de taille dans cette conquête, pour deux raisons : d'une part, cette norme s'appuyant très largement sur l'expérience acquise par les sociétés françaises dans la gestion des services de l'eau et de l'assainissement en France, il leur sera d'autant plus facile de s'y conformer une fois cette norme ayant acquis une portée internationale ;

d'autre part, l'aide financière de la Banque mondiale, lorsqu'il s'agit du marché de l'eau dans un pays comme. l'Argentine ou la Chine, est souvent liée au respect des normes en vigueur, dans le domaine. Et d'une manière générale, les appels d'offre internationaux imposent le respect des normes : une fois de plus, les entreprises françaises auront d'emblée un avantage sur leurs concurrents étrangers.

En l'espèce, il existait un projet de norme anglo-américaine concernant la conception et la construction des réseaux d'eau potable et des stations d'épuration – ce qui aurait favorisé *de facto* les équipementiers au détriment des entreprises de distribution et d'assainissement. Cette norme aurait abouti à exclure les techniques françaises. Les entreprises françaises avaient donc tout intérêt à développer une norme plus générale. En outre, il s'agissait d'un domaine dans lequel la normalisation européenne n'intervenait pas : or, autant l'UE impose le *statu quo* aux organismes nationaux de normalisation dans les domaines sur lesquels travaillent les organismes de normalisation européens, autant, dans les autres domaines, il n'existe aucune contrainte comparable.

> La norme de service réalisée par l'AFNOR et les acteurs de la commission P 15 P avait donc pour objectif d'aider l'État et l'AFNOR à continuer à avoir de l'influence en dépit de la limitation de leurs rôles respectifs, mais surtout de protéger les entreprises hexagonales dans un jeu concurrentiel complexe où il est de plus en plus difficile de faire respecter les règles du jeu par des acteurs plus puissants. [Diallo, 2002, p. 100.]

La normalisation apparaît ainsi comme une politique de l'État, dans le soutien que celui-ci apporte à des entreprises nationales, notamment dans des secteurs stratégiques sur lesquels ces entreprises occupent des positions dominantes. Elle vise à contourner le cadre réglementaire européen, en imposant une norme à l'échelle internationale qui pourra ensuite être reprise par le CEN – plutôt que de passer par ce dernier pour négocier une norme européenne.

Dans cet exemple, le décalage entre le processus d'élaboration de la norme et les objectifs poursuivis par les principaux protagonistes que sont les entreprises, l'État et l'AFNOR, peut surprendre. Un document répondant d'abord à des considérations nationales et élaboré en concertation avec des associations de consommateurs, des experts et des industriels, s'avère *in fine* une puissante arme de conquête des marchés – cet objectif n'ayant jamais été explicitement évoqué lors du processus d'élaboration. Qui plus est, il semble bien que les principaux acteurs de la norme n'aient pas eu une conscience claire et précise des enjeux plus larges – ceci est vrai des consommateurs, mais aussi des industriels et des experts. En revanche, cela n'était pas le cas de certains représentants de l'État, qui ont vivement encouragé l'extension de la norme à l'échelle internationale *via* l'ISO.

La normalisation constitue ainsi un instrument d'action publique au nom d'une politique économique défendue par l'État, portée par l'AFNOR, avec le concours des entreprises concernées.

Ces deux exemples témoignent d'une évolution significative dans les instruments d'action de l'État et dans le rôle que joue la normalisation. Cette évolution n'est ni soudaine, ni brutale. Elle s'inscrit au contraire dans une évolution de long terme, qu'il s'agisse du développement des labels et marques de qualité dans le champ agroalimentaire ou de l'intrusion du marché dans la normalisation AFNOR. Elle trouve toutefois une occasion de se renforcer dans le contexte de la globalisation économique et de la construction européenne. D'une certaine manière, l'État trouve dans le recours aux normes une modalité de réponse aux contraintes que font peser ces deux phénomènes, ainsi que le moyen de protéger des secteurs économiques nationaux – qu'il s'agisse de petits producteurs agricoles ou de grandes entreprises de services urbains.

Dans la mesure où la normalisation dans le secteur alimentaire traduit également une volonté de l'État de déléguer la mise en œuvre de sa réglementation aux acteurs privés, faute de disposer des ressources nécessaires pour assurer lui-même cette mise en œuvre mais aussi son contrôle, ces exemples semblent indiquer que le recours à la normalisation traduit bien une modification profonde dans les capacités d'action de l'État. La délégation aux acteurs privés, qu'il s'agisse des industriels ou d'un organisme comme l'AFNOR, d'une partie des tâches assurées jusque-là par les services de l'État, constitue un indicateur parmi d'autres des transformations en cours. La normalisation constitue un substitut, autant qu'un support, à l'action de l'État.

Les cas de l'Europe et de la France témoignent d'usages contrastés de la normalisation – et il convient d'insister sur le fait que les exemples donnés n'épuisent pas, loin s'en faut, le champ des normes. Ces exemples ont pour point commun un recours à la normalisation dans un contexte où l'État (ou quasi-État, s'agissant de l'UE) ne dispose plus des instruments adéquats, ni même des ressources, pour remplir ses missions et répondre aux problèmes qui lui sont adressés.

Ils se différencient sur deux points. D'une part, les institutions européennes affichent les principes qui fondent la démarche de normalisation, principes qui en outre coïncident avec ceux qui guident la
construction européenne et de ce fait contribuent à la légitimité des
normes produites. En France, outre le fait que les principes ne font pas
l'objet d'un affichage comparable, ils ne conditionnent pas la légitimité
de la démarche. D'autre part, dans le partage des tâches entre pouvoirs
publics et acteurs privés, la normalisation européenne repose sur un
clivage net entre les objectifs définis par les premiers et l'élaboration
par les seconds des moyens pour atteindre ces objectifs. À l'inverse, la
normalisation française révèle une situation beaucoup plus enchevêtrée
dans laquelle les pouvoirs publics délèguent aux acteurs privés le soin
de mettre en œuvre la réglementation, de réguler leur activité et de
promouvoir les intérêts de l'industrie française. Il y a par conséquent
bien un effet propre de ce type particulier d'instruments que sont les
normes, en fonction du régime de régulation dans lequel il s'inscrit et
des usages qui en sont faits.

Le degré d'intégration de la normalisation dans les deux systèmes est
donc distinct : plus intégrée politiquement au sein de l'UE, la normalisation laisse en même temps une plus grande marge de manœuvre aux
acteurs sociaux dans l'élaboration des normes. Moins reconnue en
France, elle est en revanche beaucoup plus intégrée dans le fonctionnement administratif, qu'il s'agisse de l'élaboration des normes ou de leur
contrôle.

Cette différence renvoie à des régimes de régulation distincts. Comme
le souligne Giandomenico Majone, « les politiques communautaires ont
pour dessein de coordonner et de compléter (et non de remplacer et de
mettre en cause) les politiques nationales » [Majone, 1994b, p. 263]. Le
recours croissant à la normalisation s'inscrit donc dans ce cadre ; il
permet d'avancer dans le sens d'une meilleure coordination en faisant
reposer le coût de l'harmonisation sur les industriels. D'une certaine
manière, il permet même à la Commission d'accroître son influence : s'il
est admis que faute de ressources financières suffisantes, « la commission ne peut donc accroître son rôle qu'en étendant le champ de ses
activités réglementaires » [ibid., p. 249], on perçoit aisément l'intérêt
que représente la normalisation dans cette stratégie et on comprend
mieux aussi les critiques formulées par la Commission à l'encontre
d'une procédure jugée trop longue et trop lourde. Dans cette approche,
l'échelon national n'est pas court-circuité, puisqu'il conserve son mot à
dire dans la composition des comités de normalisation ; mais il ne peut

plus s'opposer aussi facilement qu'auparavant à l'élaboration de nouvelles règles.

La situation est différente à l'échelle nationale, où la normalisation vient accompagner un lent processus de désengagement de l'État des activités de régulation économique. Le cas français illustre une situation d'enchevêtrement entre acteurs publics et privés, dont il est surtout intéressant d'analyser la dynamique. Celle-ci est mue à la fois par le souci de l'État de déléguer aux industriels une capacité accrue de régulation de leurs activités, par la volonté de ces industriels de produire des normes qui facilitent la circulation de leurs produits, et par la pression qu'exerce la normalisation européenne à l'échelon national – qu'il s'agisse de suivre, d'anticiper, voire de susciter des processus de normalisation. La normalisation constitue donc l'un des vecteurs autour duquel se recomposent progressivement les capacités d'intervention de l'État et les relations qu'il entretient avec différents groupes d'intérêt et groupes sociaux.

BIBLIOGRAPHIE

BORRAZ (O.) et ARCIMOLES (M. d'), « Réguler ou qualifier. Le cas des boues d'épuration urbaines », *Sociologie du travail*, 45 (1), 2003, p. 45-62.

BRUNSSON (N.) et JACOBSSON (B.) (eds), *A World of Standards*, Oxford, Oxford University Press, 2000.

COCHOY (F.), « De l'AFNOR à NF ou la progressive marchandisation de la normalisation industrielle », *Réseaux*, 18 (102), 2000, p. 63-89.

DIALLO (Y.), *La Création d'une norme de service à l'usager en matière de distribution d'eau potable*, mémoire de DEA, cycle supérieur de sociologie de l'IEP de Paris, 2002.

EGAN (M.), *Constructing a European Market*, Oxford, Oxford University Press, 2001.

FORAY (D.), « Standard de référence, coûts de transaction et économie de la qualité : un cadre d'analyse », dans F. NICOLAS et E. VALCESCHINI (dir.), *Agroalimentaire : une économie de la qualité*, Paris, INRA/Economica, 1995, p. 139-154.

HAWKINS (R.), « Vers une évolution ou vers une disparition de la démocratie technique ? L'avenir de la normalisation dans le domaine des technologies de l'information et de la communication », *Réseaux*, 18 (102), 2000, p. 119-137.

HOOD (C.), ROTHSTEIN (H.) et BALDWIN (R.), *The Government of Risk. Understanding Risk Regulation Regimes*, Oxford, Oxford University Press, 2001.

JACOBSSON (B.), « Standardization and Expert Knowledge », dans N. BRUNSSON et B. JACOBSSON (eds), *A World of Standards*, Oxford, Oxford University Press, 2000.

JOBERT (B.), « Le mythe de la gouvernance dépolitisée », dans P. FAVRE, J. HAYWARD et Y. SCHEMEIL (dir.), *Être gouverné. Études en l'honneur de Jean Leca*, Paris, Presses de Sciences Po, 2003, p. 273-285.

JOERGES (C.), LADEUR (K.-H.) et VOS (E.) (eds), *Integrating Scientific Expertise into Regulatory Decision-Making : National Traditions and European Innovations*, Baden-Baden, Nomos, 1997.

JOERGES (C.), « "Good Governance" Through Comitology », dans C. JOERGES et E. VOS (eds), *EU Committees : Social Regulations, Law and Politics*, Oxford, Hart Publishing, 1999.

KARPIK (L.), « Dispositifs de confiance et engagements crédibles », *Sociologie du travail*, 39 (4), 1996, p. 527-548.

KESSOUS (E.), « L'objectivation des qualités industrielles en discussion. Les acteurs du marché européen confrontés à l'élaboration de normes communes », *Réseaux*, 18 (102), 2000, p. 91-117.

LADEUR (K.-H.), « Toward a Legal Concept of the Network in European Standard-Setting », dans C. JOERGES et E. VOS (eds), *EU Committees : Social Regulations, Law and Politics*, Oxford, Hart Publishing, 1999.

LASCOUMES (P.), « Normes juridiques et mise en œuvre des politiques publiques », *L'Année sociologique*, 40,1990, p. 43-71.

LELONG (B.) et MALLARD (A.) (dir.), « Dossier sur La fabrication des normes », *Réseaux*, 18 (102), 2000.

MALLARD (A.), « L'écriture des normes », *Réseaux*, 18 (102), 2000, p. 37-61.

MAJONE (G.), « The Rise of the Regulatory State in Europe », *West European Politics*, 17 (3), 1994a, p. 77-101.

MAJONE (G.), « Communauté économique européenne : déréglementation ou re-réglementation ? La conduite des politiques publiques depuis l'Acte Unique » dans B. JOBERT (dir.), *Le Tournant néo-libéral en Europe*, Paris, L'Harmattan, 1994b, p. 233-263.

MAJONE (G.), *La Communauté européenne : un État régulateur*, Paris, Montchrestien, 1996.

MAJONE (G.), « The Regulatory State and its Legitimacy Problem », *West European Politics*, 22 (1), 1999, p. 1-24.

MORAND (C.-A.), *Le Droit néo-moderne des politiques publiques*, Paris, LGDJ, 1999.

NICOLAS (F.) et VALCESCHINI (E.), « La dynamique économique de la qualité agroalimentaire », dans F. NICOLAS et E. VALCESCHINI (dir.), *Agroalimentaire : une économie de la qualité*, INRA/Economica, Paris, 1995, p. 15-37.

NOIVILLE (C.), « Principe de précaution et Organisation mondiale du commerce. Le cas du commerce alimentaire », *Journal du droit international*, 2, 2000, p. 263 et suiv.

OLSHAN (M.), « Standards Making Organizations and the Rationalization of American Life », *Sociological Quarterly*, 34 (2), 1993, p. 319-355.

.

Chapitre 4

LES PILOTES INVISIBLES DE L'ACTION PUBLIQUE LE DÉSARROI DU POLITIQUE ?[1]

Dominique LORRAIN

D ans un beau livre, *Tentation de la haute mer*, le directeur du musée de la Marine de Paris présente les grandes découvertes maritimes qui ont contribué à l'exploration du monde [Bellec, 1992]. Cette histoire peut sembler bien éloignée des réflexions sur le gouvernement des hommes, et pourtant ces deux objets se croisent à plus d'un titre. Pas de voyage au long cours sans développements techniques : le gouvernail d'étambot, les portulans, la boussole et plus tard le sextant pour le calcul des longitudes. Pas de voyages non plus sans financement et une stabilité des engagements. Ce sont des opérations énormes par les capitaux mobilisés. Elles requièrent de la préparation et des appuis solides ; depuis les origines, elles mélangent intérêts publics et privés. Le voyage aux Indes durait trois ans ; ce fut aussi la durée moyenne des expéditions de Bougainville, Cook, La Pérouse. Leur suivi financier a nécessité des progrès dans les écritures comptables.

Si nous introduisons ce texte par ce rappel maritime, c'est parce qu'il y a plus d'un parallèle à faire avec l'action collective et la gestion publique. Cette histoire des découvertes nous rappelle d'abord que le développement des techniques fut tout aussi important pour le résultat

1. *Outre des échanges avec les éditeurs de ce livre, ce texte doit beaucoup aux discussions que nous avons eues à l'EHESS sur « l'esprit gestionnaire » lors d'un séminaire assuré avec Jean Lojkine et Albert Ogien ; mes remerciements vont aussi à Daniel Benamouzig pour ses commentaires stimulants.*

que l'engagement de quelques souverains et les figures de découvreurs-aventuriers. Traduit dans la gestion publique, cela nous invite à regarder les dispositifs d'action dans leur matérialité, ce qui recouvre tant leurs propriétés physiques que les catégories et les formats qu'ils véhiculent. Dans un débat plus général sur le rôle de l'acteur, cela conduit à soutenir que l'histoire des instruments explique autant celle des intentions, que les dispositifs d'action ont été aussi décisifs que le projet.

L'autre raison de ce rappel maritime réside dans le fait que l'action publique nous fait très souvent penser à la marine à voile avant le calcul des longitudes et l'usage des *pilot charts*. Les candidats à l'émigration partaient d'un port d'Europe en direction de Boston ou de New York et ils pouvaient accoster à Savannah ou Charleston. Un pilotage incertain, un coup de vent expliquaient ces mille miles de décalage qui faisaient bifurquer des destins individuels. Aujourd'hui, malgré l'usage du chiffre, la puissance des ordinateurs, un appareillage statistique complet, une pratique budgétaire ancienne, sur de grandes questions l'État nous semble bien aveugle et le réel lui échappe. Notre hypothèse est que cette perte de maîtrise tient moins d'une démission, ou d'une corruption des idéaux [Meny, 1992] que d'une insuffisante maîtrise des pilotes de l'action publique.

Force est de reconnaître que les sciences sociales se sont trop peu concentrées pour le moment sur l'étude de ces dispositifs fins, techniques et peu visibles. La sociologie politique s'est longtemps intéressée aux institutions de pouvoir et aux acteurs, aux classes sociales et à leurs conflits [Mendras et Forsé, 1978] ; le rappel par Henri Mendras des conditions du mouvement social selon Touraine est exemplaire de cette vision [Mendras, 2002]. La sociologie politique a consacré une grande attention à ce qui est visible, à ce qui change dans une société et relève du mouvement. Elle s'est penchée sur les acteurs, leurs stratégies et leurs « bonnes raisons » d'agir. Inversement, elle n'a pas assez pris en compte toute la part de l'action collective formatée par des dispositifs existants. Certes, on peut suivre Pierre Lascoumes et Patrick Le Galès dans l'introduction de ce livre pour dire que Max Weber et ses travaux sur la rationalisation du travail d'État et que Michel Foucault et ses études des dispositifs de gouvernabilité ont tracé un tel projet. C'est exact, mais leur projet ne fut pas repris à la hauteur de ce qui a changé dans le monde d'aujourd'hui.

Tout d'abord, les dispositifs d'action se sont considérablement enrichis et complexifiés sans que l'on tire les conséquences des effets que

165

Les pilotes invisibles de l'action publique. Le désarroi du politique ?

ces trames complexes pouvaient avoir sur le comportement de l'acteur. Plus de lois, plus de règlements, plus de circulaires ; les différentes commissions de simplification administrative régulièrement créées en donnent la mesure. Ce registre classique de l'action s'est vu complété par une multiplication des standards et des normes. C'est un phénomène général. Dans l'ordre politique, les élus, autrefois en prise directe, ont cédé la place aux experts, comme dans l'entreprise avec le passage des entrepreneurs de Schumpeter aux managers de Burnham.

En outre, tous ces artefacts ne font que refléter un autre changement de grande portée : la technicisation du monde moderne [Roqueplo, 1993]. Elle se manifeste par la modification de l'environnement dans lequel nous évoluons et par la multiplication des objets qui participent à l'action : robots, protocoles de calcul, etc. Dans un monde technologique et scientifique, il est de plus en plus souvent fait appel à des justifications scientifiques : le calcul, la mesure, etc. Le changement tient à leur nombre, à leur emprise qui augmente. Il tient aussi au fait qu'ils incorporent de plus en plus de travail humain. On peut ainsi suivre le point de vue développé depuis longtemps par Callon et Latour, selon lequel les objets techniques représentent souvent des acteurs à part entière [Callon et Latour, 1991].

Enfin, bien peu, aussi, ont prêté attention aux remarques latérales de Braudel sur le poids des routines [Braudel, 1985] ou ont suivi la piste incrémentale proposée par North et les néo-institutionnalistes [North, 1990], selon laquelle les « institutions » se construisent bien plus par ajouts et adaptations à la marge que par grandes ruptures (guerre, révolutions). Ceci nous invite à explorer la piste du temps long et à accorder de l'importance au travail silencieux de la société sur elle-même.

Notre hypothèse consiste dans le fait que l'action collective se trouve largement formatée par des dispositifs sociotechniques qui ne relèvent pas uniquement de la couche visible des grandes lois et des institutions : catégories juridiques, normes techniques, protocoles de calcul, ratios d'équilibre financier, etc. Ces pilotes invisibles de l'action sont des adjuvants nécessaires à l'action. On ne peut penser les questions de coordination de l'action sans les introduire.

Or, chacun de ces dispositifs a sa propre histoire. Il condense, dans sa forme et les solutions qu'il induit, un état des rapports sociaux, une certaine vision d'un problème. Ensuite, il va poursuivre sa trajectoire pour devenir un protocole automatisé puis naturalisé que l'on va finir par oublier. Autrement dit, ces instruments, élaborés suivant des logiques particulières, selon des temporalités spécifiques, s'appliquent, se généralisent et deviennent naturels. Ils font partie intégrante de l'action. On cesse de réfléchir aux implicites qu'ils contiennent et aux effets qu'ils produisent. Les acteurs leur ont délégué de manière consciente ou non, une grande partie de l'action. Ces dispositifs prolongent, précisent et rendent possible l'action. Ces assistants des acteurs les rendent plus efficaces. Mais, dans le même temps, ceci s'obtient au prix d'une réduction des marges de jeu.

Cette entrée conduit à traiter autrement les questions de changement social, de gouvernement et de pilotage de l'action collective. Le déplacement que nous entrevoyons se fait à plusieurs niveaux. Il s'agit de regarder autrement ce qui participe à l'action de gouverner et ne plus seulement s'arrêter à l'étude des lois. Il faut regarder plus finement les choses et s'intéresser à ces dispositifs en détail en considérant qu'ils relèvent peu ou prou de trois ordres : règles de droit, normes techniques et catégories comptables. Ce faisant, nous introduisons une complexité plus grande qui explique plusieurs phénomènes. Premièrement, ces pilotes mobilisent des disciplines différentes ; ceci explique peut-être que la jonction ne se fasse pas aisément entre les juristes, les comptables et les ingénieurs. Deuxièmement, ils s'élaborent, vivent et se transforment selon des temporalités de long terme, voire de très long terme. Ce n'est sans doute pas par hasard si Robert Castel commence le premier chapitre des *Métamorphoses de la question sociale* en remontant au Moyen Âge [Castel, 1995]. Le décalage nécessaire de cet horizon par rapport au court terme des sociétés de démocratie et de communication introduit une véritable difficulté d'appréhension. Qui se souvient des débats de la fin du XIXᵉ siècle et de leur sens ?

Ce texte propose une démonstration à partir d'un objet que nous connaissons bien, le travail municipal et les systèmes techniques urbains, même si ce raisonnement peut s'appliquer à de nombreux autres domaines. Il débute par une histoire de longue durée du travail municipal qui vise à montrer l'essor des instruments dans l'action publique, puis il présente trois pilotes – juridiques, techniques et comptables – qui contribuent à organiser les services d'eau. Puis, nous revenons aux questions introductives. Que nous donne à voir sur l'action collective et celle du politique cet élargissement des objets ? À quelles conditions le travail du politique pourrait-il sortir du désenchantement pour redevenir en prise sur le monde ?

La statistique est la science de l'État. Fondée au XVIIᵉ siècle afin d'en accompagner le développement, ses instruments n'ont cessé

de se multiplier [...]. Aujourd'hui nous sommes couverts des chiffres [...]. Tout se compte, se mesure.
F. Ewald, *Enjeux*, décembre 1998, p. 129.

Si nous ouvrons les yeux sur le monde qui nous entoure, nous voyons que tout autour de nous, notre *Umwelt*, porte la marque des activités techniques de l'homme : non seulement les villes, mais les campagnes, les forêts, les rivières [...]. De même dans notre entourage immédiat [...], les innombrables objets que nous utilisons [...], certains nous relient à de vastes réseaux d'infrastructures. L'empreinte de la technique est devenue omniprésente au sein du milieu qui tout « naturellement » nous entoure. C'est en ce sens que l'on peut, me semble-t-il, parler de techno-nature.
P. Roqueplo, « Climats sous surveillance », *Economica*, 1993, p. 266.

La nature concrète où nous vivons [...] en tant que techno-nature [...] est le fruit d'un labeur séculaire et doit être interprétée comme le grand texte où se sont exprimés les rapports sociaux et les luttes qui, depuis des siècles, divisent le travail des hommes.
P. Roqueplo, *Science et Technologies*, p. 44-48/262

La multiplication des instruments dans le travail municipal

Il y a un siècle, en 1900, lorsqu'un problème survient dans la ville de Lorient, le maire réunit le conseil municipal[2] ; il expose la situation, les élus débattent et ils délibèrent pour prendre une décision. S'ils ont besoin d'un complément d'information, une commission est nommée, souvent composée de trois membres, et un ou deux mois plus tard, elle revient devant le conseil. Elle expose le résultat de son enquête et une décision est prise. Cette séquence d'action, accordant un rôle central au politique local, s'applique aux affaires sociales, aux droits à construire, à la gestion des employés communaux.

Le lieu principal des décisions est alors le conseil municipal. Il se réunit très souvent, trente fois par an, à propos de tout ; on y débat longtemps ; les conseillers rentrent dans les détails. Rétrospectivement,

---

2. *Cette partie est fondée sur une monographie que nous avons faite sur l'histoire de cette mairie [Lorrain, 1992].*

cette prééminence accordée au conseil s'explique par l'absence d'autres dispositifs de préparation : formes organisationnelles et instruments du travail municipal. Le maire n'est épaulé que par deux puis trois adjoints. Avant 1897, il n'existe pas de commission municipale permanente et pendant longtemps leur rôle est limité, faute d'élus impliqués. Les services municipaux restent à l'état embryonnaire. En 1904, la mairie compte 147 personnes avec comme grands postes l'octroi et la police ; les services administratifs ont 15 agents (ils seront 18 en 1937) et les services techniques pas plus de 12 (ils seront 26 en 1937). Les autres agents relèvent des « services spéciaux et auxiliaires » ; ils ne travaillent pas à temps plein, loin s'en faut ; ils sont mal payés. D'un point de vue organisationnel, la mairie est encore dans un état peu structuré. Seuls émergent comme points fixes le secrétaire général et le maire. Le premier possède des connaissances en droit et il veille au respect des écritures comptables publiques ; il prépare le budget, instruit les principales affaires et travaille directement avec le maire. Ce dernier est le seul personnage politique à ressortir. Il vient chaque jour en mairie, suit tous les dossiers. Plusieurs maires seront députés.

Les normes techniques, les règles qui aujourd'hui codifient des pans entiers de l'action publique n'existent pas. Dans le social comme dans la gestion du personnel, il n'existe pas de règlements ou de statuts, pas plus qu'il n'existe de plan d'urbanisme. Un principe individuel caractérise totalement la manière de travailler. La mairie traite de cas singuliers. La ville veut recruter un emploi de gardien de musée, il faut que le conseil décide des critères de qualification recherchés, du niveau d'indice et des conditions de retraite. Elle réagit aux problèmes qui lui sont soumis et essaie de les régler avec humanité et bon sens. C'est particulièrement vrai pour ses interventions sociales, l'aide aux veuves, aux chômeurs, aux nécessiteux, aux vieillards. Elle traite ces cas de détresse individuelle, comme le ferait un conseil de famille et elle se réfère à ce qui a déjà été décidé en de semblables occasions. La moindre décision ouvre la porte à une discussion, où il va être question du cas singulier traité et des principes généraux à respecter. Ce sont les années de l'enfance de l'action publique locale.

Ce type de fonctionnement va se modifier après la Première Guerre mondiale. Cette mairie sort de la gestion en bon père de famille, avec son principe individuel et réactif, pour élaborer des règles de fonctionnement. Le travail du conseil municipal est désormais préparé grâce aux commissions et aux adjoints. De nouvelles commissions sont créées en

1912 ; les premières commissions extra-municipales apparaissent en 1919. En 1925, le nombre d'adjoints passe de trois à cinq. Le changement est également manifeste dans l'organisation des services. Cette même année, les élus réorganisent les services techniques et nomment un ingénieur à leur tête. Avec toutes ces modifications, le conseil gagne en efficacité. À partir de 1919 et jusqu'en 1983, il tiendra invariablement douze séances par an, malgré des situations exceptionnelles : crise de 1929, Seconde Guerre mondiale, reconstruction d'une ville détruite par les bombardements.

On assiste aussi à l'instauration de règles : normes et règlements. La mairie commence à codifier des pans entiers de ses domaines d'action. Elle ne le fait pas seule, car au même moment, d'autres mairies dans le pays rencontrent les mêmes problèmes, engagent la même réflexion et mettent au point des esquisses de solutions. En outre, la période se trouve indiscutablement marquée par une intervention grandissante de l'État (Bourjol, 1975). Dans un numéro spécial sur l'histoire des mairies, Dumons et Pollet rappellent que « la légitimation du pouvoir local républicain repose largement sur sa capacité à montrer qu'il assume ses responsabilités de gestionnaire en parfaite symbiose avec l'État, dans une forme légale rationnelle de plus en plus technicienne » [Dumons et Pollet, 2001]. Pour les services aux chômeurs et l'action sociale, par exemple, il y a étatisation selon une forme originale, dans laquelle l'État apporte un financement tout en laissant aux collectivités locales l'attribution des aides [Barros, 2001]. L'État finance en introduisant des critères. Certains permettent aux communes de mieux définir les ayants droit et les aides, d'autres permettent de calculer le montant apporté par l'État, en fonction de la situation économique et financière de la commune.

La relation interpersonnelle n'est donc plus le seul principe explicatif du fonctionnement interne, même si elle reste encore présente. Un processus s'est mis en marche dont on voit l'aboutissement plus tard : en 1952 pour la gestion du personnel avec la promulgation d'un premier statut général, vers 1960 pour les affaires sociales. On observe un glissement dans le mode de traitement des affaires. Le conseil se réfère de plus en plus à des protocoles existants pour prendre des décisions. La marge d'indétermination se réduit. Certaines questions appellent des réponses automatiques, car elles entrent dans des cadres préétablis. Ceci s'observe par les références qui sont faites à ces protocoles, lors des débats, et se mesure par une accélération des prises de décision dans le travail municipal. Le conseil se réunit moins souvent, il traite un plus grand nombre d'affaires. Jusqu'en 1954, le conseil traite en moyenne 31 dossiers par séance, ensuite ce nombre passe à 55. L'ordre du jour est aussi mieux maîtrisé. En 1895, le conseil a traité en moyenne 25 affaires par séance, mais seules 8 d'entre elles étaient inscrites à l'ordre du jour ; l'agenda n'est maîtrisé qu'au tiers. De 1904 à 1954, l'ordre du jour va être maîtrisé à 72 % et de 1965 à 1988, il l'est à 86 %. En 1988, les 55 dossiers examinés par séance étaient tous planifiés.

Elles sont loin, les années 1884-1897, où le conseil tout entier débattait du bien fondé d'une acquisition foncière, du financement d'un pavage de trottoir et de l'opportunité d'une demande de contribution aux riverains, puisqu'ils seraient les principaux bénéficiaires de la plus-value créée. À cette époque, le corpus réglementaire et normatif restait imparfaitement développé. Donc, de nombreux problèmes survenaient dans un champ réglementaire non cadastré ; la règle restait à construire. En ce temps de l'enfance de la règle, les élus devaient décider au regard de catégories plus générales d'égalité des droits, de justice. Ils se référaient à ce que d'autres villes avaient déjà fait. Les élus pour décider ne s'appuyaient pas sur un protocole prêt à l'emploi. Ils devaient consacrer une réelle attention aux cas à traiter. En contrepartie, ils avaient un réel pouvoir et les habitants de la ville avaient le sentiment que l'action du politique avait été déterminante dans l'amélioration de leur situation personnelle.

La suite nous est connue. Les domaines d'action des municipalités ne vont cesser de s'étendre. Les effectifs vont croître et la spécialisation organisationnelle va s'accentuer dans les services comme à l'extérieur avec le développement de structures paramunicipales : associations, sociétés d'économie mixte et opérateurs de réseaux. La production de normes et de règles entamées au lendemain de la Grande Guerre va s'amplifier. Si le principe individuel reste actif, c'est plus dans l'écoute des gens et de leurs problèmes que dans la manière de les traiter.

Cette prolifération des instruments entraîne plusieurs conséquences :

– Chaque instrument, chaque règle a sa propre logique et une histoire qui souvent s'étend sur du long terme avant d'atteindre une forme stabilisée. Mais, dans l'action, l'instrument seul n'existe pas. Il s'inscrit dans un dispositif plus large à géométrie variable qui le complète et le conforte. Parfois, les règles sont réunies dans un code (code de l'urbanisme, code des communes).

– Pour ces raisons, les décideurs d'aujourd'hui ont rarement une vue d'ensemble d'un dispositif et des instruments pilotes. Ils ont largement perdu le sens politique des origines et des raisons qui ont présidé à

171

Les pilotes invisibles de l'action publique. Le désarroi du politique ?

l'élaboration des instruments, dans la forme qu'on leur connaît. Autrement dit, nous pouvons poser comme premier résultat que cette complexité entraîne une perte du sens.

– La règle marque un processus de simplification du réel, car l'acteur agissant ne peut tout conserver de la diversité des situations singulières. La possibilité d'agir nécessite le passage par une forme abstraite. Cette opération relève d'un principe de clôture, entraîne un gommage du passé et des situations individuelles. Ceci explique une tension entre les individus et les règles.

– L'homme politique y a perdu du pouvoir direct. Dans la plupart des situations, il existe un protocole prêt à l'emploi. À la limite, le citoyen peut faire l'économie du détour par le politique en s'adressant directement à l'expert pour qu'on lui explique et applique ses droits.

– S'il existe presque toujours une solution à un problème particulier, parfois il en existe plusieurs. De sorte que l'homme politique n'est pas certain que la solution qu'il envisage soit recevable en droit. Il s'expose au rejet des contrôleurs (invisibles) : rejet du paiement d'un fournisseur, rejet de l'emploi créé, rejet de la demande de subvention.

– Parfois, il y a pire. Le trop grand nombre de règles peut générer des effets pervers, créer des injustices dans le traitement de cas individuels proches, que la règle va traiter selon des modalités différentes. On retrouve ici l'« effet papillon » des physiciens, appliqué aux questions politiques et sociales : petits écarts au point de départ et amplification. Ces écarts accentués par les règles ont un effet dévastateur ; ils créent un sentiment d'injustice. Il faudrait ici rentrer en détail dans la mécanique de traitement des cas individuels et se concentrer sur les seuils. Quelles sont les conséquences d'une faible variation de situations personnelles ? On travaille spontanément avec des fonctions linéaires ; il serait utile de représenter graphiquement la dérivée aux points sensibles de la courbe. Elle montrerait sans doute des situations individuelles très proches au voisinage du seuil qui divergent en fonction du traitement apporté.

– Cette complexité rend les institutions publiques aveugles, et il semblerait que le degré de cécité augmente avec la taille, malgré des tentatives régulières de simplification.

Cette séquence explique très largement ce que nous voyons tous les jours : la critique de la lourdeur bureaucratique, la mise en cause du politique. Les élus ne produisent plus toute la règle. Elle leur échappe, vers le haut avec le droit européen et vers le bas, car l'application à des cas concrets se trouve enchâssée dans un corpus existant, complexe, dont ils n'ont qu'une incomplète connaissance. L'histoire des réseaux techniques que nous allons parcourir maintenant en est une parfaite illustration. On y trouve les trois grandes familles de pilotes – un corpus juridique, des normes techniques et des règles comptables. Chacune s'est développée selon ses propres raisons, souvent sur du long terme. En fin de parcours, leur assemblage produit un dispositif doté d'une grande cohérence.

———— Règles de droit[3]

Lorsqu'en février 1778, les frères Perrier obtiennent des lettres patentes du roi Louis XVI pour une distribution d'eau potable à Paris, le système reste encore fruste. Ils doivent réaliser des machines élévatoires de l'eau de Seine, installer sous les rues des tuyaux de distribution et des regards. À partir de ces points, les ménages les plus aisés et disposant d'un réservoir dans leur logement seront approvisionnés par des porteurs d'eau ; pour les plus modestes, il est prévu une implantation de fontaines de distribution. On est encore très loin du service universel. La différence n'est pas seulement technique, elle tient aussi à la mise au point d'un corpus juridique.

La qualification de service public

Au début du XIXe siècle, plusieurs décisions de justice (ordonnance Delorme de 1835, arrêt Delalain de 1850) établissent que la distribution d'eau potable relève du service public. Cette notion sera précisée par l'arrêt Blanco de 1878, que beaucoup de juristes placent au fondement de la notion : « En matière de responsabilité, le commissaire du gouvernement montra "que le service public, activité administrative d'intérêt général, appelait un régime juridique spécifique et ne pouvait être soumis aux règles du Code civil". » [Auby et Ducos-Ader, 1975, p. 24.] Restaient encore à préciser les choses.

Cette qualification se fait en plusieurs étapes, sur plus d'un demi-siècle et par différents chemins. Elle passe par les tribunaux judiciaires qui, saisis d'une plainte d'un particulier, la rejettent car n'étant pas de

---

3. *Dans cette partie, nous suivons principalement la démonstration établie par Stéphane Duroy dans sa thèse de droit public consacrée à la distribution d'eau potable [Duroy, 1996]. Pour une récente synthèse, voir Le Chatelier [2003].*

leur ressort. Autre voie, lorsqu'il faut qualifier la distribution organisée par une municipalité. Pour le ministère des Finances, cette activité tarifée ressort d'une activité commerciale comme une autre et se trouve soumise à la patente. Pour le Conseil d'État, il s'agit d'une activité de service public, visant un objectif de salubrité, gratuit pour la partie des bornes fontaines, et non d'un acte de commerce. Ces principes furent posés en 1877 par trois arrêts – ville de Poitiers, de Blois, de Carpentras –, puis ville de Lille en 1878 [Duroy, 1996, p. 19]. Mais la notion reste incertaine. Entre 1830 et 1900, sur deux cents arrêts relatifs à la distribution d'eau potable examinés par Duroy, seuls quatorze qualifient cette activité de service public.

La question est aussi celle du champ d'application. « Si la fourniture d'eau [...] par le biais de fontaines et de bornes fontaines est qualifiée de façon assez générale par le juge de service public, la fourniture d'eau au domicile des particuliers [...] est au contraire parfois, expressément qualifiée de service privé. » [Duroy, 1996, p. 28.] On peut y voir un effet de l'histoire longue. Sous l'Ancien Régime, les distributions d'eau à domicile étaient concédées par privilège royal [Goubert, 1986, p. 31]. Ensuite, ces privilèges ont été transmis, de sorte que les décisions de justice ont continué de qualifier ces eaux à domicile d'activité privée ; comme le dit Duroy, « ces concessions particulières ont "enfermé" la distribution d'eau à domicile dans une logique de privilège parfaitement étrangère à l'idée de service public » [Duroy, 1996, p. 30].

C'est à la fin du XIXe siècle que s'impose l'idée d'une eau en abondance. Le mouvement hygiéniste y contribuera largement, même si une comparaison avec ce qui se fait en Angleterre, en Allemagne et en Europe du Nord souligne bien le retard français dans la prise de conscience du lien entre santé publique et eau potable comme dans sa traduction en politiques publiques. En 1802, la consommation ne dépasse pas cinq litres par jour et par habitant à Paris, tandis qu'un responsable des travaux fixe les besoins à sept litres ! Ce chiffre sera encore la norme vers 1820. Ce n'est qu'à partir de 1860 que les hygiénistes fixent ce minimum par tête autour de cent litres. Ce changement des normes de consommation va conduire à requalifier le système juridique. Le système des bornes fontaines était adéquat à une économie de faible consommation ; l'eau à domicile implique un tout autre cadre et l'élargissement du service public à ce qui était autrefois qualifié de privé.

Il n'est pas sans intérêt de relever ici l'influence du modèle électrique qui, à l'origine, distinguait le service public de distribution pour l'éclairage des rues et le service privé pour la distribution à domicile. Les décisions du Conseil d'État vont les réunir dans une même conception du service public. Le secteur de l'eau va suivre le même cheminement. Mais, comme le montre le suivi de la jurisprudence par Duroy, le chemin sera long, parfois tortueux.

Il faut attendre une circulaire de 1934, pour qu'une représentation unique du service d'eau potable finisse par s'imposer, témoignant des transformations des modes de vie. « La conception même des services d'eau potable s'est progressivement modifiée. À l'origine, il avait paru suffisant, pour les nécessités de l'hygiène, de ne livrer l'eau qu'à un certain nombre de bornes-fontaines. Mais, l'expérience acquise a conduit à dépasser ce stade [...]. Le progrès désirable n'est véritablement obtenu que lorsque tous les habitants peuvent disposer de l'eau à domicile[4]. »

Service public industriel et commercial

Pour arriver au paysage stabilisé que nous connaissons, quelques repères marquants devront encore être édifiés, en particulier la possibilité d'avoir un service public organisé selon des principes industriels et commerciaux, ce qui revient à combiner une économie de marché à une organisation de droit public : a) un financement par les redevances des usagers ; b) l'application de règles comptables permettant d'enregistrer toutes les charges afférant au service ; c) l'obligation d'avoir un budget équilibré en dépenses et en recettes.

On trouve au départ l'arrêt fondateur Société commerciale de l'Ouest africain du 22 janvier 1921, plus connu sous le nom de « bac d'Eloka » ; il contribue à distinguer le service public d'une activité industrielle et commerciale. Dans ce cas d'espèce, le Conseil d'État rejette la responsabilité publique au motif que le bac d'Eloka exerce une activité commerciale ordinaire. « Ne seront services publics que ceux organisés par l'État ou l'un de ses démembrements en vue d'accomplir un acte normal de sa fonction pour atteindre son but naturel. » Il définit ainsi un service public « par nature ». Cette jurisprudence fera sentir ses effets quelques années plus tard dans le secteur de l'eau. « Le Conseil d'État qualifie pour la première fois une distribution d'eau en régie de service industriel. » Il est considéré que l'opérateur (la régie) « exploite le service

---

4. *Circulaire du 25 octobre 1934, portant instruction d'ensemble au sujet de l'alimentation en eau potable des communes. JO du 28 octobre 1934, p. 10799, cité par Duroy [1996, p. 35].*

175

Les pilotes invisibles de l'action publique. Le désarroi du politique ?

[...] dans les mêmes conditions qu'un industriel ordinaire » [Long, 1999, p. 223]. Cette décision rend donc compétente l'autorité judiciaire (et non les tribunaux administratifs) pour le règlement d'un litige. Mais, un autre problème se pose alors. Si cette activité en régie est qualifiée de SPIC, elle devient une activité commerciale et s'applique le régime fiscal de la patente. Nous avons vu que des arrêts de 1877 et de 1878 avaient exonéré les régies de distribution d'eau de la patente, bien qu'elles tirent leurs revenus de la vente de l'eau, car elles s'inscrivaient dans le prolongement des activités de l'Institution municipale. Cette exceptionnalité sera maintenue en s'appuyant sur un raisonnement de l'époque selon lequel « les services changent de nature selon qu'ils sont assurés par l'administration ou par des concessionnaires ». La distinction sera confirmée en 1921 par l'arrêt « ville de Troyes » qui intervient quelques mois après l'arrêt du bac d'Eloka. Duroy cite la longue liste des décisions de justice sur laquelle s'appuie cet arrêt : 1891, 1908, 1911, 1913, et la *Revue des concessions*, 1906. Ceci veut dire qu'entre le Second Empire et la Première Guerre mondiale, une série de décisions établissent deux régimes selon la nature de l'opérateur du service d'eau : régime administratif et exonération de la patente lorsque le service est en régie, régime commercial, qualification de SPIC, paiement de la patente lorsque le service est assuré par une société privée.

À partir de 1928, « la jurisprudence, la doctrine et les textes concourent à faire de la distribution d'eau, assurée en régie ou concédée, un service public industriel et commercial ». Mais il faudra encore près de trente ans pour que cette clarification se fasse. C'est seulement en 1956 que l'arrêt Union syndicale des industries aéronautiques énonce l'argument qui deviendra classique : « Eu égard à son objet et aux conditions de fonctionnement, la régie des eaux présente le caractère d'un service public industriel. » [Duroy, 1996, p. 47.]

La domanialité publique

Voilà une autre construction juridique qui peut sembler abstraite, mais qui se trouve au cœur même de l'organisation des services d'eau. L'occupation du domaine public fonde un monopole de fait car l'opérateur du réseau « doit nécessairement emprunter la voie publique par ses canalisations », selon les termes d'un arrêt Raynaud de juin 1926. L'argument est intéressant car, en d'autres pays, les économistes justifient le monopole à partir des coûts fixes élevés et des actifs non redéployables (*sunk costs*).

Cette occupation du domaine public rend aussi « naturelle la compétence communale ». On voit bien ici comment fonctionne une dépendance. Beaucoup se joue au commencement, au moment de l'énoncé de premiers principes supérieurs. L'entrée à partir du droit conduit, par la domanialité, à justifier les communes, et ensuite le système se renforce autour de cette architecture institutionnelle. Une entrée à partir d'un corpus économique conduit à s'interroger sur la pertinence du choix communal et aboutit à un autre découpage. Les Anglais ont opté, dans les années 1970, pour un niveau d'organisation régional en avançant la notion économique d'optimum. Pour eux, les communes n'ont pas la bonne taille pour traiter des questions d'eau ; elles doivent l'être à un niveau régional calé sur les bassins hydrologiques.

Telle est donc la conception juridique française en matière de service public industriel et commercial. Entre les premières définitions du service public au milieu du XIXe siècle et un arrêt de 1956 qui précise les critères, un siècle se sera écoulé. Sur ce temps long, les acteurs oublient une partie des justifications de toute la construction. Après tout, il n'existe pas de loi naturelle qui permette d'affirmer que ces activités relèvent du service public tout en devant respecter des règles commerciales, l'équilibre budgétaire, le financement par un tarif... Ceci résulte d'une longue élaboration jurisprudentielle où le croisement des cas d'espèces et des décisions déjà prises permet de construire une doctrine. Mais ce qui nous apparaît *a posteriori* comme un ensemble cohérent et stabilisé l'était moins pour les acteurs pendant le processus. Ce caractère contingent des solutions adoptées ressort clairement, dès lors que l'on regarde les choix faits par d'autres en Europe.

– Le tarif calculé à partir des consommations mesurées par un compteur ne fut pas le choix des Anglais. Le paiement de l'eau était assis chez eux sur la base fiscale des propriétés.

– Le principe d'équilibre au sein de chaque secteur est un choix inverse de celui fait par les Allemands. Leurs entreprises municipales (*Stadtwerke*) pratiquent des péréquations entre services bénéficiaires (distribution électrique, gaz et eau potable) et celui des transports, déficitaire. C'est un point central qui relève d'un régime fiscal spécifique ; en effet, dans un régime ordinaire, les bénéfices des branches en excédent devraient supporter l'impôt et seule la part nette serait à la discrétion du gouvernement local pour abonder tel ou tel budget. Afin de préserver leur système de péréquation, les juristes allemands ont construit un régime exceptionnel du droit commun pour ce type d'activité. La péréquation peut se faire directement de service à service, en échappant à la fiscalité générale. Autrement dit, ils ont clairement assumé leur préférence pour un régime public et ils ont construit les instruments qui ont rendu cela possible.

Normes techniques

Déterminer la bonne dimension des réseaux d'évacuation des eaux pluviales fut une préoccupation centrale au début de l'histoire des villes. Aujourd'hui, les choix faits par les ingénieurs peuvent reposer sur une quantité impressionnante d'observations (la métrologie). Mais, au milieu du XIXe siècle, rien de tout cela n'existait. Il fallut donc « mathématiser le monde », pour reprendre une expression d'Albert Ogien : observer, mesurer, abstraire en courbes, mettre en formule, tester localement, corriger. Dans le long chapitre qu'il consacre à la mise au point de la formule rationnelle et sur lequel nous nous appuyons ici, Konstantinos Chatzis rappelle l'état de la question aux États-Unis, en 1850 : « Aucune mesure sur les débits traversant les collecteurs n'avaient jamais été faite jusqu'alors et le seul "principe" reconnu consistait à construire des tuyaux suffisamment larges, capables d'accueillir à des fins de nettoyage des égoutiers armés de pioches et d'étais. » [Chatzis, 2000, p. 88.]

Pendant près d'un demi-siècle, des ingénieurs de plusieurs pays vont travailler à mettre au point une formule mathématique permettant de calculer la taille des ouvrages. Puis une formule simple et efficace va s'imposer : une formule à trois variables. On peut parler de pilote invisible, car elle va être utilisée dans le monde entier pour calculer la taille des ouvrages : petite formule, grands effets. Et comme nous le verrons dans le cas de la France, un tel usage extensif n'a pas fait seulement que guider l'action, il empêcha aussi de se tourner vers d'autres solutions.

Cette histoire débute, lorsque l'évacuation des eaux pluviales devient une préoccupation nouvelle dans les grandes villes. En 1848, Londres se dote d'une Metropolitan Commission of Sewers. Paris a un projet d'assainissement, en 1854. Brooklyn est la première ville américaine à s'équiper d'un assainissement [Tarr, 1984]. Les ingénieurs cherchent alors une solution automatique dans son fonctionnement (l'égout gravitaire) et dont la mise en œuvre requiert le minimum d'implication des habitants concernés ; l'égout se construit sous les voiries, dans le domaine public, évitant ainsi l'accord des propriétaires.

La première rationalisation concerne la pluie. Dès le XVIIe siècle, on enregistre des mesures quotidiennes dont sont déduites des valeurs moyennes. Puis le dispositif se précise ; on note « la quantité d'eau tombée et les heures du début et de fin de l'averse » [Chatzis, 2000, p. 66]. Il faudra un certain temps pour passer clairement à la notion d'intensité. Les exemples donnés par Chatzis datent de 1850 pour un rapport en France, de 1878 pour un document publié au États-Unis. Suivent différentes tentatives de « mise en équation d'une loi de la pluie ». Elles débutent aux États-Unis à partir d'une relation simple d'intensité exprimée en *inches* par heure. Puis la diffusion progressive de pluviomètres enregistreurs, à partir des années 1880, va permettre d'accumuler les données et d'affiner les équations. La courbe de Talbot de type « y = a/(t + b) » fera fortune dans l'hydrologie[5]. Ce travail de mesure aboutira en 1920 à un nouveau progrès dans la connaissance avec des courbes intensité, durée et fréquence, calculées pour des intervalles de temps et pour des intensités maximales moyennes.

Un deuxième effort de rationalisation intervient pour construire un ouvrage. « Quelle pluie choisir pour le dimensionnement des ouvrages afin d'assurer une protection raisonnable ? » Vers 1850, lorsque commencent ces travaux, on raisonne sur une protection absolue avec les conséquences que l'on peut imaginer sur le surdimensionnement des ouvrages. Puis, vers 1892, les ingénieurs vont distinguer les « pluies rares » (fréquence de cent ans) des pluies « ordinaires » dont la fréquence est de trois à quatre ans. Pour la première fois est appliqué un raisonnement de risque probabiliste qui met en rapport le coût supplémentaire d'un dimensionnement des ouvrages à la fréquence d'une pluie et la valeur des dégâts occasionnés.

L'étape suivante consiste à pouvoir passer d'un volume de pluie à un débit d'évacuation dans un réseau de collecteurs. L'enjeu pratique étant de calculer la taille des émissaires compte tenu du régime des pluies, en volume et en intensité, de la surface assainie, du taux d'imperméabilisation, de la pente des réseaux. Les choix à faire sont importants et irréversibles, et chacun admet qu'ils ne peuvent être laissés dans chaque ville à la discrétion d'un ingénieur municipal. Tout l'effort des ingénieurs va être d'aboutir à une formule générale permettant de déduire la taille des émissaires et dépendant le moins possible des conditions locales : une formule rationnelle, Saint-Graal des ingénieurs hydrauliciens.

---

5. *Y exprime l'intensité des précipitations en inches par heure, t est le temps de l'averse, a et b sont les paramètres pour les précipitations rares et les précipitations fréquentes.*

Si on en croit Chatzis, c'est à Londres en 1852 que se font les premiers travaux qui calculent le diamètre d'une canalisation en fonction de la surface à assainir, ce qui fait intervenir la nature de l'urbanisation, et la pente. Puis viendra une seconde série de travaux en 1857. Dans les deux cas, les ingénieurs établissent leurs calculs à partir d'une valeur moyenne de pluie tombée. De ce côté de la Manche, l'approche du problème est résolument empirique et se fonde sur des observations. Plus déductive est l'approche adoptée par les ingénieurs français. La réflexion débute à Paris, en 1854, par un mémoire du préfet Haussmann au Conseil de la ville. Elle est prolongée par les travaux de Jules Dupuit. Le véritable apport viendra d'un autre ingénieur, Belgrand, qui reprend le travail de Dupuit. Il observe empiriquement que le temps d'écoulement des eaux « est au moins sept fois plus grand que la durée de la pluie ». Il en déduit que l'on pourrait réduire au tiers au plus les dimensions données par la formule de Dupuit. Toujours par déduction, il montre le caractère absurde d'une détermination de la taille des égouts en fonction de la surface urbanisée car les parties les plus éloignées du réseau principal « ne participent pas au débit de pointe » ; leur apport arrive à l'exutoire, une fois l'orage terminé. En introduisant ainsi la surface et une hypothèse sur la vitesse d'écoulement, il montre que la totalité d'un bassin doit être prise en compte jusqu'à une longueur de l'ordre de huit kilomètres [Chatzis, 2000, p. 85].

Les Anglais poursuivent dans une voie plus expérimentale à partir de « mesures et d'observations ». Elles permettront à un ingénieur suisse, Bürkli-Ziegler, d'établir en 1880 une formule : $Q/r = 0.51 \sqrt[4]{S/A}$ [6]. Des travaux nombreux viseront à ajuster la formule à chaque situation locale en faisant jouer un coefficient C. Les ingénieurs américains vont rapidement utiliser la formule de Bürkli-Ziegler. Puis, ils développent leurs propres observations.

En 1886, à l'occasion du congrès de l'American Society of Civil Engineers, un certain capitaine Hoxie va proposer de prendre en compte des cas de débordements pour des réseaux qui avaient été dimensionnés à partir des formules précédentes. Il introduit deux idées nouvelles : la fluctuation de l'intensité au cours de l'averse, le débit de pointe dans les collecteurs. Ces idées exposées alors de manière littéraire seront mises en équation quelques années plus tard par Kuichling. Il aboutit en 1889

---

6. *Débit à évacuer en litre par secondes = r ; pluie tombée = r ; surface assainie en hectares = A ; pente en millièmes = S ; un coefficient local = C.*

à une « mathématisation de l'évacuation passée à la postérité sous le nom de méthode rationnelle : $Q = CAr$[7] ».

La suite de cette histoire sera marquée, quelques années encore, par une opposition entre les méthodes empiriques et la méthode rationnelle. Une stabilisation définitive va intervenir vers 1909, lorsqu'un ingénieur affine le coefficient C de la formule rationnelle en faisant intervenir le stockage (sur la surface et dans les canalisations). Ce faisant, il en conforte la puissance. La contribution de cette formule rationnelle ainsi affinée « sera déterminante pour l'avenir » ; elle s'imposera « partout dans le monde et pratiquement jusqu'à nos jours » [Chatzis, 2000, p. 105]. À partir de 1910, les praticiens de l'assainissement s'y rallient dans leur quasi-totalité.

En France, ces travaux vont être prolongés par la formule de l'ingénieur Caquot. Jeune ingénieur au service des Ponts et Chaussées avant la Première Guerre mondiale, « il avait conçu et réalisé en partie le réseau d'égouts de Troyes » [Dupuy et Knaebel, 1982]. En 1941, il fait une communication à l'académie des Sciences. Après la Seconde Guerre mondiale, le ministère de la Reconstruction et de l'Urbanisme constitue une commission pour établir une normalisation. La commission va reprendre la formule Caquot en la codifiant et le ministère publiera la circulaire n° 1333 du 22 février 1949. « Diffusée à trente mille exemplaires, elle devient l'outil indispensable de tous ceux qui construisent » [Chatzis, 2000, p. 108]. Pendant trente ans, cette circulaire va fixer la doctrine technique en matière d'évacuation des eaux pluviales. Et ses effets concrets vont être considérables, car dans le centralisme de l'époque, le ministère lie l'obtention des subventions d'État, qui elles-mêmes commandent les prêts aidés de la Caisse des dépôts et consignations, au respect de la circulaire.

La formule Caquot clôt le débat en France, en mathématisant le problème et en donnant une portée universelle au calcul des ouvrages. Elle s'applique aux villes comme au milieu rural. Mais, sans le dire, cette formule éloigne du débat toutes les questions préalables : faut-il partout un tout-à-l'égout collectif ? La France ne conçoit d'autre solution à l'évacuation des eaux pluviales, puis des eaux usées, que par le tout-à-l'égout qui collecte et déverse en aval. Or, la solution se discute pour les

---

7. *Q est le débit maximal, C est le coefficient d'imperméabilisation, A la surface drainées en acres et r l'intensité maximale de la pluie correspondant au temps de concentration pour le bassin (inches par heures) [Chatzis, 2000, p. 99].*

181

Les pilotes invisibles de l'action publique. Le désarroi du politique ?

bourgs et les villages si on considère les coûts d'investissement et de maintenance. Pourtant, une autre technique, celle de l'assainissement individuel, fonctionne à grande échelle au Japon et dès le début des années 1980 de nombreuses voix se font entendre en France pour en demander l'usage dans certains espaces[8].

Dans un texte plus récent, Chatzis et Dupuy expliquent que la circulaire conduisait à des solutions techniques coûteuses. « Applying standards contained in the 1949 circular would have meant construction of huge downstream drainage mains, with diameters of up 4m. » [Chatzis et Dupuy, 2000.] Une circulaire de 1969 va réviser deux points de la circulaire Caquot : l'émissaire souterrain et la protection de la pluie décennale. La prise en compte des coûts, une attention plus grande aux questions d'environnement conduisent le ministère de l'Équipement à s'intéresser à d'autres techniques : bassins de retenue, assainissement individuel[9].

Est-on pour autant sorti du sentier de dépendance ? Ce n'est pas certain. Dans un récent article, deux auteurs montrent qu'en matière d'assainissement, l'optimisation des ouvrages a conduit à développer des systèmes de gestion automatisée qu'ils définissent comme : « Un ensemble comprenant des modèles des phénomènes en cause, des systèmes informatiques, des capteurs pour mesurer les paramètres importants, des actionneurs à l'intérieur du réseau, un système de transmission à distance des informations, un central de supervision, et des moyens humains pour faire fonctionner l'ensemble de ces systèmes. » [Deutsch et Vullierme, 2003.]

La multiplication des capteurs, les progrès de l'électronique et de l'informatique ont rendu possible ce type d'automate qui aurait fait rêver les « fondateurs » de 1880. À partir de là, ils esquissent un futur possible de généralisation de ce type d'instrument d'aide à la décision par l'intégration des instruments de pilotage d'autres réseaux techniques grâce aux systèmes d'information géographique (SIG). « L'intégration des aspects politiques, institutionnels, voire sociaux, est recherchée à travers des méthodes multicritères et des outils d'encadrement du processus de décision. »

Utopie technicienne ou extension nouvelle de l'esprit gestionnaire ? De la formule Bürkli-Ziegler de 1880 au SIG d'une grande métropole au

---

8. *Voir le programme de recherche « Eau dans la ville » du ministère de l'Équipement, Plan urbain, et les travaux de Daniel Faudry.*
9. *Instructions ministérielles de 1977 ; voir aussi les circulaires et instructions qui font suite à la loi sur l'eau de 1992, pour l'assainissement individuel.*

début du XXIᵉ siècle, court un même procédé de rationalisation des faits locaux et d'aide à la décision. Ce pilote invisible permet d'agir ; souvent il évite des erreurs aux conséquences terribles, mais c'est aussi au prix d'une perte de choix du décideur politique. Ignorant de l'amont, il naturalise ces protocoles. Avec le temps, tous les présupposés des modèles, tous les choix implicites et les options exclues disparaissent du débat. Ne reste visible qu'une solution rationnelle.

Catégories comptables

Les grands réseaux techniques représentent des investissements très importants. Mettre au point des méthodes de financement stables et légitimes s'avère stratégique. Et pour être légitime, il en faut passer par des techniques d'inscription comptable des charges qui permettront de déterminer des tarifs. Donc, au départ, se trouve la question universelle : il faut mesurer.

Si la comptabilité, par certains aspects, semble être une opération neutre – compter, ajouter des objets – c'est aussi une opération de classement à portée bien plus riche, comme le montrent amplement les travaux récents de sociologie économique[10]. Classer suppose d'avoir produit des catégories générales qui elles-mêmes reflètent une vision des relations sociales et du temps. Une fois organisées et déployées dans le temps, ces catégories comptables acquièrent une autonomie et produisent des effets à leur tour. Elles contribuent à fabriquer une représentation du monde réel – un monde construit qui devient la base à partir de laquelle les décisions se prennent [Fourquet, 1980]. Comme pour les autres instruments, les acteurs les utilisent en oubliant les choix qu'ils incorporent et les effets que cela peut avoir sur leur perception du monde. Là aussi, il s'agit d'une très ancienne histoire.

Mesurer des coûts, justifier des prix

Au commencement, l'action publique locale fonctionne sur un principe institutionnel simple que l'on pourrait qualifier de « tous sous un même toit ». Toutes les activités se trouvent englobées dans l'institution municipale et ventilées entre directions et bureaux ; nul n'est constitué

---

10. *Voir les travaux récents d'Ève Chiapello, ceux de Laurent Thévenot et ses « formats d'information ». Les publications de la revue* Comptabilité-Contrôle-Audit, *ceux de la revue anglaise* Accounting, Organizations and Society.

en être juridique indépendant. C'est seulement en 1955 que la loi crée des régies dotées de la personnalité morale et de l'autonomie financière ; son application sera lente. Les activités sont retracées par le Budget ; les recettes viennent de l'impôt. Ces impôts servent à financer indistinctement le fonctionnement de la mairie comme ses investissements.

Les régies de distribution d'eau potable enregistrent leurs coûts d'exploitation directs : main-d'œuvre, énergie, fournitures et petits équipement, produits chimiques. Les autres charges – les locaux, les frais de gestion – se trouvent partagées avec le reste des services ; les acteurs n'en n'ont pas connaissance et selon les villes, une contribution forfaitaire peut être demandée à la régie. Ces procédés comptables qui ne retracent qu'une partie des coûts se traduisent par des prix bas. Mais, il y a un problème. Les équipements neufs ont été financés par l'impôt. Avec le temps, ils subissent une usure technique ; les pannes et les incidents sur le réseau augmentent ; il faut donc entretenir, mener des politiques de maintenance. Comment les financer ? La comptabilité privée a réglé cette question par la technique des amortissements qui s'interprète comme l'inscription d'une charge calculée en fonction de la durée de vie de l'équipement. L'écriture d'amortissements augmente les coûts et donc les prix, mais c'est la condition qui permet aux opérateurs de maintenir en état leur système technique. Pendant très longtemps, les régies publiques n'ont pas fonctionné en appliquant ce principe d'amortissement bien que de nombreuses instructions ministérielles aient recommandé de les pratiquer. Ces règles seront actualisées par une instruction dite M49 qui prévoit l'inscription des charges partagées et l'écriture des amortissements. Comme le montrent les rapports de la Cour des comptes de 1969, 1976 et même de 2003, les pratiques changeront avec une très grande lenteur [Guerin-Schneider et Lorrain, 2003]. À cela d'abord une raison politique simple : les maires ont fait des prix bas un critère de leur bonne gestion.

On peut aussi y voir un effet des catégories comptables sur les comportements des acteurs. Si la comptabilité publique utilise un compte qui enregistre les opérations d'une année (le budget équivalent du compte de résultat des entreprises), elle n'introduit pas de compte de patrimoine qui retrace les avoirs et les dettes de l'acteur depuis son origine. La comptabilité publique n'a pas de bilan ; elle s'organise entre une section de fonctionnement et une section d'investissement. Donc la question de la valeur d'un patrimoine et de son maintien n'émerge pas spontanément. L'implicite de cette manière de tenir les comptes semble dire : puisque ces biens sont à tous (des biens publics), pourquoi devrait-on y introduire une logique de l'acteur autonome qui compte et mesure ce qu'il possède. On fait des investissements avec les impôts de tous. Et, s'il faut faire de nouveaux investissements, alors la contribution de tous (l'impôt) sera mobilisée pour élever le patrimoine commun. Selon cette philosophie, l'indépendance comptable ne fait pas sens ; pas plus que cette idée qu'il faut dégager des recettes d'avance pour parer au renouvellement. Les gestionnaires publics considèrent avoir devant eux d'un côté la recette des impôts et de l'autre un ensemble de besoins à satisfaire[11]. Pendant long-temps, ils ne voyaient pas pourquoi un effort supplémentaire serait demandé pour couvrir une dépense future. Dans leur esprit, quand le problème se posera, il sera temps de trouver la recette. Les autorités chinoises qui se trouvent confrontées à la réforme de leur comptabilité publique ont une jolie formule pour présenter leurs entreprises publiques : « elles mangent à la grande marmite commune » [Eyraud, 2003].

Mais, le problème est que la marmite n'est pas toujours remplie comme il faut, au moment où l'acteur veut y puiser. Confrontés à d'autres besoins que ceux des services en réseaux, les élus ont souvent retardé les dépenses d'investissement, reculé le moment des hausses de prix. Si bien que lorsqu'il fallut faire de nouveaux investissements, ils se sont rendu compte qu'ils ne disposaient pas de recettes propres ; il leur fallait emprunter et reporter mathématiquement la charge dans les impôts locaux et les tarifs. Beaucoup ont préféré faire appel à des opéra-teurs privés qui, outre leurs moyens techniques, disposaient de réserves financières leur permettant de ne pas répercuter brutalement les inves-tissements dans les tarifs. C'est une histoire quasiment universelle, sauf en Allemagne et dans les pays d'Europe du Nord. Elle explique large-ment l'expansion des firmes privées.

Cette représentation des échanges et les techniques comptables se sont donc traduites par des politiques de sous-tarification et de sous-investissement. Leurs conséquences particulièrement dramatiques dans les pays émergents ont conduit sous l'égide des institutions internatio-nales de développement à une réforme des systèmes comptables [Lorrain, 2003] :

– autonomie. L'opérateur de réseau doit être constitué en acteur disposant de la personnalité légale et financière. Il doit pouvoir tenir sa propre comptabilité et conduire sa politique.

---

11. *À nouveau, les documents comptables traduisent cette vision. Un conseil municipal vote un budget primitif, il est toujours complété par un budget supplémentaire. Plus tard, lorsque toutes les écritures sont effectuées, un compte administratif est produit.*

– coût total (*full cost pricing*). Les prix doivent s'établir à un niveau qui équilibre tous les coûts : coûts d'exploitation, service de la dette, amortissements, provision de remplacement de long terme, coûts administratifs de planification et de régulation.

Ces notions peuvent sembler nouvelles dans la gestion publique, mais elles ne font qu'y projeter des principes en vigueur dans les firmes privées depuis leur origine. L'éloignement physique des unités de production et d'exploitation (les *business units*) par rapport au centre a favorisé l'autonomie juridique et la mise au point d'instruments de *reporting* comme d'instruments comptables *ad hoc*. À l'inverse, on observera que les élus avec leurs régies se trouvaient dans une autre situation : la proximité physique, le fait de pouvoir constater *de visu* ne les incita pas à mettre au point des instruments formels. Dans son histoire des chemins de fer aux États-Unis, Alfred Chandler ne nous dit pas autre chose, en montrant comment l'expansion spatiale des réseaux, d'abord à échelle d'un État, puis dans une interconnexion plus large pour aboutir au *coast to coast*, a rendu obsolète un circuit d'information simple fondé sur un rapport de l'agent de base à la direction, médiatisé par un seul échelon. La complexité des opérations appelait de nouveaux instruments ; ils seront à la base de l'entreprise multidivisionnelle qui sépare chaque entité, la traite comme une firme autonome et organise la remontée des informations sur le centre [Chandler, 1977].

Quant aux règles comptables, les firmes ont eu depuis toujours de bonnes raisons de prendre en compte tous les coûts et de ne pas sous-tarifer : a) elles doivent dégager des bénéfices et servir des dividendes à leurs actionnaires ; b) les charges viennent en déduction de recettes et donc si elles n'étaient pas passées en écriture cela se traduirait par une hausse des bénéfices soumis eux même à l'impôt sur les sociétés ; c) enfin les charges d'amortissement et de provision pour renouvellement ont un avantage particulier, elles ne correspondent pas à des dépenses effectives. Dans un principe de prudence, l'acteur qui sait que son bien s'use et qu'il devra le remplacer, inscrit chaque année une charge. Mais il n'est pas obligé de la dépenser dans l'exploitation où elle a été générée. La somme des amortissements, des provisions et bien sûr des bénéfices après impôts constituent la marge de jeu immédiate de la firme ; en comptabilité, on la définit comme le *cash flow*. Dans cette écriture comptable, centrale dans l'économie de la firme, les exploitants ont trouvé une recette libre qui leur donnait une force de frappe pour se développer.

La provision « verte »

Parmi les techniques comptables, la provision pour renouvellement est sans doute la plus originale, la plus sensible car enfin dans quelle activité humaine les acteurs écrivent aujourd'hui des charges pour une dépense qui surviendra dans trente ? Quarante ? Cinquante ans ? Examinons rapidement les débats autour de cette provision que nous appelons aussi la provision « verte » car elle exprime comptablement la prise en compte d'un développement durable.

Dans le cadre des affermages (mode dominant du secteur), où les investissements sont supportés par les collectivités locales, ces dernières ont voulu avoir une maîtrise de la provision. Une récente révision du cahier des charges de l'affermage a été l'occasion de clarifier les notions. Ce travail précis, très technique et connu des seuls experts permet de bien faire ressortir les conceptions de l'action qui se trouvent incorporées dans le choix de telle ou telle option comptable [Association des maires de France, 2001].

Première option, la collectivité n'inclut pas les dépenses de renouvellement dans le contrat, ni dans les prix. Elle travaille selon une formule de *débours réel*, ce qui revient à dire que la dépense sera effectuée lorsque l'incident surviendra et qu'elle sera couverte, soit par une hausse du tarif, soit par une contribution du budget général. Dans cette solution, la collectivité manifeste sa volonté de ne payer qu'une dépense certaine qu'elle constatera *a posteriori*. On reste à un prix qui incorpore les coûts directs et les amortissements.

Deuxième option, la collectivité prévoit de grosses dépenses dont on est certain qu'elles se produiront, sans parvenir à en déterminer ni le moment ni le montant exact. Elle passe en écriture des provisions pour renouvellement qui s'ajoutent aux coûts directs et aux amortissements. Deux modalités pratiques peuvent ensuite être distinguées :

Dans le cas d'un *compte de renouvellement*, la collectivité et l'opérateur déterminent un montant fixe de travaux. Ce compte fait l'objet d'un suivi et d'un ajustement périodique entre les provisions versées et les investissements réalisés. Mais il ne protège pas la collectivité de l'accident important dont la réparation entraînerait des dépenses supérieures aux sommes disponibles dans le « compte » ; dans ce cas, elle devrait mobiliser de nouvelles recettes.

L'autre solution est celle de la *garantie de renouvellement* ; par cette inscription, l'opérateur s'engage à faire face aux dépenses, quel que soit leur montant. Du point de vue de la collectivité, cela revient à dire cette fois : « nous plaçons, par-dessus tout, la sécurité technique, économique et tarifaire du service, en nous garantissant ; et nous acceptons pour cela de forfaitiser » [SPDE, 1997]. Cette fois, la collectivité évite les aléas en les transférant sur l'opérateur et elle connaît par ailleurs le montant de la dépense, puisque la provision revient à calculer une dépense *a priori*.

Il est une troisième option. Pour la protection de certains aléas, la collectivité choisit une *assurance de renouvellement*. On suit cette fois une philosophie assurancielle qui entraîne plusieurs conséquences : a) le risque est incorporé dans les coûts ; b) si le risque survient, il incombe automatiquement à l'opérateur ; c) si le risque ne s'est pas produit en fin de contrat, la provision reste au bénéfice de l'opérateur. Comme dans la « garantie de renouvellement » précédente, l'opérateur couvre les risques mais il ne s'agit plus d'un problème qui surviendra avec certitude sans que l'on puisse en fixer le moment ; cette fois l'incident peut ne pas survenir. Ressort de cette philosophie d'action, l'obligation d'*after care* instaurée pour les décharges de déchets. Après l'arrêt de l'exploitation, l'opérateur est tenu de veiller au respect de normes et de remédier aux problèmes d'environnement tant que la décharge n'est pas totalement inerte.

Si on résume, l'inscription des charges relève de trois niveaux, chacun d'entre eux fonctionne sur un horizon temporel et incorpore un point de vue : des dépenses certaines et immédiates, des dépenses certaines à moyen terme et des dépenses probables à un horizon lointain :

– Le niveau le plus simple incorpore les dépenses d'exploitation effectives dans le cadre d'une annuité. Tous les acteurs le font ; les acteurs publics ont eu tendance à s'arrêter là. On peut parler de prix de niveau 1.

– Puis, les coûts peuvent intégrer les amortissements du matériel et des équipements ; on travaille sur un horizon de trois à dix ans. La comptabilité privée a parfaitement normalisé les durées appliquées selon la nature du bien ; les comptables publics ont eu des réticences à s'engager dans cette voie. On aboutit à un prix de niveau 2.

– Il se trouve que les grands systèmes techniques sont formés d'objets dont la durée de vie dépasse et de loin l'horizon des dix ans. Il faut pourtant prévoir leur remplacement. La comptabilité privée inventée autour de l'économie des concessions a prévu des provisions pour renouvellement. Elles conduisent à des prix de niveau 3.

—— Le désarroi du politique

Ainsi donc, il aura fallu environ plus d'un siècle pour que se mette en place un dispositif sociotechnique en matière d'eau et d'assainissement. Il va servir de matrice intellectuelle pour d'autres réseaux techniques urbains et d'ailleurs le même raisonnement pourrait s'appliquer à d'autres domaines d'action. Des clarifications juridiques, des choix techniques, des options comptables étendus sur des décennies ont permis de constituer un objet « dur », doté d'une forte cohérence, sur lequel il devient de plus en plus difficile d'agir. L'acteur se trouve assisté par un nombre croissant de pilotes.

Qu'apportent ces pilotes ? Comme la langue d'Ésope, ils ont une double dimension. Ils édictent des règles ; ils apportent une méthode de calcul ; ils permettent de formaliser le monde réel. Ce faisant, ils rendent les acteurs plus efficaces. Ils introduisent des principes de justice. Dans un monde où des intérêts divergents s'affrontent, ils permettent d'organiser les échanges en les fondant sur des principes acceptés par tous.

Mais il y a une contrepartie. Dans un champ étendu des possibles, ils expriment certains choix, donc, à terme, ils restreignent l'horizon des acteurs. Ils modifient le travail politique. Désormais, entre « le social » brut de décoffrage, débordant de passion et d'individualité et les institutions politiques, des filtres ont été mis en place. Ils procurent une plus grande efficacité, mais ils contribuent à dépolitiser les questions, à les rendre naturelles en leur ôtant une partie de leur charge politique. Ils ôtent au politique son rôle d'explication. Tout se passe comme si une fois adoptés, chacun de ces dispositifs devenait un algorithme inévitable, admis par tous : effet de cliquet, irréversibilité des choix qui expliquent une part de l'« impuissance » du politique. Autrement dit, avec le temps, les « pilotes » acquièrent une autonomie. Ils deviennent des pilotes automatiques. Les choix qu'ils portent et les solutions qui en découlent finissent par devenir naturels. On est dans le *sentier de dépendance*.

Ces instruments ont été élaborés sur la longue, voire très longue, durée. Leur construction combine des adaptations incrémentales et des bifurcations, des emprunts latéraux à d'autres domaines d'action et à d'autres pays. Tout ceci conduit à une *perte du sens* des origines.

On pourrait dire en généralisant, dans le monde de désordres et d'insécurité décrit par Hobbes, que les citoyens ont remis leur parcelle de pouvoir à une « forme » nouvelle : l'État. Au fondement de l'État, il y a cette délégation des pouvoirs du peuple souverain. L'État en charge de la protection des biens et des personnes, de la justice, d'une certaine égalité entre tous élabore des droits, puis des mécanismes de mise en œuvre de ces droits. Avec le temps, les instruments deviennent plus nombreux, couvrent un champ toujours plus large et se complexifient. Le pouvoir n'est alors ni aux citoyens ni aux gouvernants, il a été incorporé dans ces instruments qui fonctionnent comme des systèmes techniques indépendants des acteurs. Nous avons perdu le sens de cette histoire, ce qui explique le *désarroi actuel du politique*.

Sentier de dépendance

Dans les exemples que nous avons traités, il est surprenant de voir combien les premiers choix, et combien l'énoncé au départ de quelques principes généraux ont fortement structuré la suite de l'histoire.

La domanialité publique, catégorie très ancienne, a pesé sur de nombreux choix. Tout d'abord, elle a légitimé le fait d'accorder l'usage du domaine public à un seul acteur et cela a conforté l'idée de monopole. En outre, la maîtrise du sol a rendu les communes incontournables comme autorités organisatrices ; ce faisant, on fermait l'option même d'une réflexion économique sur le « niveau optimal ». Si l'entrée juridique française explique le rôle des communes, l'Angleterre des années 1970 nous donne à voir qu'un autre registre d'argumentation à partir de l'économie et sa notion de niveau optimal, conduit à une autre solution. Le système s'est donc édifié en France à partir de quelques choix qui dérivent largement de l'approche très ancienne des juristes publicistes. On est bien dans un sentier de dépendance.

Autre exemple, avec l'interventionnisme public limité en France par le décret d'Allarde et la loi Le Chapelier de 1791 qui établissent le principe de liberté du commerce et de l'industrie. Au moment de leur conception, ces textes de la Révolution se situent dans un registre global et politique. Il s'agissait pour Le Chapelier et Torné (évêque constitutionnel du Cher sorti de l'oubli par Rosanvallon) de marquer la fin des corporations, des jurandes et de tous les corps intermédiaires pour que s'affirme « le face-à-face des individus et de l'État » [Rosanvallon, 2004]. Mais, en décalé de ce vigoureux débat politique, il y a aussi une composante économique. Le législateur définit les conditions d'une intervention publique en économie. Elle est possible pour ce qui relève du domaine administratif et pour les cas de défaillance de l'initiative privée [Auby et Ducos-Ader, 1975].

Un siècle plus tard, lorsque se développent les distributions d'eau potable, la présence de deux grandes compagnies privées, constituées en 1853 et 1880, ferme l'option d'une intervention pour cause de « défaillance » du secteur privé. Puis, à la fin des années 1920, la qualification de services industriels et commerciaux pour ces services bloque l'autre condition d'un interventionnisme public : avoir une qualification administrative. Les régies se sont donc développées en France à partir d'un principe de mise en équivalence avec les firmes privées. Elles ne pouvaient bénéficier de privilèges exorbitants car cela menaçait le principe supérieur fixé au début de la Révolution.

Ici, la dépendance prend une forme subtile. Le principe de liberté du commerce et de l'industrie n'interdit pas aux communes de fournir des services publics locaux, mais elle les limite à des domaines où le secteur privé est défaillant. Ce faisant, ce principe rappelé par le Conseil d'État, introduit un principe supérieur de mise en équivalence des deux modes d'organisation : la régie ou la concession. S'il y a sentier de dépendance, ce n'est pas tant par ce qui est prescrit par le texte que par le fait de rendre illégitime une équation totalement publique et d'organiser le secteur dans un cadre où cohabitent régies et concession. Or, d'autres choix étaient possibles, ce que montre à nouveau une comparaison internationale. Les Allemands, dès la fin du XIXᵉ siècle, ont posé pour équation de base que les biens publics relevaient d'une gestion publique et ils se sont tenus à ce choix. Ils ont régulièrement pris les mesures qui permettaient de moderniser et de garder leur système efficace, allant même jusqu'à introduire des règles exceptionnelles par rapport au droit commun. En France, la mise en équivalence des origines a fait que le secteur public local a perdu son autonomie intellectuelle ; les Français ne sont jamais revenus à l'équation allemande.

La formule Caquot est remarquable parce qu'elle fait sens en une seule équation. Elle arrive en France après la Seconde Guerre mondiale, au terme d'un énorme effort collectif et après une longue histoire. Cette formule exprime tout un effort de maîtrise de la nature et d'introduction de la rationalité. Comment ne pas la suivre ? De sorte que, pendant plus de trente ans, tous les ingénieurs urbains de France vont utiliser cette formule pour urbaniser le pays. Il faut attendre les années 1970 pour que la formule trouve ses limites. Des contraintes nouvelles ont conduit à s'intéresser à d'autres solutions techniques. La « dépendance » fonctionne selon un double registre. D'un côté, elle assiste les acteurs et les aide à construire sans risques. De l'autre, elle exclut des options qui en certaines situations seraient plus adaptées.

Les catégories générales de la comptabilité publique et de la comptabilité privée relèvent de deux logiques différentes quant à l'inscription des charges, à la vision du temps et des risques. Les notions d'amortissements et de provisions se sont rapidement imposées dans la comptabilité des compagnies de commerce [Goody, 1999 ; Lemarchand, 1993], puis à toutes les firmes privées. L'idée de déterminer une valeur de bilan et un résultat net allait de soi. Toute autre était, alors, la logique des acteurs publics. Leur vision était plutôt de satisfaire les besoins en justifiant les dépenses par des enregistrements précis. Ce n'est pas seulement une histoire française ; les mêmes principes ont produit les mêmes effets visibles dans les pays émergents et, en bout de chaîne, on peut en voir les conséquences sur la mesure des coûts, sur les politiques tarifaires. Ces catégories ont fonctionné longtemps. Tant que l'impôt était mobilisable, la politique de sous-tarification pouvait être maintenue. Dans un monde d'inspiration keynésienne, avec planification et un État organisateur, les comptables publics ont pu être réticents pour introduire des techniques d'enregistrement des coûts qu'ils croyaient inspirées de l'économie de la firme (le concurrent). La sortie du sentier devient possible, lorsque les budgets publics se tendent.

Perte de sens

La perte de sens vient du fait qu'un dispositif sociotechnique, permettant d'intervenir dans un domaine de l'action est formé par un grand nombre d'instruments qui relèvent de différents registres (politiques, juridiques, techniques) ayant chacun leur propre rythme et qui s'élaborent à partir d'influences multiples et parfois lointaines. Cela signifie qu'un acteur a rarement, au moment où les choses s'élaborent, une vue d'ensemble.

Le développement des règles du travail municipal s'est produit entre les années 1920 et 1950, pour ne plus s'arrêter. Ce fut un mélange d'initiatives locales, de coordinations régionales et d'interventions de l'État. Pour chaque domaine d'action, on pourrait détailler les moments forts, les jeux d'acteurs, les emprunts croisés. La qualification du service public en matière d'eau potable s'est accomplie entre les arrêts de 1877 et un texte de 1934 ; certaines des références sont allées puiser dans d'autres secteurs (l'électricité) ou en dehors du territoire métropolitain (les colonies). Le débat pour savoir comment combiner une activité commerciale et le service public a duré de 1877 à 1956. La mise au point de la « formule rationnelle » fut une œuvre de longue durée et internationale. Les premiers travaux débutent vers 1850 ; le débat le plus intense aux États-Unis court de 1889 à 1910. Au total, deux générations d'ingénieurs, des deux côtés de l'Atlantique, auront planché sur la mise au point d'une formule. Les catégories comptables qui tardent à s'appliquer dans les régies municipales à la fin du XXe siècle ont été élaborées par les marchands vénitiens au XVIIe siècle et les grandes compagnies de commerce un siècle plus tard. Bref, ces constructions courent souvent sur plusieurs générations avant de se stabiliser. On illustre bien l'argument principal qui est de dire que des choix ont été faits hier et qu'aujourd'hui ils s'expriment non plus directement, mais par des architectures institutionnelles, des méthodes de calcul, des principes tarifaires.

Tout en bas, dans l'ordre du détail, nous avons pointé quelques-uns des curseurs techniques totalement invisibles, dont le réglage s'avère essentiel pour le résultat :

– le taux d'actualisation (et sa durée) utilisé pour un grand ouvrage change la valeur nette du projet ; selon le réglage du curseur qui exprime un pari sur le futur, une opération sera réalisable ou non ;

– les durées d'amortissement se traduisent dans des inscriptions de coûts[12] et, en bout de chaîne, par des tarifs payés par des acteurs ; d'ailleurs, si le coût n'était pas supporté par ceux qui consomment le bien « ici et maintenant », le problème se trouverait reporté sur la génération suivante car le bien s'use et il faudra le remplacer ;

– l'approche probabiliste des risques a conduit à retenir des pluies décennales pour concevoir les ouvrages d'eaux pluviales. Là aussi, le positionnement invisible du curseur est lourd de conséquences. Plus le temps appréhendé est long, plus la couverture de risques augmente et avec elle, les coûts d'investissement. Inversement, dans un souci de réduction des coûts immédiats, les décideurs peuvent très bien accepter des risques à moins de dix ans[13].

Autrement dit, l'usage de techniques de mesure, l'introduction de protocoles de calcul peuvent être lus comme des méthodes d'intervention sur des problèmes d'action collective. Là où autrefois le politique agissait selon un registre politique et souvent passionnel, les instru-

---

12. *Récemment, EDF a allongé la durée d'amortissement de ses centrales nucléaires, réduisant par là même sa charge annuelle et augmentant par effet mécanique son bénéfice.*

13. *Le même « curseur » en matière d'inondations ouvre ou ferme des terrains à l'urbanisation. Les récents événements qui se sont produits le long du Rhône, dans le Gard et l'Hérault en sont une illustration.*

ments de mesure apportent une méthode pacifiée. Une fois la méthode construite, elle s'applique et elle justifie la solution. Ces instruments fonctionnent bien comme des assistants à la décision. Contrairement à ce que pensent certains critiques du développement de cet « esprit gestionnaire » [Ogien, 1995], la généralisation des techniques de mesure relève autant d'une préservation du politique que d'une extension du libéralisme.

Décalage des lieux de l'action

Classons les instruments disponibles sur deux axes. Celui des niveaux d'action distingue du plus visible à l'enfoui : les principes constitutionnels et les institutions, les grandes lois, les règlements, les circulaires, les normes techniques, les protocoles de calcul, et les standards. Ensuite intervient l'axe des temps. Il est souvent discontinu et combine des moments de brève intensité (mise en place et moments de crise) et des longues phases d'adaptation incrémentale. Cette simplification des possibles en quatre quadrants permet de visualiser le problème. Le politique continue à penser son action autour de ce qui est visible et peut se réaliser sur du moyen terme : le cadran (I). Il a plus de mal à intégrer le déplacement des lieux de l'action avec l'importance des cadrans (II) (III) et (IV).

Donnons-en un exemple récent. Après les élections régionales de mars 2004, le président de la République s'est exprimé le 1er avril au soir sur deux chaînes de télévision. L'entretien avec deux journalistes commence par la reconnaissance d'un malaise des Français. Et le président d'énoncer quelques points saillants de cette grogne. En réponse aux craintes de la communauté scientifique, il annonce la mise en chantier d'une grande loi d'orientation de la recherche. L'intégration des enfants d'immigrés se fait avec difficulté, le risque du communautarisme pointe, malgré les efforts des services publics pour maintenir leur présence sur tout le territoire ; il envisage une grande loi d'orientation et de cohésion sociale. Et, il fixe un horizon à ces engagements. Le gouvernement remanié sous l'autorité du même Premier ministre a cent jours pour introduire une inflexion significative[14]. On se trouve totalement dans le premier quadrant : visible et court terme.

---

14. *Combien de fois, nos dirigeants ont-ils joué (ou fait mine de jouer) le destin du pays en cent jours ? Ces énoncés politiques qui puisent dans l'imaginaire de la Révolution et du Premier Empire viennent illustrer notre argumentation en faveur du temps long.*

Pourtant, nous avons de bonnes raisons de croire qu'une partie des problèmes dont souffre le pays se situe moins dans les grands choix que dans les mises en œuvre de détail. Avant de vouloir changer les architectures et reconstruire la maison commune, on pourrait inspecter sa plomberie. Les flux circulent-ils dans le bon sens et pour les bénéficiaires attendus ? Si ce n'est le cas, quelles en sont les conséquences sur le sentiment d'appartenance à la Nation ? Quelle énergie est consommée à gérer cette mécanique circulatoire complexe [Gilbert et Thoenig, 1999] ? Certains protocoles conçus hier doivent-ils être maintenus inchangés ?

Le politique ne se penche pas assez sur les détails ; rares sont les remises en cause et les nettoyages du stock existant. Les institutions et les règles de la société politique se développent ; on ajoute des couches pour répondre aux nouveaux problèmes ; la dernière a tendance à occulter celles qui précèdent. C'est l'hypothèse d'une société institutionnellement sédimentée.

	Mise en œuvre 1/3 ans	Élaboration sur 10/100 ans
Grandes institutions et grands principes	(I)	(III)
Règles de droit, méthodes de calcul, normes techniques	(II)	(IV)

La montée des instruments dans l'action collective explique largement, selon nous, le désarroi du politique. Il est habité de représentations qui tournent autour des schémas de la rupture, du volontarisme. Or, ses marges de jeu sont faibles. Il accommode plus qu'il n'engage des ruptures, car le monde où il agit est déjà peuplé de nombreux artefacts. Étonnante situation de décalage entre un politique qui ambitionne de changer le monde, parle au nom de la justice et de grands principes alors qu'il a délégué une partie de son travail à de multiples pilotes.

Avec le développement de la règle, la multiplication des automates et des formats d'information, des pans entiers de l'action finissent par échapper aux acteurs politiques. Hier, ils avaient un pouvoir car ils se trouvaient en prise directe avec les problèmes des individus. Aujourd'hui, le même acteur politique écoute, aiguille la demande qui lui est faite vers le dispositif *ad hoc*. L'action y a gagné en efficacité,

c'est absolument indéniable, mais elle y a perdu dans la relation personnelle qui unit le sujet politique à ses représentants.

Cette prise en compte des instruments conduit aussi à revoir la question de l'expression des groupes d'intérêt dans les sociétés démocratiques. La lecture que nous proposons donne à voir une multiplication des
lieux où des influences peuvent s'exercer ; elles ne se limitent plus au
travail de lobbying au Parlement, c'est évident. Si une partie du travail
du politique se trouve déléguée à des pilotes, alors leur définition
comme la mise au point des schémas d'information qu'ils véhiculent
s'avère stratégique. Une stratégie d'influence va devenir toute aussi efficace en travaillant en amont à l'élaboration des catégories qui contribuent à définir ces pilotes [Le Galès, 2001]. Cela pose des questions
nouvelles en termes de démocratie. Cet élargissement du cercle des
acteurs dans une démocratie technique conduit-elle, comme le pensent
Callon, Lascoumes et Barthe à la multiplication de « forums hybrides »
[2001], ou n'assiste-t-on pas au développement de stratégies d'influence
des acteurs les plus stratégiques, terriblement efficaces, car elles sont
discrètes et pèsent sur l'amont de l'amont de l'action collective ?

Au fond, il manque à l'action de gouverner deux dimensions pour
rester en prise sur les choses. Sur l'axe des instruments, l'attention se
limite trop souvent aux lois et aux grandes institutions, or quelque
chose se joue aussi à un niveau plus fin, plus technique : standards
techniques, protocoles de calcul. Sur l'axe du temps, la réflexion politique se concentre trop sur le commencement de l'action et ensuite on
fait comme si tout découlait. Le politique sait se mobiliser rapidement
sur ce qui devient turbulent, c'est même sa justification première ; il a
bien plus de mal à évaluer, à faire des mises à plat pour reconfigurer les
choses après une série d'adaptations incrémentales. Pourtant, ces ajustements qui viennent préciser les principes posés par la loi finissent par
avoir une composante politique qui peut même contrecarrer significativement les choix d'origine. Donc gouverner suppose de pouvoir
travailler sur ces deux registres de l'action et de la temporalité. Ne pas le
faire, c'est s'exposer à laisser échapper beaucoup de choses.

BIBLIOGRAPHIE

ASSOCIATION DES MAIRES DE FRANCE, *Guide de l'affermage du service de la distribution d'eau potable*, Paris, juin 2001.

AUBY (J.-M.) et Ducos-Ader (R.), *Grands Services publics et entreprises nationales*, Paris, PUF (1re éd. 1969), 1975.

BARROS (F. de), « Secours aux chômeurs et assistances durant l'entre-deux-guerres », *Politix*, 53, 2001, p. 117-144.

BELLEC (F.), *Tentation de la haute mer*, Paris, Seghers, 1992.

BOURJOL (M.), *La Réforme municipale*, Paris, Berger Levrault, 1975.

BRAUDEL (F.), *La Dynamique du capitalisme*, Paris, Arthaud, 1985.

CALLON (M.) et LATOUR (B.), *La Science telle qu'elle se fait*, Paris, La Découverte, 1991.

CALLON (M.), LASCOUMES (P.) et BARTHE (Y.), *Agir dans un monde incertain*, Paris, Le Seuil, 2001.

CASTEL (R.), *Les Métamorphoses de la question sociale : une chronique du salariat*, Paris, Fayard, 1995.

CHANDLER (A. D.), *The Visible Hand. The Managerial Revolution in American Business*, Cambridge (Mass.), Harvard University Press, 1977.

CHATZIS (K.) et DUPUY (G.), « How to Dispense with Empirism : The "Caquot Formula" and Post-War Drainage Policy in France », *Water Policy*, 2, 2000, p. 267-281.

CHATZIS (K.), *La Pluie, le métro et l'ingénieur*, Paris, L'Harmattan, 2000.

DEUTSCH (J.-C.) et VULLIERME (M.), « L'évolution des techniques », *Flux*, 52-53, avril-septembre 2003, p. 17-26.

DUMONS (B.) et POLLET (G.), « Espaces politiques et gouvernement municipaux dans la France de la Troisième République », *Politix*, 53, 2001, p. 15-32.

DUPUY (G.) et KNAEBEL (G.), *Assainir la ville hier et aujourd'hui*, Paris, Dunod, 1982.

DUROY (S.), *La Distribution d'eau potable en France*, Paris, LGDJ, 1996.

EYRAUD (C.), « Pour une approche sociologie de la comptabilité. Réflexions à partir de la réforme comptable chinoise », *Sociologie du travail*, 45, octobre-décembre 2003, p. 491-508.

FOURQUET (F.), *Les Comptes de la puissance. Histoire de la comptabilité nationale et du Plan*, Paris, Encres-Recherches, 1980.

GILBERT (G.) et THOENIG (J. C.), « Les cofinancements publics : des pratiques aux rationalités », *Revue d'économie financière*, 51, 1999, p. 45-78.

GOODY (J.), *L'Orient en Occident*, Paris, Le Seuil, 1999.

GOUBERT (J.-P.), *La Conquête de l'eau*, Paris, Robert Laffont, 1986.

GUERIN-SCHNEIDER (L.) et LORRAIN (D.), « Note de recherche sur une question sensible », *Flux*, 52-53, avril-septembre 2003, p. 35-54.

LE CHATELIER (G.), « L'évolution du cadre juridique », *Flux*, 52-53, avril-septembre 2003, p. 27-34.

LE GALÈS (P.), « Est maître des lieux celui qui les organise. The Europeanisation of Regional Policy in France », dans N. FLIGSTEIN, W. SANDHOLZ et A. STONE (eds), *The Institutionalisation of Europe*, Oxford, Oxford University Press, 2001.

LEMARCHAND (Y.), *Du dépérissement à l'amortissement*, Nantes, Ouest Éditions, 1993.

LONG (M.), WEIL (P.), BRAIBANT (G.), DELVOLVÉ (P.) et GENEVOIS (B.), *Les Grands Arrêts de la jurisprudence administrative*, Paris, Dalloz, 1999 [12ᵉ éd.].

LORRAIN (D.), *La Naissance des grandes organisations locales. La mairie de Lorient, 1884-1990*, Paris, CEMS, dactylo, 1992, 54 p.

LORRAIN, (D.), « Le politique sans le dire, l'implicite des réformes de la Banque mondiale sur le gouvernement des villes », *Revue française d'administration publique*, 2003, p. 381-394.

MENDRAS (H.), *Éléments de sociologie*, Paris, Armand Colin, coll. « U », 2002.

MENDRAS (H.) et FORSÉ (M.), *Le Changement social*, Paris, Armand Colin, coll. « U », 1983.

MÉNY (Y.), *La Corruption de la République*, Paris, Fayard, 1992.

NORTH (D. C.), *Institutions, Institutionnal Change and Economic Performance*, Cambridge, Cambridge University Press, 1990.

OGIEN (A.), *L'Esprit gestionnaire*, Paris, Éditions de l'EHESS, 1995.

ROQUEPLO (P.), *Climats sous surveillance*, Paris, Economica, 1993.

ROSANVALLON (P.), *Le Modèle politique français*, Paris, Le Seuil, 2004.

TARR (J.), « Perspectives souterraines. Les égouts et l'environnement humain dans les villes américaines, 1850-1933 », *Annales de la recherche urbaine*, 23-24, juillet-décembre 1984, p. 65-89.

SYNDICAT DES PRODUCTEURS ET DISTRIBUTEURS D'EAU, Journée d'information sur « le renouvellement des installations », document de travail, Paris, 4 décembre 1997.

Chapitre 5

LE PROJET URBAIN COMME INSTRUMENT D'ACTION PUBLIQUE

Gilles PINSON

U ne critique souvent faite à l'endroit des travaux d'analyse des politiques publiques consiste à railler leur « angélisme sociologique », leur naïveté face aux discours produits par les acteurs de ces politiques publiques. Face à l'évolution permanente de la matière qui les occupe, les chercheurs qui travaillent dans cette veine de la science politique se voient souvent reprocher leur attrait pour le neuf, leur empressement à théoriser le changement [Fontaine et Hassenteufel, 2002]. Cette appétence pour la nouveauté s'exprimerait notamment par une tendance à construire une théorie des transformations de l'action publique à chaque fois qu'un nouvel instrument fait son apparition. Derrière cette critique, il existe un présupposé selon lequel les instruments de l'action publique ne peuvent rien nous apprendre sur cette dernière. Ils sont là pour cacher l'essentiel : cacher l'inertie des dispositifs d'action publique derrière le clinquant des nouveaux labels ou bien cacher des transformations plus profondes relatives aux objectifs mêmes des politiques publiques.

Pourtant, ces préventions risquent de priver l'analyse des politiques publiques d'un analyseur ou d'une entrée qui peuvent s'avérer féconds. L'analyse des projets urbains et des projets de ville est pendant longtemps restée prisonnière de ces préventions. Si, dans le domaine des politiques urbaines, la notion de projet a connu un succès croissant dans des champs aussi variés que l'urbanisme réglementaire et opérationnel, la planification urbaine et métropolitaine ou encore les politiques de requalification des quartiers marginalisés, rares sont les travaux qui se sont livrés à l'analyse systématique de la notion et des pratiques qu'elle recouvre[1]. Plus précisément, une grande majorité des recherches s'est attaquée *aux projets* en tant qu'*unités d'analyse* plutôt qu'*au projet* en tant qu'*objet d'analyse*. En effet, en première approche, la notion de projet renvoie à des situations dans lesquelles l'action collective est organisée autour de groupes d'acteurs relativement restreints en nombre, mobilisés pour remédier à un problème précis ou pour prendre en charge les difficultés d'un territoire circonscrit, sur un temps limité. Cette évolution constitue une aubaine pour les analystes puisque, sur des opérations ponctuelles, il est possible d'appréhender la structure des enjeux, les rapports de force, la structure des pouvoirs, voire la capacité d'action collective, propres à une situation urbaine [Dente *et al.*, 1990 ; Dubois, 1997 ; Chadoin *et al.*, 2000].

Si elle est nécessaire, cette utilisation des projets comme unités d'analyse de formes et d'analyse des rapports du pouvoir dans la ville ne permet pas d'exploiter pleinement l'objet « projet ». En effet, celui-ci n'est pas uniquement un espace ou une séquence d'action, il est aussi un instrument, autrement dit, un mode d'action. On peut lui rattacher des conceptions relatives aux conditions de possibilité de l'action collective et de construction du consensus dans nos sociétés contemporaines ; des conceptions relatives à la hiérarchie entre acteurs dans cette action collective, à la place respective de la cogitation et de l'interaction dans cette action et, au-delà, des conceptions relatives aux rapports État-société. Le plus souvent, cette théorisation en filigrane du projet n'est pas explicitement assumée par les acteurs qui ont recours à cet instrument, mais on peut néanmoins montrer qu'elle informe les pratiques et produit, dès lors, des effets de réalité. Il revient donc à l'analyste des politiques publiques de décortiquer l'imaginaire politique, cette théorie de l'action publique qui est à l'œuvre dans les instruments. Ce travail peut être aussi heuristique que l'analyse des objectifs affichés dans une politique, l'étude des intérêts en présence ou l'analyse de ses *outputs*.

Ce chapitre retrace l'histoire de l'affirmation de l'instrument « projet » dans trois secteurs distincts des politiques urbaines : l'urba-

---

1. *À quelques exceptions près de chercheurs évoluant d'ailleurs davantage dans les domaines de l'urbanisme que dans celui de la science politique [Haumont, 1993 ; Genestier, 1996 ; Toussaint et Zimmermann, 1998 ; Scherrer, 2000 ; Ingallina, 2001].*

nisme réglementaire et opérationnel, la planification urbaine et métropolitaine et les politiques de requalification des quartiers marginalisés. Trois caractéristiques de cet instrument sont mises en évidence. Le projet est d'abord généralement conçu comme un instrument de mobilisation sociale. On peut donc l'intégrer dans la catégorie des instruments conventionnels et incitatifs propres à la figure de l'« État mobilisateur » distinguée en introduction par Pierre Lascoumes et Patrick Le Galès. Cette mobilisation est généralement recherchée à travers la mise en œuvre d'une rationalité interactionniste et processuelle. Enfin, dernier trait caractéristique, le projet n'a pas uniquement pour but d'élaborer et de mettre en œuvre des objectifs de politique urbaine, il a aussi pour vocation d'affirmer des identités d'action, de pérenniser des groupes d'acteurs solidarisés par le partage des mêmes objectifs.

Le projet peut également constituer un analyseur heuristique des transformations de l'action publique urbaine en particulier et de l'action de l'État en général, notamment la tension fondamentale au cœur de l'instrument « projet » entre indétermination et volontarisme.

—— Trois dimensions du projet

L'instrument « projet » apparaît dans les politiques urbaines à partir des années 1970 dans trois domaines distincts de l'action publique urbaine : le domaine de l'urbanisme opérationnel et réglementaire, celui de la planification urbaine et métropolitaine, et celui des politiques de requalification et de régénération de type « politique de la ville ». L'analyse du processus d'affirmation de l'instrument « projet » permet de faire apparaître trois caractéristiques principales, plus ou moins saillantes selon le secteur considéré.

Un instrument de mobilisation sociale

Le projet est avant tout un instrument de mobilisation sociale. À partir des années 1970, la substitution du vocable de projet à celui de plan renvoie à la nécessité ressentie par un nombre croissant d'acteurs des politiques urbaines de ne plus penser l'action publique urbaine comme une opération de mise en œuvre synoptique d'un savoir technique universel, mais comme une activité proprement politique nécessitant l'implication des acteurs du territoire concerné et la valorisation des ressources que ce territoire recèle.

202

Une pensée de l'existant

L'instrument « projet » est basé sur une pensée de l'existant. La démarche de projet dans le domaine des politiques urbaines consiste à mettre systématiquement en rapport, à faire dialoguer un état existant du territoire, ses traces héritées et ses ressources, d'une part, et les objectifs de l'action publique, d'autre part.

Ce souci de l'existant est très net dans le recours aux démarches de projet dans le domaine de l'urbanisme opérationnel et réglementaire. En France, l'instrument du « projet urbain » apparaît dans les années 1970, dans le cadre des luttes urbaines et de la contestation des postulats de l'urbanisme fonctionnaliste dont Le Corbusier s'est fait le héraut le plus fameux. Le projet urbain est alors opposé au plan. Alors que ce dernier véhicule une vision de l'urbanisme comme science des savoirs experts, de la prévision, d'un urbanisme de la table rase peu soucieux de la ville existante, le projet urbain est présenté par ses promoteurs comme une pensée de la ville et une pratique de l'urbanisme qui ménage les lieux et les gens. Sur le plan de la conception de la ville, il s'agit de renouer avec une urbanisation intensive ménageant la ville existante, de valoriser le patrimoine bâti et le patrimoine des pratiques sociales ; sur le plan de la conception de l'urbanisme, il s'agit de concevoir les acteurs locaux, y compris les habitants, comme des porteurs de ressources mobilisables dans le cadre de la conception des espaces. Le projet urbain, indique Christian Devillers, un des pères de l'« instrument », est « une pensée de la reconnaissance de ce qui est là, des traces, du substrat » [1996, p. 12-15][2]. À partir de la fin des années 1980, ce souci de l'existant est repris et systématisé dans les politiques urbaines grâce, notamment, au travail de l'atelier « Projet urbain » animé au sein du ministère de l'Équipement par une urbaniste de l'État, Ariella Masboungi. Les travaux de cet atelier vont permettre de diffuser dans la communauté des concepteurs urbains (urbanistes, services techniques de villes, etc.) le souci du réinvestissement de la ville existante, du respect et de la continuation des traces

2. Le « contextualisme », indique encore Christian Devillers, est l'un des « corollaires conceptuels » du projet urbain. Le projet urbain, ajoute Bernard Huet, s'inspire du contexte pour « produire du contexte, à travers des tracés, des découpages ». Le projet urbain est une démarche qui revendique un certain conservatisme qui va à l'encontre de la vulgate éradicatrice que portait le Mouvement moderne. « Pour moi, la ville est une question de continuité, un problème de consensus, en tout cas, ce n'est pas un problème d'innovation. Faire la ville n'est pas innovant. Il y a un aspect conservateur dans la ville, au sens le plus noble du terme, un sens de protection. » [Huet, 1993, p. 9.]

héritées. Ces principes ont été, en partie, consacrés par la loi Solidarité et Renouvellement urbain (SRU) du 13 décembre 2000. En effet, cette loi, en réglementant plus strictement les possibilités d'ouvrir de nouveaux espaces à l'urbanisation incite les communes à « faire de la ville sur la ville ».

Ce souci de l'existant apparaît aussi dans un autre domaine de l'action publique urbaine, celui des politiques de requalification des quartiers en difficulté auxquelles on peut rattacher la politique de la ville française. Les atermoiements et les prétendus revirements qui ont marqué cette politique en France depuis son invention, à la fin des années 1970, ne doivent pas cacher l'une de ses caractéristiques essentielles : une grande continuité méthodologique. En particulier, la politique de la ville est principalement mise en œuvre à travers des projets, programmes d'action ponctuels structurés, autour d'objectifs concrets, produits de la mobilisation d'acteurs locaux – élus et fonctionnaires locaux, représentants d'administrations déconcentrées de l'État, responsables associatifs, etc. – réunis dans des réseaux de coopération, coordonnés par des chefs de projet. À travers la démarche de projet, c'est aussi une volonté de mobiliser les ressources proprement locales, celles des quartiers et de leurs habitants qui apparaît clairement. La mission Dubedout, qui pose les principes fondateurs de la politique de la ville, s'inscrit dans l'état d'esprit qui entoure les lois de décentralisation et la préparation du Neuvième Plan : l'idée qui s'en dégage est que la planification et les politiques urbaines ont péché par technocratie et par incapacité à mobiliser les ressources présentes dans ces quartiers. Les réponses aux problèmes des quartiers d'habitat social doivent être conçues en termes de développement social, de valorisation des ressources locales, notamment en termes de connaissances, d'expérience de terrain mais aussi de sociabilité et de liens de solidarité. La valorisation de ces ressources permettra non seulement de mieux cerner les problèmes à traiter mais aussi de faciliter l'appropriation des objectifs de l'action publique, du projet de quartier, par les acteurs de terrain et les habitants. Si l'impératif de mobilisation des ressources locales était déjà présent dans le projet urbain, à travers notamment la nécessité affichée de reprendre les traces et typologies existantes de la ville, il est systématisé dans le projet « politique de la ville » car, ici, les ressources locales ne sont plus simplement exprimées en termes de caractéristiques physiques de la ville, mais également en termes organisationnels, relationnels, cognitifs, voire politiques et identitaires.

Dans le domaine de la planification urbaine et métropolitaine, l'instrument « projet » fait son apparition dans les années 1980, avec

l'émergence de dispositifs inédits comme les « projets de ville » ou les
« projets d'agglomération ». Ici également, le recours à ces nouveaux
instruments traduit une réaction aux insuffisances des outils existants,
outils de planification urbaine et métropolitaine, tels les schémas directeurs en France. Ces instruments ont été conçus dans une période de forte
expansion économique, celle des Trente Glorieuses, avec pour objectif de
donner aux pouvoirs publics la possibilité de maîtriser les effets socio-
spatiaux du développement économique à travers la régulation juridique
de l'usage des sols. Les projets de ville ou d'agglomération sont élaborés
dans une tout autre optique. En effet, dans les années 1980, l'horizon
s'obscurcit pour les villes françaises avec l'approfondissement pour
certaines d'une crise économique que l'État peine de plus en plus à
compenser par son interventionnisme économique et avec la perspective
de l'ouverture, en 1993, du Marché unique européen. Ce contexte plus
incertain pour les villes, marqué notamment par un renforcement de la
concurrence territoriale, engendre un *aggiornamento* de la planification
urbaine et métropolitaine. La planification de projet correspond donc à
un déplacement ou, plus précisément, à un élargissement de l'objet de la
planification et des politiques urbaines : celui-ci n'est plus tant affaire de
régulation mais davantage de promotion du développement économique
dans un contexte de croissance réduite. L'accent n'est donc plus mis sur
les contraintes juridiques opposées aux interventions des acteurs privés,
notamment économiques, mais sur la valorisation des atouts, des avantages comparatifs de la ville, tout ce qui peut favoriser l'implantation des
entreprises et de leurs cadres. Les projets de ville, projets d'agglomération
et autres plans stratégiques deviennent des outils de marketing territorial
intégrant de nouvelles préoccupations comme celles relatives à la qualité
urbaine et environnementale, réévaluée comme facteur de compétitivité
des villes. Ils sont moins exhaustifs et moins détaillés dans leurs prescriptions réglementaires et tendent à sélectionner des espaces stratégiques,
des zones de transformation prioritaires. Enfin, une autre des caractéristiques de la planification par projet est le décentrement des enjeux
proprement spatiaux de la planification urbaine au profit de l'enjeu de la
mobilisation des forces sociales et des ressources locales autour d'un
projet de développement économique.

Une critique des savoirs experts et sectoriels

La valorisation de l'existant, des ressources contextuelles dans les
démarches de projet, se traduit par un relatif décentrement des savoirs

experts a-contextuels dans l'action publique urbaine. Ce décentrement est le plus remarquable dans le domaine de l'urbanisme réglementaire et opérationnel. En France, les premiers promoteurs du projet urbain voient dans la crise qui touche les grands ensembles d'habitat social construits selon les canons de l'urbanisme fonctionnaliste la preuve de l'incapacité des savoirs techniques à concevoir seuls la ville. Ils prônent, dès lors, la mise en place de méthodes alternatives de conception et de fabrication de la ville permettant notamment de valoriser le rapport intime que les habitants peuvent entretenir avec leur cadre bâti. La concertation est donc une des notions cardinales des premières démarches de projet urbain. Les ateliers d'urbanisme mis en place dans le cadre de ces expériences doivent permettre le décloisonnement des savoirs, la reconnaissance de la « maîtrise d'usage », autrement dit, du savoir des habitants. Ici, le processus et la méthode d'élaboration sont aussi importants que le plan d'aménagement sur lequel ils débouchent. C'est l'association des habitants à la conception, à la décision, à la formation d'un consensus qui doit garantir, à terme, l'appropriation des lieux par ces mêmes usagers. Le projet urbain est présenté comme un processus démocratique, concerté, ouvert et indéterminé, et est opposé au plan qui, lui, est dénoncé comme le vecteur d'une domination du savoir expert, de la technocratie et du capital. Si le souffle participatif et anticapitaliste du projet urbain s'est un peu estompé aujourd'hui, le souci du dialogue entre savoirs est toujours présent dans le discours des promoteurs des démarches de projet urbain. Ce souci s'est là encore traduit dans la récente loi SRU. Celle-ci prévoit en effet que les plans locaux d'urbanisme (PLU) seront autant des documents de réglementation de l'usage des sols que des outils de communication et de négociation. Les PLU n'auront plus uniquement pour vocation de délimiter des zones fonctionnelles mais fourniront des représentations accessibles et négociables de la ville future servant de base à des échanges. Le plan n'est plus un produit fini, mais un instrument de dialogue et de négociation.

On retrouve ce même décentrement des savoirs experts dans la pratique du projet telle qu'on l'observe dans les politiques de requalification urbaine et de planification. Dans le cas de la politique de la ville, l'adoption de l'instrument « projet » est une véritable critique des modes d'action centralisés et sectorialisés de l'État providence. Les politiques sociales des Trente Glorieuses ont pêché par excès de technocratie et ont négligé les « ressources cachées » des territoires, notamment la connaissance que les habitants et les acteurs de terrain ont de leur environnement. C'est la valorisation de ces ressources dans le cadre de démarches de projet qui doit générer du développement social. Dans les projets d'agglomération et les projets de ville, on assiste à cette même valorisation des savoirs portés par les acteurs de la société civile, notamment les acteurs économiques. Ceux-ci peuvent participer à la définition des stratégies urbaines au même titre que les urbanistes et les spécialistes publics de la prévision.

La redéfinition de l'urbanisme et de la planification comme activités sociales permanentes

Si les savoirs experts se trouvent décentrés dans les démarches de projet, c'est que l'instrument « projet » est caractéristique d'un contexte d'action dans lequel les acteurs reconnaissent que la rationalité qui préside aux processus d'action collective est une rationalité limitée. Ce contexte de rationalité limitée peut s'expliquer par plusieurs éléments. D'abord, le contexte dans lequel opèrent les acteurs des politiques urbaines est devenu beaucoup plus incertain du fait notamment du durcissement de la concurrence entre territoires, de la recomposition des politiques territoriales de l'État, mais aussi du fait de la raréfaction des ressources disponibles pour mettre en œuvre des politiques urbaines. De ce fait, la mobilisation et l'articulation des ressources deviennent des enjeux centraux de l'action publique urbaine qui tendent à déterminer la discussion sur les objectifs mêmes de l'action. Le projet est bien l'instrument qui permet justement de faire dialoguer en permanence, d'une part, un stock de ressources en constante évolution et, d'autre part, des objectifs toujours précaires et amendables. Pour Luigi Bobbio, *progettare*, ce n'est pas tant décider qu'ouvrir un processus qui permettra de mobiliser, d'articuler, voire de créer des ressources [1996, p. 67]. À travers l'instrument « projet », l'action publique urbaine devient une action pragmatique dans laquelle le « faisable » tend à l'emporter sur le souhaitable.

Dès lors que les objectifs deviennent précaires, instables, dépendants d'un état évolutif des ressources, la mobilisation des acteurs des politiques urbaines doit être constante. Les choix collectifs doivent être en permanence révisés, réactualisés. L'urbanisme et la planification deviennent donc des activités sociales permanentes. Ainsi, dans le domaine de l'urbanisme opérationnel et réglementaire, le projet urbain a pour vocation d'introduire davantage de souplesse dans les mécanismes de régulation de l'usage des sols. Les promoteurs du projet urbain ont en effet toujours reproché aux instruments réglementaires classiques, tels que les plans d'occupation des sols, d'être trop longs à élaborer et trop rigides, de figer dans le marbre du droit des choix élaborés à un moment *t* en fonction d'un état daté des ressources. Ces mêmes acteurs ont toujours prôné, à l'inverse, l'élaboration d'instruments permettant de remettre constamment les choix en débat, en fonction de l'évolution du stock des ressources ; bref, d'inventer des instruments de planification urbaine reconnaissant cette dernière comme une activité s'apparentant à la gestion permanente de processus politiques. La loi SRU leur a donné partiellement satisfaction en faisant des documents d'urbanisme des documents ouverts, mis en révision dès leur adoption, justiciables donc d'une constante négociation.

On observe une tendance similaire à l'adoption de démarches de projet pérennisant l'activité planificatrice dans le domaine de la planification urbaine et métropolitaine. Avec les projets de ville, les projets d'agglomération et autres plans stratégiques, les enjeux proprement spatiaux de la planification tendent à se décentrer. L'objectif de la planification s'élargit : il ne s'agit plus uniquement de décider de l'affectation des sols ou de la programmation de grandes infrastructures, mais d'activer des processus de réflexion prospective qui vont enclencher et pérenniser une mobilisation sociale locale. Dans certains cas, comme celui de l'élaboration du plan stratégique de Turin élaboré entre 1998 et 2000 [Pinson, 2002b], les objectifs *a priori* secondaires de stabilisation de réseaux et de maintien d'un niveau élevé d'interaction et de coopération entre les acteurs et les groupes qui composent la société urbaine sont érigés en objectifs premiers.

——— Une rationalité interactionniste et processuelle

L'émergence incrémentale des objectifs

La démarche de projet procède d'une « théorie interactionniste de l'action collective » [Toussaint et Zimmermann, 1998, p. 146]. Dans un contexte dans lequel les acteurs reconnaissent ne pouvoir mettre en œuvre qu'une rationalité limitée, que les grands récits urbanistiques sur la ville idéale ont vécu, et, enfin, que les savoirs experts sont contestés, les bons choix sont moins le résultat de l'activité de cogitation de certains acteurs légitimes à produire une expertise que de processus d'interaction, d'ajustements mutuels successifs entre acteurs. Le plus important dans les processus de décision urbaine n'est plus de bien décider en fonction des canons de la raison urbanistique mais de parvenir graduellement à des consensus opératoires, à des objectifs partagés par les acteurs qui sont parties prenantes du processus de décision [Demesteere et Padioleau, 1990]. À la suite de Jean-Pierre Boutinet, il faut bien insister sur le fait qu'à travers la démarche de projet, les acteurs des politiques urbaines ne renoncent pas à décider et à agir pour l'avenir ou à préparer cet avenir ; mais ils le font moins en tentant de découvrir et de contrôler le sens de l'avenir qu'en créant les conditions organisationnelles, cognitives et politiques nécessaires à l'adaptation des systèmes d'acteurs urbains à un avenir forcément incommensurable. « Tout se passe comme si les individus étaient d'autant plus contraints d'inventer leur propre futur qu'aucun système prévisionnel ne peut aujourd'hui leur dire de quoi demain sera fait. » [Boutinet, 1993a, p. 86.]

Ce déplacement des ambitions de l'action publique urbaine est particulièrement net dans le domaine de la prévision et de la planification urbaine et métropolitaine. Les plans d'urbanisme sont apparus à une époque où « l'autorité de la science ou du savoir technique acquiert […] un rôle croissant dans les politiques publiques tournées vers la ville » [Gaudin, 1990, p. 56]. On pense alors pouvoir prévoir, avec un maximum de précision, le devenir des villes. Les bons choix en matière d'aménagement et d'urbanisme relèvent de l'évidence scientifique. L'avis de l'urbaniste-expert maîtrisant les techniques de prévision et de gestion de l'extension de la ville est souverain et ne se négocie guère. La démarche du projet correspond, à l'inverse, à un contexte de rationalité limitée, dans lequel l'avenir est considéré comme peu prévisible, et le bien commun n'est pas tant conçu comme le fruit de raisonnements technico-scientifiques que comme le résultat d'un processus délibératif d'échanges et de négociations censé déboucher sur un consensus. Pour autant, les acteurs urbains ne renoncent pas à avoir prise sur cet avenir. Mais, dans les démarches de projet, la préparation de l'avenir passe par la mise en place de dispositifs d'échanges et d'interactions dont on attend qu'ils débouchent sur la production de visions et de normes d'action communes. La planification stratégique et l'urbanisme de projet visent à faire émerger un accord autour de stratégies de développement au terme d'un processus d'interaction plus ou moins institutionnalisé, impliquant une pluralité d'acteurs, de groupes et d'institutions, publics et privés[3]. Construction des stratégies et construction des réseaux d'acteurs sont intimement liées. Dans un contexte de rareté des ressources, les bons choix en matière de politiques urbaines sont ceux qui permettent la réunion d'un éventail large d'acteurs et de ressources. Le projet vaut ainsi autant par son processus que pas son résultat matériel ou son débouché réglementaire. Le projet, dans la planification stratégique, devient un outil de construction des consensus.

Cette nouvelle conception de la planification urbaine a plusieurs corollaires. D'abord, on l'a dit, les objectifs de l'action publique urbaine changent de statut. Ils deviennent plus précaires, sont conçus, dès le départ, comme partiellement indéterminés, fruits aléatoires des processus d'interaction, ayant vocation à être révisés, amendés en permanence, en fonction de l'arrivée de nouvelles ressources, de l'accumulation de nouvelles informations. Ensuite, dès lors que l'enjeu de la planification n'est plus tant de découvrir les bons choix, de produire des visions scientifiquement fondées de la ville souhaitable, que de parvenir à une vision de la ville au futur qui soit le plus largement partagée par les acteurs qui participent à sa fabrication, les interactions qui jalonnent les processus de projet ont aussi vocation à parvenir à ce partage des choix, au terme d'ajustements mutuels successifs. Au-delà, c'est même le caractère ouvert, non déterminé par un savoir expert unique, le caractère interactif et itératif des processus de projet, qui est censé générer la plus large mobilisation et la plus large adhésion au projet. On attend de la nature incrémentale des processus de construction des choix une meilleure réappropriation de ceux-ci par les différents acteurs mobilisés. À la limite, tout se passe comme si la mobilisation et la stabilisation d'un système d'acteurs urbains étaient plus importantes, dans les démarches de projet, que l'action elle-même et son contenu.

---

3. *Le caractère émergent des stratégies est un des principes de base de la planification stratégique, y compris lorsqu'elle est appliquée aux entreprises :* « *La planification stratégique est un processus pour gérer le changement et pour découvrir les voies d'avenir les plus prometteuses pour les villes et les collectivités locales. Ce processus consiste à mettre à jour les forces, les faiblesses, les menaces et les opportunités des villes et des collectivités* », *dans* Arthur Andersen and Co, Guide to Public Sector Strategic Planning, *Chicago,* Arthur Andersen, 1984, p. 3, *traduit et cité par* René Demeestere *et* Jean-Gustave Padioleau *dans* Politique de développement et démarches stratégiques des villes, *Paris,* Rapport au Plan urbain, *juin 1990, p. 9.*

Des effets latéraux qui deviennent centraux

En effet, si le caractère relativement indéterminé des *outputs* du projet n'apparaît pas comme scandaleux à ses promoteurs, c'est que les effets latéraux qu'il génère en tant que processus sont aussi importants que ses effets concrets. Ces effets latéraux peuvent être l'accumulation de nouvelles ressources. Ces ressources peuvent être financières (le simple fait que des acteurs locaux se mobilisent autour d'un projet peut avoir pour conséquence d'intéresser d'autres acteurs et les amener à s'associer, ou encore d'inciter une institution tierce à soutenir financièrement les porteurs du projet), politiques (l'investissement fort d'un élu, le soutien d'un groupe influent pouvant générer un surcroît de légitimité pour le projet), cognitives (l'accumulation progressive et le croisement d'expertises de types divers, la construction de nouveaux problèmes, la découverte de nouveaux thèmes d'action au fil des controverses qui émaillent le processus de projet mais aussi l'alignement cognitif entre les acteurs, la constitution d'un cadre cognitif, de valeurs et de normes partagés) ou, enfin, organisationnelles (la constitution et le renforcement de structures d'action au service du projet, l'apport de compétences professionnelles, mais aussi et surtout la consolidation de réseaux d'acteurs, de dispositions à coopérer entretenues par les interactions de projet, la stabilisation des anticipations des acteurs les uns vis-à-vis des autres, voire la création d'une identité commune, bref tous les éléments qui vont permettre d'intégrer l'intervention des différents protagonistes dans un cadre d'action collective cohérent, sans qu'il soit nécessaire d'exercer un contrôle trop strict sur ces différents acteurs).

Concrètement, ce primat accordé aux effets latéraux en termes de construction de visions partagées et de dispositions collectives à la coopération induit une transformation du rôle des outils classiques de la planification et de l'urbanisme, notamment des représentations graphiques. Le plan dessiné devient davantage un outil de dialogue, un outil maïeutique de construction de consensus, qu'une sanction graphique de choix politiques produisant des effets réglementaires [Ascher, 1991]. Il alimente une dynamique d'élaboration qui produit des effets d'interconnaissance et de coalition entre les acteurs[4]. Bien entendu, ces modes de

---

4. *Un bon exemple de cette utilisation des outils graphiques de l'urbanisme dans un but de maïeutique est fourni par le « plan-guide en projet », l'outil de planification central de la grande opération d'urbanisme de l'Île de Nantes. Ce document n'est ni un plan-masse ni un document d'urbanisme réglementaire. Il se présente comme un plan de ville de type touristique présentant des propositions*

représentation ne sont pas opposables aux tiers, ils ont vocation à poser un certain nombre de partis d'aménagement facilement intelligibles et négociables, à enclencher des discussions, des négociations. En effet, le plan a vocation à être amendé, modifié au fil des interactions entre acteurs qui jalonneront le processus de projet. On n'est pas très loin ici des théories communicationnelles de la planification qui assignent au plan un rôle d'opérateur de la production du consensus entre les acteurs et les intérêts impliqués dans un processus ouvert et transactionnel de construction du projet de ville[5]. Les documents d'urbanisme ne sont donc plus conçus comme des documents clos mais, au contraire, ouverts à des amendements fréquents. La planification et l'urbanisme ne sont plus circonscrits dans des moments d'élaboration ponctuels, ils deviennent « des fonctions permanentes d'élaboration et de réélaboration des dispositifs nécessaires pour réaliser le projet de cité » [Ascher, 1995, p. 215], nécessitant des institutions permanentes encadrant les processus d'interaction. Les interactions qui animent ces institutions permanentes sont censées assurer une reproduction continue des conditions de partage du projet et une pérennisation des dispositions à la coopération. De ce point de vue, en France, la loi Solidarité et Renouvellement urbain reprend les prescriptions du rapport du Conseil d'État sur le droit de l'urbanisme [1992] en préconisant une pérennisation des syndicats mixtes d'élaboration des schémas de cohérence territoriale (SCOT qui remplacent les schémas directeurs). « La sécurité de la règle de droit, grand principe, serait assurée non par son observation pointilliste, mais par la continuité du projet et la permanence de l'organisme qui tient à jour les documents de planification[6]. » [Ascher, 1995, p. 215.]

---

de nouveaux tracés de voies et d'îlots parcellaires, des « zooms » sur certaines parties de l'île, des croquis, des coupes, des axonométries, des photos permettant de visualiser les ambiances urbaines recherchées. Parfois, ce sont même des vues d'autres villes qui agrémentent ces propositions.

5. Cette théorie représentée par des auteurs comme Patsy Healey, Judith Innes ou encore John Forester s'inspire du pragmatisme américain de John Dewey et de la théorie de la rationalité communicationnelle d'Habermas. Ici, la première vocation du plan n'est pas d'être l'incarnation d'une expertise scientifique mais d'être un lieu d'interaction et de production du consensus entre des parties prenantes (stakeholders). Le planner a pour fonction d'être à l'écoute de l'expression des intérêts et de définir des points de convergence entre ces intérêts en veillant à ce qu'aucun d'entre eux ne prennent une position dominante [Healey, 1998 ; Innes, 1996].

6. Cependant, on peut s'interroger sur la capacité des dispositifs interactifs et communicationnels de projet, d'une part, à déboucher systématiquement sur des consensus opératoires face auxquels aucun intérêt ne se sentirait brimé et,

L'affirmation et la pérennisation d'une intention et d'une identité

Le primat de l'intention sur la procédure et la revalorisation de la direction politique

L'ambiguïté de l'instrument « projet » tient au fait que même s'il procède d'une rationalité interactionniste, postulant par conséquent le caractère évolutif et partiellement indéterminé des *outputs* des processus de projet[7], il est considéré par ses promoteurs et usagers comme un instrument permettant d'affirmer clairement une volonté politique et de la pérenniser, et ce, malgré les avatars de la mise en œuvre. « Avoir un projet », c'est aussi démontrer une capacité d'opérationnaliser une intention, savoir ce que l'on veut et pouvoir s'affranchir de ce qui peut détourner de sa réalisation. Le projet est toujours une anticipation de l'action, il révèle chez l'acteur une capacité de « mise à distance des préoccupations momentanées » [Boutinet, 1993c, p. 20], une capacité à fixer un cap et le plan de route opérationnel qui l'y fera parvenir. Dès lors, le projet est toujours le fait d'un acteur ou d'une entité qui se rend visible et se positionne dans son environnement par le projet[8].

Dans le domaine de l'urbanisme opérationnel et de la planification urbaine, on retrouve, depuis la fin des années 1980, cette même volonté de garantir le respect d'objectifs clairement définis et partagés par l'organisation de modes de travail trans-sectoriel et pluridisciplinaire. Il s'agit d'empêcher qu'une trop grande division du travail dans la fabrication de la ville – entre concepteurs et metteurs en œuvre, entre planificateurs et responsables de l'urbanisme opérationnel, entre acteurs publics et privés, etc. – n'engendre, au final, une dissolution des objec-

---

d'autre part, à désamorcer tout risque de domination du processus de production des choix par un type d'expertise, de légitimité ou d'intérêt. On peut également s'interroger sur la sécurité juridique des processus de décision qui ne sont pas sanctionnés par des documents opposables au tiers mais par des documents se présentant comme des motions de consensus scellant un accord moral provisoire et amendable. Dans cette perspective, la protection juridique est vue comme une contrainte superflue, un empêchement et non comme un moyen de trancher des conflits d'intérêt.

7. Comme l'indique Jan Kooiman, il est de la nature des dispositifs d'action interactionnistes de n'être que partiellement déterminés dans leurs outputs *[Kooiman, 2003, p. 14].*

8. « Le projet n'a rien à voir avec l'anonymat ; il est toujours lié à un acteur individuel ou collectif bien identifié qui se décide, se détermine, s'oriente, s'organise. » [Boutinet, 1993a, p. 35.]

tifs généraux. La récente loi SRU incarne là encore cette volonté de promouvoir l'interdisciplinarité et l'intersectorialité et de faire primer le projet d'ensemble sur la procédure ou les visions sectorielles. Ainsi, les plans locaux d'urbanisme, qui doivent se substituer aux plans d'occupation des sols, ne seront plus uniquement ces documents dans lesquels sont consignées les destinations fonctionnelles des sols et les normes de construction. Ils devraient contenir les grandes intentions du projet urbain de la commune ou de la structure intercommunale et laisser parallèlement une plus grande marge de manœuvre aux conducteurs d'opération dans le choix des procédures. Il s'agit de faire du document d'urbanisme de référence une procédure plus légère et plus explicite sur la forme urbaine qu'elle souhaite voir se réaliser. Le PLU indique les zones prioritaires de transformation et indique selon quels grands invariants ces transformations doivent avoir lieu. Le PLU exige ainsi de son maître d'ouvrage, la commune ou la structure intercommunale, une capacité d'exprimer un projet, une vision explicite de la forme qu'il veut donner à la ville, et incite à la mise en place de structures de maîtrise d'œuvre et à l'innovation en matière de formulation et de représentation des projets afin de communiquer sur la longue durée les objectifs généraux du projet.

Ce souci de l'expression d'une intention politique globale, de sa pérennisation et de sa mise en œuvre à travers le projet se retrouve aussi dans le champ de la politique de la ville. La formulation des projets est ici un moyen d'exprimer des objectifs concrets et des séquences de mise en œuvre circonscrites dans le temps afin de rompre avec le découpage sectoriel et technicien du réel auquel les administrations procèdent généralement dans leur action et qui se traduit le plus souvent par une dissolution progressive du sens de l'action. Le projet, à l'inverse, en substituant une gestion par territoire à une gestion par fonction, est censé permettre de mieux formuler les objectifs de l'action et de les réaffirmer au cours de la mise en œuvre. « Avec l'approche globale apparaît une logique de projet qui résulte d'un recoupement horizontal des problèmes propre à susciter des initiatives locales. Le territoire relie concrètement ce que la sectorisation sépare abstraitement. » [Donzelot et Estèbe, 1994, p. 22-23.]

De la même manière, dans la planification urbaine et métropolitaine, le projet permet d'affirmer plus clairement une intention politique et de ne plus réduire la planification à une simple opération technique de définition de la destination des sols ou de programmation des équipements. Dans une situation de plus grande concurrence entre les territoires, il devient primordial pour les villes d'afficher une intention, des vocations pour mobiliser en interne et se rendre visible à l'extérieur. Le plan aménageait la ville-espace, le projet fait parler la ville-acteur.

Cette volonté commune aux trois types de projet identifiés de faire primer l'intention globale, le projet sur la procédure débouche dès lors sur la revalorisation de la maîtrise d'ouvrage politique des politiques urbaines. En entendant soumettre la procédure au projet, la démarche de projet vise à réévaluer la place du pouvoir politique face au pouvoir technique et aux baronnies sectorielles des administrations locales. Dans la littérature de prescription sur les projets de ville et les projets urbains et dans les dispositifs mis effectivement en œuvre, le rôle du maire ou du président de structure intercommunale, le rôle du *leadership* et de la vision politiques sont souvent mis en avant : « le projet d'agglomération se veut et s'énonce d'ailleurs comme un projet essentiellement politique, piloté en conséquence par les élus locaux qui en ont l'initiative et en gardent la maîtrise jusqu'à son aboutissement » [de Courson, 1993, p. 46] ; la conduite du projet urbain nécessite « la présence d'une volonté politique forte, capable d'afficher des stratégies dans la durée, de déterminer des priorités, de donner un sens à l'action » [Poidevin, 2001, p. 12]. Cette place centrale accordée au *leadership* politique n'implique pas nécessairement une maîtrise totale du processus de projet par les élus, elle correspond davantage à une volonté d'attribuer au pouvoir politique un rôle de mobilisation des acteurs et de garant du respect des orientations stratégiques collectivement élaborées. Cette affirmation forte du pilotage politique vise à dégager le pouvoir politique de la gestion technique du projet pour le rendre plus à même d'expliciter ses intentions et garantir le respect des orientations stratégiques définies par le projet. Le pouvoir politique doit être porteur d'un *policy discourse* [Balducci, 2001], d'un système global d'intentions, de lignes de cohérence que les opérateurs ont le devoir de respecter dans leur action, tout en restant relativement libres du choix des moyens mis en œuvre.

L'affirmation d'un acteur collectif

Si le projet permet d'affirmer et de pérenniser une intention politique, il est aussi censé pouvoir faire exister et faire s'exprimer un acteur collectif. Dans les documents de prescription relatifs au projet et les discours d'acteurs qui ont recours à ce type d'instrument, le projet est réputé être un instrument d'action au travers duquel un individu, un groupe ou un territoire fait la démonstration de son autonomie ou accède à l'autonomie, définit lui-même ses priorités d'action et donne un sens à son insertion dans son environnement. L'instrument du projet est censé conduire à l'autonomie car, d'abord, il permet à l'acteur, au groupe ou au territoire impliqué de développer une capacité d'auto-analyse et une propension à la réflexivité, conçues comme le moyen de mieux s'inscrire dans son environnement. Il permet aussi de constituer des territoires en acteurs collectifs car le processus d'élaboration et de mise en œuvre du projet est basé sur la multiplication et le maintien dans le temps des interactions entre groupes et acteurs. L'effort constant de mobilisation sociale est donc censé instituer des systèmes d'acteurs pérennes.

Un des principes forts auxquels est associé l'instrument du projet dans la politique de la ville stipule que le processus d'élaboration et de mise en œuvre du ou des projet(s) doit contribuer à la constitution du territoire en acteur collectif. La démarche de projet vise à faire émerger cet acteur collectif au fil des interactions qui scandent la définition et la mise en œuvre de l'action. Le territoire – le quartier, en l'occurrence – n'est plus réceptacle inerte de programmes sectoriels mais devient sujet de l'action. La démarche de projet vise donc à construire des réseaux d'acteurs mais aussi un sujet politique et une identité collective. Cette identité et ce sujet politique sont les produits de la démultiplication des liens sociaux dans les interactions qui jalonnent la définition et la mise en œuvre des projets.

Cette volonté de faire exister un territoire – la ville cette fois – en tant qu'acteur collectif est aussi omniprésente dans les démarches de planification stratégique. En France, les promoteurs de ces documents se sont souvent inspirés des expériences de planification stratégique menées par les villes nord-américaines confrontées, au début des années 1980, à la raréfaction des crédits fédéraux et elles-mêmes inspirées par le modèle de planification développé par la Harvard Business School[9]. Ce modèle a pour particularité de concevoir la ville comme un acteur constamment obligé, dans un environnement devenu instable et hautement concurrentiel, d'affirmer une identité,

9. John Bryson (ed.), Strategic Planning for Public and Nonprofit Organizations : A Guide to Strengthening and Sustaining Organizational Achievement, San Francisco, Jossey-Bass publishers, 1988 ; John Bryson, Robert Einsweiler (eds), Strategic Planning : Threats and Opportunities for Planners, Washington (D. C.), American Planning Association, 1988.

une ou plusieurs vocations, bref d'exister en tant qu'acteur collectif. Dans la planification classique, la ville est avant tout appréhendée à travers sa matérialité spatiale qui impose ses problématiques aux auteurs du plan. Dans la planification stratégique, la ville est appréhendée comme un acteur social et territorial collectif doté d'une identité[10] et d'une volonté spécifique exprimée dans un projet. Ainsi, les démarches de planification stratégique servent-elles certes à définir des objectifs collectifs mais aussi à travailler l'identité d'un groupe, afin d'assurer sa cohésion et de lui conférer une capacité d'action collective pérenne. Dans ces démarches, répondre à la question « Qui sommes-nous ? » semble être devenu un préalable incontournable à l'action publique urbaine [Bouinot et Bermils, 1995]. C'est ainsi qu'elles commencent quasi systématiquement par de longues phases de diagnostic collectif visant à mettre au jour les forces et les faiblesses d'une ville, mais aussi les opportunités et les menaces que son environnement peut présenter (la fameuse méthode « SWOT » pour *Strengths, Weakenesses, Opportunities, Threats*). De la même manière, les démarches de projet de ville sont souvent accompagnées d'efforts visant à reconstituer et à interpréter l'histoire de la ville en question pour y retrouver ce qui fait son « génie », les avantages comparatifs propres à son équation sociale et économique[11].

10. Cette dimension ressort explicitement de la démarche des projets d'entreprise dont la planification stratégique s'inspire directement. Selon les promoteurs de ces outils apparus au milieu des années 1980, la dureté de la compétition économique exige des entreprises une cohésion interne plus forte et une plus grande réactivité aux stimuli externes. Cette cohésion doit être assurée en faisant « assumer le devenir de l'entreprise par tous ses membres en montrant la cohérence des options stratégiques avec les caractéristiques profondes de l'entreprise ». Le projet entend « renforcer la cohérence organique entre les membres de l'entreprise » [Dégot, 1988, p. 74], notamment en faisant émerger le socle de valeurs, de croyances et l'identité qui la constituent.
11. René Demeestere et Jean-Gustave Padioleau [1990] notent ainsi que les démarches stratégiques des villes comportent souvent une légitimation des axes stratégiques par convocation de l'histoire de la ville. Il est clair que les démarches de planification stratégique ont fait connaître une cure de jouvence aux lectures braudéliennes de l'histoire des villes. Nombre d'options économiques et urbanistiques sont justifiées par des discours consistant à les rattacher à une généalogie urbaine de décisions et de stratégies. Ainsi, Braudel est-il directement convoqué par les promoteurs du projet « Lyon 2010 » : « Lyon ne trouve son ordre et les conditions de son épanouissement que sur le plan international ; elle dépend de logiques à très large rayon. Il lui faut la complicité du dehors. Les fées qui la favorisent sont étrangères », cité par Jean-Marc Offner [1990, p. 45].

Le passage en revue des différents types d'utilisation de l'instrument du projet dans les trois champs des politiques urbaines que nous avons identifiés fait clairement apparaître des points communs. On peut notamment mentionner la volonté de contextualiser, de territorialiser l'action, de constituer un territoire en acteur collectif, la volonté de redéfinir les temporalités de l'action publique urbaine, la reconnaissance, voire la revendication, de la dimension incrémentale de cette action publique urbaine, la reconnaissance de la nécessité de toujours « remettre l'ouvrage sur le métier », de faire constamment dialoguer les objectifs, d'une part, et les ressources disponibles, d'autre part, l'accent mis sur les « effets latéraux » de l'action publique. Le projet sert autant à constituer des systèmes d'acteurs pérennes qu'à construire et mettre en œuvre des décisions ; des vertus intégratrices sont attribuées aux modes de formation des choix et d'action incrémentaux, interactifs et itératifs.

Mais cet examen permet aussi de mettre au jour une tension qui traverse chacun des différents types de projet que nous avons évoqués. Une tension qui peut s'avérer extrêmement féconde pour comprendre la théorie politique, la théorie des rapports État-société, de l'organisation du travail politique dans les sociétés contemporaines à l'œuvre dans le projet. Cette tension oppose deux logiques dont la confrontation fait apparaître un véritable paradoxe : une logique interactionniste et d'indétermination, et une logique volontariste. Jean-Pierre Boutinet formule cette ambivalence lorsqu'il indique que le projet « caractérise cette conduite éminemment personnelle par laquelle je concrétise ma pensée, mes intentions à travers un dessin approprié » mais qu'il est, « en même temps, cette conduite éminemment relationnelle qui me fait communiquer à autrui mes intentions pour le laisser juge de leur contenu » [Boutinet, 1993b, p. 5]. La notion de projet est donc traversée par une tension forte entre volonté de contrôle et d'affirmation d'un sujet politique, d'une part, et mise en œuvre de modes d'action interactifs, itératifs et incrémentaux, d'autre part. Le projet correspond alors à une vision stable, à un ensemble de principes invariants, et témoigne de la capacité de son auteur à anticiper et à exprimer clairement une volonté ; mais, pour préserver au mieux sa vision, son intention initiale, l'acteur doit faire de son projet un outil d'action ouvert, évolutif, le mettant en interaction avec son environnement. C'est cette tension, résumée dans le tableau qui suit, qui fait du projet un analyseur heuristique des transformations de l'action publique urbaine.

Tableau – *Le projet entre deux univers de signification*

Volontarisme	Interaction
Stratégie	Gestion de processus
Capacité de contrôle	Construction du consensus
Vision à long terme	Gestion du court terme
Anticipation	Pragmatisme
Intention	Indétermination
Production d'un sens global	Construction collective des problèmes
Leadership	Horizontalité
Pronominalisation	Difficulté d'imputation

—— Le projet comme traceur des transformations de l'action publique urbaine

Cette tension constitutive de l'instrument « projet » entre interactionnisme, indétermination, d'un côté, et volontarisme et pronominalisation, de l'autre, n'est pas une anomalie. Elle tend à devenir une dimension stabilisée de l'action publique urbaine. Cette tension peut être découpée analytiquement en trois dimensions constituant trois évolutions majeures de l'action publique urbaine.

D'abord, le projet est le signe que désormais, dans l'action publique urbaine, l'incrémentalisme est assumé mais il n'est pas incompatible avec une forte volonté de décider et d'agir. À travers le projet, les acteurs acceptent l'idée selon laquelle leurs décisions sont tributaires d'un état donné des informations et des ressources à un moment *t*, et selon laquelle la validité de leurs décisions ne peut être que partielle et les choix nécessairement révisés et amendés. Ils acceptent aussi l'idée que les bons choix sont les choix partagés, ceux qui ont fait l'objet d'ajustements réciproques entre une pluralité d'acteurs, de groupes et d'intérêts. Pour autant, ils ne renoncent pas à décider et à agir collectivement. Dans le projet, l'indétermination partielle des processus d'action est assumée, ce qui en fait un instrument particulier, auquel les acteurs urbains ont recours précisément parce que sa mise en œuvre permet de lancer des processus qui leur échappent partiellement.

Cet incrémentalisme assumé a pour corollaire une deuxième dimension typique du projet : la volonté devenue commune de mettre en place de nouvelles combinaisons de modes de régulation présidant à la construction et à la gestion de l'espace urbain. En effet, le renoncement à la perspective d'un contrôle total du processus de fabrication de la ville au travers de dispositifs publics de planification, et donc de régulations étatiques, laisse la place à d'autres types de régulation, notamment marchands et sociétaux, faisant davantage de place à des logiques interactionnistes.

Enfin, le recours à l'instrument « projet » témoigne d'une troisième évolution notable de l'action publique urbaine. La volonté de faire émerger des choix au fil des interactions entre acteurs, au terme d'itérations entre les différentes phases d'action, de forger des finalités souples, négociables et justiciables de constantes révisions témoigne d'une euphémisation systématique du contrôle politique externe, de la présence d'un tiers politique coercitif. Tout se passe comme si, dans le projet, l'adhésion des acteurs au processus d'action était conditionnée par la mise en retrait de l'autorité politique, comme si une volonté politique ne pouvait s'imposer à des tiers qu'à condition que ces derniers aient au moins l'impression d'avoir participé à l'*émergence* de cette volonté et non pas d'avoir subi son *imposition*.

——— Une indétermination assumée des processus d'action

Un instrument « manifeste »

À la lecture du chapitre introductif de Pierre Lascoumes et de Patrick Le Galès, le projet apparaît comme un instrument d'action publique singulier. En effet, le parti pris du présent ouvrage consiste à aller au-delà des « visions positivistes » des instruments qui caractérisent l'essentiel des travaux scientifiques portant sur les instruments, mais également les discours de bon nombre de *policy-makers* qui font l'usage de ces instruments, et de voir dans quelle mesure les instruments produisent des effets spécifiques indépendants des objectifs poursuivis par les acteurs qui les mettent en œuvre. Le postulat de départ consiste donc à dire que, le plus souvent, les instruments sont désignés par les acteurs eux-mêmes comme des facteurs secondaires, des dimensions anodines, alors qu'ils peuvent avoir une puissance autonome de transformation non seulement des modes opératoires mais également des contenus des politiques publiques, et qu'ils peuvent même être porteurs d'une théorie des rapports État-société.

Dans ce cadre, le projet pose clairement problème, car le choix de l'instrument « projet » n'est jamais présenté comme anodin ; il procède davantage d'une volonté explicite d'opérer une rupture avec d'autres pratiques, jugées plus anciennes et moins opérantes, au premier rang desquelles il convient de ranger le plan. Plutôt qu'un outil anodin, le projet est donc un instrument saturé de valeurs. Même si ces valeurs peuvent être parfois en contradiction entre elles et difficilement situables sur le plan idéologique, le recours au projet est le plus souvent fondé sur des valeurs affichées.

Parmi les valeurs qui sont attachées au projet par les acteurs des politiques urbaines, on peut mentionner :

– *la nécessité d'anticiper.* Un individu, un groupe, un territoire ne peut prétendre à maîtriser son futur proche et lointain sans un minimum d'effort de prospective ;

– *la nécessité d'intégrer l'incertitude.* L'activité de projection doit aussi être pragmatique ; l'individu, le groupe ou le territoire impliqué dans une activité de projection doit aussi faire preuve de capacité d'adaptation et de réactivité et être prêt à modifier ou à amender son projet « en cours de route » ;

– *l'ouverture au contexte.* Cette ouverture, voire cette confrontation à l'environnement, est conçue comme un vecteur de mobilisation, une incitation à la réflexivité, à la cohésion et, à terme, comme un vecteur d'innovation ;

– *l'injonction au consensus.* La notion de projet est intimement liée à la notion de partage, de raison intersubjective et d'ajustement mutuel. Dans un univers concurrentiel et sans cesse fluctuant, la capacité d'un groupe d'agir de manière cohésive en fonction d'objectifs clairs et partagés, sa faculté à gérer les changements (relatifs au contexte d'action ou aux objectifs) sans se déliter, sont des éléments décisifs. Seuls les outils de décision basés sur la construction incrémentale du consensus sont susceptibles de procurer au groupe cette capacité d'agir en tant que système ;

– *la décentralisation de l'action.* La capacité d'adaptation et de réaction aux stimuli environnementaux est le propre des systèmes d'action restreints agissant sur la base d'objectifs précis, sur un périmètre et une temporalité bien délimités ;

– *l'attention portée au processus.* Il n'y pas que le résultat qui compte ! Les processus de décision et de mise en œuvre doivent produire des effets de connaissance, d'alignement cognitif, des effets d'intégration des systèmes d'acteurs. Le bon projet est le projet qui aura

fait l'objet d'un partage, dont la construction aura permis d'accumuler des ressources de consensus, de reconnaissance mutuelle, de disposition à la coopération (on voit clairement ici pointée l'idée d'une rationalité procédurale opposée à une illusoire rationalité substantielle) ;
– *l'attention portée à l'identité des acteurs*. Le projet vise autant à constituer un acteur collectif doté d'une identité propre qu'à générer des *outputs* (en opposition au caractère impersonnel et aveugle des instruments rationnels-synoptiques qui ne portent pas d'attention aux conditions d'adhésion des acteurs aux processus).

L'indétermination des processus

La nature indéterminée des processus que le projet met en branle constitue une autre valeur cardinale systématiquement évoquée par les acteurs mobilisés autour de projets urbains. Ces processus qui génèrent des *outputs* que les acteurs mobilisés ne peuvent que partiellement prévoir et maîtriser. C'est ici que l'on se démarque de l'approche proposée par Pierre Lascoumes et Patrick Le Galès. Le projet n'est pas conçu par les *policy-makers* qui y ont recours comme un instrument anodin mis au service d'objectifs bien identifiés et invariables. Le projet est choisi parce qu'il est un dispositif d'action qui met en branle des processus interactifs qui, par nature, échapperont à un contrôle total. Autrement dit, l'instrument « projet » relève d'un incrémentalisme assumé, d'une théorie de l'action dans laquelle l'aléatoire et l'imprévisible sont non seulement intégrés dès la phase d'élaboration des objectifs, mais sont également désignés comme souhaitables.

Dans les grands projets urbains, cet incrémentalisme assumé se matérialise notamment par un système d'objectifs à deux niveaux : un premier niveau constitué par le *méta-projet*, ensemble de grands principes fixant un horizon, donnant un souffle à l'action permettant à la fois de mobiliser des réseaux d'acteurs urbains et de cadrer leurs interactions ; un deuxième niveau, celui des *projets ponctuels* ou *concrets*, à l'échelle desquels les acteurs entrent en interaction, des réseaux se constituent, se densifient et définissent des objectifs intermédiaires permettant de concrétiser le méta-projet, des acteurs se confrontent aux contingences de la mise en œuvre, à l'état effectif des ressources disponibles et peuvent compléter et/ou amender en retour le méta-projet. Ce dernier permet de donner un horizon à l'action quotidienne des opérateurs du projet. En même temps, il est tout sauf un cadre figé ; il est régulièrement actualisé, précisé, amendé au fil des itérations qui le relient aux opérations concrètes. Il est ainsi construit de manière incrémentale, par sédimentation progressive de choix qui finissent par faire système au fil des interactions entre acteurs. L'organisation de ces itérations entre les deux niveaux d'objectifs a deux intérêts principaux pour les acteurs. D'abord, elle permet de faire émerger des contraintes imprévues, de reformuler les problèmes mais aussi de pouvoir bénéficier d'opportunités ou de l'arrivée de ressources nouvelles. Ainsi, en faisant une place à l'imprévisible, à l'aléatoire, les opérateurs du projet urbain se rendent-ils disponibles pour gérer cette dimension d'incertitudes. Le projet s'en trouve du coup moins déterminé dans ses *outputs* mais également plus en phase avec les éléments du contexte dans lequel il prend place. Ensuite, ce processus interactif et itératif stabilise des routines de coopération et des anticipations réciproques entre acteurs et, au final, permet d'instituer des systèmes d'opérateurs autour de la définition des projets concrets qui déclinent le méta-projet. L'indétermination du projet devient clairement un atout pour assurer une mobilisation autour de ce projet. Ici, on retrouve une des particularités du projet qui est d'être un instrument d'action qui vaut autant par les effets latéraux qu'il induit (en termes de coalitions d'acteurs, d'alignement cognitif entre ces acteurs, etc.) que par les produits sur lesquels il débouche. Comme l'indique Luigi Bobbio, ce qui importe dans la démarche de projet, c'est d'activer et d'entretenir un processus d'action ouvert, de créer des situations d'échanges, un système relationnel dont on attend qu'il produise des effets latéraux en termes d'articulation de ressources et de coalition d'acteurs. L'indétermination des *outcomes* est le « prix à payer » pour obtenir ces effets latéraux. Les partisans du recours au projet considèrent également qu'en associant une pluralité de « compétences » dans un processus incrémental, ce processus permettra de déboucher sur un produit meilleur en comparaison avec le projet initial. Meilleur sur le plan de ses qualités intrinsèques, meilleur aussi car mieux approprié par les différents acteurs qui se sentent reconnus par ce qui a été mis de leur compétence dans la fabrication de l'objet résultant.

Cet incrémentalisme assumé est-il synonyme d'un effacement de la direction politique ? Pas nécessairement, car si le méta-projet n'a rien du « référentiel » [Jobert et Muller, 1987], sa construction étant beaucoup plus contingente, moins dominée par les acteurs publics et moins déterminée par un « référentiel global », elle n'en est pas moins cadrée par les acteurs politiques. Ainsi, le propre de l'activité de direction politique dans la construction du méta-projet ne consiste pas tant à définir un contenu et à y socialiser des acteurs périphériques, qu'à créer les conditions de la cristallisation d'un méta-projet au fil des interactions et de son partage par les membres des réseaux de projet, quel que soit son contenu. Encore une fois, le fait d'arriver à un accord importe plus que le contenu de cet accord lui-même. Les acteurs et les institutions publics ne sont pas les seuls à participer à l'élaboration du méta-projet, mais ils interviennent comme les garants de la sédimentation des principes qui le composent. On peut, à la suite de Bernard Haumont, définir la gestion politique du projet comme l'organisation d'une dialectique entre les « horizons d'attente », autrement dit, les visions globales, les perspectives lointaines, ce que nous appelons le méta-projet, et les « espaces d'expériences », les opérations ponctuelles, la dimension opérationnelle. Dans cette dialectique, le politique organise les aller-retour entre ces deux dimensions afin, d'une part, d'« empêcher les horizons d'attente de "fuir" », c'est-à-dire, d'éviter que les prospectives ne soient trop lointaines pour ne pas être traduisibles en opérations concrètes et, d'autre part, de « résister au "rétrécissement" des espaces d'expérience », autrement dit, de conjurer le risque que le projet se noie dans des considérations procédurières et techniques ou se perde dans des considérations strictement opportunistes [Haumont, 1993, p. 106].

L'entrée analytique par les instruments permet de faire apparaître l'importance du but, des objectifs dans les politiques urbaines. Peu importe, à la limite, la nature de ce but, pour peu qu'il permette d'articuler des ressources et de stabiliser des systèmes d'action. Il est difficile de généraliser ce constat à tous les secteurs de l'action publique car les politiques urbaines ont ceci de particulier que la volonté publique, dans ce domaine, s'attaque à une matière sociale – la ville – qui est avant tout le produit de processus marchands et sociaux peu maîtrisables. Mais cette reconnaissance de l'imprévisible, de l'aléatoire, du caractère nécessairement limité de la rationalité qui préside à la définition des objectifs initiaux, est présente dans un nombre croissant de secteurs. Par exemple, l'émergence progressive de l'expérimentation en matière d'action publique témoigne bien de la diffusion de ce que Renate Mayntz appelle les instruments réflexifs à travers les acteurs de l'action publique, qui ne renoncent pas pour autant à décider et à agir, intègrent la possibilité de l'erreur, du choix erroné, et prévoient, en conséquence, des moments de retour en arrière et de révision des choix. L'exigence d'euphémisation du contrôle politique est également liée au fait que la crise de légitimité qui touche les savoirs experts en matière d'aménagement et d'urbanisme touche également, par ricochet, un style hiérarchique d'autorité politique qui, pendant longtemps, s'appuyait sur l'expertise technique pour imposer des choix. C'est le couple autorité scientifique-autorité politique qui est entré en crise du fait de la montée des incertitudes [Callon *et al.*, 2001] en matière de choix urbanistiques. Le recours à l'instrument « projet » n'est pas synonyme de renoncement aux régulations politiques. En effet, les dispositifs et les processus de projet laissent une place à ces régulations, mais une place singulière, assez lointaine de l'image d'une autorité politique s'imposant en prédéterminant l'issue des processus de décision. La régulation politique, dans les processus de projet, s'exprime davantage dans l'articulation entre ce que nous avons appelé les *projets ponctuels*, d'une part, et le *méta-projet*, d'autre part, autrement dit, dans le travail consistant à faire en sorte que les interactions de projet participent à la formation incrémentale de choix d'ensemble partagés par le maximum d'acteurs. Les acteurs et les institutions politiques ne dominent donc pas unilatéralement les processus de construction des projets mais ils disposent d'une légitimité spécifique leur permettant de prendre acte des accords obtenus, de les capitaliser et de les rappeler aux acteurs au travers de la production d'un discours (ce qu'Alessandro Balducci [2001] appelle un *policy discourse*), autrement dit, de valoriser et de diffuser les accords construits dans les interactions [Lascoumes et Le Bourhis, 1998]. Dans les démarches de projet, la direction politique se situe du côté de ce que les théoriciens des réseaux [Kickert *et al.*, 1997] et les néo-institutionnalistes ont appelé le « soutien des interactions », c'est-à-dire, de l'activité consistant à favoriser l'émergence du contexte institutionnel – valeurs, normes, règles du jeu, identités – au sein duquel les interactions de projet peuvent s'épanouir, déboucher sur des interventions cohérentes entre elles, mais aussi générer les conditions de leur propre reproduction.

*

Pour conclure, nous aimerions revenir sur certaines des questions plus « normatives » posées par les curateurs de l'ouvrage. D'abord, le projet fait-il partie de cette nouvelle génération d'instruments qui, dans les discussions et les négociations qui jalonnent nécessairement l'élaboration et la mise en œuvre des politiques publiques, tend à déplacer le débat de la question des objectifs vers celle des modes opératoires ? Certains observateurs critiques de l'évolution des politiques urbaines [Edwards, 1997 ; Genestier, 1993] ont avancé des arguments confortant cette interprétation. Ils insistent notamment sur le fait que l'accent mis désormais sur l'innovation managériale, l'ingénierie des processus dans l'élaboration et la conduite des politiques urbaines était contemporain d'une tendance à éluder les enjeux politiques, sociaux et idéologiques attachés aux choix en matière de fabrication de la ville. Une « idéologie de l'absence d'idéologie », pour reprendre les termes de Philippe Genestier aurait envahi l'action publique urbaine. Le projet urbain, par sa capacité à conjuguer les impératifs économiques d'attractivité de la ville et de compétition territoriale avec les soucis sociaux et culturels de valorisation du patrimoine urbain et de construction d'une ville qui soit un lieu de croisements et d'échanges, serait l'incarnation parfaite de cette idéologie molle et peu identifiable [Pinson, 2004].

Il faut nuancer cette lecture faisant du débat sur les instruments une manœuvre dilatoire. En effet, l'approche compréhensive montre que le recours à cet instrument correspond à des difficultés avérées, expérimentées dans la conduite des politiques urbaines. Celles-ci sont liées à la pluralisation des contextes d'action urbains, à la dispersion croissante des ressources et aux multiples incertitudes quant à la compréhension de l'environnement dans lequel les élites urbaines doivent agir, et à la disponibilité des ressources, soit la définition même des objectifs. Autrement dit, dans les villes d'aujourd'hui, on ne décide plus, on ne fait plus coopérer des acteurs comme il y a trente ans. Cela signifie que l'apparition de l'instrument « projet » est peut-être un avatar d'une redéfinition implicite des rapports État-société dans l'action publique urbaine, mais que cette redéfinition est le produit de difficultés concrètes éprouvées dans la mise en œuvre des politiques urbaines et non pas uniquement une ruse de la raison néo-libérale.

Ne peut-on pas dire pour autant que le projet relève de cette catégorie d'instruments qui participent à la transformation « en douceur » de l'État sous l'influence des idées néo-libérales ? On peut répondre par l'affirmative si l'on considère que la substitution progressive des instruments incitatifs aux instruments normatifs classiques, que la translation d'une conception substantielle à une conception procédurale de l'intérêt général, sont des signes de diffusion de l'idéologie néo-libérale. On peut aussi considérer que le projet correspond à une nouvelle manière de générer des normes et des identités partagées, de la coordination, de l'intérêt pour le général et, au final, du lien politique et social dans un contexte où ces éléments sont de moins en moins une donnée de départ de l'action publique mais des conditions à créer. À travers le projet, on n'assiste pas nécessairement à une abdication mais à un déplacement du

226

politique. Il ne se situe pas tant du côté de l'imposition d'un contenu de l'action publique que du côté de l'encadrement institutionnel des interactions qui émaillent les processus de projet. Comme l'indiquent March et Olsen [1995], ce politique pallie la myopie des dynamiques interactionnistes et échangistes. Le risque afférent à toute situation d'échange peu institutionnalisée, c'est que la relation qui s'établit temporairement entre deux parties s'épuise une fois satisfaits les besoins qui ont motivé l'entrée des deux parties dans l'interaction, et qu'elle ne laisse aucune trace. Le faible encadrement institutionnel de rapports d'interaction peut alors déboucher sur la déperdition des ressources qu'auront pu produire ces interactions en termes de capacité organisationnelle, de rapport de confiance et de réciprocité, de culture commune. Le fait que des acteurs et des institutions publiques inscrivent ces interactions dans une temporalité plus longue et dans un cadre organisationnel durable, bien que plus ou moins formel, permet la préservation et la valorisation de ce que sécrètent les interactions de projet. Les processus interactifs, les fonctionnements de réseaux génèrent d'autant plus de ressources cognitives, organisationnelles et ultérieurement réutilisables, qu'ils sont secondés par des dispositifs organisationnels et un discours politique. Les institutions permettent de capitaliser les ressources générées par les fonctionnements interactifs des réseaux – de l'identité, du lien social et politique, de l'intérêt pour le général, ce que March et Olsen appellent des « capacités[12] » – et de les réinjecter dans des phases ultérieures de coopération.

S'il y a bien un déplacement du mode d'expression de l'autorité politique – qui valide d'ailleurs les hypothèses formulées par les travaux sur la gouvernance [Pierre, 2000 ; Pierre et Peters, 2000 ; Borraz et Le Galès, 2002 ; Kooiman, 2003] –, il nous semble beaucoup trop simple de l'associer directement au progrès de l'idéologie néo-libérale. Si le projet constitue l'avatar d'une idéologie quelconque, alors il l'est sans doute davantage de l'idéologie communicationnelle ou délibérative [Blondiaux et Sintomer, 2002]. Il semble en effet que le projet est un produit de cette éthique politique – qui prend parfois les traits d'une idéologie –

---

12. *March et Olsen [1995, p. 91 et suiv.] distinguent quatre types de* capabili-ties *que les institutions contribuent à produire, à transformer et à redistribuer : les droits et autorités, en gros, les différents types de légitimité formelle et informelle à agir ; les ressources, autrement dit, les attributs matériels et immatériels qui permettent d'agir ou de faire agir autrui ; les compétences et les savoirs ; la capacité organisationnelle qui permet une utilisation effective et efficiente des trois autres types de capacités.*

qui voit dans l'accord, le consensus construit tout au long d'un processus dialogique, la garantie de la validité et de la légitimité des décisions, de leur acceptabilité mais aussi de la reconduction de l'interaction politique. Cette éthique tend à voir dans la communication, la production interactive de « mondes communs », une manière idéale d'apaiser les tensions et de produire des choix autour desquels tous s'accordent. Cette conception du processus politique permet certes – et c'est ce qui fit son intérêt – de ne pas réduire les interactions politiques à un jeu à somme nulle, à un « affrontement d'égoïsmes monologiques » [Sintomer, 1999, p. 379], et donc de voir le « commun », le « partagé » qui se créent dans l'action collective, mais elle le fait, le plus souvent, au prix d'un escamotage des conflits d'intérêts et du caractère nécessairement inégalitaire de tout arbitrage politique. Elle postule, dès le départ, la possibilité du consensus, la possibilité de dépasser les intérêts sans recourir à l'imposition et à la sanction. Elle fait mine de croire qu'il est possible, par des techniques délibératives de conjurer le *fatum* conflictuel inhérent à toute interaction politique. En poussant les acteurs à voir à tout prix dans ce *fatum* conflictuel la source d'une dislocation de la communauté politique, elle les amène à exclure du champ de la discussion politique les sujets les plus conflictuels – et donc généralement les plus cruciaux – et les acteurs et groupes porteurs de ces sujets – et donc souvent les plus faibles. Ainsi, en recourant à l'instrument « projet », les élites cèdent sans doute plus à une idéologie de la régulation consensuelle qu'à l'idéologie néo-libérale.

Les démarches de projet participent également d'une valorisation des modes de régulation de type sociale ou communautaire, autrement dit, des modes d'organisation et de coordination des activités sociales qui ne sont basées ni sur l'échange intéressé (marché) ni sur le commandement hiérarchique (État), mais sur des relations d'obligation réciproque et sur une loyauté des individus et des groupes aux normes et institutions du ou des ordre(s) communautaire(s) dans lesquelles ils s'inscrivent. À travers les processus interactifs qu'ils enclenchent, les dispositifs de projet visent en effet à sécréter chez les acteurs des mécanismes d'identification aux réseaux d'action et à développer des rapports entre acteurs basés, entre autres, sur la réciprocité. On attend du développement de ce type de rapport qu'il permette une meilleure souscription des acteurs aux normes et règles cristallisées au cours des interactions, qu'il amène les acteurs à obéir autant à une logique de l'identification qu'à une logique de l'utilité [Pizzorno, 1994]. À Nantes, par exemple, les promoteurs du projet pour l'Île de Nantes entendent générer une capacité collective d'action, organiser une cohérence entre les multiples intervenants, non pas tant à travers des dispositifs réglementaires établis préalablement à l'activation des interactions qu'à travers la cristallisation dans et par les interactions de normes de contenus, de règles de comportement et de routines de coopération. Cet ensemble est appelé par les acteurs nantais, la « culture du projet ». C'est le travail collectif durable autour des propositions d'aménagement qui doit permettre à la fois de faire émerger la « culture du projet », un ensemble de visions partagées mais aussi des liens de reconnaissance réciproque entre les acteurs.

Ainsi, à travers l'instrument du projet, l'intervention publique ne consiste pas à imposer la suprématie des régulations publiques mais davantage à organiser la combinaison entre différents types de régulation, combinaison dont on considère qu'elle débouche sur la production d'une ville plus vivable.

BIBLIOGRAPHIE

ASCHER (F.), « Projet public et réalisations privées. Le renouveau de la planification des villes », *Les Annales de la recherche urbaine*, « La planification et ses doubles », 51, juillet 1991.

ASCHER (F.), *Métapolis ou l'avenir des villes*, Paris, Odile Jacob, 1995.

BAGNASCO (A.), « Teoria del capitale sociale e *Political Economy* comparata », *Stato e Mercato*, 57 (3), décembre 1999.

BALDUCCI (A.), « Governing Fragmentation in Contemporary Urban Societies : Strengths and Weaknesses of Participatory Approaches », communication au colloque de l'European Urban Research Association, Copenhague, 17-19 mai 2001.

BLONDIAUX (L.) et SINTOMER (Y.), « L'impératif délibératif », *Politix*, 15 (57), 2002, p. 17-35.

BOBBIO (L.), *La democrazia non abita a Gordio. Studio sui processi decisionali politico-amministrativi*, Milan, Franco Angeli, 1996.

BOLTANSKI (L.) et CHIAPELLO (E.), *Le Nouvel Esprit du capitalisme*, Paris, Gallimard, 1999.

BORRAZ (O.) et LE GALÈS (P.), « Gouvernement et gouvernance des villes », dans J.-P. LERESCHE (dir.), *Gouvernance locale, coopération et légitimité : le cas suisse dans une perspective comparée*, Paris, Pedone, coll. « Pouvoir local, 1 », 2001.

BOUINOT (J.) et BERMILS (B.), *La Gestion stratégique des villes : entre compétition et coopération*, Paris, Armand Colin, 1995.

BOUTINET (J.-P.), *Anthropologie du projet*, Paris, PUF, 1993a.

BOUTINET (J.-P.), *Psychologie des conduites à projet*, Paris, PUF, coll. « Que sais-je ? », n° 2770, 1993b.

BOUTINET (J.-P.), « Les multiples facettes du projet », *Sciences humaines*, 39, mai 1994.

BRAUDEL (F.), *Civilisation matérielle, économie et capitalisme, XVᵉ-XVIIIᵉ siècle*, Paris, Armand Colin, 1979.

CALLON (M.), LASCOUMES (P.) et BARTHE (Y.), *Agir dans un monde incertain*, Paris, Le Seuil, 2001.

CHADOIN (O.), GODIER (P.) et TAPIE (G.), *Du politique à l'œuvre. Bilbao, Bordeaux, Bercy, San Sebastián. Systèmes d'acteurs des grands projets urbains et architecturaux*, La Tour d'Aigues, Éditions de l'Aube, 2000.

COLEMAN (J.), *Foundations of Social Theory*, Cambridge (Mass.), The Belknap Press of Harvard University Press, 1990.

CONSEIL D'ÉTAT, *L'Urbanisme : pour un droit plus efficace*, Paris, La Documentation française, 1992.

COURSON (J. de), *Le Projet de ville. Essai pratique*, Paris, CNFPT-Syros, 1993.

DÉGOT (V.), « Projets d'entreprise : évaluation d'un instrument de changement », *Revue française de gestion*, 68, mars-avril-mai 1988, p. 74-84.

DEMEESTERE (R.) et PADIOLEAU (J.-G.), *Politique de développement et démarches stratégiques des villes*, Paris, rapport au Plan urbain, juin 1990.

DENTE (B.), BOBBIO (L.), FARERI (P.) et MORISI (M.), *Metropoli per progetti : attori e processi di trasformazione urbana a Firenze, Torino e Milano*, Bologne, Il Mulino, 1990.

DEVILLERS (C.), *Le Projet urbain*, Paris, Éditions du Pavillon de l'Arsenal, 1996.

DONZELOT (J.) et ESTÈBE (P.), *L'État animateur. Essai sur la politique de la ville*, Paris, Esprit, 1994.

DUBEDOUT (H.), *Ensemble refaire la ville*, Paris, La Documentation française, 1983.

DUBOIS (J.), *Communautés de politiques publiques et projets urbains : étude comparée de deux grandes opérations d'urbanisme municipales contemporaines*, Paris, L'Harmattan, 1997.

EDWARDS (J.), « Urban Policy : the Victory of Form over Substance ? », *Urban Studies*, 34 (5-6), 1997, p. 825-843.

FAINSTEIN (S.), « New Directions in Planning Theory », *Urban Affairs Review*, 35 (4), 2000, p. 451-478.

FONTAINE (J.) et HASSENTEUFEL (P.), « Quelle sociologie du changement dans l'action publique ? Retour au terrain et "refroidissement" théorique », dans J. FONTAINE et P. HASSENTEUFEL, *To Change or not to Change. Les changements de l'action publique à l'épreuve du terrain*, Rennes, PUR, 2002.

FRATINI (F.), « Cinque ingredienti di fondo per l'approccio strategico alla pianificazione », *Territorio*, 5, 1997.

GAUDIN (J.-P.), « L'invention du plan », *Métropolis*, 88-89, 2ᵉ trimestre 1990.

GENESTIER (P.), « Que vaut la notion de projet urbain ? », *L'Architecture d'aujourd'hui*, 288, septembre 1993.

GRANOVETTER (M.), « Economic Action and Social Structure : The Problem of Embeddedness », *American Journal of Sociology*, 91 (3), novembre 1985, p. 481-510.

HASSENTEUFEL (P.), « Do Policy Nnetworks Matter ? Lifting descriptif et analyse de l'État en action », dans P. LE GALÈS et M. THATCHER (dir.), *Les Réseaux de politique publique*, Paris, L'Harmattan, 1995.

HAUMONT (B.), « Un nouveau champ pour l'architecture et ses recherches. Le projet urbain », *Les Cahiers de la recherche architecturale*, 32-33, 1993, p. 103-110.

HEALEY (P.), « An Institutionalist Approach to Spatial Planning », dans P. HEALEY, A. KHAKEE, A. MOTTE et B. NEEDHAM (eds), *Making Strategic Spatial Plans. Innovations in Europe*, Londres, UCL Press, 1997.

HEALEY (P.), « Collaborative Planning in a Stakeholder Society », *Town Planning Review*, 69 (1), 1998, p. 1-21.

HUET (B.), « Le projet urbain et l'Histoire », dans MINISTÈRE DE L'ÉQUIPEMENT, DE L'ARCHITECTURE ET DE L'URBANISME, DAU, *Comprendre, penser, construire la ville*, Paris, Éditions du STU, 1993.

INGALLINA (P.), *Le Projet urbain*, Paris, PUF, 2001.

INNES (J.), « Planning through Consensus Building. A New View of the Comprehensive Planning Ideal », *American Planning Association Journal*, 62 (4), automne 1996, p. 460-472.

JOBERT (B.) et MULLER (P.), *L'État en action. Politiques publiques et corporatismes*, Paris, PUF, 1987.

KICKERT (W.), KLIJN (E.-H.) et KOPPENJAN (J.), *Managing Complex Networks. Strategies for the Public Sector*, Londres, Sage, 1997.

KOOIMAN (J.) (ed.), *Modern Governance. New Government-Society Interactions*, Londres, Sage, 1993.

KOOIMAN (J.), *Governing as Governance*, Londres, Sage, 2003.

LASCOUMES (P.) et LE BOURHIS (J.-P.), « Le bien commun comme construit territorial. Identités d'action et procédures », *Politix*, 42, 1998, p. 37-66.

LANGE (P.) et REGINI (M.) (eds), *State, Market and Social Regulation*, Cambridge, Cambridge University Press, 1989.

LE GALÈS (P.), « Du gouvernement des villes à la gouvernance urbaine », *Revue française de science politique*, 45 (1), février 1995, p. 57-95.

LE GALÈS (P.), « Régulation, gouvernance et territoire », dans J. COMMAILLE et B. JOBERT (dir.), *Les Métamorphoses de la régulation politique*, Paris, LGDJ, coll. « Droit et Société », 1998.

LE GALÈS (P.), *Le Retour des villes européennes*, Paris, Presses de Sciences Po, 2003.

LE GOFF (J.-P.), *La Barbarie douce. La modernisation aveugle des entreprises et de l'école*, Paris, La Découverte, 1999.

LEFEBVRE (H.), *Le Droit à la ville*, Paris, Anthropos, 1968.

LINDBLOM (C.), *Politics and Markets. The World's Political-Economic Systems*, New York (N. Y.), Basic Books, 1977.

MAGNAGHI (A.), *Il progetto locale*, Turin, Bollati Boringhieri, 2000.

MARCH (J. G.) et OLSEN (J. P.), *Democratic Governance*, New York (N. Y.), The Free Press, 1995.

MARSH (D.) et RHODES (R. A. W.) (eds), *Policy Networks in British Government*, Oxford, Clarendon Press, 1992.

MASBOUNGI (A.), « Projet urbain. De la planification au dessin urbain, de l'intention aux réalisations », ronéo, non daté.

MAYNTZ (R.), « La teoria della governance : sfide e prospettive », *Rivista italiana di scienza politica*, 29 (1), avril 1999.

MOTTE (A.), *Schéma directeur et projet d'agglomération : l'expérimentation de nouvelles politiques urbaines spatialisées (1981-1993)*, Paris, Juris-service, 1995.

OFFNER (J.-M.), « Le "SDAU nouveau" de Lyon », *Métropolis*, « Si on reparlait de planification », 88-89, 2ᵉ trimestre 1990, p. 42-53.

PIERRE (J.), *Partnerships in Urban Governance. European and American Experience*, Londres, Macmillan, 1998.

PIERRE (J.) (ed.), *Debating Governance. Authority, Steering and Democracy*, Oxford, Oxford University Press, 2000.

PIERRE (J.) et PETERS (B. G.), *Governance, Politics and the State*, Londres, Macmillan, 2000.

PINSON (G.), *Projets et pouvoirs dans les villes européennes. Une comparaison de Marseille, Venise, Nantes et Turin*, thèse de doctorat de science politique, Université de Rennes I, 2002a.

PINSON (G.), « Political Government and Governance : Strategic Planning and Reshaping of Political Capacity in Turin », *International Journal of Urban and Regional Research*, 26 (3), 2002b, p. 477-493.

PINSON (G.), « L'idéologie des projets urbains. L'analyse des politiques urbaines entre précédent anglo-saxon et "détour" italien », *Sciences de la société*, 63, octobre 2004 (à paraître).

PIZZORNO (A.), « Limiti alla razionalità della scelta democratica », dans A. PIZZORNO, *Le radici della politica assoluta e altri saggi*, Milan, Feltrinelli, 1994, p. 145-184.

POIDEVIN (J.-L.), « Quel avenir pour l'aménagement et les aménageurs ? », dans CLUB VILLE AMÉNAGEMENT-DIRECTION GÉNÉRALE DE L'URBANISME, DE L'HABITAT ET DE LA CONSTRUCTION, *Fabriquer la ville. Outils et méthodes : les aménageurs proposent*, Paris, La Documentation française, avril 2001.

PUTNAM (R.), *Making Democracy Work. Civic Traditions in Modern Italy*, Princeton (N. J.), Princeton University Press, 1993.

RHODES (R. A. W.), « The New Governance : Governing without Government », *Political Studies*, 44 (4), 1996, p. 652-667.

SCHERRER (F.), « Projet », dans S. WACHTER et al., *Repenser le territoire. Un dictionnaire critique*, La Tour d'Aigues, DATAR-Éditions de l'Aube, 2000.

SINTOMER (Y.), *La Démocratie impossible ? Politique et modernité chez Weber et Habermas*, Paris, La Découverte, 1999.

TILLY (C.), *Contrainte et capital dans la formation de l'Europe, 990-1990*, Paris, Aubier, 1992.

TILLY (C.) et BLOCKMANS (W. P.), *Cities and the Rise of the States in Europe. A.D. 1000 to 1800*, Boulder (Colo.), Westview Press, 1994.

TOMAS (F.), « Projets urbains et projets de ville. La nouvelle culture urbaine a vingt ans », *Les Annales de la recherche urbaine*, 68-69, 1995.

TOUSSAINT (J.-Y.) et ZIMMERMANN (M.) (dir.), *Projet urbain, ménager les gens, aménager la ville*, Sprimont, Mardaga, 1998.

WEBER (M.), *La Ville*, Paris, Aubier, 1982 [éd originale, 1921].

II - LES INSTRUMENTS, RÉVÉLATEURS DU CHANGEMENT

Chapitre 6

CONTRÔLE ET SURVEILLANCE
LA RESTRUCTURATION
DE L'ÉTAT
EN GRANDE-BRETAGNE [1]

Patrick LE GALÈS

Les instruments de l'action publique sont souvent considérés dans leur dimension technique. D'innocentes inventions en matière d'instruments discrets ou invisibles (chap. 2 et 4), d'indicateurs (chap. 1 et 8), de normes (chap. 3), de projets (chap. 5) sont utilisées pour construire des « consensus ambigus », comme l'expliquent Bruno Palier ou Renaud Dehousse dans leur chapitre (chap. 7 et 9), pour accroître l'efficacité et l'efficience de l'action publique, ou enfin pour restructurer radicalement un secteur au nom d'une prétendue modernisation. La focale placée sur une analyse de sociologie politique des instruments vise à mettre en évidence les enjeux de pouvoir, les processus de naturalisation et de dépolitisation, de légitimation ou de délégitimation des instruments, et les effets qu'ils produisent.

Rappelons nos définitions de départ : un instrument d'action publique constitue un dispositif à la fois technique et social qui organise des rapports sociaux spécifiques entre la puissance publique et ses

1. *La recherche pour ce chapitre a été effectuée lorsque l'auteur a été accueilli à l'Université d'Oxford (2002-2003). Je remercie la Maison française d'Oxford, le département de sciences politiques et de relations internationales et Nuffield College. Ce chapitre doit notamment beaucoup aux échanges avec Christopher Hood, Desmond King, Iain McLean et David Lévy-Faur à Oxford, John Benington, Howard Davies et Mike Geddes à l'Université de Warwick, Alan Harding et Tim May à SURF, Université de Salford.*

destinataires en fonction des représentations et des significations dont il est porteur. Chaque instrument d'action publique constitue une forme condensée et finalisée de savoir sur le pouvoir social et les façons de l'exercer. Nous entendons par « instrumentation de l'action publique » l'ensemble des problèmes posés par le choix et l'usage des outils (des techniques, des moyens d'opérer, des dispositifs) qui permettent de matérialiser et d'opérationnaliser l'action gouvernementale, ce qui nous amène à comprendre non seulement les raisons qui poussent à retenir tel instrument par rapport à tel autre, mais aussi à envisager les effets produits par ces choix.

Les instruments ne sont pas seulement rangés dans une boîte à outils des politiques publiques qu'ouvriraient les gouvernants lorsque le besoin d'un nouvel instrument se ferait sentir. Des types d'instrument (IAP) sont plus ou moins mobilisés par les États à différentes époques. Au-delà de politiques publiques précises, la transformation du répertoire des instruments de l'action publique révèle quelque chose de la transformation de l'État et du rapport entre gouvernement et société. On peut de manière féconde analyser en termes microsociologiques le choix d'un instrument et son évolution dans le temps. Les choix d'instruments sont parfois déterminés par les transformations d'un secteur de politique publique et des processus de diffusion de « bonnes recettes ». Enfin, et ce sera la perspective adoptée dans ce chapitre, ces choix peuvent s'inscrire dans une dynamique plus macro et structurante de reconfiguration de l'État.

Cependant, la question des instruments renvoie également aux interrogations sur les capacités de direction de l'État, de pilotage, d'imposition de la contrainte, d'orientation du comportement des groupes, d'organisation des individus pour aller au-delà des défaillances du gouvernement. Les instruments sont mobilisés afin de contribuer à des formes renouvelées de gouvernabilité (tradition foucaldienne) ou de gouvernance des sociétés dans des environnements fragmentés et des hiérarchies enchevêtrées. Dans un grand nombre de cas, la recherche d'instrument s'inscrit dans les tentatives d'élaboration de modes de gouvernance négociée à tous les niveaux de gouvernement, y compris au niveau européen. La gouvernance négociée peut être définie comme un mécanisme qui permet aux acteurs d'arriver à des décisions mutuellement satisfaisantes et contraignantes, de résoudre des conflits, par la négociation et la coopération dans la mise en œuvre. Les auteurs inspirés par la sociologie des organisations et les réseaux de politiques publiques mettent l'accent sur les formes horizontales d'interaction entre les acteurs, les interdépendances, la régularité et les règles d'interaction et d'échange, l'autonomie de secteurs et de réseaux à l'égard de l'État, la dimension temporelle, les processus de coordination des acteurs politiques et sociaux, et parfois les contraintes associées à la décision.

Le présent chapitre a au contraire pour objectif de mettre en évidence l'invention d'instruments comme élément du conflit politique entre l'État et les autorités locales en Angleterre, et la dimension de contrainte, de pouvoir, de discipline des instruments aux antipodes de la gouvernance négociée. La révolution thatchérienne a eu pour objet la transformation radicale du secteur public et de son fonctionnement en imposant par exemple les instruments de la gestion privée au secteur public ou en organisant la concurrence entre différents instruments, mesurée selon le rapport coût/efficacité. L'adoption de nouveaux instruments au début des années 1980 concourt précisément à cet objectif d'introduction de logiques de marché par le gouvernement central pour réformer le secteur public. Le renforcement d'un État centralisé pour imposer des mécanismes de marché dans la société britannique est au cœur du projet politique porté par les conservateurs sous Mme Thatcher [Gamble, 1994].

Il est bien éloigné en effet le temps où la Grande-Bretagne apparaissait comme le pays par excellence du gouvernement local. Jusqu'en 1979, le système britannique est caractérisé par une asymétrie interdépendante [Rhodes, 1986 ; Le Galès, 1993] et une différenciation forte entre la *high politics* (la politique noble de Westminster) et la *low politics* des autorités locales qui mettent en œuvre les politiques décidées au centre. Dans ce système, les autorités locales ont une faible légitimité (elles ne sont pas inscrites dans une constitution, elles sont une création du Parlement, elles n'ont pas de pouvoirs généraux). La légitimité des élus locaux est ancrée dans le niveau local : ils sont élus dans des circonscriptions de quartier, ne font pas carrière au niveau national, ne cumulent pas les mandats, n'ont pas de visibilité. En revanche, les autorités locales se sont développées après 1945 dans une logique fonctionnaliste de mise en œuvre des politiques décidées au centre, avec des employés assez nombreux, organisés autour de puissantes associations professionnelles, négociant directement avec le gouvernement central les évolutions de la politique publique de leur domaine. Jusqu'en 1979, gouvernement central et autorités locales se sont mis d'accord sur les évolutions du système, le développement des services liés à l'État providence. Goldsmith [2002] rappelle les trois modes de contrôle/régulation utilisés par le gouvernement central : le contrôle par les finances (impôts, subvention, investissement, revenus), le contrôle par la loi, les normes, les règles et les standards et enfin la régulation par l'accès au centre des autorités locales et de leurs représentants. Élu en 1979, le gouvernement Thatcher n'a pas, *a priori*, de politiques particulières à l'égard du gouvernement local... sauf que c'est un élément important du secteur public britannique. Or, on impute au secteur public dans son ensemble le déclin de la Grande-Bretagne. En plus des réformes de structures et des politiques spécifiques qui seront l'occasion d'un conflit politique majeur entre autorités locales et gouvernement central [Le Galès, 1990], le gouvernement introduit un nouvel instrument de politique publique afin de transformer radicalement le comportement du secteur public local.

Notre étude de cas porte sur les relations du gouvernement central avec les autorités locales et la politique de réforme de ces dernières en Angleterre envisagée sous l'angle des instruments de contrôle et d'inspection. Aux questions « Comment gouverner les autorités locales ? Comment les faire évoluer ? », le gouvernement britannique a répondu en introduisant de puissants instruments de contrainte, et en enchaînant trois instruments, qui seront, avec les instruments d'inspection qui les ont accompagnés (National Audit Office, le bureau national de l'Audit du secteur public en 1983), analysés en détail dans ce chapitre :

– *Compulsory Competitive Tendering* (CCT) (procédure d'appel d'offre concurrentielle obligatoire dans différents domaines d'activité) introduit en 1980 par le gouvernement Thatcher ;

– *Best Value for Money* (instrument de définition et d'amélioration des critères de la gestion locale néo-travailliste) lui succède en 1997 après la victoire des néo-travaillistes de Tony Blair ;

– *Comprehensive Spending Assessment* (CPA), en 2001, vise à rationaliser et à corriger les effets inattendus de *Best Value for Money*.

À chaque fois, l'introduction de ces instruments a été marquée par un contexte politique qui a imposé des normes et des valeurs dans le choix des instruments, ce qui a limité le choix des possibles et révélé les stratégies de domination du gouvernement central. Dans les trois cas, l'adoption de nouveaux instruments n'a pas fait l'objet de débat politique important, au-delà de la sphère des spécialistes et des organisations concernées. Enfin, des acteurs ont utilisé ces instruments de manière créative provoquant des effets inattendus, déconnectés des objectifs de départ.

En effet, au-delà des enjeux de construction sociale et politique des instruments et de l'instrumentation, les instruments sont des institutions qui fournissent un cadre stable d'anticipation pour l'action collective en déterminant en partie les règles du jeu pour les acteurs, c'est-à-dire les ressources pertinentes. Or les travaux du néo-institutionnalisme ont bien montré que les institutions ont leurs effets propres. Même si les groupes dominants parviennent à orienter le choix des instruments et leur configuration, ces derniers peuvent être utilisés de manière créative ou inattendue par des entrepreneurs politiques. Les acteurs sociaux et politiques ont donc des capacités d'action très différentes en fonction des instruments sélectionnés. Comme toute institution, un instrument structure l'action collective, oriente les comportements des acteurs et évolue dans le temps. La légitimité de l'instrument, son rôle, ses effets vont évoluer en fonction des dynamiques d'institutionnalisation et des stratégies d'entrepreneurs sociaux et politiques (les *skilled social actors* de Fligstein [1997]). C'est précisément l'intérêt de ce chapitre que d'étudier la succession de trois instruments, les effets produits par chacun et d'analyser l'introduction, par le pouvoir en place, d'un nouvel instrument comme réponse aux effets non désirés de l'instrument précédent. Enfin, ces instruments sont des analyseurs plus généraux de la transformation de l'État britannique.

—— Concurrence et surveillance : *Compulsory Competitive Tendering* (CCT) et *Value for Money*

Dès son arrivée au pouvoir en 1979, le gouvernement Thatcher a essayé d'introduire de nouveaux instruments d'action publique pour réformer le secteur public local, des instruments universels, importés des modèles d'audit, s'appliquant de façon brutale et aveugle, ce qui traduit la croyance à la fois dans la supériorité des mécanismes de marché, de la mesure de l'activité publique, ainsi que dans les mécanismes automatiques déconnectés de facteurs politiques et sociaux.

La loi d'airain de la gestion publique : Value for Money

Pour réformer rapidement l'administration publique britannique, le gouvernement Thatcher s'est appuyé sur les idées défendues par les économistes néo-libéraux et sur les modèles issus de la gestion privée. Le Premier ministre tenait en personne pour acquis que la gestion des

entreprises du secteur privé devait être la référence pour réformer le secteur public. L'introduction de mécanismes de marché, de concurrence, de pression sur les coûts a, par conséquent, été décisive dans les choix de transformation de ce secteur. Dès 1979-1980, de nouveaux programmes et organisations sont présentés au Premier ministre et au ministre des Finances : l'*Efficiency Unit*, le *Scrutiny Programme* qui fait partie du *Financial Management Initiative* du ministère des Finances, puis en 1983 une innovation majeure qui passe un peu inaperçue à l'époque, la création du National Audit Office, l'organisation d'Audit du secteur public. C'est à cette occasion qu'est formulée la nouvelle loi d'airain de la gestion publique britannique : *Value for Money* [Henkel, 1991 ; Liekerman, 1988]. Toute dépense, tout programme doit être jugé et engagé à l'aune du rapport coût/efficacité, sans autre critère de décision, ce qui requiert la production d'indicateurs, de mesures de performance, d'évaluation, de mise en concurrence. Denis Saint-Martin dans son livre *Building the New Managerialist State* [2000] a montré que cette formule a eu pour origine des contacts directs entre Mme Thatcher et les représentants du *Management Consultancies Association*. Au-delà de la question idéologique, il suggère que la mise en œuvre de *Value for Money* s'inspire directement des pratiques en cours dans la gestion des entreprises auditées par des consultants spécialisés. Cette loi d'airain comprend trois principes distincts [Saint-Martin, 2000, p. 103] :
– *economy* : obtenir les facteurs de production de l'action publique, les *inputs*, au prix le plus bas possible ;
– *efficiency* : à partir d'un niveau donné d'*inputs*, produire les *outputs* (résultats) les plus utiles et les plus importants, avoir le meilleur rendement possible ;
– *effectiveness* : atteindre les objectifs de l'action.
La création de l'instrument CCT a pour objet l'inscription de *Value for Money* dans la gestion quotidienne des autorités locales. Compte tenu de la faible légimité de ces dernières, de leur rôle un peu fonctionnaliste dans la mise en œuvre des politiques publiques, elles sont apparues comme un bon terrain d'expérimentation pour la nouvelle doctrine.

Imposer les mécanismes de concurrence

CCT est un instrument qui vise à introduire des mécanismes de compétition et de surveillance/contrôle généralisé des autorités locales. Il est adopté par le Parlement en 1982 avec trois objectifs : la privatisation massive de services publics du ressort des autorités, une réduction massive des coûts, ainsi que le démantèlement de ce qui est considéré à l'époque comme un bastion des bureaucraties travaillistes et syndicales. Accessoirement, CCT devait également permettre d'éliminer les critères sociaux et politiques dans la fourniture et la gestion de services qui avaient été utilisés par les municipalités de la « nouvelle gauche urbaine » au début des années 1980, en particulier à Londres (Greater London Council) ou à Sheffield. À Sheffield, par exemple, municipalité dirigée alors par un jeune leader travailliste radical, David Blunkett, certaines entreprises avaient été écartées des marchés publics locaux compte tenu de leurs liens avec l'Afrique du Sud du temps de l'apartheid. Dans le nouveau système, le seul critère de choix d'une organisation pour la gestion ou la production d'un service doit être le prix, le moins disant l'emportant de façon automatique, indépendamment de toute autre considération.

En rendant obligatoire l'appel d'offre concurrentiel pour des services dans toute une série de secteurs, le gouvernement créait de fait de nouveaux marchés. Les directions des autorités locales responsables de ces secteurs avaient deux choix : soit abandonner l'activité, ce qui permettait aux entreprises privées de gagner ces marchés, mécanisme efficace pour assurer la privatisation des services, soit se réorganiser pour fournir une offre compétitive et garder les services en abaissant fortement les coûts. En effet, au-delà de l'efficacité de la gestion, les différences étaient pour l'essentiel des différences en termes de coût de personnel. CCT est donc avant tout un instrument pour introduire la compétition entre entreprises privées et autorités locales dans la gestion et la fourniture d'équipements et de services.

"The more strictly we are watched, the better we behave"

Le contrôle et la surveillance font partie intégrante de CCT. Le succès de CCT dépendait de la capacité du gouvernement central à vérifier que la procédure d'appel d'offre était bien ouverte et que les choix étaient effectivement réalisés en fonction des critères décidés par le gouvernement de *Value for Money*. Cette capacité de contrôle a dû être construite de toutes pièces. En effet, historiquement, les autorités locales et les professions ont été contrôlées et régulées en Angleterre à partir de la formation de régime et de corps d'inspection professionnels au XIXᵉ siècle. Or ces régimes d'inspection vérifiaient avant tout des normes professionnelles, des standards dans un cadre consensuel d'amélioration des services. Les inspecteurs eux-mêmes étaient le plus souvent d'anciens responsables de ces services (on peut penser au modèle des inspecteurs de l'Éducation nationale dans le cas français).

Dans ce cas précis, la transformation majeure est venue de la création du National Audit Office (NAO) (qui sera ensuite divisé en deux et, pour la partie qui nous occupe, deviendra l'Audit Commission) qui s'est développé de façon autonome, et même contre ce régime d'inspections professionnelles. L'organisation est créée à partir du modèle fournit par le prestigieux Chartered Institute for Public Finance and Accountacy, le cœur du système d'audit et d'inspection des comptes en Grande-Bretagne. Quatre principes de l'audit sont à l'origine de la création du de ce bureau [Hood, 1998] :

– l'indépendance des auditeurs à l'égard des organisations qui sont auditées, leur professionalisme (le contraire du modèle des *peer review* – évaluation par les pairs) ;

– l'existence d'objectifs, de standards, de résultats mesurés, qui se veulent par nature apolitiques et non spatiaux, les mêmes critères devant s'appliquer dans différents contextes ;

– l'accent mis sur la standardisation des procédures et les procédés indépendamment des situations particulières et des objectifs politiques ;

– la comparaison systématique des cas à partir de la production d'indicateurs précis et de mesures de performance.

Il s'agit donc d'un cadre précis, rigide, robuste, voire hyper-rationaliste : une cage de fer. Les auditeurs du NAO qui ont travaillé sur la mise en œuvre du *Compulsory Competitive Tendering* n'étaient pas issus du milieu des autorités locales, ils étaient au contraire des auditeurs généralistes habitués à créer des standards, à produire des mesures et à vérifier les chiffres. Les autorités locales ont dû se plier à ce nouveau système de contrainte qui a consisté, dans un premier temps, à mesurer les coûts, à produire les indicateurs de performance demandés, à réorganiser leurs services et à transformer leur système comptable.

La théorisation implicite de l'instrument CCT et du régime d'inspection qui l'accompagne est aisée à caractériser. Elle a été largement critiquée par la littérature des sciences sociales qui analyse le développement de tendances managériales (notamment la version *New Public Management*) [Dunleavy et Hood, 1994]. Le premier point concerne le clivage public/ privé. Cet instrument renvoie à trois postulats : 1) le secteur public est un problème, il n'est pas efficace ; 2) la gestion privée est compétitive, efficace et toujours supérieure à la gestion publique ; 3) l'introduction de mécanismes de concurrence permet automatiquement le transfert de

245

Contrôle et surveillance. La restructuration de l'État en Grande-Bretagne |

services vers le secteur privé, ce qui améliore l'efficacité et l'efficience de la gestion. En ce qui concerne l'audit proprement dit, CCT repose sur une vision du monde qui prend pour acquis l'existence de critères optimums de gestion, à la fois en termes de procédures et de résultats. Ensuite, la définition des critères, des objectifs, des normes, des standards, des indicateurs de performance suppose que tout cela soit objectivé et rendu mesurable, postulat d'hyper-rationalisation d'un monde dépolitisé. Cela révèle aussi les postulats de la micro-économie et du choix rationnel adoptés par les néo-libéraux. En termes de rapport à la société, cette théorisation implicite n'est pas bâtie sur des dynamiques de mobilisation, de coopération mais de contrainte d'un modèle optimum de gestion dont les fins ne sont jamais explicitées ni, à plus forte raison, discutées.

CCT est par conséquent un instrument qui s'analyse à la lumière du projet néo-libéral que Mme Thatcher a souhaité imposer à la Grande-Bretagne pour la rendre compétitive et éradiquer les forces de la bureaucratie et du socialisme qui, selon elle, auraient conduit à son déclin. CCT et son contrôle rappellent ensuite la tradition ancienne de l'utilitarisme de Jeremy Bentham et de son disciple Edwin Chadwick. Bentham s'était fait le champion de stricts régimes d'inspection [Hood et al., 1999], d'où sa célèbre formule : « The more strictly we are watched, the better we behave ». CCT s'inscrit dans cette tradition utilitariste, comme en témoignent l'absence totale de confiance dans le comportement des individus et des groupes, la croyance dans la supériorité de procédures précises et standardisées, une vision du monde centrée sur les individus qui poursuivent leur intérêt et répondent aux incitations des institutions, la méfiance à l'égard de la politique, un refus affirmé de prise en compte de la diversité des situations sociales, politiques et spatiales. CCT requiert ensuite un appareil de surveillance sophistiqué en termes d'indicateurs, ce qui suggère une vision très rationaliste du monde de la gestion publique locale. Enfin, CCT ne peut fonctionner que parce qu'un ensemble de sanctions financières lourdes et de mises en cause de la responsabilité personnelle ont été prévues par le gouvernement.

Limites et détournements de l'instrument CCT

CCT a été vécu par les responsables des autorités locales comme une attaque d'une grande violence instaurant, selon l'expression parfois employée, le « règne de la terreur comptable ». Dans un premier temps, soutenues par les syndicats, les autorités locales ont fait preuve de

246 | GOUVERNER PAR LES INSTRUMENTS

passivité dans leur tentative pour bloquer ou limiter les effets de CCT. Rapidement, le système de sanction mis en œuvre les a encouragées à changer de tactique. Au cours des premières années, le secteur privé a gagné un nombre important d'appels d'offre, entraînant une réduction des coûts. Cependant, si les résultats ont été significatifs dans le secteur de la gestion des déchets, ils ont été décevants ailleurs. Kieron Walsh [1995] a estimé que dans les autres services, l'introduction de l'instrument CCT avait permis une baisse des coûts de 18 %, imputable presque exclusivement à des économies sur les contrats des employés en termes de salaires et de flexibilité. Après deux ou trois ans, le secteur privé a gagné peu de contrats, ou s'est retiré du jeu. CCT a ainsi conduit à une profonde réorganisation des autorités locales, mais n'a pas suscité ni une baisse massive des coûts ni une privatisation de grande ampleur des services. Plusieurs raisons expliquent ce demi-échec.

Premièrement, le fétichisme du gouvernement à l'égard du marché et de la concurrence n'a pas résisté à l'épreuve des faits. La concurrence exige tout d'abord que des entreprises soient prêtes à prendre des risques, qu'elles en aient les compétences. Le marché ne se décrète pas, il se construit.

Dans les secteurs contraints par CCT, peu d'entreprises avaient des compétences requises pour la gestion de services annexes (pour les écoles, par exemple). De nombreux entrepreneurs s'y sont lancés, espérant profiter de l'aubaine, mais sans réelle organisation ou connaissance du secteur, sauf dans le cas de la gestion des déchets – ce qui a favorisé, par exemple, des filiales de groupes français comme Suez. Ensuite, les autorités locales ont tout fait pour décourager les acteurs privés, multipliant les obstacles invisibles, traînant les pieds dans l'application des contrats, ou interprétant les règles de CCT de manière inattendue, provoquant ainsi de longs conflits juridiques devant les tribunaux. La fragmentation des appels d'offre et le découpage des services ne sont pas chose aisée ; la gestion de service de manière indépendante n'a souvent pas de sens. Lorsqu'une entreprise gagnait un tel contrat, elle avait le plus souvent besoin soit de la neutralité bienveillante, soit de la coopération active d'autres services de la municipalité. Or, dans de nombreux cas, élus et directeurs de service ont mis un point d'honneur à multiplier les blocages et les dynamiques de non-coopération, rendant très difficile l'exécution du contrat par les entreprises qui, après un essai, ne demandaient pas le renouvellement de leur contrat.

Les autorités locales ont poursuivi leur apprentissage des nouvelles règles de cet instrument de deux manières. Tout d'abord, en maîtrisant, de mieux en mieux, la législation sur les CCT, les autorités locales ont développé une expertise collective en matière d'écriture des textes de préparation aux appels d'offre, et de rédaction des contrats, en multipliant les clauses annexes non prévues par la loi, augmentant d'autant les coûts d'entrée sur le marché pour les entreprises privées. Ensuite, elles ont réorganisé leurs services en créant des organisations semi-indépendantes au sein de l'autorité locale pour ce qui est de la comptabilité et de la gestion du personnel afin de répondre aux appels d'offre locaux et de garder la gestion des services en interne. Progressivement, la double influence de la rédaction des contrats et de l'organisation des services a rendu de plus en plus difficile l'accès des entreprises privées à ce nouveau marché. Enfin, lorsqu'un service était privatisé, les entreprises pouvaient facilement réaliser des bénéfices importants les deux premières années en faisant des économies sur le personnel, mais ensuite, il leur devenait difficile de maintenir une profitabilité dans un environnement hostile.

Le contrôle par le National Audit Office s'est aussi heurté à une difficulté centrale, à savoir la construction d'indicateurs fiables, notamment pour la gestion de services, entraînant beaucoup d'activités relationnelles de la part des employés. Or, progressivement, les autorités locales ont appris les règles de l'instrument CCT et de l'audit. Elles ont développé des techniques comptables afin de faire apparaître les coûts et les bénéfices mesurés et évalués dans le cadre des procédures comptables *Value for Money*, et elles ont fait disparaître d'autres coûts et bénéfices annexes du bilan comptable. Le pilotage par les indicateurs comptables s'est ainsi avéré plus difficile que prévu.

Notons cependant que CCT a permis d'atteindre certains objectifs. Des autorités locales ont profité de cet instrument pour revoir leur organisation. Sans entrer dans le détail, les autorités locales britanniques n'étaient pas considérées comme des modèles de gestion publique efficace en Grande-Bretagne, et ce pour trop de bonnes raisons [Stoker, 1988]. De manière décisive, l'instrument CCT a introduit une contrainte systématique sur les autorités locales qui s'est concrétisée par le développement des audits et des inspections. Cette contrainte permanente pendant une dizaine d'années a progressivement modifié de façon significative les groupes et les individus au sein des autorités locales. Ils ont appris de nouvelles règles comptables, ont orienté leur comportement dans le sens de l'efficacité comptable, ont traité leur client comme des consommateurs, sont devenus plus réactifs, ont appris les règles de la concurrence. De manières diverses, souvent contrastées, souvent contre l'avis des syndicats[2], les employés des autorités locales, mais surtout les élus et les directeurs, ont appris puis internalisé les règles du management préconisé par le gouvernement Thatcher. Les objectifs d'efficience et d'efficacité ont progressivement été naturalisés au sein des professions concernées. Au fil des ans, l'idée d'introduire des critères sociaux ou politiques dans la gestion des services locaux est devenue non seulement illégitime mais incongrue. Enfin, la production d'indicateurs est devenue une industrie à part entière qui a fait la fortune soit d'universitaires travaillant de plus en plus étroitement en *policy analysis* pour les gouvernements centraux et locaux, soit des consultants spécialisés en ce domaine ; l'introduction de systèmes d'information a permis la production et le contrôle de ces indicateurs.

L'instrument CCT a progressivement perdu de sa dynamique. Lorsque quelques privatisations de services locaux ont été effectuées et que les autorités locales dans leur ensemble ont réorganisé leurs services pour satisfaire aux critères des auditeurs, CCT a continué à exercer une pression mais n'a plus entraîné de transformations significatives. Le gouvernement conservateur a tenté de relancer cette dynamique en 1989 en élargissent le champ des secteurs soumis au CCT, mais sans grand effet. À partir de ce moment, les autorités locales n'ont eu de cesse que d'essayer d'échapper à ce système de contrainte exigeant, symbole du thatchérisme, de l'imposition aveugle de mécanismes de marché.

Un instrument néo-travailliste qui échappe à ses créateurs : *Best Value for Money*

Le nouveau gouvernement travailliste élu en 1997 – après dix-huit ans de gouvernement conservateur – s'était engagé à supprimer CCT. Un groupe de travail a élaboré un instrument de remplacement baptisé *Best Value for Money*. Les auditeurs de l'Audit Commission se sont emparés de ce nouvel instrument et l'ont transformé en gigantesque machine d'inspection, un cauchemar bureaucratique qui a effrayé jusqu'aux plus centralisateurs des néo-travaillistes. Il s'agit donc d'un cas où la dynamique de l'instrument échappe largement à ses créateurs.

---

2. *Ce qui a déclenché des conflits locaux très durs dans de nombreuses villes, par exemple à Birmingham ou Coventry [Le Galès, 1993].*

L'équipe néo-travailliste de Tony Blair est largement acquise aux thèses un peu vagues de ce qu'on appelle le « nouveau management public », qui se traduit par l'application des principes du choix rationnel et de la micro-économie classique à la gestion publique, parfois de manière plus directe, par le transfert de recettes de la gestion privée à la gestion publique. Cela conduit notamment à une fragmentation des instruments d'action publique, à une concurrence entre différents types d'instrument et d'organisation, à leur spécialisation, à l'introduction d'instruments de gestion en provenance du monde de l'entreprise (et notamment des *business schools)* ainsi qu'à une plus grande clarté dans les comptes et plus de flexibilité dans la gestion de la main-d'œuvre. Il n'est aucunement question pour le nouveau gouvernement de remettre en cause une partie du cadre de la gestion publique laissée par les conservateurs, notamment les mécanismes de pression et de concurrence.

À la recherche d'un instrument de contrôle acceptable par les autorités locales

CCT était loin d'être populaire au sein du Parti travailliste. Après le départ de Mme Thatcher, le gouvernement conservateur de John Major apparaît comme un gouvernement de transition. À partir du milieu des années 1980, le nouveau leader travailliste Neil Kinnock engage la transformation et la démocratisation des travaillistes. Ayant perdu trois élections de suite, le parti doit s'appuyer sur ses autorités locales pour se reconstruire, même si le conflit avec la gauche du parti, très active dans certaines municipalités du grand Londres et au Nord de l'Angleterre, provoque un conflit majeur au sein du parti et renouvelle la méfiance traditionnelle de ses élites à l'égard des autorités locales.

Dans le cadre de la préparation des élections de 1992, que les travaillistes ont pensé gagner jusqu'au jour des élections, le ministre du Cabinet fantôme en charge des autorités locales, Bryan Gould, est donc chargé de réfléchir à la suppression de l'instrument CCT exigé par les responsables travaillistes locaux ainsi que par les principales associations d'autorités locales. Fallait-il supprimer cet instrument purement et simplement ? Bryan Gould, un économiste d'Oxford néo-zélandais partage la méfiance des élites travaillistes à l'égard du gouvernement local qu'il ne connaît pas ou mal. Son équipe propose alors de supprimer symboliquement l'instrument CCT et de le remplacer par un autre qui serait une adaptation travailliste. L'objectif est d'introduire des critères de qualité dans la gestion publique locale des contrats, dans les indicateurs de performance, et de supprimer les appels d'offre concurrentiels obligatoires. Cet instrument, baptisé *Quality Streets*, disparaît avec la défaite travailliste de 1992. Les autorités locales subissent l'instrument CCT cinq années de plus.

Après la mort de John Smith, éphémère leader, Tony Blair et Gordon Brown entreprennent la modernisation du Parti travailliste, c'est-à-dire la transformation radicale de la doctrine et de l'organisation dans une perspective beaucoup moins antagoniste à l'égard du marché et des processus de globalisation, transformation symbolisée par l'appel rhétorique permanent à la « modernisation » [Finlayson, 2003]. Même si les autorités locales sont des acteurs et des ressources pour la reconstruction du parti travailliste, ses leaders ne sont pas, de beaucoup s'en faut, de chauds partisans de la décentralisation ou de la gestion publique locale. L'équipe de *leadership* du parti qui émerge au milieu des années 1990 comprend notamment, outre une proportion significative d'écossais, comme Robin Cook ou Gordon Brown, de nombreux députés élus dans les circonscriptions « sûres », c'est-à-dire acquises de longue date aux travaillistes du Nord-Est de l'Angleterre. C'est le cas de Tony Blair, de Peter Mandelson, d'Alan Milburn, d'Hilary Amstrong, de John Prescott ou de David Blunkett. Certains ont été des élus locaux (Blunkett, Amstrong), mais la plupart connaissent seulement le monde des autorités locales du Nord-Est de l'Angleterre. Il s'agit d'un monde particulier, une région ouvrière, où les travaillistes sont au pouvoir dans les principales municipalités depuis des décennies. L'absence d'alternance au sein de ce monde relativement fermé a aussi conduit à de nombreuses affaires de corruption au fil des ans, phénomène assez unique en Grande-Bretagne, sauf peut-être dans la région de Glasgow. En bref, les autorités locales du Nord-Est de l'Angleterre ne sont pas le fer de lance de la révolution néo-travailliste. Elles présentent plutôt tous les défauts de la gestion travailliste municipale traditionnelle du point de vue des néo-travaillistes : une grande passivité, l'absence de transparence et de procédures démocratiques dans les décisions, une vision collective de la fourniture des services, des syndicats puissants, une gestion obsolète, des services inadaptés ou peu compétitifs, bref la caricature de *Old Labour* que Tony Blair et ses alliés s'appliquent alors à renvoyer aux oubliettes de l'histoire.

Avant les élections de 1997, le parti néo-travailliste de Blair et Brown s'est engagé à supprimer CCT. Il est cependant rapidement convenu qu'il est hors de question de donner une autonomie significative aux autorités locales. Certes, la Grande-Bretagne est sans doute

251

Contrôle et surveillance. La restructuration de l'État en Grande-Bretagne

devenu le pays le plus centralisé de toute l'Union européenne, mais les néo-travaillistes, comme Mme Thatcher avant eux, veulent utiliser les instruments centralisés de l'État pour imposer les réformes qu'ils estiment nécessaires. Différents groupes de travail ont donc réfléchi à une alternative pour CCT. Au sein du parti, des universitaires travaillistes spécialisés dans les questions territoriales, notamment des Midlands ou du Nord de l'Angleterre, ont fait des rapports et des propositions. Les *think tanks* proches du *leadership* ont également préparé une alternative au CCT. L'un d'entre eux, l'Institute for Public Policy Research (IPPR) s'avère central dans l'élaboration d'un nouvel instrument[3]. Regroupant une partie de ceux qui vont jouer des rôles de premier plan au sein des gouvernements de Tony Blair[4], ce groupe se donne un double objectif : supprimer CCT et le remplacer par un instrument similaire mais acceptable pour les autorités locales[5]. Il n'est pas question en revanche de rendre leur autonomie aux autorités locales.

Ce groupe néo-travailliste s'inscrit pour une bonne part dans la continuité du gouvernement conservateur. La hausse des impôts est abandonnée, l'investissement public est considéré avec suspicion, le cadre d'analyse, certes imprécis, du *New Public Management* est largement assimilé et préconisé. En revanche, il rejette la version économique du thatchérisme, la croyance aveugle dans la supériorité de l'économie de marché. Pour bien marquer la continuité, ce groupe propose un nouvel instrument baptisé *Best Value for Money*, en partie influencé par les réflexions sur la gestion publique développée chez les démocrates américains et au sein de l'équipe Clinton. Premièrement, ces responsables néo-travaillistes veulent maintenir un régime strict de régulation, de contrôle et de sanction à l'égard d'autorités locales à qui ils ne font aucune confiance. Ils gardent de l'instrument précédent les objectifs, les indicateurs de performance, les normes, les standards et les procédures d'audit. Deuxièmement,

3. *Les chercheurs du Centre for Local Government de la* business school *de l'Université de Warwick sont en partie à l'origine de la réflexion sur le contenu de l'instrument.*
4. *Notamment Geoff Mulgan devenu directeur de la* Strategy Unit *auprès du Premier ministre, des ministres de premier plan comme David Miliband, Patricia Hewitt, Stephen Byers, ou des conseillers comme Don Corry, ainsi que des leaders d'autorités locales.*
5. *Une partie de ce groupe sera à l'origine d'un autre* think tank, « *New Local Government Network* », *qui produit des rapports sur la gestion locale et qui est proche du* leadership *néo-travailliste comprenant notamment Dan Corry et Paul Corrigan (conseillers de ministres), le syndicaliste Jack Rooney, l'universitaire Gerry Stoker et des responsables locaux comme le* chief executive *de Wakefield, John Foster.*

ils veulent introduire une vision de gauche de l'instrument en instaurant des critères de qualité (idée développée précédemment dans *Quality Streets*), en élargissant la palette des objectifs à prendre en compte, notamment en termes sociaux, en termes de qualité du service rendu, voire progressivement, de développement durable. Troisièmement, ils essaient de configurer un instrument qui permette à la fois d'exercer une pression continue sur les autorités locales afin de les obliger à améliorer leur gestion, la fourniture des services, y compris en termes d'efficience et d'efficacité et dans un sens moins économique, mais aussi de leur laisser une plus grande liberté pour définir leur priorité et réaliser leurs objectifs. Pour ce groupe, la modernisation du secteur public passe par une amélioration de la gestion et des performances ainsi que par l'utilisation d'un instrument centralisateur pour contraindre, mesurer et sanctionner.

Maints universitaires travaillistes – et ils sont nombreux à l'époque – vont s'appliquer à définir précisément les contours de ce nouvel instrument. Les chercheurs du Local Government Centre de la *business school* de l'Université de Warwick, en relation avec les autorités locales, sont en partie à l'origine de la réflexion sur les critères d'évaluation d'une « bonne gestion » néo-travailliste au-delà des critères de performance économique. Avec d'autres, ils proposent des mesures de productivité, d'amélioration qualitative et quantitative des qualités de services par rapport aux besoins de la population, des critères de « bonnes pratiques » utilisés par les consultants (très populaires au sein de l'Union européenne), des mesures de standards nationaux pour juger les performances relatives des autorités locales. Ils sont à l'origine du programme expérimental *Best Value Development Programme*, avec John Haward, leader du *borough* de Southwark à Londres [Warwick Business School, 2003].

L'institutionnalisation de Best Value for Money *et le « cauchemar bureaucratique »*

Après la victoire des travaillistes aux élections de mai 1997, le nouvel instrument *Best Value for Money* est rapidement adopté à titre expérimental. Cet instrument doit donc être mis en œuvre de manière expérimentale, évalué puis généralisé. Pourtant, une tension se manifeste rapidement entre deux directions opposées : l'une qui privilégie l'expérimentation, l'autre qui systématise les contrôles et la rationalisation de la gestion.

En effet, autour de John Prescott, le vice-Premier ministre en charge de ces questions, les responsables des autorités locales et les représentants des associations considèrent cet instrument comme une nouvelle institution qui permet à des acteurs néo-travaillistes d'expérimenter de nouveaux critères de gestion, de définir de nouvelles priorités, d'inventer les nouvelles normes d'un modèle modernisé de gestion travailliste locale. Plusieurs groupes d'universitaires travaillent dans cette première direction et notamment le Warwick Centre for Local Government qui gagne l'appel d'offre pour élaborer et évaluer cette première phase. Ils coordonnent la mise en place de cet instrument pour un réseau d'autorités locales pilotes afin d'expérimenter des dispositifs de démocratisation, de consultation des habitants et des minorités, de formaliser des procédures de partenariat entre différents groupes (à l'instar de ce qui était prôné par l'Union européenne [Benington et Geddes, 2001]), de clarifier les conditions de l'expérimentation, de diversifier les modes de gestion par secteur, en fonction des besoins des populations et des territoires. Cent vingt autorités locales sont volontaires et le ministère de John Prescott (à l'époque Department of Environment, Transport, Regions – DETR) en sélectionne quarante et une. L'instrument *Best Value for Money* est considéré comme en voie d'élaboration. L'évaluation proposée par le groupe de Warwick[6] [Martin, 2000 et 2003] prend la forme d'une animation de réseau, de mise en forme systématique de démarches et de procédures élaborées en commun avec les autorités locales, d'évaluations appuyées sur les demandes des populations, de stratégies de changement programmées à moyen terme. Les autorités locales peuvent choisir de se saisir de l'instrument *Best Value for Money,* en fonction des priorités de secteur dans leurs activités, et elles ont également une liberté assez grande pour déterminer les moyens et le calendrier.

Parallèlement, cependant, une partie des responsables du gouvernement Blair exige rapidement des résultats et des preuves d'amélioration des performances des autorités locales. Il faut montrer aux Britanniques qu'il n'y a pas de retour en arrière et que le gouvernement prend au sérieux sa mission qui consiste à moderniser l'administration, à la rendre plus efficace et plus proche des demandes des citoyens. Comme toujours en Grande-Bretagne, les autorités locales, maillon faible de l'administration publique, servent de cobayes pour ces nouveaux programmes.

Dans cette perspective, dès le départ, l'Audit Commission est mobilisée avec le soutien des principaux ministères centralisés (Éducation,

---

6. *À noter que Steve Martin, le principal évaluateur est ensuite nommé à l'Université de Cardiff. Les travaux les plus récents sont issus de son travail.*

GOUVERNER PAR LES INSTRUMENTS

Affaires sociales, Finances), généralement opposés aux autorités locales. Elle se saisit de l'instrument : elle engage des centaines de nouveaux auditeurs et commence à mettre en place une longue série d'inspections. L'Audit Commission, en bon entrepreneur politique, étend et systématise son contrôle sur la gestion publique locale de manière plus détaillée et plus sophistiquée, ce qui augmente fortement son champ d'intervention. Parallèlement à la démarche expérimentale, l'Audit Commission prend prétexte des questions posées par les autres autorités locales pour élaborer ses propres critères. Elle élabore une nouvelle grille de normes, de standards, d'objectifs à atteindre dans les différents secteurs d'activité des autorités locales. Fortes des expériences précédentes, les autorités locales réagissent rapidement et produisent des rapports à tour de bras.

L'instrument *Best Value for Money* demande aux autorités locales de produire des rapports d'activité sur la gestion de leurs services, incluant des indicateurs de satisfaction des utilisateurs (par sondages ou questionnaires), des mesures de productivité, des critères et des objectifs d'amélioration. Si l'Audit Commission multiplie les inspections, les autorités locales se transforment en machine à produire des bilans d'activité, des indicateurs de performance et des procédures standardisées. Voici un exemple de standard : le ministère DETR et l'Audit Commission ont décrété que 45 % des demandes de *planning application* (dont les permis de construire) émanant d'industriels ou de commerçants devaient être traitées en moins de treize semaines en 2002-2003. L'accroissement spectaculaire des inspections de l'Audit Commission se traduit par le chiffre astronomique de 600 inspections réalisées en 2000, qui montera à 3 000 en 2002, lorsque la machine tournera à plein régime. Chaque inspection donne lieu à un rapport public précis et détaillé où sont examinées toutes les procédures, vérifiés les principaux indicateurs, critiqués les objectifs d'amélioration. On rappelle qu'il n'existe que 442 autorités locales en Grande-Bretagne (34 comtés, 238 districts) et qu'au-delà de l'Audit Commission, les autorités locales font également face aux inspections systématiques des principaux ministères, notamment dans l'éducation et les services sociaux.

Du point de vue des autorités locales, la situation devient ubuesque. Les directeurs de service passent leur temps à faire des rapports d'activité et des plans de développement et d'amélioration de leur activité, dans une logique purement sectorielle et au détriment de leur activité directe.

Alors que l'instrument était expérimental, sa généralisation est décidée dès 2000, avant même que ne soit véritablement commencée l'évaluation de la phase pilote. L'Audit Commission triomphe. Chaque municipalité s'engage dans cette logique bureaucratique inflationniste de production de rapports et de plan stratégiques. En 2000, la municipalité de Coventry dans les West Midlands (taille d'une capitale régionale française) rédige plus de soixante-dix bilans et plans stratégiques pour ses activités : le plan pour les écoles, le plan d'amélioration des services des bibliothèques, le plan de développement durable, le plan pour la gestion des services de réparation des logements. Chaque plan préparé pour *Best Value for Money* s'accompagne d'un déluge de procédures précises (description de la procédure en trois étapes de recouvrement d'une subvention), d'indicateurs chiffrés (nombre de jours en moyenne pour répondre à une demande de subvention dans le cadre de la politique du logement), de mesures de performances (d'un niveau de détail étonnant) et de grandes déclarations sur les objectifs stratégiques, la cohérence transversale, l'approche globale et stratégique, et les cibles à atteindre. Cette activité bureaucratique frénétique générée par cet instrument reste de surcroît purement inscrite dans une logique sectorielle, les auditeurs ne prenant aucunement en compte les priorités d'ensemble des autorités locales.

Les responsables d'administration locale interviewés ont expliqué qu'ils vivaient dans l'attente d'inspections qui tombaient parfois plusieurs fois par mois. Ils passaient donc leur temps à préparer des rapports, sans aucune cohérence en termes d'intégration ou de stratégie générale... sauf sur le papier. Des salles spécifiques avaient été réservées par plusieurs autorités locales pour entreposer la masse de documents nécessaires à la préparation du rapport d'activité et du plan stratégique pour telle ou telle activité. Puisque les auditeurs examinent avec précision les procédures, ils doivent pouvoir disposer de tous les comptes rendus de réunions, du détail des plans de formation de personnel ou des débats qui ont précédé l'échantillonnage et la méthode utilisée pour fabriquer l'indicateur de satisfaction des utilisateurs de la bibliothèque, soit des centaines de pages pour chaque plan.

De l'expérimentation au symbole de la centralisation et de la bureaucratie du gouvernement Blair

L'instrument *Best value for money* a donc produit plusieurs types de résultat. Si l'on considère le nombre de pages de documentation produites pour chaque plan stratégique, additionné aux rapports des inspecteurs de l'Audit Commission, multiplié par le nombre de plans par autorités locales, multiplié par le nombre d'autorités locales, on peut conclure que cet instrument, *a priori* innovant, s'est transformé en cauchemar bureaucratique.

Best Value for Money a généré des caisses de documents validant des procédures impeccables, des indicateurs de performance et des objectifs élaborés dans le seul souci de convenir à des inspecteurs de l'Audit Commission, s'appuyant sur des standards et des normes élaborés dans un cadre hypercentralisé.

Sous la houlette d'une Audit Commission triomphante, cet instrument est devenu un très puissant mécanisme de centralisation bureaucratique. L'abandon de la norme unique *Value for Money* a généré une activité considérable pour définir les normes, les standards, les critères d'évaluation, les indicateurs de performance et les objectifs quantifiables d'amélioration dans des domaines d'action publique locale de plus en plus étendus, à des niveaux de plus en plus précis, encore une fois, sans aucune prise en compte des différences spatiales ni de situations des autorités locales. La « cage de fer » du CCT, pour reprendre l'expression de Weber, s'est transformée en un filet extraordinairement resserré. *Best Value for Money* est devenu un instrument de centralisation et de contrôle bureaucratique provoquant d'ailleurs le découragement d'une partie des responsables d'autorités locales, ou la démission d'autres. « The more strictly we are watched, the better we behave » : cette expression caractérise encore advantage la logique de cet instrument. On pense cette fois directement à l'utopie de Bentham, au panoptique, à cette vision d'une « inspectabilité » presque totale d'une société et aux effets de discipline induits.

Cet instrument n'a pas été isolé. Les premières années du gouvernement Blair ont généralisé ces instruments pour modifier en profondeur les comportements des groupes et des individus, générant un grand nombre de cibles, d'objectifs, d'indicateurs de performance et de sanctions en cas de non-conformité, avec parfois des succès puisque, pour la première fois depuis longtemps, les performances scolaires mesurées par OFSTED, l'organisme d'inspection de l'Éducation nationale a fait état d'améliorations significatives. *Best Value for Money* a échappé à ses créateurs. Il est devenu un monstre de bureaucratie dont la croissance n'a pas été prévue. Sa logique s'est renforcée au fil des ans grâce à l'action dynamique de l'Audit Commission.

Or, à partir de 2001, la question de l'amélioration des services publics devient plus que jamais une priorité pour le second gouvernement néo-

257

Contrôle et surveillance. La restructuration de l'État en Grande-Bretagne |

travailliste. Le Parti conservateur et les médias attaquent de plus en plus le gouvernement jugé *control freak*, obsédé par le contrôle et la surveillance. La multiplication des cibles et des objectifs stratégiques dans tous les domaines frôle la caricature, notamment le jour ou l'un des principaux ministres explique que l'objectif du gouvernement est de diminuer le nombre de cibles dans la gestion publique...

L'instrument génère, à partir de ce moment-là, des critiques vigoureuses de tous bords : de la part des autorités locales, de la presse, et surtout de la part des proches conseillers de Tony Blair qui découvrent avec effroi les effets d'un instrument qu'ils ont encouragé, au départ, mais dont ils n'avaient aucunement prévu les effets à moyen terme. La procédure induite par l'instrument rend enfin les transformations des services relativement lentes. Or le gouvernement est pressé. Il veut montrer rapidement les améliorations significatives de la gestion publique et des services fournis à la population. La question du contrôle de l'Audit Commission commence également à se poser sous la forme la plus classique : « Qui contrôle les contrôleurs ? » Alors que l'instrument *Best Value for Money* termine sa phase d'expérimentation avec les quarante et une autorités locales pilotes, le gouvernement prépare un nouvel instrument pour pallier les défauts du précédent : CPA.

L'hyper-rationalisation et le triomphe de l'esprit utilitariste : *Comprehensive Spending Assessment* (CPA)

Rappelons que pour Bentham, le modèle du panoptique a deux composantes : une surveillance systématique et effective, et un coût réduit pour les finances publiques. À maints égards, le nouvel instrument élaboré par les néo-travaillistes, *Comprehensive Spending Assessment* (CPA), respecte ces deux critères. C'est un instrument de mesure synthétique, de comparaison et de sanction de la gestion des autorités locales qui s'appuie sur des indicateurs agrégés.

CPA instaure un système d'incitations et de sanctions liées aux performances

CPA est élaboré pour faire face aux critiques émises à l'égard de l'instrument précédent : trop bureaucratique, trop d'inspections, d'audits, faible capacité à produire des transformations significatives. Or ce dernier thème, notamment l'amélioration rapide des services publics, est au cœur du second mandat de Tony Blair. Le Premier ministre et son ministre de l'Économie et des Finances, Gordon Brown, engagent alors un programme d'investissements publics accompagné d'une augmentation des impôts et d'une redistribution à l'égard des ménages les plus pauvres. Cependant, pour faire passer ce programme auprès des *middle classes*, notamment du Sud de l'Angleterre, le gouvernement doit donner au plus vite des gages de l'efficacité de la dépense, vivement critiquée par l'opposition.

L'élaboration du nouvel instrument s'inscrit dans la rhétorique de modernisation de la gestion publique élaborée par les néo-travaillistes, de réformes radicales, de remise en cause des approches collectives au profit des approches individuelles et de pluralisation des modes de fourniture des services publics (agences, associations, entreprises privées, fondations, organisations autonomes au sein du secteur public, etc.).

Alors que le second gouvernement Blair a fait de l'amélioration des services publics le cœur de sa stratégie politique, CPA est élaboré, en premier lieu, pour répondre aux accusations d'obsession de contrôle, de tendances à la bureaucratie centralisée portées contre *Best Value* et d'autres instruments mis en place à la même période.

La préparation du nouvel instrument est confiée à un groupe de jeunes turcs modernisateurs au sein de l'Audit Commission, en lien étroit avec le Cabinet Office. Ce choix éclaire certaines caractéristiques de CPA. La responsabilité n'a pas été confiée à l'ODPM (Office of Deputy Prime Minister) de John Prescott, dont le vaste ministère est directement en charge des autorités locales. Prescott lui-même est considéré comme trop proche des intérêts et des idées des autorités locales travaillistes. Les autorités locales, et surtout leurs puissantes associations, sont maintenues à l'écart du processus. C'est évidemment aussi le cas pour d'autres groupes d'intérêt ou associations. Certaines questions ne sont plus posées. Le rôle de l'inspection et de l'audit pour exercer une contrainte permanente afin d'obliger les autorités locales à se moderniser, à améliorer leur performance est évident. Le fait qu'il existe des mesures, des indicateurs qui permettent de surveiller, contrôler, réguler, est devenu naturel. Une grande partie des idées liées au *New Public Management* sont parfaitement intégrées et ne sont plus remises en cause.

Un débat se déroule au sein de l'Audit Commission. Les responsables qui ont orchestré la dynamique autour de l'instrument précédent sont sur la défensive. L'Audit Commission a recruté de nouveaux membres, dont certains ont eu des carrières rapides dans le sillage des néo-travaillistes, et ont exercé des responsabilités de direction au sein d'autorités locales. Ce ne sont pas des auditeurs de formation ni des consultants, mais des professionnels de la gestion publique. C'est à l'un d'entre eux, Paul Kirby, proche de l'agenda radical néo-travailliste, qu'est confiée la tâche d'élaborer un nouvel instrument en lien étroit avec le Cabinet Office, ainsi qu'avec certains universitaires à l'origine de *Best Value* qui avaient critiqué l'évolution de l'instrument.

Ce groupe de travail fait un bilan sans concession de l'instrument précédent en mettant trois points en exergue : 1) la dérive du régime d'inspection et les effets pervers de l'accumulation des audits et des contrôles, « an overzealous approach to inspection » [DETR, 2001] ; 2) l'approche sectorielle du contrôle qui a conduit à une centralisation excessive des normes et des standards ainsi qu'à une fragmentation de la gestion publique locale ; 3) la relative inefficacité en termes d'améliorations concrètes des services publics locaux.

L'élaboration du nouvel instrument prend donc pour acquis la nécessité d'exercer une pression continue sur les autorités locales afin qu'elles améliorent leur performance dans la production et la fourniture de services et d'équipements à la population. Cependant, le groupe de travail introduit deux innovations majeures dans le nouvel instrument :

– Inspection après inspection, certaines autorités locales se caractérisent par de très bons résultats sur les échelles de performance. Il paraît donc inutile de multiplier les contrôles. Au contraire, le groupe de travail propose de créer une dynamique *via* un système d'incitations. Les « meilleures » autorités locales seront récompensées de trois manières : une autonomie nouvelle pour décider de leurs investissements sur une part de leurs ressources (une mini-dotation globale en termes français) ; des marges de manœuvre plus importantes pour décider des moyens à mobiliser pour atteindre leurs objectifs sans forcément passer par les procédures standardisées obligatoires ; un régime d'audit et d'inspection allégé. À l'inverse, les autorités locales les moins performantes ne doivent pas seulement être sanctionnées. Elles doivent bénéficier du soutien d'agences extérieures pour améliorer leurs performances.

– Les autorités locales ne sont plus considérées seulement comme des agences destinées seulement à appliquer des procédures standardisées et à atteindre des cibles définies au niveau national. Le groupe de travail reconnaît la diversité des situations économiques et sociales locales. Il met donc l'accent sur la liberté que doivent avoir ces autorités pour définir leurs propres priorités. Il réhabilite la notion de *leadership* de l'autorité locale (élément clé de la rhétorique néo-travailliste) pour adopter des priorités qui correspondent aux problèmes du territoire concerné. Prenant résolument le contre-pied des approches purement sectorielles, le groupe de travail met l'accent sur les projets transversaux et sur la mise en œuvre des priorités annoncées par l'autorité locale. En effet, les enjeux des politiques publiques locales et les destinataires ne sont pas les mêmes à Liverpool ou à Guilford dans l'opulente région du Surrey.

Au total, le groupe de travail préconise une approche plus sophistiquée de l'instrument de surveillance et de contrôle pour transformer plus rapidement la gestion publique locale, rituellement dénoncée comme problématique. Ces principes vont être opérationnalisés dans CPA, l'instrument à la fois le plus sophistiqué et le plus ambitieux mis en place par le gouvernement néo-travailliste.

Le triomphe de l'esprit utilitariste : hyper-rationalisation et simplification

Pour réaliser ses objectifs, le groupe de travail conçoit le nouvel instrument d'abord comme un instrument de mesure. D'une part, pour pouvoir récompenser les bons élèves et sanctionner les autorités locales défaillantes en les aidant, le gouvernement a besoin d'un tableau de bord avec des indicateurs synthétiques simples. Cet aspect de rationalisation est essentiel dans le « nouveau management public » et central dans la conception de la gestion publique néo-travailliste. D'autre part, les services publics et leur évolution doivent devenir un enjeu pour le public. Pour le gouvernement Blair, comme pour le gouvernement Thatcher, les habitants sont des consommateurs qui doivent comparer les fournisseurs de service, les coûts, et sanctionner les élus inefficaces. CPA est donc un instrument qui doit permettre une comparaison simple de critères synthétiques de bonne gestion publique locale, et créer une pression au changement non seulement en provenance du gouvernement central sous la forme de sanction (dont les effets demeurent limités), mais aussi en provenance des publics de l'action publique, des consommateurs de service.

Le groupe de travail s'est donc attelé à une tâche difficile : l'invention d'un indicateur agrégé synthétique de bonne gestion locale. On mesure ici le coup de force que représente CPA. Le monde social des autorités locales est considéré dans son ensemble comme mesurable, à l'instar de la gestion financière des entreprises. L'objectif est d'obtenir un indicateur qui permette de noter et de classer les autorités locales, puis de provoquer des réactions prévisibles chez les responsables des autorités pour améliorer leurs performances en fonction des objectifs et des critères décidés par l'Audit Commission et le gouvernement. Ce travail va durer une année.

Le groupe de travail décide en premier lieu de mobiliser et d'agréger systématiquement tout le travail d'inspection et d'audit qui a été réalisé par l'Audit Commission à partir des deux instruments précédents, CCT et *Best Value for Money*. Or ce travail, on l'a montré, a été considérable. Il a donné lieu à des échelles de notation des différentes autorités locales. Le groupe de travail utilise cette masse d'informations et impose une norme, à savoir le classement de tous les services des autorités locales sur une échelle de 1 à 4. Il s'agit donc d'un travail de mise en forme, de traduction des inspections répétées dans différentes autorités locales. Leurs services ont été divisés en des dizaines de politiques publiques qui ont été évaluées et comparées les unes par rapport aux autres. Évidemment, ce coup de force de normalisation[7], de mise en forme unique de données disparates, provoque des réactions vives de la part des autorités locales.

La deuxième étape est la plus difficile, elle consiste pour le groupe de travail à récupérer les données du même ordre en provenance des deux principaux ministères qui ont développé leur propre régime d'inspection, le ministère de l'Éducation et le ministère des Affaires sociales. Il faut tout l'appui du Premier ministre en personne pour que le groupe de travail réussisse, premièrement, à obtenir cette masse de données, deuxièmement à négocier la possibilité de classer toutes ces informations en quatre catégories. Les ministères concernés ont résisté, autant que faire se peut, car ils perdaient ainsi le monopole sur la production de données et ne contrôlaient plus l'usage qui pouvait en être fait. La bataille bureaucratique s'est notamment focalisée sur la traduction des échelles de classement adoptées par les inspections des ministères concernés dans le format du groupe de travail.

Ces deux premières étapes rationalisent et systématisent les données existantes. Ce travail passe par l'élaboration d'un système d'information de très grande ampleur au sein duquel les données sont enregistrées, codées puis traitées. La troisième étape est plus innovante : le groupe de

7. *L'un des interviewés, qui a fait partie de ce groupe de travail, parlait d'une* heroic basis *pour effectuer cette gigantesque conversion.*

travail a élaboré un nouvel indicateur de *leadership* censé mesurer la capacité d'une autorité locale à établir des priorités qui lui soient propres, à les mettre en œuvre et à atteindre ses objectifs. Cet indicateur agrégé est construit à partir d'une mesure de l'ambition de l'autorité locale, de son sens des priorités, de sa capacité stratégique, de ses performances en termes de management, d'orientation de ses investissements, d'apprentissage, d'évolution dans le temps, etc. Le score est attribué par les inspecteurs/auditeurs à partir de leur propre évaluation qui reste relativement subjective. L'ambition du groupe de travail est remarquable à maints égards car cette dimension révèle une confiance dans la capacité de jugement politique et stratégique des auditeurs de l'Audit Commission. Cette disposition a été sévèrement critiquée par les représentants des autorités locales qui dénonçaient un coup de force politique pour orienter la gestion locale dans le sens des priorités néo-travaillistes.

Last but not least, le groupe de travail s'est attelé à la mise en forme de ces différentes données pour produire un indicateur synthétique de performance, ce qui est une performance en soi. Deux domaines ont été distingués. Le premier concerne les performances des services qui sont au cœur des politiques publiques locales : éducation, services sociaux, environnement, logement, loisirs/bibliothèques, prestations et gestion financière. Dans les classements, une prime est donnée aux trois fonctions considérées comme centrales : éducation, services sociaux et gestion financière. Elle révèle le compromis avec les trois ministères concernés qui ont exigé que leurs évaluations pèsent davantage sur les autres domaines de politiques publiques. D'après le responsable du groupe de travail, la pondération des indicateurs a donné lieu aux conflits les plus durs dans la période de préparation de cet instrument. En agrégeant ces différentes mesures, on obtient un indicateur de 1 à 4 pour classer les performances des services les plus importants des autorités locales, 1 correspondant à faible, 4 à très bon.

Ensuite, la même opération est effectuée pour la seconde dimension, la capacité de l'autorité locale, c'est-à-dire sa capacité stratégique et sa capacité à mettre en œuvre ses priorités. Là encore, les différentes mesures permettent de classer toutes les autorités locales de 1 à 4. Il suffit ensuite de combiner les deux variables pour obtenir un critère synthétique de bonne gestion locale. Ainsi, le rêve du pilotage rationnel par indicateur devient réalité.

Le ministre n'a plus qu'à appuyer sur le bouton de n'importe quelle autorité locale, par exemple, Bath and North East Sommerset, nom d'un comté du Sud-Ouest de l'Angleterre, pour connaître son score de performance (entre 1 et 4) : en termes d'éducation (3), de services sociaux pour les adultes (2), de services sociaux pour les enfants (3), de loisirs et bibliothèques (3), d'environnement (2), de logement (2), de gestion financière et d'utilisation de ses ressources (4), des prestations (3), soit un score moyen de 3. À ceci s'ajoute un score de 3 pour la capacité générale de ce comté ce qui conduit au jugement final : 3 = *a good council*. Les tableaux de bord synthétiques donnent cette information pour toutes les autorités locales de Grande-Bretagne, d'abord pour les comtés puis pour les districts.

Une fois de plus, on discerne dans l'instrument CPA une volonté d'élaboration collective d'une norme pour une gestion publique locale plus autonome, ce qui suscite un débat sur les critères d'évaluation de la gestion. Cependant, la logique de l'audit et de l'inspection conduit progressivement à davantage de standardisation, la dimension « managériale » prenant le dessus sur la dimension politique de la gestion. Les priorités stratégiques pour les territoires, les besoins des populations locales et les choix politiques sont rapidement laissées de côté au profit de la compétition pour obtenir la note maximum, gage de réussite politique et professionnelle.

Le groupe de travail a rédigé son rapport et mis en œuvre ce nouvel instrument. En 2003, il rend public son classement des autorités locales. Comme ses promoteurs l'espéraient, le résultat est repris non seulement par la presse nationale mais aussi par la presse locale, notamment lorsque les autorités locales obtiennent un score médiocre.

La publicité donnée aux indicateurs contribue puissamment à l'institutionnalisation de cet instrument. De prime abord, une partie des autorités locales a annoncé ne pas vouloir tenir compte de cet instrument conçu sans elles par un petit groupe de hauts fonctionnaires. Pourtant, l'annonce des résultats provoque de nombreuses réactions. Les gagnants contribuent largement à légitimer l'instrument : les élus se félicitent et les directeurs de service obtiennent des primes de résultats. En outre, leur prestige s'accroît fortement au sein des associations professionnelles. Certains directeurs de service d'autorités locales ou *chief executives* (directeurs généraux des services) sont engagés par d'autres autorités locales pour redresser des scores médiocres ou faibles, au prix de substantielles augmentations de salaires. D'autres sont appelés à des fonctions plus prestigieuses de direction d'agence centrale, au Cabinet Office ou au sein de l'Audit Commission elle-même. À l'inverse, au sein des autorités locales qui obtiennent les plus mauvais scores, ce classement est souvent traité par le mépris... Cependant, quelques mois plus tard, il n'est pas rare de voir des changements importants de directeurs de service qui ont pour mission claire d'améliorer le score de l'autorité locale.

Dès son introduction, CPA contribue à modifier les échelles de prestige et de salaire. En s'institutionnalisant, CPA modifie les anticipations des acteurs, oriente leur comportement dans de nouvelles directions, stabilise leurs anticipations, sélectionne des ressources pertinentes, délégitime d'autres façons de faire, modifie les rapports de pouvoir. Déjà, des changements de politiques publiques s'observent au sein des autorités locales « pour améliorer le score sur le CPA ». Enfin, les autorités locales gagnantes obtiennent lentement l'autonomie financière promise et mettent en scène les innovations ainsi rendues possibles sous le regard envieux des autres, le tout bien relayé par la presse professionnelle et au sein des associations professionnelles, des colloques et journées d'étude.

L'adoption et la naturalisation de l'instrument ont été étonnamment rapides pour un observateur extérieur, ce qui explique sans doute la succession des instruments dans le temps. L'apprentissage successif de trois instruments a semble-t-il ancré l'orientation gestionnaire, et cela malgré les crises et les résistances. Certes, la plupart des autorités locales demeurent très sceptiques sur les transformations réelles apportées par ce nouveau système. Elles savent par expérience que les objectifs et les priorités vont évoluer dans le temps. La création de classements (*league tables*) est un instrument classique du « nouveau management public », afin de mettre en mouvement des organisations. La concurrence, la course à la performance mesurée et un système de récompense/sanction ont souvent pour effet d'entraîner la mobilisation d'acteurs dans le sens voulu par les promoteurs du système.

Tout un débat technique s'est engagé non sur la pertinence de l'instrument CPA, mais sur son éventuelle amélioration. Le gouvernement a d'ailleurs créé une nouvelle organisation, Improvement and Development Agency (I&DeA), qui a pour mission d'aider les autorités locales à utiliser les indicateurs de performance afin d'améliorer la gestion. Contrôlée par des représentants des autorités locales, elle travaille étroitement avec l'Audit Commission pour faire évoluer les indicateurs et organiser des missions de soutien aux autorités locales en difficulté, sous la direction d'administrateurs et d'élus locaux[8]. Enfin, les différents acteurs du système sont en relation pour faire évoluer ce

---

8. *Voir, par exemple, le rapport de 2003 publié en commun par I&DeA et l'Audit Commission, « Acting on Facts : Using Performance Measurement to Improve Local Authority Services ».*

système avec des indicateurs plus satisfaisants. Ce sera l'occasion de nouvelles batailles autour de cet instrument. Indicateur de changement du rapport entre le gouvernement central et les autorités locales, ces dernières sont cette fois appelées à soumettre leurs observations, ce qui contribue à la légitimation de l'instrument[9]. Il évolue donc dans le sens de la concertation et de la mobilisation, peut-être, à terme, dans le sens de la gouvernance négociée.

*

Les trois instruments analysés, *Compulsory Competitive Tendering* (CCT), *Best Value for Money* et *Comprehensive Spending Assessment* (CPA) représentent trois versions d'un instrument de contrainte et de discipline des autorités locales britanniques. Ils visent tous trois à modifier en profondeur le comportement des organisations, des individus, leurs objectifs et les résultats de leurs actions, en mesurant par les techniques de gestion l'efficacité de la gestion publique.

Cette succession sur vingt ans montre tout d'abord la dimension politique des instruments qui traduisent ici clairement un rapport de pouvoir. Les groupes dominants, en l'occurrence le gouvernement central, conservateur puis néo-travailliste, introduisent ces instruments pour contraindre, changer, sanctionner le gouvernement local, modifier ses priorités, ses politiques publiques et ses modes d'organisation. CCT représente la version la plus controversée des trois instruments analysés et s'inscrit dans une période de conflit ouvert entre gouvernement central et gouvernement local. Ces instruments révèlent une autre dimension politique : l'efficacité de la gestion publique comme finalité majeure du gouvernement local ou, pour reprendre les termes de l'Audit Commission, la création d'une culture de performance systématique.

Après deux décennies, les autorités locales britanniques sont devenues des organisations profondément différentes de ce qu'elles étaient en 1979, pas seulement à cause des trois instruments étudiés, une myriade d'autres réformes a également joué leur rôle. Pourtant, ces instruments ont contribué à réorienter les politiques publiques : les acteurs, les représentations, les institutions, les résultats ne sont plus les mêmes. Cette transformation s'est parfois faite à contrecœur et, à tort ou

9. CPA 2005 - The New Approach, *document de travail de l'Audit Commission, 2004,* Single Tier and County Council and District Council Comprehensive Performance Assessment from 2005.

à raison, les associations d'autorités locales n'ont cessé de s'opposer à ces instruments tout en essayant de les utiliser de la manière qui leur soit la plus favorable. Ils sont au cœur d'une bataille politique incessante qui révèle la faiblesse politique extrême des autorités locales britanniques. On n'imagine mal ailleurs en Europe – sauf peut-être en Irlande – un gouvernement qui impose un système de contrainte aussi fort, et qui accepte du bout des lèvres d'accorder un peu d'autonomie aux bons élèves de la classe, s'ils se comportent bien. Cette pression, cette surveillance, ce paternalisme du gouvernement central est joliment exprimé dans la formule *earned autonomy*, l'autonomie durement gagnée par les autorités locales qui auront bien du mérite à avoir obtenu de bonnes notes au CPA.

En termes de rapport entre gouvernement et société civile, ces trois instruments s'inscrivent dans la tradition utilitariste anglaise, dans une logique d'hyper-rationalisation du monde. Christopher Hood et ses collègues, dans d'autres domaines, ont particulièrement souligné cette croyance en un monde d'individus mus par la poursuite de leur intérêt égoïste, dont le comportement répond aux incitations et aux sanctions des institutions. Cette recherche de transparence, de mécanismes de surveillance et d'incitations pour rendre prévisible le comportement des individus rappelle également Hayek, les néo-classiques et l'école des choix rationnel. L'influence du « nouveau management public » est particulièrement visible dans la recherche continue et systématique d'indicateurs de plus en plus détaillés, de mesures de performance aux innombrables variables, au traitement et à l'agrégation à grande échelle de données qui n'ont rien à voir entre elles, traitement rendu possible grâce aux systèmes d'information.

Cette recherche de critères de « bonne gestion », de diffusion de « bonnes pratiques » et de standardisation renvoie l'image d'un monde où l'on peu identifier un équilibre, un optimum, un monde de la gestion isolé des contraintes sociales et des conflits politiques. CPA est sans doute le plus extraordinaire de ces trois instruments parce qu'il révèle cette recherche du management, l'indicateur unique synthétique qui permet de se faire un jugement et qui entraîne immédiatement des réactions. La croyance des néo-travaillistes en cet indicateur a quelque chose de stupéfiant, comme si la simple invocation de ce type d'instrument pouvait, à elle seule, entraîner des transformations rapides. C'est d'ailleurs l'une des caractéristiques de la gestion néo-travailliste : elle a une volonté farouche d'apporter des réformes radicales en multipliant les indicateurs, les programmes, les réformes, quitte à changer rapidement les objectifs et les priorités. L'analyse de ces trois instruments donne à voir une représentation d'un monde social malléable, réactif, dynamique, sous pression, réagissant instantanément aux indicateurs synthétiques et aux injonctions de mobilisation des maîtres du moment. Si les résultats de ces pressions sont impressionnants sur la moyenne durée, on reste cependant surpris par l'ambition extraordinaire de pilotage de la société par ces indicateurs... et le décalage par rapport à la fourniture des services à la population.

Ces trois instruments ne sont pas isolés au sein de l'État britannique, ils prennent place dans un ensemble de transformations qui s'inscrivent dans la restructuration en profondeur de l'État britannique initiée par Mme Thatcher et poursuivie de manière différente par les gouvernements néo-travaillistes. Si l'instrument CPA est maintenu, on serait tenté de conclure ce chapitre par la formule suivante : « freer local governments, more rules ». Dans un livre célèbre [1996] sur l'État et le marché et les dynamiques de régulation/réglementation, Steven Vogel avait titré « Freer markets, more rules ». L'analyse des trois instruments dans le cadre britannique va dans ce sens. Différents auteurs insistent aujourd'hui sur le rôle du contrôle, de la surveillance, de la régulation pour caractériser l'action publique et le rôle de l'État en Grande-Bretagne [Moran, 2003 ; Power, 1999 ; Hood et al., 1999], sur l'abandon d'instruments de subvention, de fourniture directe de services, de propriété des entreprises au profit des standards, des normes et des instruments de discipline. Au cours des deux dernières décennies, la régulation/contrôle du secteur public est devenue une énorme entreprise, plus importante même que la régulation du secteur privé, elle s'est accrue massivement en termes de complexité, de précision, de spécialisation, de contrôle des normes et des procédures. Ces trois instruments et leur usage révèlent non pas un retrait de l'État, non pas un État qui se contenterait d'être le gardien des règles du jeu, mais un État qui se recentralise en mobilisant un nouveau répertoire d'instruments.

BIBLIOGRAPHIE

AUDIT COMMISSION, *Changing Gear : Best Value Annual Statement*, Londres, Audit Commission, 2001.

BENINGTON (J.) et GEDDES (A.), *Local Partnership and Social Cohesion in Europe*, Londres, Routledge, 2001.

BEVIR (M.), « New Labour, a Study in Ideology », *British Journal of Politics and International Relations*, 2 (3), 2000, p. 277-301.

BOYNE (G.) (ed.), *Managing Local Services : from CCT to Best Value*, Londres, Frank Cass, 1999.

BOYNE (G.), KIRKPATRICK (I.) et KITCHENER (M.), « Introduction to the Symposium on New Labour and the Modernisation of Public Management », *Public Administration*, 79 (1), printemps 2001, p. 1-5.

COLE (A.) et JOHN (P.), *Local Governance in England and France*, Londres, Routledge, 2001.

CORRY (D.) et STOKER (G.), *Towards a New Localism*, brochure du New Local Government Network, 2003.

DAVIES (H.) et MARTIN (S.), « Evaluating the Best Value Pilot Programme : Measuring Success and Improvement », *Local Government Studies*, 28 (2), 2002, p. 55-68.

DEPARTMENT OF THE ENVIRONMENT, TRANSPORT AND THE REGIONS, *Improving Local Public Services : Final Evaluation of the Best Value Pilot Programme*, Londres, DETR, 2001.

DUNLEAVY (P.), « Can Government Be Best in the World ? », *Public Policy and Administration*, 9 (2), 1994.

DUNLEAVY (P.) et HOOD (C.), « From Old Public Administration to New Public Management », *Public Money and Management*, 14 (3), 1994.

DUNLEAVY (P.) et RHODES (R. A. W.), *Prime Minister and Core Executive*, Londres, Macmillan, 1995.

FINLAYSON (A.), *Making Sense of New Labour*, Londres, Lawrence and Wishart, 2003.

FLIGSTEIN (N.), « Social Skills and Institutional Theory », *American Behavioral Scientist*, 40 (4), février 1997, p. 397-405.

GAMBLE (A.), *The Free Economy and the Strong State. The Politics of That-cherism*, Londres, Macmillan, 1994 [2ᵉ éd.].

GEDDES (M.) et MARTIN (S.), « The Politics and Policies of Best Value : Currents, Cross Currents and Undercurrents in the New Regime », *Policy and Politics*, 23 (3), 2001, p. 379-395.

GOLDSMITH (M.), « Central Control Over Local Government. A Western European Comparison », *Local Government Studies*, 28 (3), 2002, p. 91-112.

HENKEL (M.), « The New Evaluative State », *Public Administration*, 69 (2), 1991, p. 121-126

HOOD (C.), « Contemporary Public Management : A New Paradigm ? », *Public Policy and Administration*, 10 (2), 1995.

HOOD (C.), *The Art of the State. Culture, Rhetoric and Public Management*, Oxford, Oxford University Press, 1998.

HOOD (C.), *The Tools of Government*, Chatham (N. J.), Chatham House, 1986.

HOOD (C.), SCOTT (C.), JAMES (O.), JONES (G.) et TRAVERS (T.), *Regulation Inside Government : Waste Watchers, Quality Police and Sleaze Busters*, Oxford, Oxford University Press, 1999.

IMPROVEMENT AND DEVELOPMENT AGENCY, *Believe it when You See it : Best Value and Improvement in a Word of CPA*, Londres, I&DeA, 2003.

IMPROVEMENT AND DEVELOPMENT AGENCY, *Local Government Improvement Programme. Guidance for Local Authorities*, Londres, I&DeA, 2002.

JOHN (P.), *Local Governance in Europe*, Londres, Sage, 2001.

JOHN (P.), « Privatisation, De-Privatisation and New Models of Public Ownership in the UK », *Working Paper*, ronéo, printemps 2004.

JORDAN (G.) et ASHFORD (N.) (eds), *Public Policy and the Nature of the New Right*, Londres, Frances Pinter, 1993.

LASCOUMES (P.) et VALLUY (J.), « Les activités publiques conventionnelles : un nouvel instrument d'action publique ? », *Sociologie du travail*, 4, 1996, p. 551-576.

LE GALÈS (P.), « La Grande-Bretagne de Mme Thatcher : dix ans d'une politique libérale et autoritaire », *Revue politique et parlementaire*, 943, septembre-octobre 1989.

LE GALÈS (P.), « Crise urbaine et développement économique local en Grande-Bretagne, l'apport de la nouvelle gauche urbaine », *Revue française de science politique*, 40 (5), octobre 1990.

LE GALÈS (P.), *Politique urbaine et développement local*, Paris, L'Harmattan, 1993.

LE GALÈS (P.), « Du gouvernement local à la gouvernance urbaine », *Revue française de science politique*, 45 (1), 1995.

LEVY-FAUR (D.), *The Rise of the British Regulatory State : Transcending the Privatization Debate*, à paraître.

LIEKERMAN (A.), *Public Expenditure : Who Really Controls It and How ?*, Londres, Penguin Books, 1988.

LOCAL GOVERNMENT ACT, Department of Transport, Local Government and Regions, 1999.

LOCAL GOVERNMENT ASSOCIATION, *The Agenda for Public Services in the New Parliament*, Londres, LGA, 2001.

LOWNDES (V.), « Between Rhetoric and Reality : Does the 2001 White Paper Reverse the Centralising Trend in Britain ? », *Local Government Studies*, 28 (3), 2002, p. 135-147.

LOWNDES (V.) et WILSON (D.) « Balancing Revisability and Robustness ? A New Institutionalist Perspective on Local Government Modernisation », *Public Administration*, 81 (2), 2002.

MARTIN (S.), « Implementing "Best Values". Local Public Services in Transition », *Public Administration*, 78 (1), 2000, p. 209-227.

MARTIN (S.) *et al.*, *Evaluation of the Long Term Impact of the Best Value Regime*, Cardiff, Cardiff University-Office of the Deputy Prime Minister, 2003.

MASSEY (A.) (ed.), *Globalisation and Marketisation of Government Services*, Londres, Macmillan, 1997.

MORAN (M.), *The British Regulatory State : High Modernism and Hyper Innovation*, Oxford, Oxford University Press, 2003.

NEWMAN (J.), *Modernising Governance : New Labour, Policy and Society*, Londres, Sage, 2002.

OFFICE OF THE DEPUTY PRIME MINISTER, *Best Value and Performance Improvement Circular*, Londres, Office of the Deputy Prime Minister, mars 2003.

OFFICE OF THE DEPUTY PRIME MINISTER, *Best Value and Performance Indicators, 2003-2004*, Londres, Office of the Deputy Prime Minister, 2003.

PIERRE (J.) (ed.), *Debating Governance, Authority, Steering and Democracy*, Oxford, Oxford University Press, 2000.

POLLITT (C.), GIRRE (X.), LONSDALE (J.), MUL (R.), SUMA (H.) et WAERNESS (M.), *Performance or Compliance ? Performance Audit and Public Management in Five Countries*, Oxford, Oxford University Press, 1999.

POUVOIRS, « Le Royaume-Uni de Tony Blair », 93, 2000.

POWER (M.), *The Audit Society : Rituals of Self Verification*, Oxford, Oxford University Press, 1999.

PUBLIC MONEY AND MANAGEMENT, numéro spécial sur CPA, janvier 2004.

RHODES (R.), *The National World of Local Government*, Londres, Allen and Unwin, 1986.

SAINT-MARTIN (D.), *Building the New Managerialist State*, Oxford, Oxford University Press, 2000.

STOKER (G.), *The Politics of Local Government*, Londres, Macmillan, 1988 [1ʳᵉ éd.].

STOKER (G.), « Life is a Lottery : New Labour's Strategy for the Reform of Devolved Governance », *Public Administration*, 80 (3), 2004, p. 417-434.

THIERY-DUBUISSON (S.), *L'Audit*, Paris, La Découverte, 2004.

VOGEL (S.), *Freer Markets, More Rules : Regulatory Reform in Advanced Industrial Countries*, Ithaca (N. Y.), Cornell University Press, 1996.

WALSH (K.), « Privatisation et concurrence en Grande-Bretagne », dans LOR-RAIN (D.) et STOKER (G.) (dir.), *La Privatisation des services urbains en Europe*, Paris, La Découverte, 1995.

WARWICK BUSINESS SCHOOL, « The local Government Centre and DETR, Gene-rating and Sharing Better Practice », Reports from the Better Value Deve-lopment Workshops, Londres, The Stationary Office, 2000.

WARWICK BUSINESS SCHOOL, *The Local Government Centre and DETR, Balan-cing Creative Tensions : Better Practice in Implementing Best Value*, Londres, The Stationary Office, 2003.

WRIGHT (V.) et CASSESE (S.) (dir.), *La Recomposition de l'État en Europe*, Paris, La Découverte, 1996.

Chapitre 7

LES INSTRUMENTS, TRACEURS DU CHANGEMENT LA POLITIQUE DES RETRAITES EN FRANCE[1]

Bruno PALIER

L'histoire des politiques de retraites dans les pays développés montre que celles-ci ont toutes connu quatre phases différentes, marquées chacune par un objectif principal. L'émergence des systèmes de retraites date du XIXe siècle ou de l'entre-deux-guerres. L'objectif principal des politiques est de lutter contre la pauvreté des personnes trop âgées pour travailler. L'extension des systèmes de retraites est organisée après la Seconde Guerre mondiale. Il s'agit alors de garantir un revenu de remplacement à tous les retraités. La générosité des retraites s'est considérablement accrue au cours des années 1960 et 1970. L'intention est alors de réduire les inégalités entre actifs et inactifs, voire entre retraités, notamment dans un objectif keynésien de maintien de la capacité à consommer des inactifs. L'histoire des retraites est entrée à la fin du XXe siècle dans une nouvelle période. Les politiques menées au cours des quinze dernières années ont toutes visé la réduction des dépenses publiques de retraites. Ces réformes ont été décidées pour faire face au vieillissement de la population, et notamment à l'allongement de la durée de vie, mais aussi pour adapter les systèmes de retraites au nouveau contexte économique,

---

1. *Une partie de ce texte repose sur des travaux menés en commun avec Giuliano Bonoli [Bonoli et Palier, 1998 ; Palier et Bonoli, 1999]. Je remercie en outre Christelle Mandin qui m'a assisté dans mes recherches.*

marqué par l'ouverture des économies et l'importance des politiques économiques centrées sur l'offre [Palier, 2003a].

S'il est possible de montrer que tous les pays développés ont partagé des objectifs similaires pour orienter leurs politiques de retraites, il est clair que les instruments retenus pour mener à bien ces politiques ont largement différé d'un pays à l'autre. À l'aube des années 1990, il est possible de distinguer les systèmes de retraites en fonction des instruments qui ont été retenus : ceux qui ont privilégié la répartition (les cotisants actuels financent les pensions actuelles et comptent sur les cotisants futurs pour payer leur propre pension) et ceux qui ont privilégié la capitalisation (les versements du salarié et éventuellement de son employeur sont placés, le capital et le produit de ces placements sont versés sous forme de rentes). Les systèmes de retraites des pays développés peuvent ainsi être divisés en deux groupes principaux [Bonoli, 2003]. Les États-Unis, le Royaume-Uni, mais aussi les Pays-Bas, la Suisse, voire le Danemark, se distinguent par un système de retraites où la capitalisation joue un rôle très important. La plupart des autres pays européens (et dans une certaine mesure le Japon) connaissent des systèmes où les régimes par répartition jouent un rôle beaucoup plus important. Dans le cas de la France, de l'Italie ou de l'Allemagne, les retraites de base financées en répartition garantissent des prestations beaucoup plus élevées, les taux de remplacement variant entre 53 % du salaire net pour l'Allemagne et 78 % pour l'Italie. De ce fait, les besoins de revenu des retraités se retrouvent couverts dans une large mesure par le système financé en répartition, ce qui laisse peu d'espace au développement des régimes par capitalisation.

Beaucoup des travaux récents portant sur les nouvelles politiques de l'État providence [Pierson, 2000] sont partis d'analyses centrées sur les réformes des retraites propres à la quatrième phase de l'histoire des politiques de retraites, celle qui vise à réduire les dépenses publiques de retraites, souvent qualifiées de politiques de repli de l'État providence (*politics of retrenchment*). L'acquis principal de ces travaux est de montrer que les choix du passé pèsent de façon cruciale sur les possibilités disponibles pour les gouvernements présents et qu'il n'est pas possible de changer radicalement un système de retraites, notamment de le faire passer d'un système financé en répartition vers un système financé en capitalisation. À partir d'une comparaison Royaume-Uni/ États-Unis, Paul Pierson fut l'un des premiers à expliquer pourquoi il ne semble pas possible de transformer radicalement un système de retraites : ce type de réforme est sujet aux phénomènes de *path depen-*

dence [Pierson, 1994][2]. Ces premiers travaux, souvent confirmés par la suite[3], semblent avoir démontré deux choses. D'une part, toute réforme des retraites est progressive, fortement déterminée par les configurations institutionnelles spécifiques au pays et à son système de retraites, et préserve (voire renforce) la logique héritée du passé. D'autre part, et en conséquence, il n'est pas possible de substituer complètement un système par répartition arrivé à maturité par un système par capitalisation dans un pays industrialisé et démocratique. Deux raisons majeures sont mises en avant pour expliquer cette impossibilité : l'une est technique, l'autre politique. Tout d'abord, cette substitution obligerait la population active actuelle à cotiser deux fois, l'une pour payer les pensions des retraités actuels, l'autre pour épargner les fonds de sa propre retraite future. Ensuite, les coalitions d'intérêts attachés au système par répartition semblent avoir un poids politique suffisant pour empêcher toute réforme radicale.

Cependant, à l'inverse de ce que montre la théorie de la *path dependence*, quatre des grands systèmes de retraites financés en répartition sont en train de développer des systèmes complémentaires financés en capitalisation : l'Italie et la Suède depuis le milieu des années 1990, l'Allemagne depuis 2001 et, comme cet article vise à le montrer, la France au cours des dernières années. Ce phénomène est particulièrement surprenant pour des pays comme l'Allemagne ou la France, considérés comme des pays ayant un système de protection sociale « conservateur et corporatiste », incapable d'introduire des réformes importantes [Esping-Andersen, 1996]. Il s'agit pour nous de comprendre comment est possible un phénomène annoncé comme impossible par la théorie qui domine actuellement l'analyse des réformes de l'État providence (théorie de la *path dependence*). Alors que les analyses dominantes se concentrent sur une analyse classique et causaliste des *politics* de ces réformes (analyse des contraintes causales démographiques, financières et économiques, étude des positions politiques et idéologiques des acteurs gouvernementaux, analyse des mobilisations des coalitions d'intérêts, prise en compte des contraintes exercées par les institutions politiques), nous allons montrer que c'est par une approche différente, centrée sur le suivi intellectuel d'un instrument particulier

---

2. *Sur les phénomènes de* path dependence, *voir* North *[1990] et, plus spécifiquement pour les réformes des systèmes de protection sociale, voir par exemple* Palier *et* Bonoli *[1999].*
3. *Cf., par exemple,* Myles *et* Quadagno *[1997],* Myles *et* Pierson *[1999].*

(en l'occurrence la capitalisation), que nous pouvons saisir et comprendre ce type de changement.

Dans d'autres travaux centrés sur les réformes françaises, nous avons montré que des réformes de politiques sociales peuvent parfois quitter leur chemin de dépendance [Bonoli et Palier, 1998 ; Palier, 2000 et 2002]. Mais pour saisir ces transformations, il a fallu non pas chercher les causes des grandes réformes, de leur réussite ou de leurs échecs, mais suivre (*track*) les débats intellectuels autour des instruments de politiques publiques et les processus politiques de développement de ces instruments [Palier, 2003b et à paraître]. Afin de comprendre ces développements théoriquement impossibles, nous avons donc adopté une méthode particulière, fondée sur l'analyse des processus politiques d'émergence et de développement de ces instruments particuliers. Nous avons d'abord identifié plusieurs de ces instruments nouveaux dont l'essor a peu à peu signifié une transformation profonde du système français de protection sociale : mise en place d'une nouvelle prestation, (le revenu minimum d'insertion – RMI), d'une nouvelle forme de financement de la protection sociale (la contribution sociale généralisée – CSG), développement de nouvelles procédures de décision, dont le vote par le Parlement de la loi de financement de la Sécurité sociale (LFSS). Puis nous avons comparé de façon systématique les processus intellectuels et politiques qui ont permis l'adoption et la mise en œuvre de ces instruments[4]. Pour mener à bien cette comparaison, nous avons décomposé ces processus en phases identifiables et comparables : la construction du diagnostic des problèmes, l'élaboration des solutions, l'adoption des mesures, leur mise en œuvre[5].

La comparaison des processus montre que, dans tous les cas de figure étudiés, les changements d'institution et de logique de protection sociale passent moins par un changement idéologique radical et explicite que

---

4. *Il s'agit ici de faire du* systematic process tracing *afin de tenter une généralisation inductive sur les processus politiques de changements de politiques à partir de l'observation de régularités. Cf. Bennett et George [1997] et Hall [2003].*

5. *Le lecteur avisé (et sans doute déçu par le peu d'originalité de la démarche proposée ici) aura reconnu que nous cherchons à analyser la dimension intellectuelle des séquences du* policy-making *définies dans Jones [1970]. Il convient pourtant de noter que cette méthode se différencie fortement des analyses actuellement dominantes, qui recherchent les causes à coup d'analyse de covariance et de régression, sans entrer dans l'analyse détaillée des processus politiques.*

par l'introduction d'abord marginale de nouveaux instruments de politiques publiques. Chacune des phases identifiées est marquée par un processus commun : 1) diagnostic de la situation présente remettant en cause les instruments choisis dans le passé. Les nouveaux instruments ne peuvent être introduits que sur la base de l'invalidation des façons de faire du passé ; 2) élaboration des solutions par opposition au passé. Les nouveaux instruments sont bien plus conçus par opposition aux façons de faire du passé, pour ne plus commettre les « erreurs » du passé, que pour résoudre les problèmes présents ; 3) adoption des nouvelles mesures sur la base d'un consensus ambigu, voire contradictoire. Si la plupart des acteurs concernés sont favorables aux nouvelles mesures, c'est le plus souvent pour des raisons bien différentes, et parfois contradictoires ; 4) développement incrémental, transformations cumulatives. Les nouvelles façons de faire sont introduites « à la marge » du système mais, dans la mesure où elles portent une logique propre et différente des façons traditionnelles de faire et de penser, et qu'elles se développent progressivement jusqu'à prendre une importance significative, elles diffusent une nouvelle logique au sein du système.

Dans la mesure où les quatre conditions précédentes sont remplies, l'introduction de mesures dont la logique ne relève pas des façons de faire et de penser propres à un système particulier de protection sociale est difficile mais pas impossible – « path shifting reforms are feasible ». Les retraites par capitalisation ne relèvent pas de la logique des assurances sociales qui se sont développées en France, particulièrement depuis 1945. Alors que certains pensent, du fait des phénomènes de dépendance par rapport au chemin emprunté (*path dependency*), que leur généralisation est impossible [Myles et Pierson, 1999], nous voudrions reprendre la méthode présentée ci-dessus et l'appliquer au domaine des retraites afin de montrer comment les conditions politiques de développement de la capitalisation ont été réunies en France. Pour ce faire, il faut rappeller tout d'abord que le système de retraites français semble réunir toutes les conditions institutionnelles et politiques pour une très forte résistance au changement, et notamment au développement des retraites par capitalisation, et que les rares réformes menées en France semblent suivre le chemin tracé par l'histoire. Mais, à l'aune des débats menés en France autour de la crise du système de retraites et des solutions envisagées et mises en place, il apparaît que les retraites par répartition ont de plus en plus été remises en cause dans leur capacité à garantir un revenu suffisant aux retraités futurs ; que les retraites par capitalisation ont été présentées comme prenant le contre-pied des retraites financées en répartition ; que la mise en place d'un système mixte fait l'objet d'un consensus ambigu ; et que les retraites complémentaires financées en capitalisation prennent progressivement une place de plus en plus importante dans le système français de retraites, du fait des mesures gouvernementales comme du fait du comportement privé des Français. Nous verrons comment ce développement progressif des retraites financées en capitalisation signifie à terme une transformation profonde du système français de retraites.

Un système de retraites français très résistant au changement

Un système très majoritairement fondé sur la répartition

Le système français de retraites repose presque exclusivement sur un système d'assurances sociales obligatoire financé en répartition, qui verse des prestations contributives aux salariés qui ont suffisamment cotisé. Il est principalement financé par des cotisations sociales et géré par des caisses de retraites indépendantes de l'État, dirigées par des conseils d'administration composés de représentants des employés et des employeurs. Le système est très fragmenté. Il existe un régime principal, le régime général, qui couvre les salariés du secteur privé de l'industrie et du commerce, soit environ 60 % de la population. Mais quand ce système a été mis en place, au lendemain de la Seconde Guerre mondiale, beaucoup de catégories professionnelles ont tenu à conserver une caisse de retraites à part, soit pour garantir des prestations plus généreuses que celles fournies par le régime général (cas des salariés du secteur public et des entreprises publiques comme la SNCF ou la RATP) ou bien des cotisations moins élevées que celles exigées par le régime général (cas des professions libérales ou des agriculteurs).

En moyenne, ce système de retraites collectif garantit des retraites qui assurent un taux de remplacement du salaire compris entre 70 et 75 %. Le système laisse donc a priori peu de place pour les retraites financées en capitalisation. Cependant, certaines catégories professionnelles ont choisi de développer des retraites complémentaires facultatives sur la base de la capitalisation. Il s'agit du système PREFON, mis en place en 1967 pour les fonctionnaires, COREVA pour les exploitants agricoles depuis 1990, mais interdit depuis par un arrêt de la Cour de justice des communautés européenne, FONPEL pour les élus des collectivités locales (1993). Les professions indépendantes ont la possibilité de conclure des contrats d'épargne retraite ou de prévoyance avec déductions fiscales depuis 1994. Enfin, on voit se multiplier des régimes surcomplémentaires, dits « chapeaux », financés en capitalisation, dans les grandes entreprises depuis le milieu des années 1990 (c'est-à-dire des accords sur les régimes surcomplémentaires dans les sociétés d'assurance et dans les banques). Ce n'est cependant qu'en 2003 qu'un régime de retraites de ce type a été créé pour les salariés du régime général, qui constituent la majorité des salariés français : les Plans d'épargne individuel de retraite (PEIR). Avant de chercher à comprendre comment ces nouvelles formes de retraites se sont développées, il faut rappeler combien le terrain des retraites en France semble peu propice aux changements.

Les capacités de résistance des assurances vieillesse tiennent aux instruments choisis

En France, la réforme des retraites est perçue comme un des enjeux les plus sensibles politiquement. Toute proposition de réduction des retraites rencontre une forte opposition de la population. Le système de retraites est l'un des principaux éléments constitutifs de l'attachement des Français à la Sécurité sociale. Cela est tout d'abord lié au taux de remplacement assuré par les régimes de retraites obligatoires de la Sécurité sociale, qui avoisinait les 70 %.

Outre sa générosité, c'est aussi le type de droits sociaux, de prestation, de monde de financement et de gestion (c'est-à-dire les instruments de politiques de retraites retenus) qui expliquent la forte légitimité du système français de retraites, et sa grande difficulté à le réformer. La nature des droits sociaux qui justifient le versement des pensions de retraites de base n'est pas la même selon les systèmes. Par le biais du versement de cotisations sociales prélevées sur son salaire qui « ouvrent » les droits à la retraite, l'assuré a le sentiment d'avoir payé pour ses droits sociaux, de les avoir achetés. Des droits sociaux « acquis » par le versement de cotisations sociales sont donc plus difficiles à remettre en cause que des droits sociaux fondés sur le besoin ou même sur la citoyenneté. Il est difficile de critiquer les principes d'un système où les retraites de base elles-mêmes sont fondées sur les droits acquis grâce au versement d'une partie de son salaire tout au long de sa carrière professionnelle.

Le mode de financement des retraites françaises, par cotisations sociales, permet aussi de comprendre leur grande capacité de résistance aux tentatives de *retrenchment*. Tandis que les impôts vont à l'État, les cotisations sociales permettent d'acquérir des droits sociaux traduits ultérieurement en pension de retraites. Les cotisations sociales semblent « revenir » à ceux qui les ont versées. La notion de « salaire différé », qui a longtemps désigné les cotisations sociales avant qu'elles ne soient perçues comme des « charges sociales » [Friot, 1998] montre combien l'argent versé au système de retraites sous la forme de cotisations était conçu comme devant être reversé ultérieurement à celui qui a cotisé. En revanche, le mode de financement fondé sur l'impôt souffre de la disqualification généralement associée à l'imposition. Dans un pays comme la France, où les recettes des impôts ne peuvent normalement pas être affectées, l'argent versé à l'État sous forme d'impôt, et notamment sous forme d'impôt sur le revenu, particulièrement visible dans la mesure où il n'est pas prélevé à la source, semble se perdre dans la masse des dépenses publiques, sans qu'il soit possible de clairement identifier leur usage, contrairement aux cotisations sociales. Dans la mesure où les retraites contributives sont financées par des cotisations et non par de l'impôt, les Français préfèrent voir leurs cotisations sociales augmenter plutôt que leurs prestations sociales baisser [Palier, 2002].

Si la légitimité des assurances vieillesse tient aux caractéristiques des prestations (prestations élevées, droits à la retraite acquis par le travail, financées par cotisations sociales), leur capacité de résistance politique au changement doit beaucoup au cadre institutionnel dans lequel elles sont organisées.

Les travaux historiques sur la constitution des régimes de retraites en France ont bien montré que la mise en place progressive et négociée du système de retraites français, à travers des exceptions, des régimes particuliers, autonomes ou spéciaux, a permis à de nombreuses catégories socioprofessionnelles de s'assurer qu'étaient bien défendus leurs intérêts spécifiques [Guillemard, 1980 et 1986 ; Dumons et Pollet, 1994]. Cette fragmentation corporatiste du système français de retraites en centaines de régimes distincts contribue à sa résistance : certains groupes socioprofessionnels tiennent à préserver leurs avantages particuliers tandis que le gouvernement doit négocier avec les représentants de chacun de ces groupes s'il veut réformer le système.

Le système de retraites par répartition est particulièrement légitime aux yeux des salariés français. Mais ceux-ci ne trouvent pas de porte-parole dans les partis politiques de gouvernement [Gaxie, 1990], dans la mesure où les gouvernements de droite comme ceux de gauche cherchent à réduire le niveau des retraites par répartition, depuis le milieu des années 1980. Ils semblent en revanche représentés par les confédérations de syndicats de salariés, dont les positions, si elles ne sont pas unies, sont homogènes au cours des années 1980 : elles défendent la Sécurité sociale contre les projets gouvernementaux. Ils en ont acquis une capacité de mobilisation sur les questions de Sécurité sociale et sont peu à peu apparus comme ses « défenseurs » contre les projets gouvernementaux, accusés de vouloir remettre en cause les retraites. Dès lors, les syndicats de salariés constituent de véritables *veto players* [Tsebelis, 2003 ; Immergut, 1992] dans le système français de protection sociale, c'est-à-dire des acteurs dont l'accord est essentiel pour réaliser un changement. L'analyse des vingt dernières années montre qu'il n'est pas possible de réformer le système français de Sécurité sociale sans passer par un accord – ou au moins un consentement tacite – des partenaires sociaux (au moins d'une partie d'entre eux).

Ce sont donc les instruments « corporatistes-conservateurs » du système français de retraites qui explique leur capacité de résistance au changement, par rapport à la situation britannique, par exemple. Il est plus difficile de réduire des prestations contributives généreuses et couvrant la majorité de la population, financées par des cotisations sociales prélevées sur les salaires, gérées par les partenaires sociaux que des prestations forfaitaires, financées par l'impôt et gérées directement par l'État. Les modalités institutionnelles retenues en France en 1945 pour mettre en place le système de Sécurité sociale paraissent donc à l'origine des blocages des réformes qui étaient présentées comme nécessaires, dès la fin des années 1970, et dont le contenu avait été formulé, dès le milieu des années 1980. La France est connue pour les grandes manifestations qui ont marqué les tentatives de réforme des retraites, notamment en 1995 et en 2003. Pourtant, la situation française n'est pas restée figée, un certain nombre d'événements économiques et politiques ayant contribué à ouvrir le chemin des réformes.

Les réformes menées s'inscrivent dans le sillon creusé par l'histoire

Au tournant des années 1990, deux éléments principaux semblent avoir joué un rôle déterminant pour débloquer la situation : la construction européenne et la récession économique du début des années 1990.

Au début des années 1990, l'ensemble des politiques économiques liées à la construction européennes (politique de désinflation compétitive cherchant à faire baisser cotisations et prestations sociales, respect des critères de Maastricht) conduit les gouvernements successifs à chercher à réduire coûte que coûte les dépenses sociales, et notamment les dépenses de retraites. Par ailleurs, l'évolution de la situation économique française, qui entre en récession en 1993, va encore renforcer la nécessité de mettre en œuvre des mesures de réduction des prestations sociales.

S'il est toujours plus difficile de critiquer le système de protection sociale en France qu'en Grande-Bretagne, par exemple, les gouvernements français disposent au début des années 1990 d'arguments pour justifier des réformes qui paraissaient jusque-là impossibles à mettre en œuvre. Dès lors, se multiplient les réformes du système français de protection sociale, dans le domaine des retraites comme dans d'autres (réformes des assurances chômage en 1992 et 1993, multiplication des conventions médicales à partir de 1991, mise en œuvre du plan Juppé dans l'assurance maladie, etc.).

Deux grandes réformes vont être adoptées, l'une en 1993, l'autre en 2003. La réforme des retraites de 1993 a modifié le mode de calcul des pensions de retraites pour les salariés du secteur privé, ainsi que le mode d'indexation des pensions. Depuis cette réforme, le montant des pensions de retraites est calculé en référence aux salaires des vingt-cinq meilleures années (auparavant, il s'agissait des dix meilleures années). Pour toucher une pension complète (50 % du salaire de référence sous le plafond de la Sécurité sociale fixé à 2 280 euros au premier janvier 2001), il faudra avoir cotisé pendant quarante ans (cent soixante trimestres), au lieu de trente-sept ans et demi auparavant (cent cinquante trimestres). Cet allongement de la durée de cotisation est introduit progressivement. Par ailleurs, l'augmentation des pensions n'est plus indexée sur les salaires bruts mais sur l'évolution des prix[6]. La réforme de 2003 a principalement consisté à aligner le sort des retraites de la fonction publique sur celui du secteur privé : à partir de 2008, les fonctionnaires devront eux aussi travailler quarante ans pour avoir droit à une retraite à taux plein, et la revalorisation des pensions se fait désormais sur l'évolution des prix et non plus des salaires de la fonction publique.

Les réformes des retraites menées en France depuis 1993, aussi bien du fait de leur limite (notamment parce qu'elles ne touchent pas tous les

| 6. *Sur cette réforme, voir Palier* [2002].

salariés du pays) que du fait de leur nature (elles consistent principalement à renforcer la contributivité des assurances sociales), semblent rester dans le chemin défini par l'histoire des assurances sociales françaises, comme toutes les réformes des retraites menées dans les pays bismarckiens [Myles et Pierson, 1999]. Cependant, dans la mesure où elles diminuent le niveau des prestations servies par les régimes de base, ces réformes font de la place pour que se développent d'autres formes de retraites. L'arrivée et le développement des retraites par capitalisation en France marqueraient une rupture explicite avec le chemin de dépendance français, ce qui semble impossible pour beaucoup. Les quatre conditions de possibilité de développement d'un nouvel instrument de politique publique ont cependant été réunies pour les retraites, comme dans d'autres domaines de la protection sociale.

Le cheminement des retraites financées en capitalisation

Malgré ce contexte peu favorable au changement et au développement des retraites financées en capitalisation, ce nouvel instrument a cheminé dans le paysage français des retraites. Les débats menés en France autour de la crise du système de retraites, appelant la population à compléter ses retraites futures par de la capitalisation, ont peu à peu remis en cause la confiance placée dans les retraites par répartition. Le développement de la capitalisation est fondé sur un consensus ambigu prônant la mise en place d'un système mixte de retraites. Les retraites complémentaires financées en capitalisation prennent une place de plus en plus importante dans le système français de retraites, du fait des mesures gouvernementales comme du fait du comportement privé des Français.

Un diagnostic qui remet les instruments du passé en cause : les retraites par répartition fragilisées

Afin de « préparer les esprits à la réforme », de nombreux rapports ont été préparés sur la situation des retraites, dont le diagnostic tend à souligner l'incapacité des retraites par répartition à faire face au choc démographique à venir. Au cours des années 1980, le financement des retraites à venir est devenu un enjeu majeur. De nombreux rapports administratifs sont alors commandés afin de réaliser des projections démographiques et de proposer des solutions[7]. Les projections démographiques soulignent la nécessité de réformer le système de calcul des retraites. Ces projections montrent que si l'on souhaite conserver un système de retraites équilibré en 2025, il faudrait soit augmenter les cotisations de 170 %, soit baisser les prestations de moitié [Ruellan, 1993, p. 911-912]. Ainsi, tous les rapports dont la publication fait l'objet de nombreux comptes rendus médiatiques soulignent l'incapacité du système actuel de retraites par répartition à garantir un revenu suffisant aux futurs retraités. La première remise en cause du système français de retraites par répartition est intervenue lors de la réforme de 1993. À la suite de celle-ci, le niveau des retraites servies à partir de 2008 sera très inférieur (d'environ un tiers) au niveau des pensions servies actuellement par le système. Dès lors, les actifs ne peuvent plus compter autant sur leur système de retraites de base et doivent déjà faire appel à d'autres ressources s'ils veulent assurer un niveau de retraite équivalent.

Cependant, la réforme de 1993 était limitée au secteur privé. En 1995, Alain Juppé a tenté d'imposer, sans négociation ni préparation des esprits, une réforme similaire au secteur public. Les énormes manifestations de novembre et décembre 1995 ont alors obligé le Premier ministre à retirer son projet. Pour rendre la réforme des retraites du secteur public opérationnelle politiquement et éviter les déboires d'Alain Juppé en 1995, les nouvelles mesures ont été préparées à partir de la fin des années 1990 par une nouvelle phase de dramatisation de la situation du système de retraites français. Comme à la fin des années 1980, plusieurs rapports se sont penchés sur l'orientation à donner aux retraites à la fin des années 1990. De nombreuses analyses démographiques et économiques y soulignent les faiblesses à venir du système de retraites par répartition. Ces analyses et ces prévisions ont eu un impact important sur la population française et sur les principaux défenseurs du système.

---

7. Voir notamment Vieillir solidaires, rapport du Commissariat général au Plan, 1986 ; L'Avenir des retraites, rapport de l'INSEE, 1990 ; Livre blanc sur les retraites. Garantir dans l'équité les retraites de demain, rapport du Commissariat général au Plan, 1991 ; Rapport de la mission Retraites, mission Cottave, 1991 ; Rapport sur les retraites, de Bernard Bruhnes, 1992. Une nouvelle vague de rapports a submergé 1999 et 2000 (rapport Charpin du Commissariat général au Plan, rapport Taddéi du Conseil d'analyse économique, rapport Artus de la Caisse des dépôts et consignations, rapport Teulade du Conseil économique et social), signes avant-coureurs d'une réforme.

La multiplication des rapports, publications, campagnes médiatique et gouvernementale sur le vieillissement de la population et ses effets censément catastrophiques sur les régimes de retraites, qui se sont développés en 1999-2000, et de nouveau en 2003, contribue en effet à saper la confiance de la population dans le système de retraites par répartition. Désormais, l'idée que le système actuel ne permettra pas d'assurer une retraite correcte aux générations futures est fortement ancrée dans l'esprit des Français. L'année 1999 a été une année de préparation de la réforme. L'élaboration du rapport Charpin au début de l'année 1999, et remis au Premier ministre le 29 avril 1999, a créé un moment de concentration médiatique important sur le problème des retraites, occasion de rappeler aux Français que le système actuel n'était pas capable d'assurer à lui seul les retraites de l'avenir. Tout au long de 1999, les sondages se sont multipliés[8]. Participant de la construction politique du problème, les sondages sont autant une mesure de l'état de l'opinion qu'un indicateur des problématiques politiques (par leur fréquence et par la teneur des questions posées). Les sondages confirment que le message premier, remettant en cause la capacité du système par répartition à remplir son contrat du fait des évolutions démographiques, est bien passé : les Français, interrogés lors des différents sondages, sont inquiets du montant des futures retraites. Ce dernier constitue la troisième préoccupation des personnes interrogées par le Cencep pour Le Parisien[9]. 85 % des 955 personnes interrogées par BVA pour la CFDT, LCI et *L'Expansion* se disent inquiets pour l'avenir du système, 72 % des 534 actifs interrogés par Ipsos pour L'Argus pensent qu'ils seront plutôt défavorisés lorsqu'ils seront en retraite.

La remise en cause des instruments du passé (ici, l'affirmation que les retraites par répartition sont incapables de garantir les retraites futures)

---

8. *Citons entre autres : « Les pistes pour réformer les retraites », sondage CSA, réalisé les 5 et 6 mars, publié dans* Espace social européen, *le 12 mars 1999 ; « Les retraites minent l'optimisme des Français », sondage CENCEP/Télémperformance, réalisé en février 1999, publié dans* Le Parisien, *le 15 mars 1999 ; « Quel avenir pour le système des retraites ? », sondage BVA réalisé en février 1999 pour la CFDT et LCI, publié par* L'Expansion, *le 18 mars 1999 ; « L'avenir indécis des retraites », sondage IFOP réalisé en février 1999 et publié dans* Notre Temps *en avril 1999 ; « Retraites : un guide pour trois générations », sondage Sofres réalisé en mars 1999 et publié dans* Le Nouvel Observateur, *22-28 avril 1999 ; « Retraites : la revendication du statu quo », sondage CSA réalisé en avril 1999 et publié par* L'Événement du jeudi, *le 29 avril 1999 ; « Les actifs s'inquiètent pour leur future retraite », sondage Ipsos réalisé en septembre 1999 et publié par* L'Argus *en décembre 1999.*
9. *Derrière l'avenir des enfants et la crainte sur l'emploi.*

est une condition du changement indispensable car, face à l'inertie des institutions et à la résistance des intérêts qui sont attachées aux politiques passées et présentes, de nouvelles mesures ne peuvent être adoptées que si, à propos du problème précis à résoudre (le vieillissement de la population), les mesures déjà existantes ont fait la preuve de leur faiblesse. Il convient aussi de noter qu'il ne suffit pas seulement que ces analyses soient développées par quelques experts pour qu'elles conduisent à la mise en place de mesures nouvelles, mais il semble aussi nécessaire qu'une majorité des acteurs engagés dans et par ces politiques adhèrent au même type de diagnostic. Il faut souvent attendre que les perceptions alternatives du même problème deviennent marginales, voire s'épuisent (dans leur capacité explicative et qu'elles perdent leurs soutiens sociaux), pour que le diagnostic à l'origine des mesures nouvelles s'impose. Dans le cas présent, l'idée que les retraites par répartition pourraient suffire si l'on augmentait progressivement les cotisations sociales est parfois défendue, mais ce n'est pas une idée reçue dans un contexte où les cotisations sociales sont conçues comme un obstacle à la compétitivité des entreprises et à la création d'emplois.

Concrètement, c'est souvent au cours des travaux d'élaboration des différents rapports du Commissariat au Plan et d'autres commissions que sont négociés et progressivement partagés les termes du diagnostic. Ces travaux cherchent moins à organiser une réflexion collective pour trouver de nouvelles solutions qu'à faire partager les diagnostics des problèmes ; ils sont en effet souvent précédés, ou bien commencent par un travail d'identification des difficultés qui semble purement technique mais qui révèle (et cherche à imposer) une conception particulière des difficultés à traiter. Cette conception particulière (en l'occurrence, que les recettes du passé ont failli) implique le type de solution à retenir.

Une présentation des retraites par capitalisation opposées aux défauts des retraites financées en répartition

Cette invalidation des instruments passés pousse à élaborer les nouvelles façons de faire par opposition aux formules précédentes. Contrairement à une vision *problem solving* des politiques publiques, on remarque que, dans un domaine où les politiques se sont accumulées pendant au moins un siècle, la recherche de solutions aux problèmes sociaux qui émergent est moins orientée par l'analyse de ces problèmes eux-mêmes que par l'analyse des faillites des dispositifs d'action publique existants.

Si l'on analyse les arguments des premiers avocats de la capitalisation dans le contexte des années 1990, au premier chef ceux des institutions internationales comme la Banque mondiale, on s'aperçoit que deux points principaux sont mis en avant : contrairement à la répartition, la capitalisation n'est pas soumise à la pression démographique, et, contrairement à la répartition qui fait peser un poids croissant sur le coût du travail et donc grève la compétitivité des entreprises, la capitalisation est favorable à la croissance économique car elle favorise les investissements.

Alors que les tentatives de réforme des systèmes de retraites se multipliaient dans les années 1990, les organismes internationaux sont devenus de plus en plus influents dans les débats sur les retraites. En 1994, la Banque mondiale a publié un rapport qui est devenu une référence importante du débat sur la réforme des systèmes de retraites (qu'il s'agisse de l'approuver ou de le rejeter). Ce rapport dresse le constat général habituel : l'espérance de vie croît tandis que décroît le nombre de naissances ; la proportion de personnes âgées s'accroît donc rapidement, faisant reposer une charge économique importante sur les jeunes générations. Dès lors, pour la Banque mondiale, le financement des systèmes de retraites existants ne peut plus être assuré. Ce constat semble valable aussi bien pour les pays en voie de développement, où l'urbanisation, la mobilité croissante des populations, les famines et les guerres tendent à faire disparaître les familles élargies et tous les autres modes traditionnels de soutien aux personnes âgées, que pour les pays développés, où les coûts croissants des pensions à verser pèsent aussi bien sur les régimes de retraites que sur la croissance économique en général. Les systèmes de retraites classiques, fondés sur la répartition, sont pour la Banque mondiale une « erreur coûteuse ». Dès lors, la Banque mondiale propose un modèle qui doit permettre d'assurer la sécurité économique des personnes âgées, tout en garantissant la meilleure façon de financer une telle sécurité, aussi bien pour les individus que pour la croissance économique d'un pays.

Les arguments utilisés pour favoriser la capitalisation visent à démontrer que celle-ci prend le contre-pied des défauts de la répartition. La répartition n'est pas censée pouvoir faire face à la future crise démographique. Le vieillissement de la population signifie un nombre plus élevé d'inactifs dont le financement des retraites repose sur un nombre décroissant d'actifs. Une aggravation du rapport inactifs/actifs implique une charge croissante du coût des retraites sur les salaires des actifs. À l'inverse, les systèmes financés en capitalisation ne semblent pas être touchés par le vieillissement de la population, dans la mesure où une génération se prépare elle-même sa propre retraite, et n'est donc pas dépendante de la taille de la génération suivante[10].

En second lieu, la répartition est présentée comme défavorable à la croissance économique, tandis que la capitalisation lui serait favorable. Au cours des deux dernières décennies, les politiques de libéralisation des marchés financiers ont permis une liberté quasi totale de circulation des capitaux à travers le monde, et plus encore au sein de l'Union européenne. Dès lors, les investisseurs peuvent choisir de se retirer d'un pays s'ils considèrent que les prélèvements obligatoires y sont trop élevés et risquent de réduire la rentabilité de leurs investissements. Un niveau élevé ou une forte hausse des cotisations sociales pour financer les retraites par répartition risque de réduire la rentabilité du capital et donc de désavantager dans la compétition mondiale les pays où dominent les retraites financées en répartition. À l'inverse, les systèmes financés en capitalisation sont censés favoriser l'épargne et l'investissement national. En effet, aussi bien du fait de règles propres aux systèmes, qui obligent une partie des capitaux des fonds de pension à être investis dans leur pays d'origine, que du comportement des investisseurs eux-mêmes, qui cherchent à éviter les risques de change en investissant dans la monnaie d'origine de leurs fonds, l'investissement national peut être stimulé par le développement des fonds de pension. Pour beaucoup d'acteurs financiers européens, la mise en place de l'euro doit être l'occasion de développer des fonds de pension européens. Leur essor permettrait de favoriser les investissements en Europe, selon eux, moteurs indispensables d'une croissance plus dynamique.

Un autre argument avancé fait référence au meilleur rendement sur le long terme des systèmes en capitalisation par rapport à la répartition. Devant les taux de profits énormes engendrés par les investissements

---

10. *En fait, et contrairement à ces arguments, les systèmes en capitalisation vont aussi être sensibles aux évolutions démographiques. En effet, quand les fonds de pension vont devoir payer beaucoup de pensions aux générations nombreuses parties en retraite après 2010, ils vont devoir commencer à vendre leurs actifs (actions, bons du Trésor, etc.) pour trouver les financements nécessaires. Les personnes en âge de travailler susceptibles d'acheter ces actifs seront quant à elles moins nombreuses. Ce contexte de vente massive d'actifs auprès d'une population réduite va considérablement faire baisser la valeur de ces actifs, et va donc réduire celle du capital prévu pour les retraites et les ressources disponibles pour les retraités.*

boursiers au cours des années 1990, beaucoup considèrent que l'argent des cotisations sociales serait mieux placé sur les marchés financiers que directement reversé aux retraités. Sur le long terme, la comparaison du rendement de la répartition et de la capitalisation serait légèrement en faveur de cette dernière, mais ce constat se fait sur des calculs moyens, qui ne tiennent pas compte des risques fort encourus par ceux qui doivent partir en retraite dans un contexte d'années noires à la Bourse. La chute des cours boursiers depuis 2001 a ainsi considérablement refroidi l'ardeur des avocats de la capitalisation.

On le voit, les arguments avancés (qui sont tout à fait contestables, mais ce n'est pas ici notre propos) opposent les caractéristiques positives futures de la capitalisation aux défauts présents de la répartition. C'est à la fois parce que les retraites par répartition se trouvent fragilisées par les réformes et parce que les retraites financées en capitalisation semblent s'opposer aux défauts de la répartition qu'un consensus s'élabore autour de la nécessité de développer un système mixte de retraites. Cependant, ce consensus est plein d'ambiguïté.

Un consensus ambigu en faveur du développement de l'épargne retraite

La lecture des sondages comme des positions des différents acteurs concernés montre qu'en France l'idée qu'il faudrait développer les retraites financées en capitalisation fait l'objet d'un consensus ambigu. Alors que la capitalisation semblait taboue pour de nombreux acteurs de la protection sociale dans les années 1970 (notamment les syndicats de salariés et les partis de gauche), de plus en plus de responsables politiques et syndicaux semblent aujourd'hui prêts à soutenir qu'une dose de capitalisation viendrait volontiers compléter les retraites par répartition. Cependant, l'ambiguïté tient au fait que les raisons avancées par les différents acteurs ne sont pas les mêmes et sont même parfois contradictoires.

Le contenu de ces retraites par capitalisation ne fait pas l'objet de consensus. Celui-ci ne porte que sur le principe du développement de retraites complémentaires par capitalisation à côté (et non pas à la place) des retraites par répartition. Il s'agit cependant d'un changement important de perspectives sur l'avenir des retraites si l'on pense aux débats qui ont opposé pendant longtemps les tenants de la répartition à ceux de la capitalisation en France. Il y a désormais accord sur le cadre général dans lequel s'inscrivent les réflexions ; les discussions portent beaucoup plus sur les modalités d'application que sur le principe lui-même d'un système mixte. Signe de cet accord, un terme semble convenir à la plupart des protagonistes du débat, celui d'épargne retraite, qui est venu progressivement se substituer à celui de fonds de pension, sans doute trop marqué par les comportements des puissants fonds américains ou britanniques[11]. Cependant, les raisons pour lesquelles il conviendrait de développer l'épargne retraite varient d'un acteur à l'autre. Les arguments avancés pour élaborer cette solution ne sont pas remis en cause, mais chaque acteur y ajoute ses propres représentations et intérêts pour justifier son adhésion à la solution nouvelle.

Les assureurs, les banques mutualistes, les banques et le patronat sont les premiers à souhaiter le développement des fonds de pension. Si chacun de ces groupes promeut le développement des retraites par capitalisation, leurs positions diffèrent quant au mode d'organisation [Charpentier, 1997]. Face à de nombreux projets concurrents qui se développent dans les années 1991-1996, et afin de promouvoir un projet cohérent, le CNPF, alors organisation représentative du patronat français, cherche à élaborer un texte de compromis grâce à une commission *ad hoc* présidée par Ernest-Antoine Seillère (qui deviendra le nouveau président du nouveau mouvement des entrepreneurs français, le MEDEF, en 1999), composée d'industriels, de banquiers et d'assureurs. Selon le groupe de travail, la création de fonds de pension devrait contribuer à un meilleur « fonctionnement de l'économie ». Le projet reste vague sur les modalités concrètes d'organisation. Il devrait consolider le système de retraites, renforcer les fonds propres et quasi-fonds propres de l'entreprise, développer le marché français des actions. En 1999, l'un des porte-parole des fonds de pension en France, Denis Kessler, est devenu président de la Fédération française des assurances et numéro 2 du MEDEF. Avec son arrivée aux plus hautes responsabilités patronales, cet objectif semble devenu prioritaire pour le patronat français. Les raisons avancées par ce dernier pour le développement des fonds de pension, au-delà de l'intérêt immédiat des entreprises d'assurances ou des banques qui voient là une possibilité d'expansion d'un marché important, reposent sur la nécessité de développer des marchés

---

11. *Un des arguments en faveur de la mise en place de système d'épargne retraite en France est de faire contrepoids aux fonds de pension américains ou britanniques. Pour construire cet argument, il a d'abord fallu démontrer le pouvoir de nuisance de ces fonds de pension anglo-saxons, mais ce faisant, une image négative a été associée aux fonds de pension qu'une autre appellation vient judicieusement faire oublier.*

financiers français et européens et ainsi les capacités (françaises et européennes) de financement des entreprises.

Ce sont d'abord les partis de droite qui vont prendre le relais des propositions patronales. Ainsi, entre avril 1993 et mai 1996, trois projets de loi prévoyant la création de fonds d'épargne retraite seront déposés au Parlement. Les raisons pour lesquelles les partis de droite sont favorables aux fonds de pension reprennent les arguments du patronat français, auxquels ils ont récemment ajouté un argument « souverainiste ». Le 14 juillet 1999, Jacques Chirac critique ainsi le gouvernement Jospin pour son immobilisme sur le dossier des retraites et pousse à la création de fonds de pension. Au-delà de l'intérêt des entreprises, il y va de l'intérêt de la France face à la puissance des investisseurs étrangers (les fonds de pension américains et britanniques) : « Il faut faire un système de fonds de pension [...] pour que les pensionnés et les travailleurs français puissent retrouver la propriété de leur entreprise »[12].

À la fin des années 1990, les membres du parti socialiste, tout comme certains syndicats de salariés, semblent devenus eux aussi sensibles à l'argument anti-américain, qu'ils mettent plus facilement en avant que les arguments économiques en faveur des fonds de pension. Ainsi, Nicole Notat, secrétaire générale de la CFDT, avait repris l'argument : « Les salariés européens et français doivent quand même se demander maintenant s'ils vont continuer à laisser les fonds de pension anglo-saxons [...] continuer à avoir le monopole de l'intervention dans le capital des entreprises françaises et européennes[13]. » Dans un rapport du Conseil d'analyse économique, François Morin montre que les entreprises françaises ont besoin de capitaux issus de fonds de pension français pour ne plus se faire dicter leur loi par les fonds de pension américains[14].

Un deuxième argument « de gauche » (qui entre en contradiction avec les intérêts du patronat) est mis en avant pour justifier le développement de l'épargne retraite des salariés : la création de fonds d'épargne retraite au sein de l'entreprise serait un moyen de renforcer le poids des salariés dans l'entreprise. Ainsi, le rapport de Michel Sapin remis en 2000 au parti socialiste sur le droit des salariés et l'épargne salariale

12. *Intervention du président de la République le 14 juillet 1999.*
13. *Libération,14 septembre 1999, p. 15.*
14. *François Morin, « L'économie française face aux fonds de pension améri-cains. Quelles leçons pour le système de retraites ? », rapport du Conseil d'analyse économique remis au Premier ministre.*

affûte cet argument : « Pour nous, il s'agit de faire pénétrer dans l'entreprise le regard des salariés, qui est différent de celui de "l'actionnaire de
fonds de pension" ou de celui du management[15]. » Pour une partie de la
gauche et des syndicats, des fonds d'épargne retraite collectivement
gérés en partie par les représentants des salariés constitueraient un
moyen de renforcer le pouvoir de contrôle et de décision des salariés
dans l'entreprise et permettraient ainsi de justifier la mise en place de
fonds de pension en France.

Une majorité des protagonistes pesant sur les décisions en matière de
retraite partage donc l'idée qu'il faut introduire une dose complémentaire de capitalisation dans le système de retraites par répartition mais
pour des raisons différentes, voire contradictoires. Au début des années
2000, ce projet fait encore l'objet de l'opposition tranchée de FO, du
parti communiste et de façon moins nette, de la CGT. Ce consensus
semble en outre avoir gagné une majorité de Français. En effet, les
sondages sur l'avenir des retraites montrent que, tirant les conséquences
de la baisse des pensions futures, les Français interrogés sont prêts à
épargner pour leurs retraites afin de compléter les pensions servies par
le système par répartition. Entre novembre 1996 et décembre 1999, tous
les (nombreux) sondages montrent qu'une majorité des personnes interrogées (entre 43 % et 80 %, près des deux tiers en moyenne) est favorable à la création d'un régime d'épargne retraite pour compléter les
retraites par répartition [Palier et Bonoli, 1999].

Une partie importante des protagonistes des réformes des retraites et
une majorité des Français (les deux tiers selon les sondages) pensent
donc que l'avenir des retraites en France passe par un système mixte qui
combine retraite par répartition et retraite par capitalisation. Mais il est
important de noter la nature ambiguë du consensus sur le nouvel
instrument de politique publique. Pour être adoptées, ces nouvelles
recettes doivent faire l'objet d'un consensus relativement large. Mais les
différents acteurs concernés approuvent la nouvelle façon de faire pour
des raisons différentes. Pour être viable, une mesure innovante doit être
suffisamment polysémique pour recueillir les suffrages d'intérêts divergents, agréger des interprétations contradictoires sur la base d'un
consensus le plus large possible. Elle doit notamment pouvoir recevoir
une justification « de gauche » et une justification « de droite », mais
aussi l'accord d'une partie au moins des partenaires sociaux.

---

15. *Interview de Michel Sapin dans* Le Monde, 5 *janvier 2000, p. 5.*

Avec cette ambiguïté qui marque l'adoption de ces réformes structu-relles, nous touchons une des dimensions fondamentales de l'action politique : la logique d'agrégation [Leca, 1996]. L'enjeu est de rassembler une majorité d'acteurs, qu'il s'agisse des citoyens dans la politique électorale ou bien des acteurs organisés pour les politiques publiques. Cette majorité ne peut réunir que des intérêts différents, divergents, voire contradictoires, qu'il s'agit d'agréger. Dès lors, le flou qui entoure le sens des mesures, les interprétations divergentes des solutions retenues n'apparaissent pas comme des parasites à une action claire et rationnelle, mais bien au cœur même de leur fonctionnalité politique. Dans un domaine aussi légitime que la protection sociale et qui engage une telle variété d'acteurs, une mesure qui serait trop univoque ne pourrait être adoptée. Les mesures qui passent sont celles qui ménagent les différents intérêts en jeu grâce à leur propre polysémie, du fait qu'elles font l'objet de plusieurs interprétations possibles.

L'étude des processus d'élaboration et d'adoption de ces mesures montre qu'il s'agit moins ici de l'œuvre d'un groupe d'acteurs suffisamment habiles pour présenter les choses de façon à plaire à tout le monde, que de mesures qui s'élaborent progressivement au cours d'interactions répétées où chacun met son veto à certaines orientations et apporte sa propre contribution à d'autres. Observations participantes et entretiens montrent qu'au-delà des prétentions particulières de certains acteurs individuels, il n'est pas possible de repérer un groupe homogène d'acteurs (de « médiateurs » pour reprendre la notion de Pierre Muller [1990]) qui aurait joué un rôle prééminent dans l'élaboration et l'adoption de ces mesures. Au contraire, il est possible de repérer des influences multiples, qui sont autant de contributions à la complexité, à la polysémie mais aussi à l'acceptabilité de ces mesures. D'une façon générale, il est toujours possible d'identifier plusieurs groupes d'acteurs qui ont contribué à l'élaboration d'une mesure de politique publique. Ce qui est intéressant à reconstituer est moins de savoir qui est le groupe véritablement premier, que ce qui a fait que plusieurs groupes se retrouvent autour du même instrument de politique publique. Comprendre pourquoi une mesure de politique publique a été adoptée passe donc par l'analyse de sa capacité à agréger des intérêts divergents, voire contradictoires, par la compréhension de la polysémie de son contenu, qui repose sur ce que Bruno Jobert qualifie d'« idéologie molle[16] ». Plutôt

---

16. *« Plus certains thèmes idéologiques sont ambigus, polysémiques, plus ils permettent à des groupes sociaux divers de construire un consensus sur leur*

que de chercher à reconstituer *le* sens d'une mesure au moment de son élaboration et de son adoption, il convient plutôt d'en saisir les sens possibles afin de comprendre comment un consensus ambigu a pu se créer autour de celle-ci. En revanche, c'est l'analyse de la mise en œuvre de ces mesures qui va en préciser le sens.

Le développement progressif de l'épargne retraite

Au-delà des débats, plusieurs éléments montrent que la France est en train de s'engager dans le développement progressif des fonds d'épargne retraite. Nous avons souligné que des régimes facultatifs de retraites par capitalisation existent déjà pour certaines catégories professionnelles. En outre, les Français comptent de plus en plus sur leur épargne personnelle pour compléter leur retraite future. Enfin, au début des années 2000, plusieurs lois visent à favoriser le développement de l'épargne retraite.

Les craintes sur le montant des retraites offertes par les régimes par répartition ne se lisent pas seulement dans les sondages. Les Français ont déjà pris acte de la baisse future des pensions puisque le taux d'épargne destiné à la constitution d'une retraite n'a fait que croître au cours des années 1990, alors même que leur pouvoir d'achat ne progressait pas. Si l'on analyse l'évolution de la composition du patrimoine des ménages français, on s'aperçoit que la part prise par l'épargne destinée à la retraite (assurance vie et épargne retraite *stricto sensu*) n'a fait qu'augmenter au cours des années 1990, période d'intenses débats et remises en cause du système de retraites par répartition. Ainsi, alors que 31 % des ménages français possédaient un tel patrimoine en 1986, ils étaient 46,6 % en 2000.

Aujourd'hui, près d'un ménage sur deux épargne pour ses retraites. L'épargne retraite concerne 20 % des ménages ayant entre 40 et 50 ans. Dans le cas des professions libérales, le taux atteint 31 %, près de 24 % pour les agriculteurs exploitants et les artisans commerçants et près de 20 % pour les cadres [INSEE, 1999, p. 294]. À défaut de fonds de pension proprement dits, l'assurance vie constitue le substitut le plus utilisé par les ménages pour préparer leur retraite, dans la mesure où celle-ci permet de constituer un capital assez bien rémunéré (la rémunération était de 5,4 % en 1999) et fait l'objet d'exemption fiscale. Les

---

base. C'est sur des ambiguïtés de ce type que s'est construit le compromis social qui fonde l'État providence. » Bruno Jobert, « Les politiques sociales et sanitaires », dans Jean Leca et Madeleine Grawitz (dir.), Traité de science politique, Paris, PUF, 1985, p. 310.

placements dans les plans d'assurance vie n'ont fait qu'augmenter au cours des années 1990. En 1997, l'assurance vie représente 18 % de l'ensemble des placements, contre moins de 5 % dix ans plus tôt. D'une façon plus générale, « la part des actifs financiers (épargne bancaire, titres mobiliers, assurance vie, etc.) s'est accrue depuis vingt ans et représente aujourd'hui la moitié de la richesse des particuliers, tandis que le poids des terrains s'est continûment réduit sur la période (3,5 % en 1997) » [INSEE, 1999, p. 279].

Avant même qu'un gouvernement n'ait fait adopter une loi sur la généralisation des fonds d'épargne retraite, cette épargne tendait donc à se développer, du seul fait des individus qui anticipent la réduction des retraites par répartition. Mais les gouvernements ont aussi pris des décisions favorisant de tels développements.

Une première tentative législative de généralisation des fonds de pension privés facultatifs a été entreprise en 1997 (loi Thomas) qui n'a été bloquée que par un changement de majorité politique. Le nouveau Premier ministre, Lionel Jospin, a alors indiqué qu'il annulait ce système qui risquait de « mettre en danger le système par répartition » dans la mesure où il était prévu que l'abondement des employeurs à ces fonds de retraites devait être en partie exempté de charge sociale, créant ainsi un manque à gagner pour les retraites par répartition. Les décrets d'application de cette loi ont été bloqués par le gouvernement Jospin en 1997 ; la loi a été abrogée en 2001.

Le gouvernement Jospin a cependant aussi contribué à préparer l'avenir des retraites financées en capitalisation. Bien qu'il ait abrogé la loi Thomas et qu'il nie vouloir développer des fonds de pension, Laurent Fabius, ministre de l'Économie et des Finances du gouvernement Jospin a fait adopter par le Parlement la mise en place de « plans partenariaux d'épargne salarial volontaire » (PPESV). Ceux-ci doivent permettre aux salariés qui le souhaitent d'épargner sur le long terme (dix ans et plus si la négociation collective le permet) des sommes faisant l'objet d'exemption fiscale, et qui peuvent éventuellement être abondées par les employeurs. Les sommes accumulées par le salarié seront délivrables sous forme de capital ou bien de manière « fractionnée » (les parlementaires souhaitant éviter la notion de rente). Ce système de capitalisation qui ne porte pas son nom, s'il permet de redonner du pouvoir aux salariés français et des fonds français aux entreprises françaises, n'est pas explicitement destiné à compléter les retraites de tous les Français. Le gouvernement Raffarin a décidé de transformer ces plans en un plan partenarial d'épargne salariale volontaire pour la retraite (PPESVR), orienté vers la retraite complémentaire. À la différence du PPESV, dont la durée était de dix ans, les sommes versées au PPESVR seront bloquées jusqu'au départ en retraite des intéressés.

En outre, alors même que ce thème ne fut pas au centre des débats de la réforme Fillon au printemps 2003, le gouvernement a aussi prévu la mise en place d'un du plan d'épargne individuel pour la retraite (PEIR). Le PEIR est conçu comme un produit d'assurance, géré sur les marchés financiers par une compagnie d'assurance, une institution de prévoyance ou une mutuelle et placé sous le contrôle d'un comité de surveillance émanant des adhérents individuels aux groupements d'épargne individuels pour la retraite qui auront, eux, statut d'associations. Il est destiné à recevoir l'épargne individuelle et reverser après départ à la retraite une rente viagère. Comme en Allemagne, le gouvernement a prévu des incitations fiscales en faveur de l'épargne retraite. On voit ainsi comment on en est arrivé à faire adopter en France une loi qui permet l'émergence (d'abord conçu comme complémentaire) des retraites financées en capitalisation.

Des transformations cumulatives

Comme pour d'autres mesures (type RMI ou CSG), d'abord marginales au sein du système français de protection sociale, les nouvelles mesures sont introduites à la périphérie du système, d'abord pour en combler les lacunes (ici compenser la baisse future des retraites financées en répartition). Elles se développent le plus souvent de façon très progressive, apparaissant d'abord comme marginales avant de jouer un rôle de plus en plus important (et parfois différent du rôle initial) au sein du système de protection sociale. Le développement d'un nouvel instrument au sein d'un système particulier de protection sociale peut en effet signifier un changement global, par un phénomène de *layering* fort bien analysé par Kathy Thelen [2003].

La situation française en matière de retraite, marquée par un relatif *statu quo* et quelques difficiles réformes, s'inscrit dans le chemin tracé par les institutions bismarckiennes de retraites. Elles sont très difficiles à mettre en œuvre dans la mesure où s'y opposent les intérêts constitués par différents groupes de salariés aux avantages particuliers. Les réformes, pour passer, doivent être négociées avec les partenaires sociaux sur la base d'une distinction entre ce qui relève de l'assurance et ce qui relève de la solidarité. Elles visent à accroître la contributivité des régimes assurantiels de retraites. Elles signifient un changement des instruments utilisés, les assurances vieillesse ne fonctionnant plus sur le modèle du salaire différé, mais plutôt sur celui de l'épargne : à chacun suivant le montant des cotisations effectivement versées. La restriction de la couverture offerte par les régimes d'assurance vieillesse de base implique en outre un développement des systèmes de retraites individuelles par capitalisation, et, pour ceux qui n'ont pu suffisamment cotiser, une dépendance accrue aux prestations sous condition de ressources.

Ces réformes relèvent d'une logique d'« actuarialisation[17] » des assurances sociales qui les rapproche progressivement des assurances privées individuelles : le calcul du montant de la pension de retraite se fait de plus en plus en référence au montant des cotisations versées et de moins en moins en référence au salaire précédemment perçu. Cette logique implique une réduction de la fonction redistributive des assurances vieillesse (les plus désavantagés par ces réformes sont les employés aux carrières interrompues et inégales, les femmes notamment). Nous retrouvons ici une dynamique de marchandisation progressive des assurances sociales qui caractérise aussi les évolutions des systèmes de protection sociale anglo-saxons [Pierson, 2000]. Cependant, le chemin à parcourir reste long avant d'avoir rejoint la situation britannique, par exemple.

Pour saisir les changements en cours des systèmes de retraites, il convient cependant de ne pas se focaliser uniquement sur les seules réformes (plus ou moins abouties) des systèmes de retraites publics et obligatoires. Une analyse du cas français qui intègre le comportement des ménages souligne que, alors même que le système français est l'un des plus difficile à réformer, des changements profonds sont en cours, qui tendent à favoriser le développement des retraites privées. Ceci n'est perceptible que si l'on considère la relation (symétriquement inverse) entre retraite obligatoire en répartition et épargne privée à destination des retraites.

D'une façon générale, les réformes des systèmes de retraites qui se sont multipliées en Europe au cours des années 1990, ont créé une

---

17. *Ce néologisme fait référence au fait que le calcul des pensions publiques se fait de plus en plus sur le modèle du calcul actuariel propre aux assurances privées. Celles-ci calculent le montant des rentes en fonction du montant des cotisations versées, des taux d'intérêts dont ont bénéficié les placements faits avec ces sommes, des conditions économiques et de l'espérance de vie de la personne qui perçoit la rente au moment de la première liquidation de la pension.*

opportunité pour non seulement « adapter » mais aussi restructurer les systèmes de retraites, dans le sens d'un rôle plus important joué par les mécanismes de capitalisation. En effet, malgré les fortes différences institutionnelles qui caractérisent les pays européens, les développements des années 1990 s'inscrivent dans une logique commune, qui voit une réduction, en termes relatifs, de l'importance de la répartition comme moyen de financement du transfert financier vers les personnes âgées au profit de la capitalisation [Palier et Bonoli, 1999]. Chaque pays suit son propre chemin pour réformer son système de retraites, mais cela se fait dans un nouveau paysage commun, structuré par un modèle de système de retraites global où la capitalisation joue un rôle important.

La transformation progressive de tous les systèmes de retraites s'appuie sur un même mécanisme de « vase communiquant » qui procède en deux temps En premier lieu, le niveau de remplacement offert par les retraites collectives de base est diminué. Cette rétraction offre dès lors un espace de développement pour les retraites complémentaires par capitalisation. En cas de réduction des prestations des régimes de base, on peut s'attendre à une expansion du rôle de la capitalisation, ou du moins à de fortes pressions dans ce sens.

Dans le contexte d'incertitude sur l'avenir des régimes de retraites par répartition (du fait aussi bien des prévisions démographiques et financières qui se sont multipliées que du catastrophisme politique qui entoure leurs publications), puis de réduction progressive des prestations offertes par ces régimes, les années 1980 et 1990 ont, en effet, vu une augmentation des dépenses privées dans le domaine de l'assurance vieillesse. Si les réformes des systèmes par répartition visent en premier lieu à assurer leur viabilité financière aujourd'hui et dans le futur, elles contribuent aussi, du fait qu'elles impliquent une baisse des taux de remplacement, au développement des retraites privées. Cette dynamique semble effectivement être à l'œuvre depuis le milieu des années 1980 dans différents pays européens. Celle-ci est perceptible à la condition que l'on ne se concentre pas de façon classique sur les *politics* des réformes des retraites mais que l'on analyse attentivement les débats et remises en cause du système existant et que l'on suive le développement de nouveaux instruments d'action publique.

BIBLIOGRAPHIE

BANQUE MONDIALE, *Averting the Old Age Crisis : Policies to Protect the Old and Promote Growth*, Oxford, Oxford University Press, 1994.

BENNETT (A.) et GEORGE (A. L.), « Process Tracing in Case Study Research », *Paper presented at the MacArthur Foundation Workshop on Case Study Methods*, Cambridge (Mass.), Harvard University, 17-19 octobre 1997.

BONOLI (G.), « Two Worlds of Pension Reform in Western Europe », *Comparative Politics*, 35 (4), 2003, p. 399-416.

BONOLI (G.) et PALIER (B.), « Changing the Politics of Social Programmes. Innovative Change in British and French Welfare Reforms », *Journal of European Social Policy*, 8 (4), 1998, p. 317-330.

CHARPENTIER (F.), *Retraites et fonds de pension*, Paris, Economica, 1997.

DUMONS (B.) et POLLET (G.), *L'État et les Retraites. Genèse d'une politique*, Paris, Belin, 1994.

ESPING-ANDERSEN (G.) (ed.), *Welfare States in Transition, National Adaptations in Global Economies*, Londres, Sage, 1996.

FRIOT (B.), *Puissances du salariat, emploi et protection sociale à la française*, Paris, La Dispute, 1998.

GAXIE (D.) *et al.*, *Le « Social » transfiguré*, Paris, PUF, 1990.

GUILLEMARD (A.-M.), *La Vieillesse et l'État*, Paris, PUF, 1980.

GUILLEMARD (A.-M.), *Le Déclin du social*, Paris, PUF, 1986.

HALL (P.), « Aligning Ontology and Methodology in Comparative Research », dans J. MAHONEY et D. RUESCHEMEYER (eds), *Comparative Historical Analysis in the Social Sciences*, Cambridge, Cambridge University Press, 2003, p. 373-404.

IMMERGUT (E.), *Health Politics. Interests and Institutions in Western Europe*, Cambridge, Cambridge University Press, 1992.

INSEE, *Données sociales, la société française*, Paris, La Documentation française, 1999.

JONES (C. O.), *An Introduction to the Study of Public Policy*, Belmont (Calif.), Duxbury Press, 1970.

LECA (J.), « La "gouvernance" de la France sous la cinquième République », dans F. d'ARCY et L. ROUBAN (dir.), *De la Cinquième République à l'Europe. Hommage à Jean-Louis Quermonne*, Paris, Presses de Sciences Po, 1996, p. 359-360.

MULLER (P.), *Les Politiques publiques*, Paris, PUF, coll. « Que sais-je ? », 1990.

MYLES (J.) et PIERSON (P.), « La réforme des États providence "libéraux" au Canada et aux États-Unis : ou la revanche de Friedman », *Lien social et politiques-RIAC*, 42, p. 25-36, 1999.

MYLES (J.) et PIERSON (P.), « The Comparative Political Economy of Pension Reform », dans P. PIERSON (ed.) *The New Politics of The Welfare State*, Oxford, Oxford University Press, 2001, p. 305-333.

MYLES (J.) et QUADAGNO (J.), « Recent Trends in Public Pension Reform : A Comparative View », dans K. BANTING et R. BOADWAY (eds), *Reform of Retirement Income Policy. International and Canadian Perspectives*, Kingston (Ontario), Queen's University, School of Policy Studies, 1997, p. 247-272.

NORTH (D. C.), *Institutions, Institutional Change and Economic Performance*, Cambridge, Cambridge University Press, 1990.

PALIER (B.) et BONOLI (G.), « Phénomènes de *path dependence* et réformes des systèmes de protection sociale », *Revue française de science politique*, 49 (3), juin 1999, p. 399-420.

PALIER (B.), « "Defrosting" the French Welfare State », *West European Politics*, 23 (2), 2000, p. 113-136.

PALIER (B.), *Gouverner la Sécurité sociale. Les réformes du système français de protection sociale depuis 1945*, Paris, PUF, 2002.

PALIER (B.), *La Réforme des retraites*, Paris, PUF, coll. « Que sais-je ? », 2003a.

PALIER (B.), « Gouverner le changement des politiques de protection sociale », dans P. FAVRE, J. HAYWARD et Y. SCHEMEIL (dir.), *Être gouverné. Études en l'honneur de Jean Leca*, Paris, Presses de Sciences Po, 2003b, p. 163-179.

PALIER (B.), « Ambiguous Argument, Cumulative Changes : Social Policies in France in the 1990s », dans K. THELEN et W. STREEK, à paraître.

PIERSON (P.), *Dismantling the Welfare State ? Reagan, Thatcher and the Politics of Retrenchment*, Cambridge, Cambridge University Press, 1994.

PIERSON (P.), *The New Politics of the Welfare State*, New York (N. Y.), New York University Press, 2000.

RUELLAN (R.), « Retraites : l'impossible réforme est-elle achevée ? », *Droit social*, 12, décembre 1993, p. 911-929.

THELEN (K.), « How Institutions Evolve : Insights form Comparative Historical Analysis », dans J. MAHONEY et D. RUESCHEMEYER (eds), *Comparative Historical Analysis in the Social Sciences*, Cambridge, Cambridge University Press, 2003, p. 208-240.

TSEBELIS (G.), *Veto Players : How Political Institutions Work*, Princeton (N. J.), Princeton University Press, 2003.

Chapitre 8

UNE INSTRUMENTATION AMBIGUË

LA RÉFORME DE LA POLITIQUE BANCAIRE EN FRANCE ET EN ITALIE

Olivier BUTZBACH *et Emiliano* GROSSMAN

L a finance constitue un terrain privilégié pour observer la transformation de l'action publique, voire le « changement de paradigme » dans les politiques publiques. En effet, les systèmes financiers de tous les pays à économie de marché ont connu des bouleversements profonds au cours des vingt dernières années, qui ont contribué à les faire converger. La tendance générale se caractérise par : un *désinvestissement de l'État*, là où il était très présent comme réglementeur, administrateur et/ou comme « joueur[1] » ; une *désegmentation* des marchés bancaires et financiers à travers, par exemple, l'abolition des frontières entre activités de crédit classiques et activités d'émission de titres ou de gestion de portefeuille ; une *désintermédiation financière*, qui permet aux grandes entreprises de s'adresser directement aux marchés de capitaux sans passer par les banques pour leurs besoins de financement.

Si ces tendances générales semblent solidement engagées, elles ne nous permettent guère de comprendre les processus de transformation au niveau des places financières prises individuellement. Sans exclure d'emblée les hypothèses d'une mondialisation financière mettant

---

1. *Cette catégorisation est reprise du travail de Zysman [1983, p. 75 et suiv.].*

progressivement au pas tous les régimes réglementaires financiers nationaux sous peine de fuite massive de capitaux[2], et d'un État aux capacités réglementaires décroissantes et de plus en plus contestées, nous soutenons que ce sont des facteurs internes qui expliquent dans une large mesure la forme concrète que les réformes ont prise. Ce sont des enjeux politiques et des rapports de force nationaux qui déterminent les réponses apportées au défi de la mondialisation financière. Au-delà des grandes orientations politiques et conformément à la problématique de cet ouvrage, ce chapitre s'intéresse aux changements concrets des politiques publiques et aux *instruments*[3] employés pour mettre en œuvre ces nouvelles politiques réglementaires. Notamment, nous essaierons de montrer dans quelle mesure ces instruments traduisent un changement qualitatif de l'action publique. Nous rejetons l'hypothèse d'une causalité linéaire entre objectifs et instruments. Au contraire, nous montrons que si les changements d'objectifs et de mode de régulation correspondent effectivement à une remise en question du régime macro-économique, tel n'est pas nécessairement le cas pour les instruments choisis pour mettre en œuvre ces changements. Les instruments ne sont pas nécessairement choisis par les mêmes administrations, créant dès lors des décalages avec des conséquences à moyen ou long terme.

De manière générale, nous assistons à la mise en place progressive d'instruments de type « informatif et communicationnel », qui remplacent des instruments plus directifs. Ces nouveaux instruments apparaissent incompatibles avec le retour de l'État dans l'économie *à travers* la finance. Le recours systématique aux ratios et aux obligations d'information rompt avec la vision d'un secteur financier au service d'une politique industrielle. La création d'autorités administratives indépendantes, aux prérogatives de plus en plus en plus larges et de plus en plus autonomes, rend un retour en arrière hautement improbable. En effet, ces instruments, pour être crédibles et efficaces, requièrent un contrôle indépendant et des sanctions plus ou moins automatiques en cas de non-respect. L'émergence et l'institutionnalisation de régimes réglementaires supranationaux, au-delà des accords bilatéraux qui ont

---

2. *À ce titre la vision de Strange [1988] reste exemplaire.*
3. *Nous adoptons ici une définition nécessairement large de l'instrument, comme moyen de mise en œuvre d'un objectif politique. À ce titre, tous les instruments auxquels nous nous intéressons prennent techniquement un caractère réglementaire, dans la mesure où un acte juridique – loi, règlement, décret, etc. – leur donne naissance.*

historiquement dominé la finance internationale, rendent le caractère « automatique » du système plus nécessaire et les mesures prises difficilement réversibles[4]. À ce titre, l'instrumentation de l'action publique rejoint les travaux sur la dépendance au sentier d'une part sur le point de la complémentarité qui peut exister entre certains régimes et certains instruments, d'autre part, sur le *lock in*, c'est-à-dire le coût prohibitif et la difficulté de revenir sur ses pas et de changer de sentier[5].

Cette perspective suggère donc une nouvelle problématique, celle de la relation entre instrumentation et jeu d'acteurs. Les deux cas présentés dans ce chapitre témoignent de deux dynamiques distinctes. Dans le cas français, le changement est très directif, et la modification de l'instrumentation propre à la réglementation financière s'intègre dans une réforme plus large du régime macro-économique. Le choix des instruments n'est pas, pour autant, évalué jusque dans ses ultimes conséquences. Ainsi, les instruments mis en place engagent les pouvoirs publics sur des sentiers de réforme dont ils n'ont pas pleinement conscience. L'introduction d'instruments nouveaux dans le cadre d'une réforme plus large donne à une coalition d'acteurs (experts, hauts fonctionnaires) un appui à la fois concret et symbolique pour leur permettre d'institutionnaliser/légitimer un « sentier » qui s'éloigne de manière significative de la réforme initiale. Ensuite, comme nous le verrons pour le cas italien, certains changements d'instruments précèdent, voire annoncent, la remise en cause du régime macro-économique. Ces changements, mineurs en apparence, orientent et conditionnent la forme des changements majeurs qui leur succéderont. Ce sont les acteurs eux-mêmes qui, face au blocage institutionnel et politique, introduisent de nouveaux instruments qui produisent une nouvelle logique au cœur de l'ancien régime réglementaire, et facilitent la réforme le moment venu.

---

4. *Cela renvoie à une nouvelle opposition entre deux styles ou philosophies réglementaires, l'une mettant l'accent sur l'autorégulation et l'intervention minimale des agences réglementaires, l'autre s'inscrivant davantage dans la tradition étatiste et comportant, de ce fait, davantage de sanctions et de contrôles. Nos deux cas, de par leur passé étatiste, se rapprochent davantage du second modèle, mais le modèle de référence est clairement le premier. Pour une discussion détaillée, cf. Plihon [2001].*

5. *Nous ne pouvons pas ici procéder à une discussion adéquate sur la théorie de la dépendance au sentier. Pierson [2000] donne le résumé le plus intéressant pour l'argument exposé ici.*

Les régimes réglementaires classiques remis en question

En France et en Italie, les régimes réglementaires en place au début des années 1980 incorporent l'héritage du contexte économique d'après-guerre et des politiques économiques expansives qui ont caractérisé cette période. La réforme des systèmes financiers, dans les deux cas, est le fruit de la confluence d'un grand nombre de facteurs très divers, qui convergent dans la remise en cause du « régime macro-économique » en vigueur jusqu'alors. La conjonction de ces facteurs revêt des formes spécifiques dans les deux cas, mais intervient dans un contexte économique international identique. Dans les deux cas, le changement de régime passe par la remise en cause des instruments privilégiés ou « typiques » du régime antérieur.

Une convergence vers des nouveaux instruments de la réglementation financière ?

À la nouvelle architecture réglementaire et aux nouveaux objectifs fixés par les réformes correspondent la création de nouveaux instruments et la transformation ou l'abandon d'anciens outils. Au-delà des différences temporelles, discutées plus loin, l'analyse comparée des deux régimes montre une convergence frappante dans l'instrumentation des nouveaux régimes réglementaires. En restant à un certain niveau de généralité, les instruments de la réglementation financière peuvent être classés en trois catégories : le contrôle ou la propriété, par l'État, d'établissements de crédit ; les instruments de contrôle direct ; les instruments de contrôle indirect.

La distinction entre instruments indirects et directs correspond à peu près à celle entre « législatif et réglementaire » et « informatif et communicationnel » que proposent Pierre Lascoumes et Patrick Le Galès dans ce volume. Simplement, la diffusion d'informations est désormais obligation légale pour les établissements financiers. En choisissant de ne pas s'y soumettre, les entreprises de crédit encourent des peines pouvant aller jusqu'au retrait de l'agrément. Cependant, cette distinction décrit bien le changement qualitatif de la réglementation financière au cours des vingt dernières années, résumé dans le tableau suivant.

En France comme en Italie, le premier type d'instrument (propriété publique des banques) semble définitivement abandonné depuis la fin des années 1990. Les vagues de privatisation successives (1986-1988,

Tableau – *Anciens et nouveaux instruments*

Anciens instruments	Nouveaux instruments
Segmentation du marché Monopoles légaux Taux d'intérêt différenciés Banque d'État	Ratios de solvabilité Seuils d'exposition Obligations de transparence Obligations d'information
Objectifs	Objectifs
Stabilité Politique industrielle	Stabilité Protection du consommateur Bonne conduite de marché Intégrité des marchés

puis 1993-2002 en France ; 1991-2002 en Italie) modifient radicalement le rôle de l'État comme acteur ou « joueur » dans le système financier – ne demeurent en son sein, ou à l'intérieur de sa sphère d'influence, qu'un nombre limité d'institutions : en France, la Caisse des dépôts et consignations[6], La Poste, etc. Une deuxième série d'instruments semble avoir été définitivement abandonnée au cours des années 1980 : les instruments de contrôle administratif du crédit (identifiés au caractère « dirigiste » de l'encadrement du crédit). De même, la segmentation des marchés a été progressivement abandonnée, comme nous l'avons montré plus haut.

Des régimes réglementaires fondés sur des instruments indirects

Les régimes réglementaires en matière financière en France et en Italie se ressemblent à bien des égards, dans la mesure où ils sont tous les deux des produits du « libéralisme encastré » [Ruggie, 1982] typique de l'après-guerre. À cette époque, les États sont protégés par un « double écran » des aléas de la conjoncture économique internationale, constitué par les régimes de changes fixes organisés autour de la parité or-dollar, d'une part, et par les aides du Fonds monétaire international (FMI), d'autre part. Ce double écran permet alors aux gouvernements européens d'utiliser le taux de change comme variable d'ajustement écono-

6. *L'évolution récente montre comment les caisses d'épargne, en s'émancipant de sa tutelle, se sont peu à peu approprié ses instruments de marché, comme CDC-Ixis.*

mique, à travers la dévaluation, dévaluation d'autant plus efficace que le contrôle de capitaux demeure la règle – il ne sera remis en cause que dans les années 1980, dans la plupart des cas, avec la création du Marché unique européen [Goodman et Pauly, 1993].

Au seuil des années 1980, les objectifs initiaux du contrôle et de réglementation du crédit, institutionnalisés dans l'après-guerre, sont doubles. Comme dans tout système financier, le principe cardinal de la réglementation financière est la *stabilité*. Réminiscence de la crise des années 1930 et de l'instabilité monétaire de l'immédiat après-guerre, sur lesquelles se fondent tous les éléments du régime mis en place dans l'après-guerre, la stabilité est intimement liée, dans sa formulation de départ, à la protection des (petits) épargnants. En effet, un système bancaire stable, dans lequel sont garanties la solvabilité des établissements et la « prudente et saine » gestion, empêche l'occurrence de « ruées vers le crédit » tel que celles qui menèrent le système financier et bancaire à la faillite dans les années 1930. Le « risque système » est ainsi contenu à travers de nombreuses cloisons, instrument privilégié du régime réglementaire en place, séparant les métiers, les activités et les marchés.

Le deuxième objectif majeur du régime réglementaire établi dans l'après-guerre, et qui tend à l'emporter sur le premier vers la fin de la période, dans les deux pays, est celui du développement économique et industriel[7]. La politique de crédit est intégrée à la politique industrielle, qui est elle-même mobilisée pour la réalisation d'objectifs politiques divers, comme l'autosuffisance énergétique, le lancement de « champions » nationaux, l'excellence technico-industrielle, le renouvellement ou la restructuration de secteurs en crise. Le système financier qui incorpore ces deux objectifs est segmenté, et se fonde sur le contrôle des échanges de capitaux. Un tel système permet d'assurer une grande stabilité, tout en protégeant les « petits porteurs » et en rendant toute politique d'allocation des crédits extrêmement efficace. Et les deux gouvernements entendent jouer un rôle très actif en matière d'allocation des crédits, qui prend des formes variées selon les deux cas.

En France, l'allocation ciblée de crédits, objectif intermédiaire au service de la politique industrielle, est organisée à travers plusieurs stratégies ou instruments parallèles. L'État est d'abord présent comme *joueur*

---

7. *Fennucci [1995] note qu'en Italie l'objectif ultime de la réglementation est graduellement passé de la tutelle des épargnants au soutien au développement économique. C'est peu probable : il semble bien que le développement économique ait toujours été au cœur des préoccupations des régulateurs, dès l'après-guerre.*

à travers les banques nationalisées, même s'il intervient peu dans leur gestion[8]. C'est surtout à travers la Caisses des dépôts et de consignations, La Poste et quelques autres établissements spécialisés que l'État reste un acteur de premier ordre dans l'intermédiation financière et dans les marchés de capitaux. L'État intervient aussi à travers les mesures directes, comme les taux d'intérêt préférentiels ou l'encadrement du crédit, mis en place en 1972. Enfin, les mesures indirectes, comme les ratios de solvabilité, les obligations de transparence, ne jouent qu'un rôle relativement secondaire dans l'intervention étatique.

Dans les mesures directes, le caractère dirigiste de la réglementation française prend toute son ampleur. Des instruments « législatifs et réglementaires » sont employés pour atteindre un haut degré de segmentation des marchés : une batterie d'interdictions, de frontières, de monopoles et autres mesures fermes. Ainsi, avant 1984, les banques coopératives ou mutualistes, ainsi que les caisses d'épargnes jusqu'en 1999[9], se voient imposer des limites strictes à leurs activités, tandis que l'État réserve à divers acteurs certaines activités[10] et maintient jusqu'à soixante-dix-sept régimes de taux d'intérêt différents [Cerny, 1989a]. Dès lors, le secteur « concurrentiel » est très limité. Un tel système répond très efficacement au souci de stabilité, en limitant les possibilités de contagion, et protège les petits porteurs et épargnants. Il permet aussi de canaliser plus facilement les flux financiers vers les secteurs industriels prioritaires[11]. Dans ce système, les mesures indirectes ne jouent qu'un rôle subordonné et leurs effets sont le plus souvent annulés par les mesures directes.

En Italie, le régime de l'après-guerre se caractérise également par une intervention directe de l'État. À la différence de la France, toutefois, cet interventionnisme s'effectue principalement au travers des trois grandes « banques d'intérêt national » dont l'État est propriétaire à travers l'IRI, la grande holding publique fondée dans les années 1930. Ces trois banques publiques fondent, dans les années 1950, Mediobanca, la première

---

8. *Dès lors, il ne s'agit pas, au sens strict, de la « banque publique » (ou state banking), contrairement au cas italien, dans les termes de Verdier [2000], dans la mesure où les banques nationalisées ne sont pas intégrées dans un dispositif de politique industrielle.*

9. *Date de leur mutualisation.*

10. *Par exemple, à travers des banques spécialisées dans le crédit logement, les crédits aux PME ou encore à l'agriculture.*

11. *Ce type de segmentation était longtemps, jusqu'à la réforme de 1986, pratiqué au Royaume-Uni – à l'initiative des banques, cependant [Laurence, 2001].*

véritable banque privée italienne, qui remplit une fonction cruciale dans la régulation des participations croisées des grandes entreprises industrielles. L'État intervient aussi au travers d'établissements spécialisés inspirés du modèle français, comme la Cassa dei Depositi e Prestiti. Au-delà de son rôle d'acteur, l'État dirige aussi le crédit, bien que ce dirigisme prenne des formes diverses du cas français : taux d'intérêt préférentiels, certes, mais surtout obligation faite aux banques d'investir en bons du Trésor. Les ratios prudentiels ne se développent (partiellement) que vers le milieu des années 1970.

Comme pour la France, le marché bancaire est segmenté. Cette segmentation est triple. Il s'agit, avant tout, d'une distinction entre crédit à court terme, appelé aussi « crédit ordinaire », et crédit à moyen et long terme, qui comprend aussi les crédits spéciaux (crédit agraire, crédit foncier, etc.). La segmentation est, en outre, statutaire : comme dans le cas français, la réglementation italienne sanctionne l'existence parallèle de dizaines de catégories bancaires, dont certaines, comme celle des caisses d'épargne, se situent malaisément sur la frontière entre droit public et privé. Le secteur bancaire italien est, enfin, segmenté territorialement – une segmentation strictement mise en œuvre par la Banque d'Italie à travers le régime d'autorisation à l'ouverture de nouveaux établissements. Cette segmentation territoriale trouve son origine dans le « localisme bancaire » renforcé dans les années 1950 par le gouverneur de la Banque d'Italie de l'époque, Donato Menichella, qui voyait dans la banque locale le meilleur garant de l'efficacité et de la stabilité du système bancaire.

La crise du modèle dirigiste : une conjonction de facteurs divers

Les systèmes financiers segmentés fondés sur des instruments réglementaires indirects sont remis en cause par un contexte international changeant qui ravive l'opposition que l'intervention étatique rencontre dans certains secteurs de la société

L'essoufflement d'un modèle économique

Face à l'internationalisation de la finance, de surcroît dans un contexte de crise économique, les États apparaissent de plus en plus démunis. Leurs moyens de contrôle classiques et instruments privilégiés – contrôle des capitaux, dévaluation, politiques économiques de relance – semblent de moins en moins en mesure de faire face aux difficultés nouvelles.

Comme le montrent Loriaux et Barca dans leurs travaux respectifs sur la France et l'Italie [Loriaux, 1991 ; Barca, 1997], la crise du système existant ne s'explique qu'au travers de l'interaction entre facteurs internes et facteurs externes[12]. En d'autres termes, la contrainte extérieure aggrave – en même temps qu'elle les révèle – les dysfonctionnements internes au système. En France, l'« économie d'endettement[13] » diminue la capacité étatique de promouvoir des stratégies d'ajustement interne (puisque l'ajustement externe est impossible en régime de changes flottants). Progressivement, il s'avère que « l'économie d'endettement, institutionnalisée, manque d'un mécanisme de marché pour ralentir la croissance de la monnaie » [Loriaux, 1991, p. 63] – et débouche donc sur l'inflation. L'encadrement du crédit, nouvel instrument introduit en 1972 précisément pour ralentir la croissance de la masse monétaire, devient rapidement l'outil privilégié d'allocation de crédits par l'État.

En Italie, la situation est légèrement différente. Il s'agit, là aussi, d'une économie d'endettement, mais d'une économie d'endettement *public*. Les déficits publics commencent à s'accroître dans les années 1960, quand le Trésor, directement ou à travers des institutions parapubliques – comme les deux holdings d'État, IRI et IMI –, multiplie les investissements en infrastructures. Là encore, il n'existe pas de marché financier développé. C'est le système bancaire qui répond aux besoins de financement du secteur public, la Banque centrale jouant un rôle d'ajustement *ex post* des déséquilibres entre offre et demande de titres publics. Le poids des décifits est donc entièrement absorbé par le système bancaire, ce qui génère un effet d'éviction du crédit privé, provocant à son tour des tensions inflationnistes. Obligée de financer les déficits publics, la Banque centrale est dans l'impossibilité de les combattre[14].

---

12. *C'est, d'une manière plus générale, la thèse avancée par Suzanne Berger : l'impact de la mondialisation doit être pensé comme une interaction entre push externe et pull interne [Berger, 1996].*
13. *Conceptualisée par John Hicks, et appliquée au cas français par Loriaux [1991], l'économie d'endettement se caractérise par la prééminence de la dette dans le financement des entreprises, en l'absence de mécanismes de contrôle et de sanction (dans le cas français, la politique d'encadrement du crédit conduit paradoxalement à un accroissement sans limite de l'endettement privé).*
14. *Le « divorce » de 1981 entre ministère du Trésor et Banque d'Italie ne peut mettre fin à cette situation : même si la Banque centrale se voit libérée, à cette occasion, de l'obligation d'absorber les titres émis par le Trésor « invendus », en tant qu'autorité garante du système bancaire, et en l'absence d'un marché de bons du Trésor, elle continue de facto à jouer un rôle de garant de l'absorption des bons du Trésor par le système bancaire.*

Contrainte extérieure et fuite des capitaux

Au cours des années 1970, le régime macro-économique d'après-guerre est fortement remis en question, en France comme en Italie. Les deux économies sont soumises à de fortes contraintes extérieures. En premier lieu, l'abandon, par les États-Unis, de la convertibilité du dollar en or en 1971 met fin au régime de changes fixes qui avait permis à la France et à l'Italie de recourir à la dévaluation comme instrument d'ajustement. En même temps, les chocs pétroliers de 1973 et 1979 grèvent les bilans des entreprises (les matières premières coûtent plus cher) et accroissent les déficits de la balance commerciale. En 1982-1983, la France affronte une grave crise de la balance des paiements, qui suscite même l'évocation d'un recours au FMI – et donc la mise sous tutelle de la politique économique. L'ajustement semble inévitable.

Parallèlement, l'internationalisation des marchés commence à produire des effets néfastes pour certains marchés de capitaux nationaux, comme l'illustre, pour la France, la citation suivante d'un numéro de *The Economist* de l'époque :

> [...] Près de 20 % du chiffre d'affaires quotidien en obligations d'État françaises est réalisé à Londres, ainsi que 15 % des actions. Certains jours, plus d'actions de grandes entreprises *(blue-chip firms)* françaises changent de main à Londres qu'à Paris. [*The Economist*, 1er octobre 1988.]

Cette fuite des capitaux est sans doute un danger sérieux pour la place française – et les chocs extérieurs menacent la stabilité économique. Elle révèle, en outre, au grand jour les limites de l'intervention étatique et des mesures indirectes.

La relance de l'intégration européenne et le marché unique financier

Le processus d'intégration européenne joue un rôle clé dans l'émergence simultanée du nouveau système réglementaire dans les deux pays. Une première directive européenne entrée en vigueur en 1978 promeut la liberté d'établissement[15], mais est suivie de peu d'effets. Surtout, elle établit une définition des établissements de crédit, très restrictive et qui reste la référence jusqu'à nos jours. Avec l'Acte unique commence

---

15. *Directive EEC du 12 décembre 1977, n° 77/780, portant sur la « coordination des dispositions législatives, réglementaires et administratives concernant l'accès et l'exercice de l'activité des établissements de crédit ».*

une période d'un grand activisme, avec, en particulier, en 1989, la seconde directive européenne[16] qui introduit le principe de reconnaissance mutuelle pour la liberté d'établissement et la liberté de prestation de services. Cette seconde directive est accompagnée de deux autres textes réglementaires concernant les établissements de crédit : la directive « fonds propres[17] » et la directive « solvabilité[18] », qui précisent la composition des divers coefficients utilisés dans le contrôle prudentiel des banques. Ainsi, progressivement, le niveau européen devient un lieu d'élaboration et de diffusion de nouveaux instruments, en général très loin de ceux propres aux régimes dirigistes. Le marché intérieur étant la principale raison d'être de l'Union européenne, les instruments européens sont tous de type « informatif et communicationnel », destinés à mieux organiser la concurrence.

Les années suivantes sont marquées par la promulgation de nouvelles directives, relatives aux groupes bancaires[19], au contrôle réglementaire sur base consolidée[20], aux services d'investissement (cf. *infra*). Quatre principes émergent progressivement à travers cette nouvelle réglementation : l'harmonisation minimale ; la liberté d'établissement ; la reconnaissance mutuelle ; le contrôle unique dans le pays d'origine.

Il faudrait ajouter que l'Europe joue également un rôle comme forum d'échange en matière de politique économique et de réglementation de l'économie. Le fait que la plupart des pays commencent à réfléchir à la libéralisation financière à peu près à la même époque sous-tend l'émergence d'une dynamique européenne en matière de politique économique, même si l'importance de cet élément ne doit pas être surestimée.

Des soutiens internes

Avec la remise en cause du régime macro-économique d'après-guerre [Forsyth et Notermans, 1997], les mesures réglementaires associées avec lui sont progressivement remises en cause à leur tour. Les voix critiques que le consensus keynésien avait fait taire dans l'après-guerre refont surface et gagnent rapidement du terrain face à la déchéance annoncée du modèle de politique économique de référence. Progressivement, des coalitions de réformateurs voient le jour. En France, c'est le Trésor qui joue un rôle moteur dans la promotion des réformes. La Direction de la

---

16. *Directive EEC du 15 décembre 1989, n° 89/646.*
17. *Directive EEC du 17 avril 1989, n° 89/299.*
18. *Directive EEC du 18 décembre 1989, n° 89/647.*
19. *Directive EEC de mai 1992, n° 92/239.*
20. *Directive EEC de 1992, n° 92/30.*

prévision joue un rôle de premier ordre, selon certains travaux, notamment dans la diffusion et la légitimation d'idées nouvelles concernant les politiques économiques dans leur ensemble [Jobert et Théret, 1994 ; Lordon, 1997]. L'alternance politique en 1981 ouvre une fenêtre d'opportunité[21] pour une réforme en profondeur du système réglementaire, sous la houlette du ministre des Finances, Jacques Delors, qui, comme son directeur de Trésor, Jean-Yves Habérer, veut transformer le système financier en l'alignant sur le modèle allemand : renforcement des liens banque-industrie, émergence de banques « maison », allocation de crédits fondée sur la confiance et une vision à long terme[22]. Le bref retour de la droite au pouvoir ajoutera plusieurs réformes importantes dans les marchés de capitaux, qui n'iront pas exactement dans le sens souhaité par la réforme de 1984. De même, à l'intérieur de la gauche, il semble y avoir plusieurs conceptions du futur système financier. Ce qui est très caractéristique de ce changement de priorités est qu'il provient de l'administration même et, donc, que la fin du dirigisme est introduite de manière dirigiste [Cerny 1989b, p. 147].

En Italie, la coalition de réformateurs se cristallise autour d'un groupe restreint d'universitaires et d'hommes politiques du Nord (comme Giuliano Amato), allié à de hauts fonctionnaires en provenance de la Banque d'Italie (comme l'ex-gouverneur Guido Carli), qui arrivent au pouvoir à la fin des années 1980 et utilisent leur position stratégique (ministère du Trésor, autorités de régulation) pour mener à bien les réformes projetées tout au long de la décennie, mais qui s'étaient heurtées auparavant au blocage institutionnel lié au pouvoir du Parti démocrate-chrétien.

—— Le nouveau système réglementaire : instruments et architecture

Dans les deux cas, les instruments joueront un rôle de premier plan, même si l'enchaînement des événements est très différent. Conformément aux « styles réglementaires » nationaux [Vogel, 1996], les réponses sont trouvées à travers des processus bien spécifiques. En Italie, le

---

21. *D'après Loriaux, un esprit plus libéral souffle dans toute l'administration, dès la fin des années 1970. À titre d'exemple, le huitième plan se montre très critique vis-à-vis de certaines mesures administratives comme l'encadrement du crédit [1988, p. 182].*

22. *Voir, à ce titre, le plaidoyer très représentatif de Michel Albert [1991].*

changement est très graduel et le nouveau « paradigme » se met en place très progressivement comme résultat d'un processus cumulatif de petites réformes. En France, au contraire, s'il existe des tentatives timides antérieures, l'année 1984 est vraiment une année charnière. Les instruments alors mis en place vont pourtant générer des nouvelles problématiques qui orienteront fortement la réforme de 1996, qui sera en plusieurs points contradictoire avec celle de 1984.

Changement d'instrumentation, changement par l'instrumentation

L'évolution du régime réglementaire au cours des années 1990, en France en particulier, montre bien comment les instruments créés au début des années 1980 ont acquis une dynamique propre. Le développement de ratios et le contrôle par des agences de plus en plus indépendantes tendent à confirmer et à consacrer la tendance vers un mode de régulation par le marché, où l'intervention réglementaire est vraiment cantonnée dans la réponse à la faillite du marché, comme le propose l'analyse économique. À ce titre, nous assistons depuis les années 1980, dans les deux pays, à un « encastrement du marché dans la science économique », pour reprendre une expression de Michel Callon[23]. En prenant appui sur les bases jetées dès les années 1980, les arguments en faveur d'un régime réglementaire plus indépendant ont pu prendre appui à la fois sur un contexte politique favorable et sur un bilan réglementaire insatisfaisant.

Progressivement, ce sont les instruments de contrôle direct – en particulier les ratios prudentiels et les obligations de transparence – qui s'imposent aux dépens d'instruments plus directifs. Ces instruments sont en outre gérés par des organisations de moins en moins nombreuses, aux prérogatives de plus en plus larges et de plus en plus indépendantes du gouvernement, suivant en cela les exemples du Royaume-Uni et de l'Allemagne[24]. Les discussions plus récentes pointent sans exception dans la même direction. En France, le rapport Marini du Sénat [2000], comme avant lui déjà le rapport Auberger [1996], met l'accent sur l'absence ou l'insuffisance du contrôle interne des établissements

---

23. « *Embedding the economy into economics* » *[Callon, 1998].*
24. *Le Royaume-Uni en 1997, suivi en 2002 par l'Allemagne, a été le premier pays à unifier toute la réglementation et la supervision du système financier – tous métiers compris – dans une seule agence. Si la France et l'Italie en sont encore loin, l'existence même de ces deux agences et leur poids au niveau communautaire constituent des facteurs en faveur d'une unification organisationnelle.*

[Marini, 2000, p. 79 et suiv.]. Au niveau international, l'amélioration des règles prudentielles et du contrôle interne apparaît également comme une priorité. Cette tendance est au cœur des préoccupations du Comité de Bâle et du Forum de stabilité créé en février 1999 par le G7 [Key, 1999]. Certains auteurs proposent de renforcer les obligations de transparence afin d'accroître le contrôle et la régulation par le marché des entreprises financières de tous types [Mayes *et al.*, 2001].

Si ces tendances affirment avant tout répondre au défi de l'internationalisation de l'activité financière, il est certain également que cette refonte de la structure réglementaire entend également façonner les marchés financiers et bancaires dans un sens déterminé et favoriser l'émergence de « grands » acteurs, capables de faire face à une concurrence de plus en plus importante dans un marché européen véritablement unifié[25]. En changeant une première fois le système réglementaire, les autorités de tutelle se voient à quelques années d'écart forcées de revenir sur certains des changements et d'améliorer le système mis en place[26]. À ce titre, l'unification progressive des structures réglementaires est sans doute destinée à permettre un rapprochement plus facile entre diverses activités, ainsi qu'une évaluation unique de la structure de risque de conglomérats financiers, qui émergent à la suite des mouvements de fusion et acquisition, depuis le milieu des années 1990.

En Italie, l'évolution du régime réglementaire est moins importante qu'en France en raison, essentiellement, du caractère tardif des réformes initiales – il n'y a pas, comme en France, de laps significatif entre les réformes initiales et les dernières réformes. Le « Texte unique » de 1998 sur la réglementation financière[27] (dorénavant appelé « TUF ») reprend, dans ses grandes lignes, les principes affirmés par le TUB de 1993 et incorpore les sociétés d'investissement au régime réglementaire en vigueur. Les innovations apportées par le texte de 1998 intéressent

25. *En effet, face à l'émergence de grands conglomérats financiers comme la Hong Kong Schang-Hai Corporation (HSBC) au Royaume-Uni et le groupe Allianz-Dresdener, les autorités de tutelle françaises entendent promouvoir l'émergence d'un ou deux grands joueurs ou « plates-formes » sur la place française, comme l'a montré l'attitude des pouvoirs publics au moment du projet de fusion SBP (BNP-Paribas-Société générale). Cf. Lordon [2002, chap. 9].*
26. *Il est intéressant de remarquer que le Comité de réglementation bancaire avait soumis à l'accord du CECEI toute prise de participation étrangère en décembre 1996, c'est-à-dire à peine quelques mois après l'adoption de la loi « MAF » [Perrut, 1998].*
27. *Décret législatif du 24 février 1998, n° 58, intitulé « Testo unico delle disposizioni in materia di intermediazione finanziaria ».*

presque exclusivement la « gouvernance d'entreprise » des sociétés financières, c'est-à-dire les règles gouvernant le contrôle et l'exercice des droits de propriété dans ces entreprises.

Cette évolution correspond au mouvement décrit par Pierre Lascoumes [2003] concernant les effets de retour des instruments des politiques publiques sur les politiques et leurs objectifs. Selon Lascoumes, « l'instrument crée des effets d'inertie » (1), est « producteur d'une représentation spécifique de l'enjeu qu'il traite » (2), et peut même « aller jusqu'à induire un système explicatif » (3). La réforme des structures réglementaires en France et en Italie confirme, en effet, les trois tendances. La mise en place d'un nouveau système réglementaire conditionne les pas à suivre et exige de nouvelles réflexions et améliorations dans la continuité du nouveau régime réglementaire, devenu un système normatif s'imposant et contraignant les mesures ultérieures.

La France : des instruments au service de la réforme à la réforme pour améliorer... les instruments

En France, il faut distinguer deux étapes. Nous avons décrit rapidement les origines de la réforme du système de la réglementation bancaire. La réforme de 1984 inaugure un système entièrement nouveau. Ce système génère rapidement une dynamique propre et à l'occasion de la transposition de la directive européenne sur les services d'investissement en 1996, le système est entièrement revu. La grande différence entre les deux réformes réside dans le fait qu'en 1984, l'objectif principal est de mettre fin à une réglementation au service de la politique industrielle, donc, dans son rapport au reste de l'économie, alors qu'en 1996, il s'agit avant tout d'améliorer la *réglementation* de la finance au nom de sa cohérence *interne*. Autrement dit, on assiste à une séparation croissante de sphères, de plus en plus autonomes. Du cloisonnement comme instrument d'action publique, on passe au cloisonnement des sphères de l'action publique. La réglementation financière devient une sphère autonome, dédiée au seul objectif de la stabilité du système financier dans un contexte de concurrence croissante.

Les réformes de 1984-1988 créent un système réglementaire et de supervision en rupture avec le système précédent, qui tenait sa stabilité essentiellement d'instruments de type législatif et réglementaire, comme la segmentation et l'allocation ciblée des crédits. La loi bancaire de 1984 abolit toutes les cloisons, notamment entre banques coopératives et banques « AFB[28] » avec le but affiché d'accroître la concurrence sur le marché du crédit. Seules sont épargnées par la réforme La Poste et la Caisse de dépôts et de consignations à travers laquelle l'État maintient une capacité d'action significative. Le statut des caisses d'épargne est amendé dès 1983, les rapprochant des caisses mutuelles[29].

En outre, l'abolition de l'encadrement du crédit en 1986 fait émerger une véritable concurrence entre établissements bancaires, alors que le taux d'autofinancement des entreprises ne cesse d'augmenter. Un marché à terme, le MATIF, est créé en 1986, et plusieurs mesures sont prises pour inciter les entreprises à recourir aux marchés financiers. La loi de 1988 abolit le monopole des agents de change à la Bourse de Paris, faisant tomber la cloison la plus importante. À travers la création des sociétés de Bourse, le monopole de négociation des valeurs mobilières est affaibli et ces sociétés sont progressivement rachetées par les principales banques.

L'architecture institutionnelle mise en place en France s'inspire largement de modèles étrangers, caractérisés par le recours privilégié à la mise en place d'agences spécialisées. Elle se caractérise également par une division de tâches assez stricte concernant à la fois les types d'acteur financier – banques, entreprises d'investissement, assurances – et la fonction réglementaire – agrément, réglementation, supervision. Aux côtés de la Banque de France et de la Direction du Trésor, une série de comités spécialisés sont créés : le Comité des établissements de crédit, qui délivre les agréments bancaires, le Comité de réglementation bancaire et financière, chargé de fixer « dans le cadre des orientations définies par le gouvernement les prescriptions d'ordre général applicables aux établissements de crédit », et la Commission bancaire, principal organe de supervision des banques depuis la loi de 1941.

Cependant, la loi de 1984 ne fait que renforcer les positions du Trésor et de la Banque de France, plutôt que déléguer l'autorité à une agence réellement indépendante. Ainsi, la Commission bancaire constitue avant tout un département de la Banque de France ; le Comité de réglementation bancaire et financière est présidé par le ministre des Finances, la vice-présidence revenant au gouverneur de la Banque de France ; et la présidence du Comité des établissements de crédit revient – en échange, aurait-on envie de dire – au gouverneur de la Banque de France.

---

28. *L'Association française des banques (AFB) regroupe alors toutes les grandes banques commerciales non mutuelles.*
29. *La mutualisation des caisses d'épargne sera achevée en 1999.*

Et pourtant, cette nouvelle division des tâches porte en elle un certain nombre de biais, dont les conséquences ne se feront sentir qu'avec le temps. Ainsi, ce système exclut toute reprise en main « dirigiste » du système réglementaire et assure une réglementation fondée sur le flux d'informations[30] et les ratios de solvabilité. Avec le traité de Maastricht et l'indépendance de la Banque de France[31], ce système favorise celle-ci aux dépens du Trésor, déjà affaibli par les privatisations, et, de fait, rend la réglementation et la supervision du système bancaire indépendantes de la volonté de l'État.

Parallèlement, la Commission des opérations de bourse (COB) continue à être responsable des marchés financiers modernisés en ce qui concerne l'information des investisseurs et la surveillance des marchés de valeurs mobilières. Le Conseil des Bourses de valeur (CBV) est responsable de la réglementation et de l'organisation du marché, composé pour l'essentiel par des représentants élus des sociétés de Bourse[32]. La Société des Bourses françaises, enfin, constitue le « bras séculier » du CBV : elle assure le fonctionnement quotidien et applique les règles établies par le CBV. Statutairement, il s'agit d'une « institution financière spécialisée ». Ici, l'inspiration semble provenir du modèle anglo-saxon [Coleman, 1997, p. 282], dans la mesure où la nouvelle approche comprend des éléments d'autorégulation – ce qui contraste avec la réglementation et la supervision du système bancaire, où les autorités de tutelle ont plutôt renforcé leur poids. Plus ouvertement que pour les banques, donc, la réforme exclut tout contrôle des marchés financiers par le Trésor.

C'est ce système, qui sera profondément revu en 1996 par la loi de modernisation des activités financières (loi « MAF »). Celle-ci est, avant tout, la transposition de la directive européenne sur les services d'investissement de 1993 (CEE 93/22). La transposition a pris plus de trois ans, ce qui témoigne des débats qui ont entouré l'émergence de cette loi. Celle-ci s'efforce notamment de répondre aux défis d'une finance de plus en plus internationalisée et aux carences du système mis en place en 1984. En particulier, comme l'indique le rapport Auberger [1996, p. 16], il s'agit de tirer les leçons de certaines faillites bancaires comme celle de la banque Pallas-Stern et, surtout, celle du Crédit lyonnais. L'objectif de cette réforme se situe donc à un autre niveau que celui de

30. *Même s'il est vrai que les moyens mis à la disposition de la Commission bancaire sont très loin de ceux dont disposent les agences aux États-Unis.*
31. *Loi n° 93.980 du 4 août 1993.*
32. *Le Conseil des marchés à terme remplit le rôle du CBV pour les marchés de dérivées.*

la réforme de 1984 : il s'agit d'améliorer, rendre plus efficace un dispositif dont le bien-fondé n'est pas remis en cause. C'est leur application et les conflits d'intérêt résultant des responsabilités multiples du Trésor et du ministère des Finances qui sont en cause. C'est à ce titre que les instruments mis en place dans les années 1980 exigent une mise en cohérence du reste du dispositif justifié par un souci d'efficacité et de légitimité, mais dont l'effet concret sera de « purifier » le dispositif mis en place entre 1984 et 1988 pour le débarrasser autant que possible des éléments tributaires du système réglementaire précédent.

À première vue, la loi « MAF » semble se limiter à l'addition des « entreprises d'investissement » aux « établissements de crédit » ciblés par la loi de 1984[33]. À y regarder de plus près, cependant, les changements vont bien plus loin. Cette unification de la supervision des établissements de crédit (banques) et des entreprises d'investissement témoigne du refus d'une séparation radicale de type américain entre banques « classiques » et banques d'investissement[34]. Par ce biais, la France adopte une approche par métier, plutôt que par statut juridique, qui tient compte de la confusion croissante entre les métiers classiques de crédits et l'émission de titres ou autres services financiers et qui l'encourage plutôt qu'elle ne s'y oppose. En même temps, le monopole des sociétés de Bourse sur la négociation de valeurs mobilières est aboli, dernier vestige des instruments plus directifs. Autrement dit, le décloisonnement ou l'abolition des cloisons devient une sorte d'instrument à lui tout seul, caractéristique du processus de réforme entre 1984 et 1996, voire au-delà.

Deux visions s'opposent à l'époque. Une première maintient qu'il faut transposer strictement la directive européenne. La seconde y voit au contraire une occasion pour améliorer le système réglementaire. Les acteurs concernés, dont notamment les grandes banques et les organisations professionnelles, sont largement consultés, mais semblent favoriser une position plus proche du *statu quo* que le gouvernement. Ce dernier imposera finalement un changement assez important. Le résultat

33. Ainsi, le Comité des établissements de crédit (CEI), qui délivre les agréments, devient le Comité des établissements de crédit et des entreprises d'investissement (CECEI) ; l'Association française des établissements de crédit (AFEC), l'organisation professionnelle obligatoire, devient l'Association française des établissements de crédit et des entreprises d'investissement (AFECEI).
34. À ce titre, la France va d'ailleurs plus loin que les projets européens qui avaient consacré le maintien de cette distinction, notamment à l'initiative de l'Allemagne. Cf. Story et Walter [1997, p. 259 et suiv.].

est en effet un système de plus en plus libéral, comme le déplorent, à l'époque, les groupes communiste et socialiste dans les assemblées :

> [...] Nous aurions pu approuver une stricte transposition. Ce n'est pas le choix qui a été fait. Le gouvernement a décidé de dépasser la stricte transposition pour modifier largement l'architecture de la place financière de Paris. C'est d'ailleurs ce qui explique la longueur de la navette, les rapporteurs de l'Assemblée nationale et du Sénat tentant chacun de faire prévaloir leur point de vue. Mais la perspective reste la même, puisqu'il s'agit d'aller dans le sens d'un plus grand libéralisme dans le fonctionnement de notre économie, en suivant une inspiration anglo-saxonne[35].

La Banque de France apparaît, à nouveau, comme le grand vainqueur : son champ d'action est élargi aux entreprises d'investissement, en matière d'agrément et de contrôle prudentiel[36]. Les autorités professionnelles de marché, réunies dans le nouveau Conseil des marchés financiers (CMF) et le Comité des opérations de Bourse (COB) voient leur autonomie également renforcée. La réglementation prudentielle revient toujours au Comité de la réglementation bancaire et financière (CRBF), auquel sont soumises désormais également les entreprises d'investissement. Si Bercy garde un certain contrôle du CRBF, l'influence du Trésor est clairement réduite en faveur de la Banque de France, désormais totalement indépendante du Trésor et des autorités de Bourse.

Celles-ci, le CMF et la COB, sont fusionnées en 2003 afin d'améliorer la visibilité des marchés financiers français en créant un « guichet unique », l'Autorité des marchés financiers[37]. Cette unification progressive du cadre juridique vise à augmenter la transparence des transactions financières et à harmoniser les conditions de concurrence entre les acteurs, tout en assurant la sécurité du système financier à travers des règles prudentielles harmonisées [Perrut, 1998, p. 138-145][38].

---

35. *Le sénateur (PS) Marc Massion, lors de la présentation des résultats de la Commission mixte paritaire.*
36. *Le gouverneur de la Banque de France préside à la fois le CECEI et la Commission bancaire.*
37. *Cette nouvelle autorité est avant tout de nature régulatrice et perd ses pouvoirs de sanction au profit de la justice (blâme, retrait d'agrément, etc.), mais possède un pouvoir d'injonction [Ruymi, 2001].*
38. *Il faut remarquer pourtant que, contrairement à ce qui est le cas aujourd'hui en Allemagne et au Royaume-Uni, ce mouvement exclut pour l'instant, en France, les assurances, même si les réformes intervenues dans ce domaine sont inspirées par des principes similaires.*

Ainsi, les fondements posés en 1984 génèrent progressivement une dynamique propre de plus en plus irrésistible. Plutôt qu'un mécanisme fonctionnaliste, il s'agit d'un processus social à part entière, déclenché un peu accidentellement par les pouvoirs publics par les mesures des années 1980, mais qui réunit progressivement un nombre croissant d'acteurs – les banques, les entreprises d'investissement et leurs organisations professionnelles – et d'experts en faveur du type de régime créé et soucieux de l'améliorer. La réponse du législateur est, dans ce contexte, dominée par le souci d'éviter de favoriser les intérêts particuliers de certains acteurs aux dépens d'autres, mais le principe ne sera plus remis en cause[39].

L'Italie : des nouveaux instruments comme avant-garde

En Italie, les réformes de 1990-1993 constituent la pierre de touche du nouvel édifice réglementaire. Le décret d'application de la loi de juillet 1990, promulgué la même année[40], marque la fin de la segmentation fonctionnelle du crédit (crédit à court terme, appelé aussi « crédit ordinaire », contre crédit à moyen et long terme, qui comprend également les crédits spéciaux – crédit agraire, crédit foncier, etc.)[41]. Il prévoit en effet que les instituts de droit public, transformés par la loi en « sociétés par actions », puissent exercer toute activité « de moyen et long terme », c'est-à-dire une grande partie des crédits spécialisés (art. 18). Il s'agit de l'acte de naissance de « groupes polyfonctionnels », la version italienne de la banque universelle. La même année, un décret du ministre du Trésor[42] étend la compétence territoriale des banques (à l'exception des caisses rurales) à tout le territoire national.

---

39. *Il est légitime de se demander si la présence d'un gouvernement de droite n'a pas favorisé une certaine tendance à la libéralisation, dans la mesure où l'opposition socialiste vote contre la loi dans les deux chambres, mais ce serait oublier que c'était un gouvernement socialiste qui a jeté les bases de cette évolution.*

40. *Décret législatif du 20 novembre 1990, n° 356.*

41. *Cette distinction, introduite par la création de l'IRI et de l'IMI dans l'entre-deux-guerres, renforcée par la loi bancaire de 1936, prévoyait des régimes séparés pour le crédit à court terme (art. 28-40 L.1936) et le crédit à moyen et long terme (art. 41-46 L.1936). Les crédits spéciaux ne pouvaient être distribués que par des organismes de droit public, sur la base d'une spécialisation par secteur ou territoire. Ces derniers ne pouvaient recevoir de dépôts.*

42. *Décret ministériel du 17 novembre 1990, n° 278.*

Deux décrets législatifs, en 1992[43] et 1993[44], parachèvent la réforme. Ces deux décrets font suite à une loi de 1992[45] qui confie au gouvernement le soin de transposer en droit interne la seconde directive bancaire européenne, invitant à la conception d'un texte unique. Le décret législatif de 1992 reprend donc les contenus de la directive et, par ailleurs, amplifie les pouvoirs de contrôle de la Banque d'Italie (voir ci-dessous). Il annule la distinction, établie par la loi de 1936, entre « instituts » et « entreprises » de crédit, les premiers spécialisés dans la récolte de l'épargne à moyen et long terme, les seconds dans la récolte de l'épargne à court terme – en abolissant les premiers. Il entérine la dé-spécialisation amorcée par la loi de 1990, en autorisant l'exercice, par tous les établissements de crédit, de tout type de crédit, dans les limites des statuts individuels (art. 6) ; et en modifiant notamment le régime de réserve obligatoire pour assurer une parité respectueuse de la concurrence entre établissements de crédit (art. 22 et 49). Enfin, la loi et le décret d'application généralisent le statut de « société par actions » pour les futures ex-banques publiques.

Le second décret législatif, celui de 1993, appelé « Texte unique » sur la réglementation bancaire (que nous appellerons dorénavant « TUB »), rassemble en un *corpus* unique, comme son nom l'indique, toutes les réglementations existantes en matière de crédit ; ne restent en dehors du TUB que la discipline du marché des titres publics, des fonctions de la Banque d'Italie comme banque centrale, des normes sur le marché mobilier et sur les entreprises d'assurance.

En particulier, le TUB de 1993 entérine le principe de dé-segmentation du système bancaire institutionnalisé par les réformes de 1990 et 1992. En premier lieu, le TUB élimine le principe de spécialisation territoriale. L'article 15 dispose en effet que « les banques italiennes peuvent établir des branches sur tout le territoire de la République ». En second lieu, le TUB réduit la diversité statutaire en exigeant, comme condition à l'exercice de l'activité bancaire, le choix entre deux formes statutaires : la « société par actions », ou la « société coopérative par actions à responsabilité limitée ». Les régimes spécifiques réservés aux caisses d'épargne[46], aux « banques populaires[47] » et aux caisses rurales[48]

43. *Décret législatif du 14 décembre 1992, n° 481.*
44. *Décret législatif du 1ᵉʳ septembre 1993, n° 385, intitulé « Testo unico delle leggi in materia bancaria e finanziaria ».*
45. *Loi du 19 février 1992, n° 142.*
46. *Texte unique de 1929.*
47. *Décret législatif du 10 février 1948, n° 105.*
48. *Texte unique de 1937.*

sont abrogés. En troisième lieu, le TUB entérine le modèle de la banque universelle : « Les banques exercent, outre l'activité bancaire, toute activité financière connexe. » (Art. 10.) Le TUB élimine en outre la grande partie des crédits spéciaux, en conservant seulement le crédit foncier, le crédit agraire, le crédit municipal, le crédit aux travaux publics. Par ailleurs, le Texte unique de 1993 inclut aux côtés des banques une multitude d'autres acteurs, appelés « autres intermédiaires de crédit » et « autres intermédiaires financiers ». La première catégorie inclut essentiellement les institutions parabancaires spécialisées dans des formes particulières de crédit : crédit bail, affacturage, crédit à la consommation, capital risque. La deuxième catégorie comprend les sociétés d'intermédiation mobilière, les SIM ; les sociétés d'investissement à capital variable, les SICV ; les fonds communs de placement ; les sociétés de gestion de l'épargne ; les fonds de pension.

La nouvelle architecture institutionnelle mise en place par les réformes de 1990-1993 semble elle aussi marquer une rupture par rapport au régime précédent. Comme en France, de nouvelles autorités de contrôle sont créées. La Commission de surveillance des opérations boursières (Commissione nazionale per le società e la borsa, ou CONSOB) est créée en 1974, l'Institut de contrôle des sociétés d'assicuration (ISVAP) en 1983, l'Autorité de contrôle de la concurrence et des marchés (surnommée l'« Antitrust ») en 1990[49], et le Comité de réglementation des fonds de pension (COVIP) en 1993. Ces autorités administratives indépendantes ne sont pas soumises au pouvoir hiérarchique des institutions étatiques. Mais leurs compétences sont importantes. Elles ont notamment un pouvoir d'information, d'inspection et de sanction pour le non-respect des normes relatives, en particulier, à la transparence et à la gouvernance d'entreprise.

Cependant, malgré cette concurrence nouvelle, la Banque d'Italie conserve un rôle central dans le système réglementaire. Premièrement, les réformes successives confortent la triple compétence de la Banque d'Italie : pouvoir réglementaire (en ce qui concerne la définition des risques, les critères d'adéquation patrimoniale, et la structure et le fonctionnement du système bancaire), pouvoir de contrôle sur pièces, et pouvoir d'inspection (contrôle sur place). Outre ces compétences traditionnelles, la Banque d'Italie dispose d'un pouvoir étendu par la récente vague de réformes. Ainsi, la loi de 1990, qui instituait l'Antitrust, attri-

49. Loi du 10 octobre 1990, n° 217, portant les normes sur la tutelle de la concurrence et des marchés.

buait simultanément à la Banque d'Italie, les mêmes pouvoirs vis-à-vis des établissements de crédit que ceux attribués à l'Antitrust pour les autres entreprises : notamment, le pouvoir d'autorisation des concentrations bancaires qui pourraient, sur la base des paramètres établis par la loi, porter atteinte à la concurrence. Enfin, le TUB de 1993 et le TUF de 1998 étendent les pouvoirs de contrôle de la Banque d'Italie respectivement aux intermédiaires financiers non bancaires et aux OPCVM.

Le deuxième pilier traditionnel de l'architecture réglementaire, le ministère du Trésor, se voit lui aussi à la fois confirmer ses compétences traditionnelles et attribuer de nouvelles compétences par le TUF de 1998. L'article 38 du texte dispose notamment que le ministre définit les caractéristiques des produits offerts par OPCVM et SICAV. Déjà, le TUB de 1993 attribuait au ministère du Trésor de nouvelles compétences : pouvoir de définir les critères d'honorabilité et de « professionnalité » des cadres des banques nouvellement constituées (art. 25, art. 26) ; pouvoir de disposer l'ouverture de procédures de liquidation et d'administration extraordinaire (art. 70, art. 80) ; pouvoir de sanctions administratives à l'encontre des cadres dirigeants des établissements de crédit (art. 145). Le TUB reprend en outre les dispositions du régime précédent concernant les pouvoirs du ministre du Trésor en tant que président du CICR (présidence, convocation des réunions, pouvoir de proposition – art. 3). Il confirme notamment le pouvoir du ministre du Trésor d'adopter en cas d'urgence des mesures entrant dans les compétences du CICR (art. 82).

Enfin, le troisième pôle de l'architecture institutionnelle, le Comité interministériel du crédit et de l'épargne (CICR en italien), voit son rôle diminuer. Le CICR est, comme auparavant, présidé par le ministre du Trésor et composé des mêmes ministres, à quelques changements d'appellation près, qu'en 1947. Le gouverneur de la Banque d'Italie est toujours invité à participer aux réunions du CICR, avec une fonction uniquement consultative. Et le contrôle politique du crédit (l'*alta vigilanza*) est encore attribué au CICR. Cependant, les pouvoirs réels attribués au Comité sont moins étendus qu'auparavant[50].

---

50. *Déjà, une loi de 1985 réglementant l'épargne d'origine non bancaire excluait le CICR des procédures de contrôle en matière de constitution de nouvelles sociétés de gestion de l'épargne (qui reçoivent l'autorisation du ministère du Trésor, entendue la Banque d'Italie). La tendance est renforcée par le TUB de 1993, qui prive le CICR de son pouvoir de sanction, transféré à la Banque d'Italie et au Trésor (art. 90).*

Comme on le voit, les changements décrits ci-dessus ne remettent pas fondamentalement en cause le « régime bipolaire du crédit » mis en place au sortir de la Seconde Guerre mondiale. Mais la transformation radicale du régime réglementaire opérée par les réformes de 1990-1993 ne fait que renforcer les instruments mis en place de manière graduelle au cours de deux décennies précédentes, et qui ont imposé peu à peu leur « logique ».

Un premier type d'instruments, les instruments de contrôle direct, privilégiés, comme on l'a vu auparavant, dans le précédent régime, est d'abord mobilisé pour favoriser la transition de l'ancien au nouveau régime réglementaire. C'est le cas, avant tout, du régime d'autorisation à l'ouverture de nouveaux guichets, qui a évolué radicalement à partir de la fin des années 1970. Jusqu'en 1966, prévaut une logique restrictive (les autorisations à l'ouverture de nouveaux guichets sont extrêmement rares) ; à cette date, le CICR décide de laisser les grandes banques opérer sur l'ensemble du territoire *régional*, à condition que leur siège se trouve dans le chef-lieu de la région. En 1972, la condition liée au chef-lieu disparaît. En 1974, le CICR met fin à la spécialisation régionale pour les grandes banques, qui peuvent désormais opérer sur tout le territoire national. Ce n'est qu'en 1976, cependant, que la Banque d'Italie pose les bases d'une rationalisation du système bancaire italien notamment à travers une libéralisation progressive, partielle et *programmée* des guichets bancaires. C'est le premier « plan guichets » (*Piano Sportelli*), lancé en 1977-1978 avec l'aval du CICR. Ajourné en 1984, un deuxième plan lui succède en 1986. Et en 1987, le CICR[51] autorise les filiales des banques étrangères à opérer sur l'ensemble du territoire national, comme les grandes banques italiennes. Ainsi, un « vieil instrument » est utilisé pour passer, graduellement, d'un régime à un autre. Au terme de cette transformation, cependant, le régime d'autorisation d'ouverture de guichet est abandonné.

C'est aussi le cas du régime d'autorisation à l'ouverture de nouveaux établissements. En 1985, un décret[52], qui transcrit la première directive européenne en droit italien, modifie radicalement le régime d'autorisation à la création de nouveaux établissements bancaires[53]. Le décret dis-

51. *Délibération CICR du 21 mai 1987.*

52. *Décret signé par le président de la République du 27 juin 1985, n° 350.*

53. *Dans les années 1960 et 1970, de nombreux avis contraires du CICR (en 1966, en 1971, etc.) s'opposent aux velléités de certains établissement de crédit d'étendre leur sphère d'activité. Seules les petites banques coopératives, les « caisses rurales et artisanales », échappent à cette règle.*

pose que toute banque peut avoir accès au marché bancaire si elle répond aux exigences prévues par la loi en matière de patrimoine, honorabilité et professionnalité des dirigeants et fondateurs. En outre, l'article 11 du décret retire aux autorités de contrôle la faculté de fermer une filiale aux fins de réaliser « une meilleure distribution territoriale des établissements de crédit ». Le décret ne sera, cependant, pas appliqué avant 1989-1990.

Ce processus de transformation des instruments existants concerne aussi, autre exemple, la réserve obligatoire. Instituée en 1926[54], confirmée par la loi de 1936 (mais pas appliquée avant 1947), la réserve obligatoire répondait avant tout au souci de garantir la solvabilité et la solidité patrimoniale des établissements de crédit, finalisée à la défense des épargnants. En 1975, le CICR transforme la réserve obligatoire d'instrument de tutelle de l'épargne en un véhicule de financement des déficits publics : désormais, une partie de la réserve obligatoire doit être investie en obligations et bons du Trésor. La réserve obligatoire « redevient » un instrument de contrôle de solvabilité dans les années 1980.

Outre l'abandon et la transformation des instruments propres au précédent régime réglementaire, plusieurs réformes « mineures » en créent de nouveaux. Les premiers instruments de contrôle prudentiel sont ainsi créés dans les années 1970. C'est le cas, notamment, des coefficients patrimoniaux, utilisés depuis 1976 pour calculer la limite maximale autorisée aux garanties bancaires[55]. Mais la véritable transformation intervient en 1985, avec la systématisation du recours aux ratios prudentiels.

Dans le même temps, les gouvernements successifs favorisent l'émergence de véritables marchés financiers et monétaires. C'est le cas du marché des bons du trésor (1975) et des titres (1977), qui ne prennent véritablement leur essor qu'à la fin des années 1980 (avec l'abandon des contraintes de portefeuille et des limites posées au crédit). Ce dernier développement est en soi un paradoxe, si l'on considère la logique qui avait présidé à la création simultanée de ces marchés et des instruments tels que la contrainte de portefeuille. Selon Fulvio Fennucci, il s'agissait alors d'un « marché » entre État et établissements de crédit, aux termes duquel, « au système bancaire, on demande un soutien constant à la naissance du marché obligataire ; en échange, la croissance de ce

---

54. *Décret législatif royal du 6 novembre 1926, n° 1830.*
55. *Délibération CICR du 4 juin 1976.*

marché permet aux banques de récupérer en revenus d'intermédiation, en titres et en commissions le manque à gagner dans le domaine des revenus tirés de l'activité de crédit. » [Fennucci, 1995.]

De même, au niveau institutionnel, les réformes de 1990-1993 ne font que pousser au bout de leur logique des mesures adoptées au cours des années précédentes. C'est le cas, bien sûr, de l'indépendance donnée à la Banque d'Italie en 1993, qui institutionnalise le « divorce » de 1981 entre la Banque d'Italie et le Trésor, qui supprimait l'obligation faite précédemment à la Banque d'Italie de racheter les bons émis par le Trésor non absorbés par les banques (la procédure suivie s'apparentait à une vente publique). En d'autres termes, le divorce de 1981 sanctionne la prise d'autonomie des décisions concernant le gouvernement du crédit des décisions concernant la dette publique.

Dans le cas italien, les instruments qui « annoncent » le nouveau régime sont donc mis en œuvre progressivement, sous l'impulsion d'un groupe restreint d'acteurs qui cherchent ainsi à contourner le « compromis sans réforme » intimement lié au pouvoir démocrate-chrétien. La véritable alternance politique n'intervient qu'en 1990-1992, soit dix ans après l'alternance française ; à ce moment, cependant, l'instrumentation est prête, et le processus de réforme s'engage de manière plus linéaire qu'en France, où le changement d'instrumentation, on l'a vu, porte une dynamique qui dépasse les ambiguïtés de la réforme initiale.

*

L'identification des effets propres des instruments réglementaires sur la nature de la réglementation, voire sur les objectifs de celle-ci, soulève des interrogations et suggère de nouvelles pistes de réflexion. On peut rapprocher ces effets de ceux décrits par les théoriciens de la dépendance au sentier, envisagée comme réponse aux rendements croissants. Autrement dit, puisque des mesures dans ce sens ont déjà été prises, il semble plus judicieux d'améliorer le système existant plutôt que de chercher et de mettre en œuvre un autre système potentiellement plus efficace[56].

Cette ressemblance n'est pourtant que superficielle : par rapport au système réglementaire original, les systèmes actuels représentent une rupture radicale. Cependant, dans les deux cas, nous avons vu que les

56. *Pour les sciences sociales, on peut citer, notamment, North [1990], Pierson [1996 et 2000] et Hall et Soskice [2001].*

changements sont graduels, même si une remise en question radicale intervient – à des moments différents –, et en Italie et en France. Plus précisément, même si un mode de régulation dominant peut être identifié à tout moment dans les deux cas, il ne faut pas négliger la persistance ou l'émergence d'autres modes parallèles. Selon la configuration politique et économique, certains acteurs ou entrepreneurs *endogènes* et préexistants peuvent prendre appui sur ces configurations favorables pour pousser et, le cas échéant, imposer une autre vision qui leur est plus favorable [Crouch et Farrell, 2002, p. 30-31].

Les instruments jouent en quelque sorte un rôle de catalyseur dans ce contexte, le bilan de leur emploi et de leur efficacité, ainsi que l'expertise qui leur est attachée sert de « preuve » dans les discours de certains acteurs, comme les agences réglementaires dans les deux exemples discutés. Les discours alternatifs n'ont pas pour autant disparu et, même s'ils semblent aujourd'hui fortement affaiblis, notamment ceux prônant un rôle à jouer par la finance dans une politique industrielle interventionniste, leurs tenants prendront appui sur toute nouvelle crise financière pour essayer de promouvoir leurs objectifs.

L'étude ici présentée encourage fortement à poursuivre et approfondir les recherches sur les instruments d'action publique. Elle révèle le rôle clé que certains instruments ont joué en France et en Italie dans la préparation d'une réforme d'ensemble, dans le premier cas, et dans l'institutionnalisation et la clarification de la réforme, dans le second.

Nous n'avons pas pu identifier les raisons de l'émergence d'une dynamique propre des instruments. Nous pouvons esquisser plusieurs pistes, cependant. Premièrement, les instruments choisis originalement sont empruntés aux systèmes financiers plus libéraux, comme ceux de l'Allemagne ou du Royaume-Uni. Ces systèmes trouvent à l'époque beaucoup d'imitateurs, entraînant par là une certaine convergence, qui rendra plus difficile tout retour en arrière dans un contexte de banques de plus en plus multinationales et un discours d'expert de plus en plus unifié au niveau européen. Deuxièmement, les banques elles-mêmes y trouvent des avantages qu'elles défendent auprès des acteurs publics, même si ce type d'attitude est difficile à démontrer, afin de protéger leurs intérêts particuliers. Enfin, étroitement lié au précédent, ce système génère par ce biais un discours d'expert tendant à légitimer le système en place et à l'améliorer selon une mise en scène du type « résolution de problèmes », d'autant plus aisée que les effets sur la redistribution sont difficiles à mesurer.

BIBLIOGRAPHIE

AGLIETTA (M.), *Régulation et crise du capitalisme*, Paris, Albin Michel, 1976.

ALBERT (M.), *Capitalisme contre capitalisme*, Paris, Le Seuil, 1991.

AUBERGER (P.), *Le Contrôle des banques et la protection des déposants*, rapport d'information n° 2940, Commission des Finances, de l'Économie générale et du Plan, Paris, Assemblée nationale, 1996.

BARCA (F.) (ed.), *Storia del capitalismo italiano*, Rome, Donzelli, 1997.

BENSTON (G.) et KAUFMANN (G.), « The Appropriate Role of Bank Regulation », *The Economic Journal*, 106 (436), mai 1996, p. 688-697.

BERGER (S.), « Introduction », dans S. BERGER et R. DORE (eds), *National Diversity and Global Capitalism*, Ithaca (N. Y.), Cornell University Press, 1996, p. 1-25.

CALLON (M.), *The Laws of the Markets*, Londres, Blackwell Publishers, 1998.

CERNY (P. G.), « The Little Big Bang in Paris : Financial Market Deregulation in a Dirigiste System », *European Journal of Political Research*, 17, 1989a, p. 169-192.

CERNY (P. G.), « From Dirigisme Do Deregulation ? The Case of Financial Markets », dans P. GODT (ed.), *Policy-Making in France. From de Gaulle to Mitterand*, Londres, Pinter, 1989b, p. 142-161.

COLEMAN (W.), « The French State, *Dirigisme*, and the Changing Global Financial Environment », dans G. UNDERHILL (ed.), *The New World order in International Finance*, Londres, Macmillan, 1997, p. 274-293.

COLEMAN (W.), « Reforming Corporatism : The French Banking Policy Community, 1941-1990 », *West European Politics*, 16 (2), avril 1993, p. 123-143.

CROUCH (C.) et FARRELL (H.), « Breaking the Path of Institutional Development ? Alternatives to the New Determinism », *MPIfG Discussion Paper*, 2 (5), 2002.

DALE (R.) et SIMON (W.), « The Structure of Financial Regulation », *Journal of Financial Regulation*, 6 (4), 1998, p. 326-350.

FENUCCI (F.), *Il Governo del credito negli atti del CICR*, Milan, Giuffré Editore, 1995.

FORSYTH (D.) et NOTERMANS (T.), *Regime Changes : Macroeconomic Policy and Financial Regulation in Europe from the 1930s to the 1990s*, Providence (R. I.), Berghahn Books, 1997.

GOODMAN (J.) et PAULY (L.), « The Obsolescence of Capital Controls ? Economic Management in an Age of Global Market », *World Politics*, 46 (1), octobre 1993, p. 50-82.

HALL (P. A.) et SOSKICE (D.) (eds), *Varieties of Capitalism. The Institutional Foundation of Comparative Advantage*, Oxford, Oxford University Press, 2001.

HERRING (R.) et LITAN (R.), *Financial Regulation in the Global Economy*, Washington (D. C.), Brookings Institution, 1995.

JOBERT (B.) et THÉRET (B.), *Le Tournant néolibéral en Europe. Idées et recettes dans les pratiques gouvernementales*, Paris, L'Harmattan, 1994.

KEY (S.), « Trade Liberalization and Financial Regulation : The International Framework for Financial Services », *International Affairs*, 75 (1), 1999, p. 61-75.

LASCOUMES (P.), « Gouverner par les instruments, ou comment s'instrumente l'action publique », dans J. LAGROYE (dir.), *La Politisation*, Paris, Belin, 2003, p. 387-401.

LAURENCE (H.), *Money Rules. The New Politics of Finance in Britain and Japan*, Ithaca (N. Y.), Cornell University Press, 2001.

LÉVEQUE (F.), *Économie de la réglementation*, Paris, La Découverte, 1998.

LLEWELYN (D.), « The Economic Rationale for Financial Regulation », *FSA Occasional Papers*, 1, avril 1999, Londres, Financial Services Authority, 57 p.

LORDON (F.), *Les Quadratures de la politique économique*, Paris, Albin Michel, 1997.

LORDON (F.), *La Politique du capital*, Paris, Odile Jacob, 2002.

LORIAUX (M.), « French Financial Interventionism in the 1970s », *Comparative Politics*, 20 (2), janvier 1988, p. 175-194.

LORIAUX (M.), *France after Hegemony. International Change and Financial Reform*, Ithaca (N. Y.), Cornell University Press, 1991.

MARINI (P.), *Pour un nouvel ordre financier mondial : responsabilité, éthique, efficacité*, rapport d'information, Commission des Finances, Paris, Sénat, 2000.

MAYES (D.), LIISA (H.) et ARNO (L.), *Improving Banking Supervision*, Basingstoke, Palgrave, 2001.

NORTH (D.), *Institutions, Institutional Change and Economic Performance*, Cambridge, Cambridge University Press, 19900.

PERRUT (P.), *Le Système monétaire et financier français*, Paris, Le Seuil, 1998.

PIERSON (P.), « The Path of European Integration. A Historical Institutionalist Analysis », *Comparative Political Studies*, 29 (2), avril 1996, p. 123-163.

PIERSON (P.), « Increasing Returns, Path Dependency and the Study of Politics », *American Political Science Review*, 94 (2), juin 2000, p. 251-267.

PLIHON (D.), « Quelle surveillance prudentielle pour l'industrie des services financiers ? », *Revue d'économie financière*, 60, janvier 2001, p. 1-16.

RUGGIE (J.), « International Regimes, Transactions and Change : Embedded Liberalism in the Postwar Economic Order », *International Organization*, 36 (2), printemps 1982, p. 379-415.

RUYMI (M.), « La Bourse en France », *Les Cahiers français*, 301, mars-avril 2001.

SANTINI (J.-J.), « Les mutations du système financier français depuis le début des années 1980 », *Notes bleues*, 519, février 1990.

SHONFIELD (A.), *Modern Capitalism. The Changing Balance of Public And Private Power*, Londres, Pickering, 1994 [1965].

STORY (J.) et WALTER (I.), *Political Economy of European Financial Integration*, Manchester, Manchester University Press, 1997, 337 p.

STRANGE (S.), *States and Markets*, Londres, Pinter Publishers, 1988.

VERDIER (D.), « The Rise and Fall of State Banking in OECD Countries », *Comparative Political Studies*, 33 (3), avril 2000, p. 283-318.

VOGEL (S.), *Freer Markets, more Rules : Regulatory Reform in Advanced Industrial Countries*, Ithaca (N. Y.), Cornell University Press, 1996.

Zysman (J.), *Governments, Markets and Growth. Funancial Systems and the Politics of Industrial Change*, Ithaca (N. Y.), Cornell University Press, 1983.

Chapitre 9

LA MÉTHODE OUVERTE
DE COORDINATION
QUAND L'INSTRUMENT TIENT
LIEU DE POLITIQUE

Renaud DEHOUSSE

L e Conseil européen de Lisbonne, qui eut lieu en mars 2000, est généralement considéré comme l'acte de baptême d'un nouvel instrument dans la panoplie des politiques européennes, la « méthode ouverte de coordination » (MOC). Dans la grande tradition européenne, l'Union s'est fixé ce que le Conseil européen a lui-même défini comme « un nouvel objectif stratégique pour la décennie à venir », défini avec emphase : « devenir l'économie de la connaissance la plus compétitive et la plus dynamique du monde, capable d'une croissance économique durable accompagnée d'une amélioration quantitative et qualitative de l'emploi et d'une plus grande cohésion sociale ».

La stratégie de Lisbonne vise à la fois à favoriser le développement des technologies de l'information et à instaurer un climat favorable à l'innovation, tout en accélérant l'élimination des entraves aux services et la libéralisation des marchés du transport et de l'énergie. Dans le même élan, elle met en chantier un vaste programme de modernisation du modèle social européen, basé sur une politique active d'accroissement de l'emploi, une réforme des systèmes de protection sociale destinée à faire face au vieillissement de la population, et une politique de lutte contre l'exclusion sociale. Bien que ce programme ambitieux, qui s'efforce de concilier compétitivité et cohésion sociale, n'ait pas vraiment eu l'effet mobilisateur escompté sur l'opinion publique, la méthode proposée pour sa mise en œuvre a retenu l'attention. Les conclusions du Conseil européen esquissent en effet ce qui est présenté comme une nouvelle méthode de travail.

Conçue pour aider les États membres à développer progressivement leurs propres politiques, [celle-ci] consiste à :
– définir des lignes directrices pour l'Union, assorties de calendriers spécifiques pour réaliser les objectifs à court, moyen et long termes fixés par les États membres ;
– établir, le cas échéant, des indicateurs quantitatifs et qualitatifs et des critères d'évaluation par rapport aux meilleures performances mondiales, qui soient adaptés aux besoins des différents États membres et des divers secteurs, de manière à pouvoir comparer les meilleures pratiques ;
– traduire ces lignes directrices européennes en politiques nationales et régionales en fixant des objectifs spécifiques et en adoptant des mesures qui tiennent compte des diversités nationales et régionales ;
– procéder périodiquement à un suivi, une évaluation et un examen par les pairs, ce qui permettra à chacun d'en tirer des enseignements.
[Conseil européen, 2000, § 37.]

Cette tentative de systématisation méthodologique est d'autant plus remarquable qu'elle contraste avec le style habituel des chefs d'État et de gouvernement, généralement plus portés sur l'annonce de grands projets que sur la présentation de la marche à suivre pour les réaliser. Le message est clair : il s'agit de souligner en quoi la nouvelle méthode se distingue de la « méthode communautaire » classique, qui fait pour beaucoup office de repoussoir.

Plusieurs éléments sont mis en exergue dans la littérature déjà abondante qui a été consacrée à la MOC[1]. Sa souplesse, tout d'abord : il ne s'agit plus de définir des objectifs uniques, censés convenir à tous, mais d'arrêter des « lignes directrices », que chaque État devra traduire en objectifs concrets, définis en fonction de sa situation propre. Cette volonté de contextualisation, qui distingue par exemple le travail au

1. Pour une analyse générale des différentes procédures de coopération rattachées à la MOC, voir Borràs et Greve [2004], Dehousse [2004a], Rodriguez [2002].

niveau européen de ce qui peut se faire dans le cadre de l'OCDE [Visser et Hemerijck, 2001], s'explique aisément par la nature des domaines concernés. Les différences entre les systèmes de protection sociale ou entre les politiques de recherche des pays européens, pour ne prendre que deux exemples, sont nombreuses, et l'on voit mal comment il serait possible de les couler dans un moule unique. Sans surprise, le Conseil européen invoque à ce propos le principe de subsidiarité [Conseil européen, 2000, § 38].

Dans la même optique, le caractère décentralisé de la méthode est souvent souligné : l'initiative n'est plus censée venir d'en haut, mais d'un travail collectif associant « l'Union, les États membres, les collectivités régionales et locales, ainsi que les partenaires sociaux et la société civile », ce qui permet de mettre l'accent sur le caractère « ouvert » de la nouvelle méthode [Rodriguez, 2002]. La MOC se caractérise avant tout par la mise sur pied de routines procédurales – définition des lignes directrices et d'indicateurs, examen périodique de rapports nationaux, recherche des meilleures pratiques –, qui visent à favoriser le développement de phénomènes d'apprentissage politique. Les administrations nationales, acteurs clés du processus, doivent pouvoir identifier les forces et les faiblesses de leur action en comparant les résultats qu'elles obtiennent à ceux de leurs homologues. Cette recherche systématique de comparaison et de savoir est sans conteste l'élément le plus original de la stratégie de Lisbonne : hormis en période de crise, il est rare de voir des structures gouvernementales, souvent prisonnières de traditions ancrées dans leur histoire, chercher à tirer les leçons de l'expérience d'autres acteurs [Rose, 1993 ; Olsen et Peters, 1996]. En revanche, les choix définis dans ce contexte sont dépourvus de caractère contraignant. Les lignes directrices et l'évaluation par les pairs sont mises au service de processus d'apprentissage. On compte sur « l'émulation entre les États membres » pour assurer le succès de la nouvelle stratégie plutôt que sur les mécanismes communautaires de contrôle [Présidence portugaise, 2000a, point 6].

Nombre de ces aspects sont apparentés aux « nouveaux instruments » des politiques publiques : la souplesse, préférée aux approches « dirigistes » traditionnelles ; l'ouverture en direction de la nébuleuse qu'est la société civile ; la recherche des meilleures solutions – naturellement techniques – aux problèmes contemporains ; le tout coulé dans le langage moderniste de la nouveauté, la MOC étant souvent présentée comme une troisième voie entre l'« intégration pure » et une logique de simple coopération [Présidence portugaise, 2000b ; Rodriguez 2001].

Plus ouverte et moins rigide que la première, elle serait plus ambitieuse et mieux structurée que la seconde. Cette volonté affichée de se définir comme une « troisième voie » innovante par rapport à deux démarches antagonistes n'est évidemment pas sans affinités intellectuelles avec la méthode et les ambitions du *New Labour* de Tony Blair, élément qui a sans doute contribué à l'intérêt de la Grande-Bretagne pour la stratégie de Lisbonne [Leonard, 1999]. En réalité, celle-ci s'inspire largement d'innovations antérieures. De l'aveu même de l'une de ses architectes, le dispositif de Lisbonne est l'héritier direct du processus de Luxembourg, conçu en 1997 pour assurer la mise en place d'une stratégie européenne de l'emploi, et dans lequel on retrouve déjà les concepts clés de la MOC : lignes directrices, échanges des meilleures pratiques, objectifs adaptés aux spécificités nationales. Le processus de Luxembourg a lui-même des racines plus anciennes : il s'inscrit dans une logique qui tend à reproduire, en matière d'emploi, des ambitions et des moyens qui ont caractérisé le projet phare de la décennie 1990, l'Union économique et monétaire. Ce souci de parallélisme, dont le chapitre sur l'emploi du traité d'Amsterdam porte la marque [Goetschy, 1998], est symptomatique des ambitions de nombreux promoteurs de la MOC, qui désiraient assurer un équilibre entre les volets économique et social des activités de l'Union européenne.

Avant même le Conseil européen de Lisbonne, l'esprit de Luxembourg avait inspiré la mise en place de nouveaux instruments de coordination des politiques économiques. Le processus de Cardiff, établi en 1998, a pour but d'encourager les États membres à mener à bien les réformes de structures destinées à améliorer la compétitivité de l'économie européenne, tout en assurant la libéralisation des marchés des biens, des services et des capitaux, ainsi que l'assouplissement du marché du travail. L'année suivante, le processus de Cologne a été instauré en vue de promouvoir un « dialogue macro-économique » entre les partenaires sociaux, les gouvernements nationaux, la Commission et la Banque centrale européenne.

Plus qu'une innovation substantielle, la méthode définie à Lisbonne constitue donc une tentative de systématisation [Larsson, 2001]. Érigeant en corpus théorique les méthodes souples de ses précurseurs, elle propose de les étendre à une série de nouveaux domaines : société de l'information, recherche, politique de l'entreprise, politique sociale, éducation, auxquels allaient être adjoints par la suite la lutte contre l'exclusion (Nice, décembre 2000), la protection sociale (Stockholm, mars 2001) et l'environnement (Göteborg, juin 2001), la Commission allant même jusqu'à proposer l'introduction de la MOC en matière d'asile et d'immigration [Commission, 2001a et b]. La multiplication rapide des procédures rattachées à la MOC dans des domaines aussi différents a de quoi surprendre. Comment expliquer ce mimétisme, alors que les politiques communautaires brillaient auparavant par leur diversité ? Sommes-nous vraiment en présence d'une méthode unique, dont les objectifs, les paramètres de succès et d'échec seraient identiques, quel que soit son domaine d'application, comme tendent à le suggérer les considérations méthodologiques des conclusions de Lisbonne ? Par ailleurs, l'enthousiasme initial semble avoir laissé la place au scepticisme. Dans l'évaluation d'ensemble à laquelle il a procédé en mars 2004, le Conseil européen a reconnu que quatre ans après le lancement de la MOC, son bilan était mitigé, soulignant que la lenteur des réformes et la faiblesse des résultats étaient de nature à remettre en cause la crédibilité de l'ensemble du processus.

Pour comprendre à la fois la « MOC-mania » du début de la décennie et les difficultés d'application que rencontre la stratégie de Lisbonne, il est important d'appréhender cette dernière comme un méta-instrument, dont l'objet n'est pas seulement de permettre la mise en place de réformes dans une série de domaines, mais aussi un progrès équilibré vers des objectifs qui sont parfois contradictoires : la compétitivité économique, la cohésion sociale et la protection de l'environnement. Cette ambition, qui est à l'origine de l'architecture complexe mise en place à Lisbonne, est elle-même le reflet d'une faiblesse. Incapables de s'entendre sur des priorités claires, les Européens ont décidé de courir plusieurs lièvres à la fois. D'où l'attention apportée aux questions de méthode : il ne s'agissait pas également d'assurer la cohérence de l'ensemble de l'édifice, mais également de masquer derrière un discours novateur la difficulté que l'on éprouve, dans un système de décision par consensus comme l'Union européenne, à arrêter des choix politiques clairs.

——— La stratégie de Lisbonne comme méta-instrument

Pour comprendre la stratégie de Lisbonne, deux données sont essentielles. D'abord, bien qu'elle s'appuie sur un discours unitaire, la méthode ouverte de coordination n'en constitue qu'un élément. Du reste, les notes de cadrage de la présidence portugaise l'ont indiqué dès le début : « La méthode ouverte de coordination doit être combinée, en fonction des problèmes à résoudre, aux autres méthodes disponibles. » [Présidence portugaise, 2000, § 6.] La stratégie de Lisbonne peut donc dans certains cas déboucher sur des mesures d'harmonisation. Pièce maîtresse de ce dispositif, la MOC consiste en une série de processus dont les ambitions et les mécanismes varient sensiblement d'un domaine à l'autre. Enfin, le choix d'une approche globale, réunissant sous un même manteau l'ensemble de ces instruments, reflète le contexte général dans lequel se développe le processus d'intégration, depuis le début des années 1990.

Processus de convergence, processus de réforme

En dépit des similitudes – à la fois symboliques et substantielles – qui peuvent exister entre les processus de coordination mis en place dans le cadre de la MOC, des différences considérables peuvent exister d'un domaine à l'autre [Borràs et Jacobsson, 2004 ; Radaelli, 2003].

Tout d'abord, le caractère contraignant des différentes procédures de coordination est éminemment variable. Alors que la coordination des politiques économiques et la politique de l'emploi reposent sur des dispositions du traité CE, il n'en va pas de même pour les actions en matière de protection sociale, d'inclusion sociale, d'environnement, de recherche ou d'éducation, dont l'acte de naissance est constitué par des conclusions du Conseil européen. Certes, il pourrait ne s'agir là que d'un décalage de pure forme, dû au calendrier de mise en place de ces procédures. Les différences ne s'arrêtent toutefois pas là : la lecture des textes de base montre que le degré de centralisation des procédures varie fortement.

En matière de politique macro-économique, le traité énumère un certain nombre de principes de base (à commencer par l'interdiction des déficits excessifs), et met en place des mécanismes de surveillance multilatérale, dans lesquels on retrouve certains éléments clés de la méthode communautaire (proposition de la Commission, décision du Conseil à la majorité qualifiée). Des sanctions sont mêmes envisagées en cas de violation de la discipline budgétaire. Dans le domaine de l'emploi, en revanche, le rôle des institutions communes apparaît plus effacé : les dispositions pertinentes du traité mettent en exergue la compétence de base des États ; si elles soulignent les vertus de la coopération, il n'y est pas question de mesures contraignantes [Goetschy, 2002]. Même constat en matière de lutte contre la pauvreté et l'exclusion, où l'action de la Communauté a pour mission d'identifier les bonnes pratiques et les techniques innovantes, sur la base de plans nationaux [de La Porte et Pochet, 2002 ; Pochet, 2004]. Les objectifs apparaissent plus flous encore pour ce qui est de l'éducation : le Conseil « éducation » a été invité à entreprendre « une réflexion générale sur les objectifs concrets futurs des systèmes d'enseignement... tout en respectant les diversités nationales » [Conseil européen, 2000, § 27]. La prudence est également de mise en matière de pensions [Pochet, 2004], domaine dans lequel l'expérience tend à montrer qu'il y a de quoi faire tomber plus d'un gouvernement, comme l'avait justement souligné Michel Rocard.

Ces différences de méthode sont révélatrices de différences de fond assez substantielles. Le processus de convergence des politiques budgétaires mis en place à Maastricht, et qui constitue le modèle de référence de la MOC, pouvait s'appuyer sur une convergence de vues assez forte au sein de la « communauté de politique publique » pertinente. Le modèle monétariste allemand avait fini par s'imposer au niveau européen, voire même au-delà. Un vaste consensus existait quant à la nécessité de prix stables et de budgets en équilibre, ainsi que sur le fait qu'une banque centrale autonome était mieux à même de parvenir au premier de ces objectifs. Les voix discordantes étaient tellement rares que l'on pouvait parler de « pensée unique »... Cet ancrage cognitif fort [Radaelli, 2000 ; Padoa-Schioppa, 1994], joint à la présence d'un acteur hégémonique, la *Bundesbank*, capable de faire prévaloir ses vues au niveau européen [Moravcsik, 2000], devait contribuer à la mise en place d'un cadre contraignant : reconnaissance « constitutionnelle » – par les traités – de l'objectif à atteindre (la stabilité des prix), déclinaison de critères de convergence quantitatifs précis (les fameux « critères de Maastricht ») ; mise en œuvre de mécanismes de surveillance, assortis d'une menace de sanction qui devait se révéler d'une efficacité redoutable, l'exclusion du club formé par les pays de la zone euro [Jabko, 2004].

Certes, au-delà des critères de stabilité budgétaire définis dans le traité et le Pacte de stabilité, ce modèle dur a été passablement édulcoré, et les objectifs qualitatifs sont plus flous [Navarro, 2004]. De surcroît, les procédures de surveillance multilatérales créent un risque de conflit d'intérêt dans le chef des membres du Conseil ECOFIN, qui combinent des fonctions de pilotage et de contrôle. À la fois juges et parties, ils peuvent être tentés de fermer les yeux sur des épisodes de déviance, de peur d'avoir à subir un jour les foudres de leurs pairs, ainsi que l'ont montré les débats des dernières années sur le dérapage des finances publiques allemandes et françaises. Enfin, rien n'est prévu pour sanctionner des déviations qui ne se traduisent pas par des déficits excessifs : les réprimandes adressées au gouvernement irlandais au printemps 2001 sont ainsi restées lettre morte.

Cette faiblesse du contrôle multilatéral est préoccupante, car l'union monétaire crée entre les pays de la zone euro une véritable communauté de destin. Les décisions des autorités publiques ont souvent des implications directes pour le bien-être de l'ensemble des pays de la zone euro. Elles peuvent affecter le niveau général de l'inflation, amenant la Banque centrale à agir sur les taux d'intérêt. Les atteintes répétées à la discipline budgétaire auxquelles on assiste depuis quelque temps sont de nature à jeter le discrédit sur les orientations définies en commun, voire à terme sur la stabilité de la monnaie commune. C'est sans doute ce qui fait l'ambiguïté de la situation actuelle : bien qu'il se soit trouvé une majorité au sein du Conseil pour suspendre l'application des règles du Pacte de stabilité en novembre 2003[2], aucun gouvernement ne paraît disposé à en prononcer l'acte de décès.

Si les incitations à la convergence sont nombreuses en matière de politique économique, il n'en va pas nécessairement de même au niveau de l'emploi. Au moment où le processus de Luxembourg a été mis en place, les gouvernements nationaux avaient conscience d'être confrontés à un défi semblable (la montée du chômage). En revanche, il n'existait pas de véritable communauté de vues quant aux réponses à adopter : non seulement l'ampleur et la nature des problèmes, mais aussi les traditions en matière d'emploi, varient considérablement d'un pays à l'autre. Il n'existe ni modèle dominant ni acteur hégémonique susceptible de peser sur les choix de ses partenaires [Browne, 2004 ; Trubek et Mosher, 2001]. Même les promoteurs du processus de Luxembourg répugnent à parler d'un marché européen de l'emploi en raison des différences importantes qui peuvent exister d'un pays à l'autre, voire d'une région à l'autre [Larsson, 2001, p. 50]. De surcroît, le degré d'interdépendance entre les États européens est beaucoup plus ténu à ce niveau qu'en matière économique : à supposer qu'un État ne parvienne pas à atteindre les objectifs arrêtés à Lisbonne en matière de taux d'emploi, par exemple, cet échec ne menacerait pas de façon directe le

---

2. *Décision annulée par la suite par la Cour de justice, le 13 juillet 2004.*

destin de ses partenaires. Dans ces conditions, il était naturel de laisser aux gouvernements une certaine latitude quant au choix des moyens qui permettront d'atteindre les objectifs arrêtés en commun. La coexistence de différents modèles nationaux est admise ; le travail collectif a pour fonction première d'arrêter des objectifs communs et d'identifier de bonnes pratiques, susceptibles d'être imitées par d'autres. En d'autres termes, la coordination a pour objet principal d'encourager les réformes au niveau national ; la convergence est vue comme un effet secondaire de l'application des orientations définies en commun, plutôt que comme une fin en soi [Biagi, 2000, p. 159].

La situation est semblable en matière de protection sociale. Au vu des différences considérables qui existent en Europe entre les différentes conceptions de l'État providence, il est difficile de s'entendre sur des objectifs précis et sur la meilleure façon d'y parvenir [Ferrera, Hemerijck et Rhodes, 2000]. Dans tous ces domaines, marqués par de fortes traditions nationales et où les priorités des gouvernements sont parfois assez différentes, il est illusoire de penser que l'on pourra aisément s'entendre sur des recettes qui répondront aux attentes de chacun des participants. Par ailleurs, les résultats positifs qui sont enregistrés ici ou là sont souvent le produit d'un faisceau de facteurs multiples [Radaelli, 2000]. Détachées de leur contexte et appliquées de façon mécanique, les « bonnes pratiques » risquent de ne pas produire les résultats escomptés.

Aussi la rhétorique unitaire adoptée par le Conseil européen quant à la MOC ne doit-elle pas être prise à la lettre. En dehors de la politique économique, pour laquelle la convergence est un enjeu réel, la plupart des processus de coordination sont destinés à enclencher ou à faciliter *la mise en place de réformes au niveau national*, sans que l'uniformité soit un enjeu essentiel au niveau européen. C'est ce qui explique pourquoi ils ont été conçus de façon plus souple et décentralisée que le modèle constitué par les critères de convergence de Maastricht. Pour reprendre la formule imagée du ministre belge des Affaires sociales et des Pensions, Frank Vandenbroucke [2001, p. 61], « la coordination ouverte est une sorte de livre de cuisine qui contient diverses recettes, les unes plus légères, les autres plus copieuses ».

Comment expliquer alors le choix arrêté à Lisbonne, de couler l'ensemble de ces instruments dans une approche unitaire ? La question en appelle d'autres : pourquoi un recours systématique à des procédures d'apparence similaire, et pourquoi cette recherche d'une synthèse entre ces processus ?

Les ressorts du mimétisme institutionnel

On l'a vu, Lisbonne a marqué un tournant dans la mise en place de procédures de coordination souple. S'inspirant des modèles antérieurs que constituaient les critères de convergence de Maastricht et la stratégie européenne pour l'emploi, les conclusions du Conseil européen ont offert un discours unitaire qui a légitimé les interventions européennes dans de nouveaux domaines [Radaelli, 2003].

Les procédures de coordination ouverte ont en effet permis d'assurer la pénétration de l'Europe dans des domaines qui constituent traditionnellement des chasses gardées des États et où les traités ne prévoient pas de politiques communes. Parce qu'ils concernent (à des degrés divers) l'ensemble de la population, l'emploi et la protection sociale sont des secteurs cruciaux pour tous les gouvernements, de même que tout ce qui touche aux structures économiques, qu'il s'agisse de la politique industrielle ou des services publics. Quant à la fiscalité et à la politique budgétaire, elles conditionnent de façon directe la marge de manœuvre dont ils peuvent disposer. Une majorité politique sait que de la maîtrise de ces instruments peut dépendre sa capacité de se maintenir au pouvoir ; elle n'en abandonnera pas facilement le contrôle. Pourquoi, dans ces conditions, accepter une discipline commune, aussi légère soit-elle ? Les raisons sont variées.

Dans certains domaines, l'union monétaire a servi de catalyseur. L'existence d'une monnaie unique imposait la nécessité d'une coordination des politiques macro-économiques. À la suite du Pacte de stabilité, les États ont vu leur marge de manœuvre s'amenuiser : plus question par exemple de lutter contre le chômage par une politique d'embauche massive dans le secteur public ou de financer sans limite le déficit de la sécurité sociale. La question de la viabilité à long terme des systèmes de protection sociale a ainsi été mise à l'ordre du jour. Face à la menace que faisaient peser sur les États providence l'intensification de la concurrence dans un marché européen intégré et la mondialisation de l'économie, la nécessité de réformes s'est progressivement imposée [Vandenbroucke, 2001]. La crainte d'une « course vers le bas » en matière de protection sociale a favorisé la mise en place de mécanismes destinés à assurer un minimum de coordination entre les États européens [Larsson, 2001].

La recherche d'un minimum de convergence a été présentée comme une réponse à deux types de considération : l'existence de défis communs à l'ensemble des pays européens – le chômage, le vieillissement de la population – et les effets négatifs que comporterait une concurrence débridée entre les États. Le recours à des formules de coordination souple apparaît ainsi comme un compromis entre une volonté d'action commune et le souci des gouvernements de garder le contrôle d'instruments qu'ils considéraient comme essentiels pour leur avenir politique.

La valeur symbolique de ce choix mérite aussi d'être soulignée. L'Union s'étant doté d'un objectif mobilisateur avec la monnaie unique, il était important pour des gouvernements de centre gauche (très nombreux dans la seconde moitié des années 1990) d'afficher leur détermination en matière sociale. Dans ce contexte, le recours à une méthode qui empruntait à l'UEM son vocabulaire et ses instruments (objectifs communs, critères, contrôle des pairs) – sans pour autant recourir à la menace d'exclusion qui faisait de Maastricht un cadre rigoureux [Jabko, 2004] – était évidemment tentant : quelle meilleure façon de suggérer l'égale importance que l'on attache à l'unification économique et aux problèmes sociaux ? En d'autres termes, si Maastricht était à l'origine du problème, il n'était pas mauvais que la solution s'en inspire.

Plus d'Europe, donc, mais aussi une Europe différente. Le choix d'instruments de politique publique est souvent révélateur de préoccupations sous-jacentes. Or le vocabulaire de la MOC est riche de références au marché. La gestion par les objectifs, l'auto-évaluation, le contrôle des pairs, de même que la préférence donnée à des formes de régulation souple, figurent en bonne place dans le répertoire du *New Public Management*. Très présente dans les pays anglo-saxons et au sein d'institutions internationales comme le FMI ou la Banque mondiale, cette école de pensée s'efforce de promouvoir au sein des administrations publiques l'utilisation de techniques empruntées à la gouvernance des entreprises [Arrowsmith, Sisson et Marginson, 2004]. Le message était donc clair : l'Europe allait certes « faire du social » et par la suite s'intéresser à l'environnement, mais sans emprunter le chemin de l'harmonisation, qui reste pour beaucoup synonyme de la méthode communautaire. La MOC s'inscrit ainsi dans un cadre de réforme des politiques communautaires marqué par un déclin relatif de l'approche « législative » qui avait caractérisé le programme de réalisation du marché intérieur [Héritier, 2002]. Le changement de référentiel ne concerne d'ailleurs pas que les instruments : la référence au marché fait ainsi son entrée dans les objectifs de la lutte contre le chômage ou dans les discussions sur la réforme du système des pensions [Goetschy, 2002].

Dans le volet social de la MOC, la recherche de l'efficience semble
l'emporter sur la volonté de redistribution, ce qui a sans nul doute facilité l'intervention *a priori* inattendue de l'Europe dans des secteurs clés
de la souveraineté nationale.

Pourquoi une approche globale ?

La stratégie de Lisbonne ne se résume pas à un empilement de
processus de coordination plus ou moins décentralisés. Elle s'efforce
également d'assurer un progrès harmonieux vers un ensemble hétérogène d'objectifs, dont les principaux sont la compétitivité de l'économie
européenne et la préservation du modèle social européen, auxquels a
par la suite été ajouté le développement durable. La MOC a explicitement été conçue comme une « stratégie globale », dans laquelle le
Conseil européen doit jouer « un rôle phare d'orientation et de
coordination ». À cette fin, la stratégie de Lisbonne a prévu que la
réunion de printemps du Conseil européen comporterait un examen du
suivi des progrès réalisés et de la cohérence générale de la manœuvre,
sur la base d'un rapport de synthèse préparé par la Commission [Conseil
européen, 2000, § 7 et 36].

La rhétorique ambitieuse du manifeste de Lisbonne cache une réalité
moins glorieuse : la multiplication des objectifs et des procédures est le
reflet de divergences profondes entre les gouvernements quant aux
priorités de l'Union européenne. Ces divergences affectent les principaux axes qui structurent l'espace européen de politique publique. Il
n'existe pas de « modèle européen de capitalisme », ce qui rend difficile
un accord sur des thèmes aussi variés que les politiques de relance,
l'emploi, la réforme des régimes de retraite, etc. Les traditions nationales
incitent des pays comme la France ou le Danemark à mettre l'accent sur
les politiques sociales, tandis que l'Espagne (du moins à l'époque de
José-Maria Aznar) et la Grande-Bretagne sont avant tout soucieuses de
promouvoir la compétitivité économique. La tolérance des gouvernements pour la discipline européenne est tout aussi variable : certains,
comme les pays du Benelux, s'en accommodent relativement aisément ;
d'autres (souvent les grands pays) y restent fondamentalement rétifs.

Face à une toile de fond aussi bariolée, la stratégie de Lisbonne apparaît comme une sorte de compromis par addition, qui permet à des
gouvernements en désaccord de préserver les apparences du consensus.
Certes, l'ensemble est ambigu : certains analystes soulignent le fait que
la MOC permet à l'Europe de s'intéresser à plus de questions sociales

qu'elle ne l'a jamais fait par le passé, et aux ministres des Affaires sociales de peser sur les grandes orientations de politique économique [Rodriguez, 2002 ; Telò, 2002] ; d'autres relèvent à l'inverse la place dominante qu'y tient le discours sur la compétitivité [Radaelli, 2003]. Mais cette ambiguïté est politiquement intéressante, car elle autorise chacun à mettre l'accent sur les thèmes les plus proches de sa sensibilité, comme ne manquent pas de faire les chefs d'État et de gouvernement à l'issue de chaque réunion du Conseil européen. Étant donné ce contexte, on comprend aisément et la préférence donnée à des formes de coordination souple et le fait que le pilotage de l'ensemble, la « coordination des coordinations », ait été confié au Conseil européen. Faute de pouvoir déterminer une hiérarchie entre différents objectifs, on a laissé aux principaux leaders nationaux le soin d'effectuer à intervalles réguliers les arbitrages nécessaires. L'adoption de règles communes et, plus encore, le fait de confier à des organes supranationaux des compétences de mise en œuvre ne sont concevables que lorsqu'il existe un accord sur les objectifs essentiels et sur la marche à suivre pour les atteindre. À l'évidence, on était loin du compte, ce qui explique le recours à un méta-instrument comme la stratégie de Lisbonne. Helen Wallace parle à ce propos de « délégation partielle de pouvoirs » au niveau européen [Wallace, 2001] ; il serait plus juste de parler de refus de délégation.

——— Les dynamiques de la coordination sectorielle

En dépit de leur diversité, les processus qui s'inscrivent dans le cadre de la MOC reposent tous peu ou prou sur la même logique. L'accent est mis sur le développement de lectures communes de la réalité, de valeurs et de techniques communes grâce à un processus itératif d'apprentissage. La discussion sur les objectifs communs et l'examen des politiques nationales doit favoriser l'émergence d'analyses communes des problèmes et de l'efficacité des remèdes envisageables[3]. Cette forme de convergence cognitive suppose un travail de longue haleine au sein des communautés de politique publique concernées. Partant, il est logique que pour chacun des secteurs concernés, un rôle de pilotage ait été

---

3. *Pour une analyse approfondie de ces mécanismes d'apprentissage, voir Trubek et Mosher [2001], Visser et Hemerijck [2001], Radaelli [2003].*

confié à un comité d'experts de haut niveau : comité de politique économique, comité de l'emploi, comité de protection sociale, etc. Ces organes sont censés concourir de façon active à la formation d'une communauté de vue, voire d'une communauté d'action, dans leur secteur d'activité. La présence en leur sein d'experts de haut niveau est de nature à renforcer la connaissance mutuelle et la confiance entre les responsables nationaux.

Cette forme de mise en réseau n'est certes pas neuve au niveau européen [Dehousse, 1998]. La plupart des politiques communes reposent elles aussi sur un travail préalable d'harmonisation des schémas d'analyse des responsables nationaux. Cependant, dans le schéma traditionnel des politiques communautaires, l'importance de cette forme de convergence cognitive est en quelque sorte occultée par l'adoption de règles communes, d'autant qu'il peut être avantageux pour des responsables nationaux de présenter comme une décision venue d'en haut ce qui n'est en fait que l'entérinement par les institutions européennes d'accords passés par des responsables sectoriels. Dans la MOC, en revanche, le rôle des réseaux d'experts est rendu plus évident par l'absence de mesures contraignantes.

La notion de réseau, qui met l'accent sur les rapports horizontaux, dépourvus de caractère hiérarchique, entre les principaux acteurs, souligne une des principales caractéristiques de la MOC : l'absence d'un acteur hégémonique, doté d'une autorité formelle. Certes, certains de ces réseaux sont plus structurés que d'autres : la stratégie européenne pour l'emploi, par exemple, a conduit à l'adoption de lignes directrices définissant un certain nombre d'objectifs communs, tandis qu'en matière d'exclusion et plus encore de pensions, l'ambition première semble être d'aider les administrations nationales à mener à bien les politiques de réformes qui semblent nécessaires [de La Porte, 2002 ; Pochet, 2001]. Dans ces derniers domaines, les institutions communautaires ne se sont pas vues reconnaître le pouvoir d'adresser des recommandations individuelles à un pays. Faut-il pour autant en conclure que la stratégie pour l'emploi constitue un processus plus centralisé ? Ce serait occulter la nature réelle de la dynamique qui s'y développe. La plupart des lignes directrices pour l'emploi ont-elles une origine nationale clairement identifiable ? La flexibilité et le retour au travail, sujets chers aux tenants britanniques de la Troisième Voie, y côtoient des thèmes qui évoquent plutôt la tradition social-démocrate scandinave, comme le travail des femmes ou le rôle des partenaires sociaux [Trubek et Mosher, 2001, p. 13-14].

Ce qui change d'un domaine à l'autre est moins l'essence du processus, qui reste de nature horizontale (*bottom-bottom*) plutôt que verticale (*top-down*), que le degré de construction de la communauté de politique publique concernée. En matière d'emploi, où l'on disposait de données précises et où le sentiment de faire face à un problème commun était fort, il a été possible de s'accorder sur des priorités au niveau européen. À l'évidence, on est loin du compte en matière d'action en faveur de l'inclusion : le concept même d'exclusion est loin d'avoir l'adhésion de tous les experts nationaux, et les données sur la pauvreté restent fragmentaires [Pochet, 2004]. Définir dans ce contexte les bases d'une action commune reste une tâche difficile.

Le caractère pluraliste et décentralisé des procédures de coopération ouverte ne condamne pas nécessairement la Commission, pivot des politiques communautaires « traditionnelles », à un rôle de second plan dans la MOC. Certes, elle ne dispose pas dans ce contexte des prérogatives institutionnelles qui ont fait sa force dans d'autres domaines. Toutefois, la différence n'est pas nécessairement aussi grande que ne pourrait laisser croire une lecture purement juridique de la situation. D'une part, même dans les procédures législatives ordinaires, les initiatives de la Commission sont fortement conditionnées par les positions nationales. D'autre part, la recherche de convergences cognitives qui est au cœur de la MOC suppose un travail de suivi des plans d'action nationaux et de synthèse que la Commission est plus à même de fournir que quiconque. Sa place centrale au sein de la machine communautaire en fait un point de référence souvent incontournable dans les domaines où les réseaux transnationaux ne sont que faiblement constitués. L'expérience des initiatives locales d'emploi a montré qu'elle pouvait jouer un rôle important dans la diffusion des innovations [Jouen, 2000], en fournissant aux acteurs de terrain, des « boîtes à outils » techniques, voire un appui financier avec les fonds structurels. Enfin, dans les domaines où les États membres sont en concurrence (on pense par exemple aux réformes économiques qui sont au cœur du processus de Cardiff), la présence d'un arbitre au-dessus de la mêlée est indispensable pour éviter que la méfiance entre les administrations nationales n'étouffe toute velléité de réforme.

Si les points d'entrée potentiels sont nombreux, la Commission n'en doit pas moins jouer ses cartes d'une autre façon que dans le contexte des politiques communes. Faute de pouvoir s'appuyer sur ses prérogatives traditionnelles, elle devra s'efforcer d'exercer un magistère d'influence. Son poids dans les processus de coordination sera directement tributaire de sa capacité à faire siennes les valeurs et le langage de la politique en question et à influencer le choix des critères de succès et d'échec : c'est en procédant de la sorte qu'elle est lentement parvenue à accroître son influence en matière d'emploi [Trubek et Mosher, 2001, p. 11]. En d'autres termes, elle doit s'attacher à établir sa crédibilité au sein de la communauté de politique publique. Au *leadership* formel qui lui est reconnu dans la « méthode communautaire », elle doit savoir substituer une influence informelle [Jabko, 2001], basée sur l'expertise et la maîtrise des enjeux sectoriels.

Les faiblesses de la MOC

À l'heure actuelle, il serait prématuré de prétendre porter un jugement définitif sur la méthode ouverte de coordination. C'est au niveau national que se situent les principaux enjeux, et il est encore trop tôt pour que l'impact des orientations arrêtées au cours des dernières années puisse faire l'objet d'une analyse systématique. Néanmoins, certains de ses volets – la coordination des politiques économiques ou la politique de l'emploi – sont suffisamment anciens pour que l'on puisse se faire une idée de leurs forces et de leurs faiblesses. Par ailleurs, même en ce qui concerne les nouveaux chantiers ouverts à Lisbonne, plusieurs types de problème sont d'ores et déjà apparus. On n'abordera pas ici le problème fondamental de légitimité posé par la stratégie de Lisbonne. À l'évidence, la coordination entre experts au sein de réseaux plus ou moins obscurs n'est pas la forme de légitimation la plus achevée qui puisse se concevoir, n'en déplaise aux thuriféraires de l'« expérimentalisme démocratique » [Gerstenberg et Sabel, 2002], et l'ouverture à la société civile peine à se concrétiser [de La Porte et Nanz, 2004]. En revanche, trois difficultés méritent d'être mises en exergue, car elles sont liées aux instruments choisis à Lisbonne. L'approche qui a été choisie peine à engendrer une réelle dynamique, les instruments de la MOC ne sont pas toujours adaptés aux objectifs affichés, et la coordination entre les différents volets du processus s'avère laborieuse.

Les limites d'une méthode souple

L'absence de contraintes juridiques représente sans conteste un aspect essentiel de la méthode ouverte de coordination. Elle rompt avec la tradition communautaire, dans laquelle le droit constitue un vecteur essentiel de l'harmonisation. C'est en partie ce qui explique le scepticisme avec lequel la MOC a été accueillie dans les milieux européens : quand on connaît les difficultés qui caractérisent la mise en œuvre du droit communautaire, quel crédit peut-on accorder à des politiques dépourvues de mécanismes de contrainte ?

Les mécanismes de contrôle mis en place dans le cadre de la MOC sont relativement faibles. Seules les dispositions des traités relatives à la coordination des politiques économiques et à l'emploi envisagent explicitement la possibilité pour la Commission de proposer au Conseil l'adoption de recommandations aux États membres. L'étude des recommandations adoptées par le Conseil en matière d'emploi montre qu'il y a là une possibilité de mettre en évidence les bons élèves et les retardataires [de La Porte et Pochet, 2002, p. 9]. Mais l'expérience a aussi révélé les limites inhérentes à cette forme de contrôle. D'une part, les représentants des États membres ont la possibilité d'atténuer les critiques formulées par la Commission à l'occasion des discussions qui interviennent dans le cadre des comités spécialisés (comité de politique économique et comité pour l'emploi). Avant le Conseil européen d'Helsinki, ils n'ont pas hésité à critiquer les positions de la Commission en matière d'emploi, qu'ils jugeaient trop « dérangeantes » [Browne, 2004]. Même dans le cadre plus contraignant de la surveillance des déficits budgétaires, le contrôle des pairs a montré ses limites à plusieurs reprises, avant même la décision de suspendre l'application du Pacte de stabilité prise par le Conseil en novembre 2003 [Navarro, 2004]. Quant aux contraintes procédurales qui constituent en principe le levier de la MOC (préparation de rapports annuels et de plans d'action), elles sont aisées à éluder, puisque c'est au gouvernement qu'elles incombent : on ne sera donc pas surpris d'apprendre que les rapports nationaux tendent souvent à présenter un tableau flatteur de la situation, et que les plans d'action sont plus prolixes sur les progrès accomplis que sur les initiatives à mettre en chantier.

On touche là à une des limites structurelles de la MOC : emprunté à la gouvernance d'entreprise, le *benchmarking* intervient dans un contexte tout à fait différent au niveau européen. Alors que dans une entreprise, il tire sa force de l'existence d'une hiérarchie, voire de mécanismes de contrainte explicites, il n'en va pas de même au niveau européen, où prévaut un esprit de consensus [Arrowsmith, Sisson et Marginson, 2004]. Faut-il en conclure que les mécanismes complexes de la MOC ne constituent qu'une forme d'action plus symbolique que réelle, incapable de peser de façon décisive sur les choix des gouvernements nationaux ? Ce serait aller un peu vite en besogne. Même dans la version *soft* que nous connaissons à l'heure actuelle, les processus de coordination peuvent en effet constituer des ressources politiques utiles pour les partisans de la ligne défendue au niveau européen, qu'il s'agisse d'acteurs bureaucratiques ou de groupes d'intérêt [Dehousse, 2004b].

Lorsque l'on souhaite surtout encourager des processus de réforme au niveau national, et l'uniformité n'est pas indispensable, cela peut suffire, mais la situation est différente dans les domaines où la convergence est rendue impérative par la possibilité d'externalités négatives. En matière de politique économique, les leçons de ces dernières années sont édifiantes, bien que l'union monétaire appelle les pays concernés à une coordination étroite de leurs choix. En période de croissance, les membres de la zone euro n'ont pas su définir les contours d'une politique commune qui aille au-delà du respect des règles d'orthodoxie budgétaire contenues dans le Pacte de stabilité. La mise en vente des licences UMTS, les réactions à la flambée des prix du pétrole à l'automne 2000 et la distribution des « cagnottes » budgétaires se sont faites en ordre dispersé, sans tentative réelle d'harmonisation des points de vue [Navarro, 2002]. Et le ralentissement de la conjoncture a fait voler en éclat le consensus qui existait autour du Pacte de stabilité. Cette fragilité structurelle n'est évidemment pas de nature à inciter à la confiance dans la monnaie unique. Et c'est bien le décalage entre l'existence d'un intérêt commun (reconnu par le traité) et les structures prévues pour en assurer la défense qui pose problème.

Généralisant le propos, on pourrait dire que dans les domaines où la convergence est indispensable, les procédures décentralisées de la MOC, qui reposent essentiellement sur la bonne volonté des participants, sont trop faibles pour garantir l'efficacité de la coordination. Il en va de même lorsque les États membres sont en situation de concurrence ou lorsque les choix politiques des gouvernements sont trop différents : c'est sans doute ce qui explique la lenteur des progrès enregistrés en matière de réformes de structure dans le cadre du processus de Cardiff ou en matière fiscale.

Les difficultés de la coordination

La MOC repose sur une logique sectorielle forte. Elle implique le développement d'une communauté de vues entre experts : le processus itératif d'échanges qu'elle comporte est censé faciliter l'apprentissage, débouchant à terme sur des formes de convergence cognitive. Cette logique pose des problèmes de coordination de plusieurs ordres.

Même au sein d'une communauté de politique publique relativement homogène, il serait illusoire d'espérer que de la seule confrontation entre experts jaillissent les éléments d'une convergence progressive. Il est essentiel que quelqu'un se charge d'une fonction d'animation du réseau et de synthèse, de façon à assurer le développement graduel d'un savoir commun, surtout dans les secteurs où les traditions nationales sont fortement contrastées. Dans des domaines comme la politique économique ou l'emploi, ce rôle a été expressément dévolu à la Commission. Nous avons toutefois vu que cela lui avait parfois valu les foudres des États membres, qui n'acceptent pas toujours les observations dont ils font l'objet. Le risque demeure que ces formes de résistance ne la conduisent à s'autocensurer, ce qui ne pourrait que nuire à la qualité du travail commun.

La difficulté ne s'arrête toutefois pas là. La méthode définie à Lisbonne s'efforce en effet d'assurer la cohérence entre les nombreux processus de coordination mis en place au cours des dernières années, en attribuant au Conseil européen « un rôle phare en matière d'orientation et de coordination ». Pour naturelle qu'elle soit, cette recherche de cohérence n'en est pas moins problématique.

La dynamique de la coordination ouverte, on l'a vu, repose en effet sur des logiques de coopération volontaire, dans lesquelles les préoccupations propres à un domaine d'action publique, voire la fierté professionnelle des participants, jouent un rôle moteur. Dans ce cadre, toute velléité de coordination externe risque fort d'être perçue comme une interférence illégitime. Pour surmonter ce genre de contradiction, le coordinateur, quel qu'il soit, peut être tenté de s'en tenir à une approche « notariale » de sa fonction, reprenant à son compte les orientations qui ont émergé de chacun des processus sectoriels : c'est un peu le choix qu'a fait la Commission, dont les rapports de synthèse aux Conseils européens de printemps s'apparentent à un long catalogue de « priorités ».

Par ailleurs, l'idée de confier au Conseil européen une fonction générale de coordination ne convainc pas. Attribuant aux chefs d'État et de gouvernement un rôle « exécutif » de suivi des politiques européennes, cette idée s'inscrit incontestablement dans l'air du temps, marqué par l'essor du Conseil européen dans le système politique européen. Mais les généralistes que sont par nécessité les chefs des exécutifs nationaux ne sont pas nécessairement les mieux placés pour piloter des processus dans lesquels prédominent souvent des préoccupations d'ordre technique. Il y a là un paradoxe, fort bien exposé par

Radaelli [2003] : d'un côté, on dépolitise la prise de décision pour favoriser les processus d'apprentissage entre experts, de l'autre, on confie aux leaders politiques nationaux le pilotage de l'ensemble de la manœuvre.

Dans ces conditions, de deux choses l'une. Soit la tentation « notariale » évoquée plus haut l'emporte et le Conseil européen se contente d'entériner les conclusions des formations spécialisées du Conseil des ministres, réduisant à peu de chose la coordination effective. On l'a vu à Stockholm, où le Conseil européen a accordé autant de temps à la crise en Macédoine qu'au processus de Lisbonne. Soit la politique reprend le dessus, et elle risque de mettre en échec les convergences cognitives qui ont pu intervenir entre experts – scénario qui semble être à l'origine de nombreux blocages au niveau des réformes de structure. À l'évidence, il existe une tension entre la logique de coopération entre pairs sur laquelle repose la MOC et la volonté affichée à Lisbonne d'assurer par le haut la coordination du processus.

L'équilibre entre objectifs économiques et sociaux

L'une des ambitions du processus de Lisbonne était de permettre un renouveau de l'action sociale européenne, en assurant notamment un équilibre entre les aspects économiques et sociaux des activités de l'Union. Il a ainsi été prévu que les différentes formations du Conseil devaient être associées à l'élaboration des grandes orientations de politique économique, qui relevaient jusqu'alors du seul Conseil ECOFIN [Conseil européen, 2000, § 35]. Telle était aussi, on l'a vu, la raison d'être principale de la « coordination des coordinations », confiée au Conseil européen. La nature ayant horreur du vide, la faible capacité de coordination dont celui-ci fait preuve est source de difficultés.

La logique sectorielle qui caractérise la MOC est en effet loin de garantir une progression régulière des différents chantiers. Dans certains secteurs, les traditions de coopération sont bien établies et l'on constate de nettes convergences, tant au niveau des analyses qu'à celui des objectifs. Dans d'autres domaines, en revanche, on est toujours à la recherche d'un lexique commun et d'outils statistiques fiables...

Ce genre de situation peut donner lieu à des déséquilibres intersectoriels. Lorsqu'une question relève de plusieurs chantiers, la communauté d'experts la plus homogène peut s'en emparer et la traiter en fonction de ses propres priorités, avec l'espoir de conditionner les décisions politiques qui suivront. C'est ce qui s'est produit en matière de pensions, où le comité de politique économique s'est mobilisé plus rapidement que le comité de protection sociale, ce qui lui a permis d'attirer l'attention sur les aspects budgétaires de la réforme des systèmes de pension, sans beaucoup d'égards pour les objectifs sociaux [Pochet, 2004].

D'une façon générale, les acteurs de la filière économique et budgétaire bénéficient d'un avantage concurrentiel assez net par rapport à leurs homologues du secteur social. Non seulement ils disposent d'un droit de regard transversal – quelles sont les politiques dépourvues de dimensions économiques ou budgétaires ? –, mais ils peuvent s'appuyer sur un registre consolidé, dont certains éléments, comme la stabilité budgétaire, font l'objet d'une reconnaissance explicite dans les traités. Ils offrent ainsi une solution par défaut à tout problème de coordination : en l'absence d'alternative précise, c'est naturellement vers eux que l'on se tournera. Lors du Conseil européen de Stockholm, par exemple, devant le peu d'intérêt manifesté par le Conseil affaires générales pour les questions abordées dans le cadre du processus de Lisbonne, ce sont les ministres de l'Économie et des Finances qui ont accompagné les chefs d'État et de gouvernement, au mépris des dispositions du traité[4]. Ironie du destin : le sommet de printemps, conçu au départ pour renforcer l'attention accordée aux questions sociales, marquait ainsi de façon symbolique l'influence grandissante du Conseil ECOFIN.

De l'ambiguïté d'une approche instrumentale

Le Conseil européen de Lisbonne a présenté la méthode ouverte de coordination comme un nouvel instrument dans la gamme des politiques européennes. La nouveauté n'est que relative. Le souci de préserver les spécificités nationales figure en bonne place parmi les priorités européennes depuis Maastricht, et l'on n'a pas attendu l'an 2000 pour s'apercevoir que la convergence des schémas d'analyse était un préalable obligé à toute forme d'action commune au niveau européen. Dans plusieurs domaines, des mécanismes de coopération avaient déjà été mis en place auparavant. Le processus de Lisbonne s'est surtout efforcé de

---

4. *L'Article 4 du traité sur l'Union européenne prévoit en effet que les chefs d'État et de gouvernement sont assistés « par les ministres chargés des affaires étrangères ».*

systématiser le recours à des formes souples de coordination et de les intégrer dans une stratégie globale, en s'appuyant sur un discours qui se voulait novateur.

En dépit de cet habillage uniforme, les différents chantiers ouverts dans le cadre de la stratégie de Lisbonne sont relativement hétérogènes. Les finalités qu'ils poursuivent ne sont pas toujours identiques. Le degré de convergence recherché varie d'un domaine à l'autre, et les travaux ne paraissent pas progresser au même rythme dans chacune des communautés de politique publique concernée.

L'accent mis sur la méthode cache toutefois des divergences assez sensibles quant aux objectifs premiers de l'action européenne. C'est ce qui explique le choix d'une approche fort peu contraignante pour les États. L'ambiguïté de la méthode explique en partie le succès d'estime dont a joui la MOC. Pendant quelques années, tout entrepreneur politique digne de ce nom a cherché à couler ses propositions dans le langage moderniste de Lisbonne. La présidence suédoise a cherché à en tirer profit pour ses plans en matière d'environnement, la Commission a fait de même avec un succès limité en matière d'immigration [Caviedes, 2004].

Mais cette ambiguïté est aussi la source du scepticisme que l'on sent grandir. La méthode ouverte de coordination est en effet affaiblie par de nombreuses tensions internes : tension entre la logique « sectorielle » qui sous-tend le processus et la volonté affichée à Lisbonne d'assurer par le haut un équilibre entre objectifs économiques et objectifs sociaux ; tension entre l'accent mis sur le traitement technique des problèmes par des réseaux d'experts et la volonté de politiser les arbitrages ; tension entre le recours au *benchmarking* et le refus de la moindre contrainte.

Cela ne signifie pas que la MOC soit dépourvue de tout intérêt mais, plus simplement, qu'elle n'a rien d'une panacée. Son potentiel paraît plus important dans les domaines où l'Europe est appelée à faire office de catalyseur des processus de réforme, la responsabilité ultime des choix politiques restant au niveau national. En revanche, dans les domaines où la convergence est impérative, les procédures souples de coordination laissent clairement à désirer, et la stratégie de Lisbonne ne pourra pas longtemps servir d'alibi aux responsables qui désirent donner l'illusion d'une action au niveau européen, sans véritablement s'engager.

BIBLIOGRAPHIE

ARROWSMITH (J.), SISSON (K.) et MARGINSON (P.), « What Can "Benchmarking" Offer the Open Method of Co-Ordination ? », *Journal of European Public Policy*, 11 (2), 2004, p. 311-328.

BEGG (I.) *et al.*, « Social Exclusion and Social Protection in the European Union : Policy Issues and Proposals for the Future Role of the EU », *South Bank University Working Paper*, http ://www.sbu.ac.uk/euroinst/policyreport.pdf, 2001.

BIAGI (M.), « The Impact of European Employment Strategy on the Role of Labour Law and Industrial Relations », *International Journal of Comparative Labour Law and Industrial Relations*, 16 (2), été 2000, p. 155-173.

BORRÀS (S.) et GREVE (B.) (eds), *The Open Method of Coordination in the European Union*, numéro spécial du *Journal of European Public Policy*, 11 (2), 2004, p. 181-335.

BORRÀS (S.) et JACOBSSON (K.), « The Open Method of Coordination and New Governance Patterns in the European Union », *Journal of European Public Policy*, 11 (2), 2004, p. 185-208.

BROWNE (M.), « La méthode ouverte de coordination et la stratégie européenne pour l'emploi : modèle ou faux-semblant ? », dans R. DEHOUSSE, *L'Europe sans Bruxelles ? Une analyse de la méthode ouverte de coordination*, Paris, L'Harmattan, 2004a.

CAVIEDES (A.), « The Open Method of Co-ordination in Immigration Policy : A Tool for prying Open Fortress Europe ? », *Journal of European Public Policy*, 11 (2), 2004, p. 289-310.

COMMISSION, *Communication sur la politique commune d'asile, introduisant une méthode ouverte de coordination*, COM (2001) 710 final du 22 novembre 2001b.

COMMISSION, *Communication sur une méthode ouverte de coordination de la politique communautaire en matière d'immigration*, COM (2001) 387 final du 10 juillet 2001a.

CONSEIL EUROPÉEN, « Conclusions de la Présidence », Lisbonne, Conseil européen de Lisbonne, 23-24 mars 2000.

COUNCIL OF THE EUROPEAN UNION, « The Ongoing Experience of the Open Method of Coordination, Presidency Note », 2000.

DEHOUSSE (R.) (dir.), *L'Europe sans Bruxelles ? Une analyse de la méthode ouverte de coordination*, Paris, L'Harmattan, 2004a.

DEHOUSSE (R.), « Du bon usage de la méthode ouverte de coordination », dans R. DEHOUSSE (dir.), *L'Europe sans Bruxelles ? Une analyse de la méthode ouverte de coordination*, Paris, L'Harmattan, 2004b.

DEHOUSSE (R.), « European Integration and the Nation-State », dans M. RHODES *et al.* (eds), *Developments in West European Politics*, Londres, Macmillan, 1998, p. 37-54.

EICHENER (V.), « Social Dumping or Innovative Regulation ? Process and Outcome of European Decision-Making in the Sector of Health and Safety at Work Harmonization », *EUI Working Paper*, SPS 92/28, 1992.

FERRERA (M.), HEMERIJCK (A.) et RHODES (M.), *The Future of Social Europe. Recasting the European Welfare State*, Oeiras, Celta Editora, 2000.

GERSTENBERG (O.) et SABEL (C. F.), « Directly-Deliberative Polyarchy : An Institutional Ideal for Europe ? » dans C. JOERGES et R. DEHOUSSE (eds), *Good Governance in Europe's Integrated Market*, Oxford, Oxford University Press, 2002, p. 289-342.

GOETSCHY (J.), « The European Employment Strategy, Multi-level Governance and Policy Coordination : Past, Present and Future », dans J. ZEITLIN et D. TRUBEK (eds), *Governing Work and Welfare in a New Economy : European and American Experiments*, Oxford, Oxford University Press, 2002.

GOETSCHY (J.), « Les nouveaux éléments sur l'emploi et le social : rattrapage, consolidation ou percée ? », dans M. TELÒ et P. MAGNETTE (dir.), *De Maastricht à Amsterdam. L'Europe et son nouveau traité*, Bruxelles, Complexes, 1998, p. 139-162.

GREEN COWLES (M.), CAPORASO (J.) et RISSE (T.) (eds), *Transforming Europe. Europeanisation and Domestic Change*, Ithaca (N. Y.), Cornell University Press, 2001.

HARTWIG (I.), « La mise en œuvre à double voie de la Stratégie européenne pour l'emploi : un monstre de papier après l'élargissement ? », *EIPAscope*, 2 (2-7), 2002.

HÉRITIER (A.), « New Modes of Governance in Europe : Policy-Making without Legislating ? », dans A. HÉRITIER (ed.), *Common Goods : Reinventing European and International Governance*, Lanham (Md.), Rowman and Littlefield, 2002, p. 185-206.

HODSON (D.) et MAHER (I.), « The Open Method as a New Mode of Governance : The Case of Soft Economic Policy Coordination », *Journal of Common Market Studies*, 39 (4), 2001, p. 719-746.

JABKO (N.), « Les critères de Maastricht, préhistoire de la MOC », dans R. DEHOUSSE (dir.), *L'Europe sans Bruxelles ? Une analyse de la méthode ouverte de coordination*, Paris, L'Harmattan, 2004.

JABKO (N.), « Le *leadership* dans l'Union européenne : typologie, sommaire et illustration dans le cas de l'union monétaire », *Politique européenne*, 5, automne 2001.

JOUEN (M.), *Diversité européenne, mode d'emploi*, Paris, Descartes, 2000.

LA PORTE (C. de), « Is the Open Method of Cooperation appropriate for Organising Activities at European Level in Sensitive Policy Areas ? », *European Law Journal*, 8, 2002, p. 38-58.

LA PORTE (C. de) et NANZ (P.), « The OMC : A Deliberative-Democratic Mode of Governance ? The Cases of Employment and Pensions », *Journal of European Public Policy*, 11 (2), 2004, p. 267-288.

LA PORTE (C. de) et POCHET (P.), « Supple Coordination at EU Level and the Key Actors' Involvement », dans C. de LA PORTE et P. POCHET (eds), *Building Social Europe through the Open Method of Coordination*, Bruxelles, PIE-Peter Lang, 2002, p. 27-68.

LARSSON (A.), « A Turning Point of Employment Policy », *Europa. Novas Fronteiras*, 9 (10), décembre 2001, p. 49-54.

LEONARD (M.), *Networking Europe*, Londres, Foreign Policy Centre, 1999.

MAGNETTE (P.) et REMACLE (É.), *Le Nouveau Modèle européen*, Bruxelles, Éditions de l'Université libre de Bruxelles, 2000.

MAJONE (G.), « The New European Agencies : Regulation by Information », *Journal of European Public Policy*, 1997, p. 262-275

MANDIN (C.) et PALIER (B.), « L'Europe et les politiques sociales : vers une harmonisation cognitive et normative des réponses nationales », communication au VIIᵉ congrès de l'AFSP, Lille, 19-20 septembre 2002.

MORAVCSIK (A.), *The Choice for Europe*, Ithaca (N. Y.), Cornell University Press, 2000.

NAVARRO (L.), *Les Leçons du débat sur les déficits allemand et portugais*, Paris, Notre Europe, 19 février 2002, http ://www.notre-europe.asso.fr/pages/NoteLN4.htm

NAVARRO (L.), « Forces et faiblesses de la coordination des politiques économiques », dans R. DEHOUSSE (dir.), *L'Europe sans Bruxelles ? Une analyse de la méthode ouverte de coordination*, Paris, L'Harmattan, 2004.

OLSEN (J. P.) et PETERS (B. G.), « Learning from Experience ? », dans J. P. OLSEN et B. G. PETERS (eds), *Lessons from Experience, Experiential Learning in Administrative Reforms in Eight Democracies*, Oslo, Scandinavian University Press, 1996.

PADOA-SCHIOPPA (T.), *The Road to Monetary Union. The Emperor, the Kings and the Genies*, Oxford, Clarendon Press, 1994.

POCHET (P.), « La MOC et la protection sociale : des développements ambigus », dans R. DEHOUSSE (dir.), *L'Europe sans Bruxelles ? Une analyse de la méthode ouverte de coordination*, Paris, L'Harmattan, 2004.

PRÉSIDENCE PORTUGAISE, « Suivi du Conseil européen. La méthode ouverte de coordination », note de la présidence du 14 juin 2000, document 9088/00, 2000b.

PRÉSIDENCE PORTUGAISE, « Emploi, réformes économiques et cohésion sociale. Pour une Europe de l'innovation et de la connaissance », note de la présidence du 12 janvier 2000, document 5256/00, 2000a.

RADAELLI (C.), « Policy Transfer in the European Union : Institutional Isomorphism as a Source of Legitimacy », *Governance*, 13, 2000, p. 25-43.

RADAELLI (C.), « The Open Method of Co-Ordination. A New governance Architecture for the European Union, Research Report », Stockholm, Swedish Institute for European Policy Studies, 2003.

RODRIGUEZ (M. J.) (ed.), *The New Knowledge Economy in Europe. A Strategy for International Competitiveness and Social Cohesion*, Cheltenham, Edward Elgar, 2002.

RODRIGUEZ (M. J.), « The Open Method of Coordination as a New Governance Tool », *Europa Europe*, 10, 2001.

ROSE (R.), « Ten Steps in Learning Lessons from Abroad », *EUI Working Paper*, RSC 5, 2002.

ROSE (R.), *Lesson-Drawing in Public Policy*, Chatham (N. J.), Chatham House, 1993.

TELÒ (M.), « Governance and Government in the European Union. The Open Method of Co-ordination », dans M. J. RODRIGUEZ (ed.), *The New Knowledge Economy in Europe. A Strategy for International Competitiveness and Social Cohesion*, Cheltenham, Edward Elgar, 2002.

TRUBEK (D. M.) et MOSHER (J. S.), « New Governance, EU Employment Policy, and the European Social Model », dans C. JOERGES, Y. MÉNY et J. H. H. WEILER (eds), *Mountain or Molehill ? A Critical Appraisal of the Commission White Paper on Governance, Jean-Monnet Working Paper*, 6/01, 2001.

VANDENBROUCKE (F.), « La coordination ouverte et le vieillissement : quelle valeur ajoutée pour l'Europe sociale ? », *Europa-Novas Fronteiras*, 9 (10), décembre 2001, p. 59-66.

VISSER (J.) et HEMERIJCK (A.), « Learning Ahead of Failure », *Paper presented at the Max Planck Institute*, Cologne, 13 novembre 2001.

WALLACE (H.), « The Changing Politics of the European Union : An Overview », *Journal of Common Market Studies*, 39 (1), 2001, p. 581-594.

Conclusion

DE L'INNOVATION INSTRUMENTALE À LA RECOMPOSITION DE L'ÉTAT

Pierre LASCOUMES
Patrick LE GALÈS

L es chapitres de cet ouvrage sont issus de recherches approfondies organisées autour des instruments de l'action publique et des processus d'instrumentation de l'action publique. Au-delà de la perspective « boîte à outils » des politiques publiques, nous avons voulu montrer le rôle des instruments comme révélateurs des changements de politiques publiques et comme analyseurs des transformations de l'État contemporain.

L'innovation instrumentale

C'est le renouvellement constant des instruments d'action publique qui a le plus fréquemment retenu l'attention des observateurs. En dehors du domaine des technologies statistiques, peu de travaux se sont attachés à reconstituer sur le long terme la carrière des instruments, leur épaisseur historique et les débats qui ont accompagné leurs transformations. Ainsi, par exemple, rares sont les écrits sur les activités contractuelles ou conventionnelles qui se réfèrent à la thèse de Jean-François Sestier qui fait remonter à la Troisième République la reconnaissance des techniques conventionnelles, premier cadrage légitime des accords entre acteurs publics et privés qui s'appelaient alors les

« relations administratives subjectives[1] ». La nouveauté en ce domaine est donc toute relative, même si les modalités en ont bien évidemment été profondément transformées. Les travaux de Desmond King sur l'*affirmative action* constituent en cela une exception qui montre, sur le long terme, les valeurs sous-jacentes et les effets d'un outil à forte visibilité [King, 2000]. Il reconstitue précisément les origines et les controverses qui ont marqué la définition et l'adoption de cet instrument de lutte contre les discriminations. Il trace également le parcours et les adaptations de l'instrument en analysant la façon dont il a pu être progressivement intégré dans des politiques spécifiques allant de l'éducation à l'emploi privé, et cela malgré des débats incessants sur sa légitimité.

Faute de perspective diachronique, la « nouveauté » d'un instrument, ou du moins l'annonce qui est faite d'une innovation dans l'action publique, retient d'emblée l'attention des analystes. C'est sous cet angle d'ailleurs que nous avons nous-même saisi les politiques environnementales et urbaines [Bagnasco et Le Galès, 1997], comme des terrains propices à l'observation des innovations dans les moyens d'action, dynamiques qui s'expliquent essentiellement par la complexité et l'hétérogénéité des enjeux à traiter. Sur la base des travaux rassemblés dans cet ouvrage, on peut dire que chaque annonce d'une « nouveauté instrumentale » est en général accompagnée de trois grands types de justification :

– elle se veut d'abord un geste politique, c'est-à-dire qu'elle cherche à produire un effet symbolique d'autorité, de rupture avec des actions antérieures et de démonstration de la compétence des gouvernants ;

– elle traduit aussi une recherche d'efficacité. Plus précisément, la rupture énoncée se veut d'abord une solution à l'échec des instruments d'action antérieurs. Ces derniers sont invalidés soit parce qu'ils n'ont pas été mis en œuvre, soit parce qu'ils n'ont pas pu modifier les pratiques antérieures, soit parce qu'ils n'ont pas produit à terme les effets escomptés. Le changement dans les moyens d'action se veut donc rationnel, même s'il s'agit souvent d'un postulat non démontré ;

– la rationalité de l'innovation n'est pas seulement matérielle, elle est aussi axiologique, c'est-à-dire porteuse de valeurs dont l'introduction est censée renouveler ou enrichir l'action publique : la modernisation, la déréglementation et l'ouverture au marché, l'ouverture démocratique et la participation. Cela se traduit en général par l'entrée de nouveaux

---

1. *Thèse de droit, Université de Lyon III, 1988.*

acteurs dans la conduite des politiques : des spécialistes (statisticiens, experts divers) et parfois des profanes, comme dans tous les dispositifs consultatifs et participatifs.

L'innovation revendiquée ne doit, cependant, pas faire illusion et l'introduction de dispositifs fondamentalement nouveaux est rare. Les études de cet ouvrage fournissent à ce sujet des exemples significatifs. Ainsi, le recours aux standards (chap. 3), l'invention de l'ISE (indice synthétique d'exclusion – chap. 1) ou celle des CCT (*Compulsory Competitive Tendering*), des BVM (*Best Value for Money*) et des CPA (*Comprehensive Spending Assessment* – chap. 6) constituent à proprement parler des créations d'instrument. Mais, bien souvent, le changement annoncé repose en grande partie sur des glissements, des reconversions-adaptations, des recyclages d'instruments déjà mis à l'épreuve, voire usagés. La majorité des études relèvent de cette catégorie, soit parce qu'il s'agit d'instruments anciens reformatés peu à peu par les mobilisations des acteurs comme le RMS (« raisonnement en masse » – chap. 2), la planification urbaine par projet (chap. 5) ou la capitalisation (chap. 7), soit parce qu'il s'agit d'instruments traditionnels inclus ou associés à des dispositifs nouveaux qui constituent des configurations particulières de modalités d'intervention. Celles-ci sont d'ailleurs en grande partie des empilements plus difficiles à caractériser, ainsi les pilotes invisibles (chap. 4), les instruments de régulation financière bancaire (chap. 8) ou la méthode ouverte de coordination (chap. 9). Ces derniers cas relèvent sans doute de ce que Christopher Hood nomme les instruments de troisième génération, c'est-à-dire des méta-instruments se proposant d'opérer principalement une coordination entre des modalités d'intervention hétérogènes. Cette diversité de l'instrumentation incite à proposer un principe de classement qui différencie les instruments au-delà de leurs seules modalités techniques.

Toute analyse des instruments a du mal à échapper à la tentation de s'achever sur une typologie, il en existe d'ailleurs de nombreuses dans la littérature. Malgré les critiques qu'elles attirent, il nous a paru utile en conclusion de revenir sur une typologie inspirée de l'ouvrage classique de Christopher Hood, *The Tools of Government* [1986], qui constitue le point de référence des travaux contemporains sur les instruments. C'est le premier ouvrage à développer une perspective analytique rigoureuse et systématique qui s'inscrit, à l'époque, dans le débat sur la mise en œuvre des politiques publiques. L'auteur s'était donné un but à la fois ambitieux et limité : proposer une analyse systématique des instruments à l'interface entre le gouvernement et les citoyens à partir de deux activités essentielles des gouvernements, la collecte et l'analyse d'information, la modification des comportements. De manière originale, il s'était appuyé sur l'étude des systèmes de contrôle développé par l'analyse cybernétique transférée dans le champ de l'action publique. Dans cette perspective, trois ensembles d'institutions de mécanismes sont présents dans tout système de contrôle : des moyens d'établir des normes et des objectifs, des moyens d'observation de l'état d'un système par rapport aux objectifs et, enfin, des moyens de correction pour faire évoluer le système par rapport aux objectifs définis. Hood identifie en outre quatre types de ressources centrales pour le gouvernement :

– modalité : la capacité des gouvernements à opérer au centre de toutes sortes de réseaux d'information ;

– autorité : définie en termes de coercition et de légitimité ;

– ressources financières ;

– organisation : capacité d'action directe.

Revenant sur son ouvrage vingt ans plus tard, l'auteur rappelle la robustesse de son modèle et les limites inhérentes à un cadre analytique très positiviste qui paraît aujourd'hui contestable. Analysant l'évolution de ce champ de recherche, il constate que les chercheurs sur l'action publique ont progressivement intégré l'analyse des instruments dans les schémas explicatifs comme variable intermédiaire, impliquée de différentes manières dans des relations de causalité.

Le point de départ de Hood demeure selon nous essentiel pour comprendre les transformations de l'action publique et présenter une typologie des instruments. Nous avons souligné dans l'introduction combien l'analyse des instruments révèle la transformation des modes de gouvernement/gouvernance et la restructuration de l'État. Dominique Lorrain dans son chapitre montre combien l'action collective, le mouvement et le changement dans les sociétés contemporaines sont, pour une large part, conditionnés, structurés par les instruments, souvent invisibles, de l'action publique. Le développement de systèmes sociotechniques, la généralisation des technologies de l'information et de la communication vont dans le sens du renforcement et de l'invention permanente d'instruments d'action publique.

Afin de préciser la place des instruments dans les technologies du gouvernement, nous proposons d'en différencier les formes et de distinguer cinq grands modèles. Cette typologie s'appuie en partie sur celle développée par Christopher Hood qui se fondait sur les ressources mobilisées par les autorités publiques *(modality, authority, pressure, institu-*

tion). Nous l'avons reformulée et complétée en tenant compte des types de rapport politique organisés par les instruments et des types de légitimité qu'ils supposent.

Type d'instrument	Type de rapport politique	Type de légitimité
Législatif et réglementaire	État tuteur du social	Imposition d'un intérêt général par des représentants mandatés élus ou des hauts fonctionnaires
Économique et fiscal	État producteur de richesse, État redistributeur	Recherche d'une utilité collective Efficacité sociale et économique
Conventionnel et incitatif	État mobilisateur	Recherche d'engagement direct
Informatif et Communicationnel	Démocratie du public	Explicitation des décisions et responsabilisation des acteurs
Normes et standards *Best practices*	Ajustements au sein de la société civile Mécanismes de concurrence	Mixte : scientifico-technique et démocratiquement négociée et/ou concurrence, pression des mécanismes de marché

Les instruments législatifs et réglementaires empruntent des formes légales routinisées qui constituent l'archétype de l'interventionnisme d'État. Cependant, celui-ci n'est pas homogène et beaucoup de travaux de sociologie du droit ont montré que ce type d'instrument de régulation comporte trois dimensions plus ou moins clairement articulées. Ils exercent d'abord une fonction symbolique car ils sont un attribut du pouvoir légitime et tirent leur force du respect de la procédure de décision qui les précède. Au-delà de cette manifestation éminente du pouvoir légitime, les actes législatifs et réglementaires ont aussi une fonction axiologique, ils énoncent des valeurs et des intérêts protégés par la puissance publique. Enfin, ils remplissent une fonction pragmatique d'orientation des comportements sociaux et d'organisation de systèmes de surveillance. La combinaison de ces trois fonctions s'effectue dans des proportions différentes et les exemples abondent de situations dans lesquelles la dimension symbolique prévaut sur l'organisation de moyens d'action. Mais l'émission de ces signes politiques s'inscrit dans une volonté de pédagogie générale qui combine la nécessité de manifester une volonté et celle de cadrer des activités.

Les instruments économiques et fiscaux sont proches des instruments législatifs et réglementaires car ils empruntent le même parcours d'élaboration légale d'où il tire force et légitimité. Elle s'apprécie cependant en termes d'efficacité économique et sociale. Leur particularité est d'utiliser des techniques et des outils monétaires, soit pour prélever des ressources destinées à être redistribuées (impôts, taxes), soit pour orienter les comportements des acteurs (subventions, déduction de charges). Ce type d'instrument doit également être mis en relation avec des conceptions spécifiques de l'État qui se retrouvent aussi bien dans les types d'impôt (ISF, CSG, fiscalité des produits financiers) que dans le recours à des techniques comme la réduction des déficits ou les indicateurs de convergence européens.

Les trois autres types d'instrument relèvent de ce que l'on qualifie par facilité de « nouveaux » instruments d'action publique. Ils ont en commun de proposer des formes de régulation publique moins dirigistes, c'est-à-dire qui prennent en compte les critiques récurrentes adressées aux instruments de type « *command and control* ». Dans ce sens, ils se proposent d'organiser des rapports politiques différents, basés sur la communication et la concertation, et renouvellent aussi les fondements de la légitimité.

Aujourd'hui, « gouverner par contrat » est devenu une injonction générale comme si le recours à de tels instruments constituait *a priori* le choix d'une démarche juste et validée. En fait, cette justification s'effectue sur un double registre. Tout d'abord, la généralisation de ce mode d'intervention s'est faite dans un contexte de forte critique de la bureaucratie, de sa lourdeur, de son caractère abstrait et déresponsabilisant. Ensuite, la critique portait sur la rigidité des règles législatives et réglementaires et sur les impasses de leur universalité. Dans des sociétés en mobilité croissante et animées par des secteurs et sous-secteurs en quête d'autonomie normative constante, seuls des instruments participatifs étaient censés pouvoir fournir des modes de régulation adéquats. Le cadre conventionnel et les formes incitatives qui y sont liées présupposent un État en retrait de ses fonctions traditionnelles, renonçant à son pouvoir de contrainte et s'engageant dans des modes d'échange d'apparence contractuelle [Lascoumes et Valluy, 1996]. Apparence, parce les questions centrales d'autonomie des volontés, de réciprocité des prestations et de sanction du non-respect des engagements sont rarement prises en compte. L'État dirigiste est dès lors censé faire place à un État animateur ou coordonnateur, non-interventionniste et menant principalement des actions de mobilisation, d'intégration et de mise en cohérence. Les travaux réalisés depuis en ce domaine s'accordent pour considérer que la légitimité principale de ce type d'instrument provient davantage de l'image moderniste et surtout libérale de l'action publique dont il est porteur que de leur efficacité réelle qui est d'ailleurs rarement évaluée [Gaudin, 1999].

Les instruments communicationnels et informatifs s'inscrivent dans le développement de ce que l'on nomme en général la « démocratie du public » ou « de l'opinion », c'est-à-dire d'un espace public relativement autonome par rapport à la sphère politique traditionnelle basée sur la représentation. Depuis les années 1970, un changement décisif est intervenu : les droits d'accès des citoyens à des informations détenues par l'autorité publique ont été développés en obligations, pour l'autorité publique, d'informer les citoyens (*mandatory disclosure*) [Barbach et Kagan, 1992]. On retrouve également une conception spécifique du politique dans le recours croissant aux instruments d'information et de communication qui correspondent aux situations dans lesquelles sont instituées des obligations d'information ou de communication [Lascoumes, 2001].

Les normes et standards organisent des rapports de pouvoir spécifiques au sein de la société civile entre acteurs économiques (concurrence-concentration) et entre acteurs économiques et ONG (consommateurs, environnementalistes, etc.). Ils reposent sur une légitimité mixte qui combine une rationalité scientifique et technique contribuant à en neutraliser la signification politique avec une rationalité démocratique basée sur leur élaboration négociée et les démarches coopératives qu'ils induisent. Ils peuvent également permettre l'imposition d'objectifs, de mécanismes de concurrence et exercer une coercition forte [Olsham, 1993 ; Brunsson, 2001].

—— Apports de l'approche en termes d'instrument

Il faut le dire explicitement, pour nous, l'approche en termes d'instrument inaugure une démarche de recherche, c'est-à-dire une focalisation sur une dimension qui permet d'envisager aussi bien l'historicité de l'instrument, que ses contenus cognitifs et normatifs, les réseaux d'acteurs qu'il tisse (qui l'enrichissent de leurs usages et de leurs critiques) et les effets qu'il produit. Autant dire que tout n'est pas dans l'instrument et que les investigations ne doivent pas se fixer uniquement sur lui. Nous ne prétendons bien évidemment pas promouvoir une quelconque *School of Intrumental Studies* ou une *Tools Policies Theory*. Certes, il n'existe pas d'action publique sans instrumentation, mais c'est précisément cette activité que nous voulons faire sortir de l'implicite en la prenant un moment au sérieux. L'intérêt d'une approche en termes d'instruments est donc de compléter les regards classiques sur l'organisation, les jeux d'acteurs, la croyance et les représentations qui dominent aujourd'hui largement l'analyse de l'action publique. Elle permet de poser d'autres questions et d'intégrer de façon renouvelée les interrogations traditionnelles. Listons les plus fréquentes :

– *L'instrument est un efficace traceur de changements.* Les études regroupées dans la deuxième partie de l'ouvrage privilégient cet angle. La démonstration de Bruno Palier, particulièrement significative, montre comment les instruments de financement ont été pendant longtemps les vecteurs d'immobilisme d'une politique, avant de devenir par touche successive vecteurs de changement. C'est essentiellement l'invalidation des instruments anciens qui est porteuse des transformations, beaucoup plus que la promotion de nouveaux objectifs. Ce traceur ne présume en rien des relations de causalité. La comparaison franco-italienne d'Olivier Butzbach et d'Emiliano Grossman souligne également, dans le cas de deux dynamiques inversées, comment l'entrée par les instruments permet d'expliquer le changement et de préciser le type de changement intervenu.

– *La traque des instruments et de leurs effets est également utile pour démonter les apparences.* Elle permet de rompre avec l'illusion des changements de surface. Sur ce point, la contribution la plus explicite est celle de Patrick Le Galès, lorsqu'il montre à quel point les jeux successifs de substitution des instruments de financement des collectivités locales en Grande-Bretagne ont permis de maintenir (et en partie de dissimuler) une politique constante de restriction budgétaire. On est alors dans le « tout changer pour que rien ne change », et cette manipulation rapide des instruments révèle un bonneteau gouvernemental bien assumé. Les instruments, en tant qu'institutions ont des effets de longue durée. Dominique Lorrain en fait l'un des points d'entrée de son analyse « du désarroi du politique » car ces structurations de long terme offrent peu de prise aux politiques qui s'intéressent modérément aux implications de la mise en œuvre. Ces dynamiques de changements incessants et de structuration croissante de l'action publique par différents types d'instruments, dont les normes, les outils statistiques, les indicateurs et les standards, sont sans doute les points essentiels pour comprendre les divergences entre *policy* et *politics.*

– *S'attacher aux instruments ne signifie pas pour autant être indifférent aux significations dont ils sont porteurs et, en particulier, à leur portée politique.* Mais celle-ci n'est pas toujours là où on la situe habituellement. En dehors du volontarisme politique et des discours de légitimation des décisions, lorsque l'on prend en compte la matérialité des dispositifs et leurs contenus idéologiques, des dimensions cachées peuvent apparaître. Comme nous l'avons indiqué plus haut, les instruments sont en général promus au nom de leur neutralité technique et de leur efficacité supposée. Situer à ce niveau les débats, c'est souvent faire œuvre de dépolitisation... apparente. Les contributions d'Olivier Borraz sur les standards, de Philippe Estèbe sur l'ISE ou de Renaud Dehousse sur la MOC montrent parfaitement qu'au-delà de la légitimité technique de l'instrument pointent les enjeux politiques. Soit parce qu'il s'agit de déléguer le contrôle de la puissance normative à des acteurs privés, soit parce que le dépassement des enjeux politiques (temps 1) redonne une place centrale aux acteurs étatiques qui maîtrisent l'instrument (temps 2), soit, enfin, parce que le déplacement vers un niveau supérieur de coordination permet de réduire des conflits majeurs entre acteurs.

– *Enfin, suivre le fil gris, apparemment austère, des instruments, c'est aussi se donner les moyens de réfléchir à la question des automatismes* qui, plus que des routines, correspondent à ce que l'analyse de la *path dependency* révèle de l'importance décisive des choix antérieurs sur les possibilités de choix dans le présent. Dominique Lorrain donne des exemples significatifs, tout comme Philippe Estèbe sur les quartiers de la politique de la ville. La contribution de Philippe Bezes montre comment un « simple » artefact statistique, longtemps contesté, a fini par s'imposer comme technique centrale dans les actions de modernisation de l'État. L'automaticité du fonctionnement de l'instrument a fini par être accepté et intégré dans le pilotage politique. Ce type de démonstration contribue bien sûr à la compréhension des situations récurrentes, dans l'action publique, de résistance au changement, mais il doit aussi nous sensibiliser à la question du degré de visibilité/invisibilité des techniques de gouvernement. Les instruments invisibles ou très discrets seraient-ils les pilotes les plus performants de l'action publique et, peut-être, les outils favoris des gouvernants ? C'est d'ailleurs la thèse que soutient R. Kent Weaver dans son ouvrage *Automatic government.* Il insiste sur la multiplication des « gachettes » (*triggers*), c'est-à-dire des indicateurs déclencheurs d'action qui participent au mouvement de rationalisation de l'art de gouverner, en dépolitisant les processus de *policy-making*, en réduisant les routines et en contournant les coûts des controverses idéologiques.

L'État recomposé par les techniques

L'analyse des politiques publiques a aussi pour objet de penser la transformation de l'État, les modes de domination et le gouvernement. Les différents chapitres contribuent selon nous à ce débat à partir de notre entrée « instrument ».

Dans l'ouvrage, *The Nation State In Question*, G. John Ikenberry caractérise ainsi la transformation de l'État : « La première moitié du XXᵉ siècle était celle des États forts qui pouvaient mobiliser l'ensemble de la société pour la guerre ou pour l'industrialisation [...]. [Désormais], les États ont besoin d'être plus flexibles afin de travailler efficacement avec des groupes sociaux et des organisations. Implicitement, cette conclusion se révèle paradoxale : les États qui limitent le pouvoir coercitif du gouvernement, *via* un consensus normatif ou *via* des règles légales et constitutionnelles, renforcent de fait la capacité des leaders politiques à travailler avec et au travers de la société pour mobiliser des ressources et résoudre des problèmes. [...] Le pouvoir de L'État a alors pour origine cette capacité à mobiliser et à diriger le capital social et les ressources de son peuple. » [Paul, Ikenberry et Hall, 2003, p. 353.]

Cette citation pose bien la question des instruments de l'État. Une partie de nos auteurs souligne cette évolution historique de multiplication des instruments, d'encadrement de la société par des technologies de pouvoir. Il serait possible d'adhérer aux thèses de transformation de l'État en un État propulsif [Morand, 1991], un État mobilisateur de groupes et d'organisations relativement autonomes, un État arbitre ou animateur [Donzelot et Estèbe, 1994]. Une partie des chapitres de cet ouvrage souligne l'abandon des instruments les plus contraignants, législatifs et fiscaux ou réglementaires, au profit des trois autres types de notre tableau : les instruments conventionnels et incitatifs, informatifs et communicationnels, ou bien les normes et standards. Ces instruments paraissent favoriser un déclin de la régulation politique exercée en termes de contrainte au profit de l'information et de la négociation.

Le risque souvent évoqué des travaux sur les instruments, ou plus généralement sur les institutions, provient de la mise à l'écart des variables politiques. Dans de nombreux cas, celles-ci jouent un rôle marginal dans l'action publique. Dans ceux que nous avons étudiés, l'adoption d'un instrument peut certes euphémiser ou marginaliser le politique, mais elle entraîne cependant souvent un déplacement du clivage politique. Plusieurs auteurs de cet ouvrage montrent, parfois en creux, le rôle des instruments dans des dynamiques de dépolitisation. L'instrument discret analysé par Philippe Bezes sur une moyenne période donne peu prise à des stratégies politiques partisanes. Le monde des normes et des standards qu'explore Olivier Borraz illustre la marginalisation de la régulation proprement politique. Dominique Lorrain, à travers ses exemples, met l'accent sur le « désarroi » du politique qui ne se saisit pas des enjeux de mise en œuvre de long terme et dont les marges de manœuvre sont de plus en plus limitées par la prégnance de systèmes socio-techniques. Dans un registre différent, Renaud Dehousse montre comment l'introduction de la méthode ouverte de coordination dans le contexte européen tient lieu de politique et ne compense pas l'absence de dynamique politique. Généralisant à partir de ces contributions et d'autres travaux, on pourrait défendre la thèse classique des sociétés complexes, de sous-systèmes qui génèrent leur propre dynamique, du développement d'instruments de gouvernement qui visent à ne pas poser de problèmes au gouvernement. R. Kent Weaver [1989] a par exemple mis en évidence le développement d'instruments de gouvernement qui se déclenchent automatiquement en fonction d'indicateurs définis à l'avance (par exemple, pour des coupes budgétaires) afin de ne pas engager la responsabilité des gouvernants. Ce constat est d'ailleurs affiché comme but politique dans une partie de la doctrine du *New Public Management.* L'introduction systématique d'indicateurs de performance, d'instruments discrets, de normes et standards, de systèmes techniques va dans le sens de la technicisation et de la dépolitisation de l'action publique. Les élus sont d'ailleurs souvent partie prenante de ces processus et l'on peut s'interroger sur la politique qui se dissimule derrière le choix d'instruments dépolitisés. Weaver et Hood ont mis l'accent sur les dynamiques de séparation, de discussion et de choix d'instruments, par exemple de normes ou de standards, d'une part, des instruments de mesure et de correction, d'autre part, qui relèvent de la mise en œuvre. Ces auteurs suggèrent que ces séparations sont voulues et procèdent d'un principe devenu central pour toute action politique : *blame avoidance*, éviter de porter le chapeau [Weaver, 1986]. Dans des sociétés complexes et peu contrôlables, où chaque incident peut être crucial pour l'opinion, les politiques auraient choisi de se protéger avant tout, de prévenir les mobilisations contre leurs décisions, d'éviter d'assumer la responsabilité de dynamiques complexes de mise en œuvre. Dans ce cas, le développement des instruments dépolitisés et la marginalisation de la régulation ne seraient pas dus à des dynamiques de technicisation de l'action mais à des choix politiques délibérés de mise à l'écart des variables politiques par les élus eux-mêmes. Ce constat mérite malgré tout plus que des nuances. La restructuration de l'État est un processus en cours [Cassese et Wright, 1996]. Si les instruments décrits précédemment se généralisent, on aurait tort d'y voir la preuve du déclin de l'État, de son pouvoir de coercition, de sa capacité à orienter les comportements. Les chapitres de Philippe Estèbe, Philippe Bezes ou Patrick Le Galès mettent en évidence les instruments qui permettent à l'État d'exercer son contrôle, de contraindre, de modifier les comportements. Le choix d'un instrument par des représentants de l'État produit sur le moyen terme des effets structurants et contraignants qui réaffirment la capacité de l'État à imposer les règles du jeu de la négociation salariale ou d'imposer les catégories qui vont structurer la politique publique comme dans le cas de la politique de la ville. Lorsque des gouvernants imposent un instrument, ils le font en espérant renforcer leur pouvoir au sein des nouvelles institutions... même si, souvent, d'autres acteurs parviennent à utiliser les instruments de manière créatrice et à leur profit. Dans le cas britannique, la multiplication des instruments d'audit, de certification ou d'inspection est aux antipodes des représentations de la gouvernance négociée avec des réseaux. Ces instruments, qui vont dans le sens de ce que les auteurs anglo-saxons appellent *regulatory state* [Moran, 2003], à savoir un mélange de régulations et de réglementations, se révèlent de puissants instruments de contrainte qui modifient en profondeur le comportement des acteurs. Ces derniers agissent en fonction de paramètres fluctuants, incertains, qui évoluent dans le temps mais qui les poussent dans un sens unique, celui de l'efficacité économique et de la réduction des coûts. Le système de contrôle et d'incitation mis en place rend leur comportement de plus en plus prévisible, ce qui accroît en retour la capacité de contrôle des gouvernants. La définition d'un cadre rigide d'action publique a eu essentiellement pour objet l'introduction de mécanismes de marché ou de quasi-marché qui ont progressivement transformé, et maîtrisé, le comportement des acteurs. Certains instruments comme les indicateurs, le *benchmarking* et les *best practices*, qui sont souvent présentés comme visant essentiellement la collecte d'information et la comparaison, peuvent se révéler, dans certains cas, de puissants instruments de contrainte contrôlés par l'État.

Deux traits de l'État en restructuration se dégagent donc de nos travaux sur les instruments : l'État mobilisateur de la gouvernance négociée et l'État régulateur, surveillant et contrôleur. L'État n'a pas dit son dernier mot, le chantier de recherche sur les instruments peut nous permettre de comprendre certains éléments de sa restructuration.

BIBLIOGRAPHIE

BAGNASCO (A.) et LE GALÈS (P.) (dir.), *Villes en Europe*, Paris, La Découverte, 1997.

BARBACH (E.) et KAGAN (R. A.), « Mandatory Disclosure », *Going by the Book, the Problem of Regulatory Unreasnableness*, Philadelphie (Pa.), Temple University Press, 1992, p 243-269.

BRUNSSON (N.) et JACOBSON (B.), *A World of Standards*, Oxford, Oxford University Press, 2001.

CASSESE (S.) et WRIGHT (V.) (dir.), *La Recomposition de l'État en Europe*, Paris, La Découverte 1996.

DONZELOT (J.) et ESTÈBE (P.), *L'État animateur*, Paris, Esprit, 1994.

GAUDIN (J.-P.), *Gouverner par contrat. L'action publique en question*, Paris, Presses de Sciences Po, 1999.

HOOD (C.), *The Tools of Government*, Chatham, Chatham House, 1986.

KING (D.), *Making Americans : Immigration, Race, and The Origins of The Diverse Democracy*, Cambridge (Mass.), Harvard University Press, 2000.

KING (D.), « The American State and Social Engineering : Policy Instruments in Affirmative Action », à paraître.

LASCOUMES (P.), *L'Écopouvoir, environnements et politiques*, Paris, La Découverte, 1996.

LASCOUMES (P.) et Valluy (J.), « Les activités publiques conventionnelles : un nouvel instrument de politique publique ? L'exemple de l'environnement industriel », *Sociologie du travail*, 4, 1996, p. 551-573.

LASCOUMES (P.), « L'obligation d'informer et de débattre ; une mise en public des données de l'action publique », dans J. GERSTLÉ (dir.), *Les Effets d'information en politique*, Paris, L'Harmattan, 2001, p. 303-321.

MORAN (M.), *The British Regulatory State : High Modernism and Hyper Innovation*, Oxford, Oxford University Press, 2003.

MORAND (C. A.), *L'État propulsif. Contribution à l'étude des instruments d'action de l'État*, Paris, Publisud, 1991.

OLSHAM (M. A.), « Standarts Making Organizations and the Rationalization of American Life », *Sociological Quarterly*, 34 (2), 1993, p. 319-335.

PAUL (T. V.), IKENBERRY (G. J.) et HALL (J. A.) (eds), *The Nation State in Question*, Princeton (N. J.), Princeton University Press, 2003.

WEAVER (R. K.), « Setting and Firing Policy Triggers », *Journal of Public Policy*, 9 (3), 1989, p. 307-336.

WEAVER (R. K.), « The Politics of Blame Avoidance », *Journal of Public Policy*, 6 (4), 1986, p. 371-398.

Domaine **Gouvernances**

Dirigé par Patrick Le Galès, Denis Segrestin et Michael Storper

Qui pilote les sociétés contemporaines ? Comment et pour quels résultats ? Que devient l'État ? Comment se recomposent les institutions ? Comment fonctionnent différents marchés ? Comment peut-on définir l'intérêt général ? Comment penser les organisations publiques, les marchés, les acteurs collectifs, les entreprises, les mouvements sociaux impliqués dans les politiques publiques et l'enchevêtrement des régulations sociales, politiques et économiques ?

Dernières parutions

Polices entre État et marché
Frédéric Ocqueteau
2004 / ISBN 2-7246-0943-3

L'Intégration européenne
Entre émergence institutionnelle et recomposition de l'État
Christian Lequesne et Yves Surel (dir.)
2004 / ISBN 2-7246-0934-4

À paraître
Qui gouverne l'entreprise en réseaux ?
Fabien Mariotti
2005 / ISBN 2-7246-0959-X

Collection **RÉFÉRENCES**

Dictionnaire des politiques publiques
Laurie Boussaguet, Sophie Jacquot et Pauline Ravinet (dir.)
2004 / ISBN 2-7246-0948-4

Achevé d'imprimer
Décembre 2004
Imprimé en France par Dupli-Print
2, rue Descartes
Z.I. Sezac - 95330 Domont
Tél : 01 39 35 54 54
Fax : 01 34 39 09 95
www.dupli-print.fr